普通話水平測試國家指導用書
國家語言文字工作委員會語言文字應用研究
“十五”科研規劃重點項目（ZDI 105—18—34）

普通話水平測試實施綱要

繁體字版

國家語言文字工作委員會普通話培訓測試中心編制
中華人民共和國教育部語言文字應用管理司組織審定

商務印書館
2007年·北京

圖書在版編目(CIP)數據

普通話水平測試實施綱要:繁體字版/國家語言文字工作委員會普通話培訓測試中心編. 一北京:商務印書館,2004
(普通話水平測試叢書)
ISBN 7-100-04175-9

I. 普... II. 國... III. 普通話一水平考試一自學參考資料 IV. H102

中國版本圖書館 CIP 數據核字(2004)第 048632 號

香港總經銷:文星圖書有限公司
地　　址:旺角西洋菜街 74-84 號旺角城市中心 1105-7 室
電　　話:2789-1030　2789-1736

PǓTŌNGHUÀ SHUǏPÍNG CÈSHÌ SHÍSHĪ GĀNGYÀO
普通話水平測試實施綱要
繁體字版
國家語言文字工作委員會普通話培訓測試中心編制

商 務 印 書 館 出 版
(北京王府井大街36號　郵政編碼 100710)
商 務 印 書 館 發 行
北京瑞古冠中印刷廠印刷
ISBN 7-100-04175-9/H·1035

2004年8月第1版　　開本 787×1092 1/16
2007年8月北京第5次印刷　　印張 31¼
印數 11 000 冊

定價: 60.00 圓

繁體字版説明

本版所用漢字以 1986 年國家語言文字工作委員會重新發表的《簡化字總表》和 1955 年中華人民共和國文化部、中國文字改革委員會聯合發布的《第一批异體字整理表》爲依據。字形以 1988 年國家語言文字工作委員會和中華人民共和國新聞出版署聯合發布的《現代漢語通用字表》爲準。

商務印書館編輯部

2004 年 7 月 12 日

《普通話水平測試大綱》學術委員會

顧　問

楊　光　教育部語言文字應用管理司司長

李宇明　教育部語言文字信息管理司司長、語言文字應用研究所所長(兼)、教授

學術委員會召集人

劉照雄　國家語委普通話培訓測試中心原主任、研究員

姚喜雙　教育部語言文字應用研究所副所長、國家語委普通話培訓測試中心主任、教授

委　員(按音序排列)

陳章太　國家語委研究員

方　明　中央人民廣播電臺播音指導

傅永和　國家語委研究員

侯精一　中國社會科學院語言研究所研究員

李如龍　厦門大學教授

厲　兵　教育部語言文字應用研究所研究員

林　燾　北京大學教授

陸儉明　北京大學教授

毛世楨　華東師範大學教授

宋欣橋　國家語委普通話培訓測試中心副教授

佟樂泉　教育部語言文字應用研究所研究員

王　均　國家語委研究員

邢福義　華中師範大學教授
于根元　北京廣播學院研究員
詹伯慧　暨南大學教授
張　頌　北京廣播學院教授
仲哲明　國家語委教授

學術委員會秘書

劉新珍　國家語委普通話培訓測試中心培訓處處長
王　暉　國家語委普通話培訓測試中心測試處副處長

《普通話水平測試實施綱要》課題
參與人員及分工

顧　問　楊光、李宇明

負責人　姚喜雙、劉照雄

統　籌　韓其洲、王暉（執行）、劉新珍、侯玉茹

總　論

執　筆　劉照雄

審　定　王均、仲哲明、姚喜雙

第一部分——普通話語音分析

執　筆　宋欣橋

審　定　王均、劉照雄、姚喜雙

第二部分——普通話水平測試用普通話詞語表

主　持　劉照雄、王暉

主要參加人員　宋欣橋、侯玉茹、孫海娜

審　定　仲哲明、姚喜雙、晁繼周、史定國

第三部分——普通話水平測試用普通話與方言詞語對照表

主　持　王暉、孫海娜

主要參加人員　陶寰（吴方言）、李如龍（閩方言）、詹伯慧（粵方言）、

謝留文(贛方言)、賴江基(客家方言)、鮑厚星(湘方言)

審　定　劉照雄、姚喜雙

第四部分——普通話水平測試用普通話與方言常見語法差异對照表

主　持　王暉、齊影

執　筆　于根元、仲哲明

審　定　陸儉明、劉照雄、姚喜雙

第五部分——普通話水平測試用朗讀作品

主　持　韓其洲、劉新珍

主要參加人員　侯玉茹、齊影、孫海娜、劉彦

湖南、湖北、江西、廣西、上海、天津、重慶七個省、自治區、直轄市培訓測試中心組織有關人員參與了前期的選編工作

審　定　劉照雄、姚喜雙、宋欣橋

第六部分——普通話水平測試用話題

主　持　侯玉茹

審　定　劉照雄、韓其洲

課題其他參與人員

技術統計　蕭航

漢語拼音注音　王新民

計算機操作　劉國輝

後期參與　陳茜、韓玉華

目　録

普通話水平測試大綱

（教育部　國家語委發教語用〔2003〕2號文件）

根據教育部、國家語言文字工作委員會發布的《普通話水平測試管理規定》《普通話水平測試等級標準》，制定本大綱。

一、測試的名稱、性質、方式

本測試定名爲“普通話水平測試”(PUTONGHUA SHUIPING CESHI，縮寫爲 PSC)。

普通話水平測試測查應試人的普通話規範程度、熟練程度，認定其普通話水平等級，屬於標準參照性考試。本大綱規定測試的內容、範圍、題型及評分系統。

普通話水平測試以口試方式進行。

二、測試内容和範圍

普通話水平測試的内容包括普通話語音、詞彙和語法。

普通話水平測試的範圍是國家測試機構編制的《普通話水平測試用普通話詞語表》《普通話水平測試用普通話與方言詞語對照表》《普通話水平測試用普通話與方言常見語法差异對照表》《普通話水平測試用朗讀作品》《普通話水平測試用話題》。

三、試卷構成和評分

試卷包括5個組成部分，满分爲100分。

（一）讀單音節字詞(100個音節，不含輕聲、兒化音節)，限時3.5分鐘，共10分。

1. 目的：測查應試人聲母、韵母、聲調讀音的標準程度。

2. 要求：

(1) 100個音節中,70%選自《普通話水平測試用普通話詞語表》"表一",30%選自"表二"。

(2) 100個音節中,每個聲母出現次數一般不少於3次,每個韵母出現次數一般不少於2次,4個聲調出現次數大致均衡。

(3) 音節的排列要避免同一測試要素連續出現。

3. 評分:

(1) 語音錯誤,每個音節扣0.1分。

(2) 語音缺陷,每個音節扣0.05分。

(3) 超時1分鐘以内,扣0.5分;超時1分鐘以上(含1分鐘),扣1分。

(二) 讀多音節詞語(100個音節),限時2.5分鐘,共20分。

1. 目的:測查應試人聲母、韵母、聲調和變調、輕聲、兒化讀音的標準程度。

2. 要求:

(1) 詞語的70%選自《普通話水平測試用普通話詞語表》"表一",30%選自"表二"。

(2) 聲母、韵母、聲調出現的次數與讀單音節字詞的要求相同。

(3) 上聲與上聲相連的詞語不少於3個,上聲與非上聲相連的詞語不少於4個,輕聲不少於3個,兒化不少於4個(應爲不同的兒化韵母)。

(4) 詞語的排列要避免同一測試要素連續出現。

3. 評分:

(1) 語音錯誤,每個音節扣0.2分。

(2) 語音缺陷,每個音節扣0.1分。

(3) 超時1分鐘以内,扣0.5分;超時1分鐘以上(含1分鐘),扣1分。

(三) 選擇判斷*,限時3分鐘,共10分。

1. 詞語判斷(10組)

(1) 目的:測查應試人掌握普通話詞語的規範程度。

(2) 要求:根據《普通話水平測試用普通話與方言詞語對照表》,列舉10組普通話與方言意義相對應但説法不同的詞語,由應試人判斷并讀出普通話的詞語。

(3) 評分:判斷錯誤,每組扣 0.25 分。

2. 量詞、名詞搭配(10 組)

(1) 目的:測查應試人掌握普通話量詞和名詞搭配的規範程度。

(2) 要求:根據《普通話水平測試用普通話與方言常見語法差异對照表》,列舉 10 個名詞和若干量詞,由應試人搭配并讀出符合普通話規範的 10 組名量短語。

(3) 評分:搭配錯誤,每組扣 0.5 分。

3. 語序或表達形式判斷(5 組)

(1) 目的:測查應試人掌握普通話語法的規範程度。

(2) 要求:根據《普通話水平測試用普通話與方言常見語法差异對照表》,列舉 5 組普通話和方言意義相對應,但語序或表達習慣不同的短語或短句,由應試人判斷并讀出符合普通話語法規範的表達形式。

(3) 評分:判斷錯誤,每組扣 0.5 分。

選擇判斷合計超時 1 分鐘以内,扣 0.5 分;超時 1 分鐘以上(含 1 分鐘),扣 1 分。答題時語音錯誤,每個錯誤音節扣 0.1 分;如判斷錯誤已經扣分,不重複扣分。

(四) 朗讀短文(1 篇,400 個音節),限時 4 分鐘,共 30 分。

1. 目的:測查應試人使用普通話朗讀書面作品的水平。在測查聲母、韵母、聲調讀音標準程度的同時,重點測查連讀音變、停連、語調以及流暢程度。

2. 要求:

(1) 短文從《普通話水平測試用朗讀作品》中選取。

(2) 評分以朗讀作品的前 400 個音節(不含標點符號和括注的音節)爲限。

3. 評分:

(1) 每錯 1 個音節,扣 0.1 分;漏讀或增讀 1 個音節,扣 0.1 分。

(2) 聲母或韵母的系統性語音缺陷,視程度扣 0.5 分、1 分。

(3) 語調偏誤,視程度扣 0.5 分、1 分、2 分。

(4) 停連不當,視程度扣 0.5 分、1 分、2 分。

(5) 朗讀不流暢(包括回讀),視程度扣 0.5 分、1 分、2 分。

(6) 超時扣1分。

(五) 命題説話,限時3分鐘,共30分。

1. 目的:測查應試人在無文字憑藉的情况下説普通話的水平,重點測查語音標準程度、詞彙語法規範程度和自然流暢程度。

2. 要求:

(1) 説話話題從《普通話水平測試用話題》中選取,由應試人從給定的兩個話題中選定1個話題,連續説一段話。

(2) 應試人單向説話。如發現應試人有明顯背稿、離題、説話難以繼續等表現時,主試人應及時提示或引導。

3. 評分:

(1) 語音標準程度,共20分。分六檔:

一檔:語音標準,或極少有失誤。扣0分、0.5分、1分。

二檔:語音錯誤在10次以下,有方音但不明顯。扣1.5分、2分。

三檔:語音錯誤在10次以下,但方音比較明顯;或語音錯誤在10次—15次之間,有方音但不明顯。扣3分、4分。

四檔:語音錯誤在10次—15次之間,方音比較明顯。扣5分、6分。

五檔:語音錯誤超過15次,方音明顯。扣7分、8分、9分。

六檔:語音錯誤多,方音重。扣10分、11分、12分。

(2) 詞彙語法規範程度,共5分。分三檔:

一檔:詞彙、語法規範。扣0分。

二檔:詞彙、語法偶有不規範的情况。扣0.5分、1分。

三檔:詞彙、語法屢有不規範的情况。扣2分、3分。

(3) 自然流暢程度,共5分。分三檔:

一檔:語言自然流暢。扣0分。

二檔:語言基本流暢,口語化較差,有背稿子的表現。扣0.5分、1分。

三檔:語言不連貫,語調生硬。扣2分、3分。

説話不足3分鐘,酌情扣分:缺時1分鐘以内(含1分鐘),扣1分、2分、3分;缺時1分鐘以上,扣4分、5分、6分;説話不滿30秒(含30秒),本測試項成績計爲0分。

四、應試人普通話水平等級的確定

國家語言文字工作部門發布的《普通話水平測試等級標準》是確定應試人普通話水平等級的依據。測試機構根據應試人的測試成績確定其普通話水平等級,由省、自治區、直轄市以上語言文字工作部門頒發相應的普通話水平測試等級證書。

普通話水平劃分爲三個級別,每個級別内劃分兩個等次。其中:

97 分及其以上,爲一級甲等;

92 分及其以上但不足 97 分,爲一級乙等;

87 分及其以上但不足 92 分,爲二級甲等;

80 分及其以上但不足 87 分,爲二級乙等;

70 分及其以上但不足 80 分,爲三級甲等;

60 分及其以上但不足 70 分,爲三級乙等。

*説明:各省、自治區、直轄市語言文字工作部門可以根據測試對象或本地區的實際情況,決定是否免測"選擇判斷"測試項。如免測此項,"命題説話"測試項的分值由 30 分調整爲 40 分。評分檔次不變,具體分值調整如下:

(1) 語音標準程度的分值,由 20 分調整爲 25 分。

一檔:扣 0 分、1 分、2 分。

二檔:扣 3 分、4 分。

三檔:扣 5 分、6 分。

四檔:扣 7 分、8 分。

五檔:扣 9 分、10 分、11 分。

六檔:扣 12 分、13 分、14 分。

(2) 詞彙語法規範程度的分值,由 5 分調整爲 10 分。

一檔:扣 0 分。

二檔:扣 1 分、2 分。

三檔:扣 3 分、4 分。

(3) 自然流暢程度,仍爲 5 分,各檔分值不變。

總　論

一、導　語

國家推廣全國通用的普通話。普通話是以漢語文授課的各級各類學校的教學用語；是以漢語傳送的各級廣播電臺、電視臺和漢語電影、電視劇、話劇必須使用的規範用語；是我國黨政機關、團體、企事業單位幹部在工作中必須使用的公務用語；是不同方言區以及國内不同民族之間人們的交際用語。

2000 年 10 月 31 日，第九屆全國人民代表大會常務委員會第十八次會議通過的《中華人民共和國國家通用語言文字法》第十九條規定："凡以普通話作爲工作語言的崗位，其工作人員應當具備説普通話的能力。

以普通話作爲工作語言的播音員、節目主持人和影視話劇演員、教師、國家機關工作人員的普通話水平，應當分别達到國家規定的等級標準；對尚未達到國家規定的普通話等級標準的，分别情况進行培訓。"

第二十四條規定："國務院語言文字工作部門頒布普通話水平測試等級標準。"

掌握和使用一定水平的普通話，是進行現代化建設的各行各業人員，特别是播音員、節目主持人、教師、影視話劇演員以及國家機關工作人員必備的職業素質。因此，有必要對上述崗位的從業人員進行普通話水平測試，并逐步實行持等級證書上崗制度。

普通話是漢民族的共同語，是規範化的現代漢語；是全國通用的語言。共同的語言和規範化的語言是不可分割的，没有一定的規範就不可能做到真正的共同。普通話的規範指的是現代漢語在語音、詞彙、語法各方面的標準。普通話水平測試是推廣普通話工作的重要組成部分，是使推廣普通話工作逐步走向制度化、科學化、規範化的重要舉措。推廣普通話促進語言規範化，是漢語發展的總趨勢。普通話水平測試工作的健康開展必將對社會的語言生活産生深遠的影響。

漢語方言複雜，語音乃至詞彙、語法因時因地而异。毋庸諱言，有的地方話較爲接近普通話，有的地方話則與普通話存在較大的差异。進行普通話水平測試必須堅持統一的標準，堅持測試工作的科學性和嚴肅性。鑒於普通話在一些方言區還不够普及，提高工作還需要逐步强化,從實際出發,在一段時間内,對不同方言區在要求上應該有所區别。

爲了突出語音檢測的要求,普通話水平測試一律采用口試方式。測試的内容包括有文字憑藉的和没有文字憑藉的兩部分。有文字憑藉的測試項應分别體現語音、詞彙、語法和閱讀理解與朗讀程度的檢測,各類題目要有明確的目的、要求;無文字憑藉的説話部分,全面(語音、詞彙、語法)檢測和評估應試人使用普通話時所達到的規範程度。測試題目必須儘可能兼顧信度和效度的統一。按照《普通話水平測試大綱》的規定和《普通話水平測試實施綱要》的要求,建立普通話水平測試國家題庫,在計算機生成試卷的基礎上,進行必要的專業人員的干預,確實保证試卷的質量。

二、試卷構成、測試時間和評分

試卷包括 5 個組成部分,滿分爲 100 分。

(一)讀單音節字詞(100 個音節,不含輕聲、兒化音節),限時 3.5 分鐘,共 10 分。

1. 目的:測查應試人聲母、韵母、聲調讀音的標準程度。

2. 要求:

(1) 字詞的 70%選自《普通話水平測試用普通話詞語表》"表一"(帶 * 的字詞占 40%,不帶 * 的字詞占 30%);另外 30%選自"表二"。

(2) 100 個音節中,每個聲母出現次數一般不少於 3 次,不超過 6 次;每個韵母出現次數一般不少於 2 次(個别韵母另有提示),不超過 4 次。4 個聲調出現次數大致均衡。

根據《普通話水平測試實施綱要》詞表累計出現的 3.1 萬多個音節(以此項資料爲主)和 60 篇朗讀作品裏聲母、韵母出現的統計資料,聲母、韵母的選定數應該有相對的幅度。

聲母選定的幅度(按在詞表中出現的比例和培訓、測試的需要分檔排序):

6~3 次—ø聲母 d l j q x zh ch sh

5~3 次— b m f t g h z

3~2 次— p n k r c s

韵母選定的幅度:

4~3 次 — i, u, ian, ing, an, -i(後), ong, ao, ang, e, eng, uei,ai(以上共 13 個韵母);

3~2 次 — en, iao, uan, in, ou, a, ü, uo, -i(前),uen, iou, ie,iang, ei, uang, ia, üe(以上共 17 個韵母);

2~1 次 — ua, o, üan, uai, iong, ün(以上共 6 個韵母);

1～0 次 — er，ueng(以上共 2 個韵母)。

計算機擬卷程序應符合上述要求。在對計算機擬制的試卷進行必要的人工干預時，允許個别(一定是個别的)變動聲母、韵母的出現次數。

(3)音節的排列要避免同一測試要素連續出現。

3. 評分：

(1) 語音錯誤，每個音節扣 0.1 分。

(2) 讀音缺陷，每個音節扣 0.05 分。

(3) 超時 1 分鐘以内，扣 0.5 分；超時 1 分鐘以上(含 1 分鐘)，扣 1 分。

語音缺陷在此項裏主要是指聲母的發音部位不够準確，但還不是把普通話裏的某一類聲母讀成另一類聲母，比如舌面前音 j、q、x，讀得接近 z、c、s；或者把普通話裏的某一類聲母的正確發音部位用較接近的部位代替，比如把舌面前音讀得接近舌葉音；或者讀翹舌音聲母時舌尖接觸或接近上腭的位置過於靠後或靠前等。韵母讀音的缺陷多表現爲合口呼、撮口呼的韵母圓唇度明顯不够，語感差；或者開口呼的韵母開口度明顯不够，聽感性質明顯不符；或者複韵母舌位動程不够等。聲調調形、調勢基本正確，但調值明顯偏低或偏高，特别是四聲的相對高點或低點明顯不一致。

(二)讀多音節詞語(100 個音節；其中含雙音節詞語 45～47 個，三音節詞語 2 個，4 音節詞語 1～0 個)，限時 2.5 分鐘，共 20 分。

1. 目的：測查應試人聲母、韵母、聲調和變調、輕聲、兒化讀音的標準程度。

2. 要求：

(1) 詞語的 70%選自《普通話水平測試用普通話詞語表》“表一”；30%選自“表二”。

(2) 聲母、韵母、聲調出現的次數與單音節字詞的要求相同。

(3) 上聲和上聲連讀的詞語不少於 3 個，上聲(在前)和其他聲調(陰平、陽平、去聲、輕聲)連讀的詞語不少於 4 個，輕聲詞語不少於 3 個；兒化詞語不少於 4 個(應爲不同的兒化韵母)。

(4) 詞語的排列避免同一測試要素的集中出現。

3. 評分：

(1) 語音錯誤，每個音節扣 0.2 分。

(2) 語音缺陷，每個音節扣 0.1 分。

(3) 超時 1 分鐘以内，扣 0.5 分；超時 1 分鐘以上(含 1 分鐘)，扣 1 分。

語音缺陷除跟(一)項内相同的以外，還包括變調、輕聲、兒化韵讀音不完全合要求的情况。

(一)和(二)兩項都有同樣語音缺陷的,兩項分别都扣分。

(三) 選擇判斷*,限時3分鐘,共10分。

1. 詞語判斷(10組)

(1)目的: 測查應試人掌握普通話詞語的規範程度。

(2)要求:根據《普通話水平測試用普通話與方言詞語對照表》列舉10組普通話與方言意義相對應但説法不同的詞語,由應試人判斷并讀出普通話的詞語。

(3)評分:判斷錯誤,每組扣0.25分。

2. 量詞、名詞搭配(10組)

(1)目的:測查應試人掌握普通話量詞和名詞搭配的規範程度。

(2)要求:根據《普通話水平測試用普通話常見量詞、名詞搭配表》列舉10個名詞和若干個量詞,由應試人搭配并讀出符合普通話規範的10組名量短語。

(3)評分:搭配錯誤,每組扣0.5分。

3. 語序或表達形式判斷(5組)

(1)目的:測查應試人掌握普通話語法的規範程度。

(2)要求:根據《普通話水平測試用普通話與方言常見語法差异對照表》,列舉5組普通話和方言意義相對應,但語序或表達習慣不同的短語或短句,由應試人判斷并讀出符合普通話語法規範的表達形式。

(3)評分:判斷錯誤,每組扣0.5分。

選擇判斷合計超時1分鐘以内,扣0.5分;超時1分鐘以上(含1分鐘),扣1分。

答題時語音錯誤,每個錯誤音節扣0.1分,如判斷錯誤已經扣分,不重複扣分。

(四)朗讀短文(1篇,400個音節),限時4分鐘,共30分。

1. 目的:測查應試人使用普通話朗讀書面作品的水平。在測查聲母、韵母、聲調讀音標準程度的同時,重點測查連讀音變、停連、語調以及流暢程度。

2. 要求:

(1)短文從《普通話水平測試用朗讀作品》中選取。

(2)評分以朗讀作品的前400個音節(不含標點符號和括注的音節)爲限,但應試人應將第400個音節所在的句子讀完整。

3. 評分:

(1)每錯1個音節,扣0.1分;漏讀或增讀1個音節,扣0.1分。

(2)聲母或韵母系統性缺陷,視程度扣0.5分、1分。

(3)語調偏誤,視程度扣0.5分、1分、2分。

(4)停連不當,視程度扣0.5分、1分、2分。

(5)朗讀不流暢(包括回讀),視程度扣 0.5 分、1 分、2 分。

(6)超時扣 1 分。

應該把規定的 60 篇朗讀作品作爲訓練的總體要求,做到選讀任何一篇都能基本反映應試人的朗讀水平。

(五)命題說話,限時 3 分鐘,共 30 分。

1.目的:測查應試人在無文字憑藉的情况下說普通話的水平,重點測查語音標準程度,詞彙、語法規範程度和自然流暢程度。

2.要求:

(1)說話話題從《普通話水平測試用話題》中選取。由應試人從給定的兩個話題中選定 1 個話題,連續說一段話。

(2)應試人單向說話。如發現應試人有背稿、離題或說話難以繼續等表現時,主試人應及時提示或引導。

3.評分:

(1)語音標準程度,共 20 分。分六檔:

一檔:語音標準,或極少有失誤。扣 0 分、0.5 分、1 分。

二檔:語音錯誤在 10 次以下,有方音但不明顯。扣 1.5 分、2 分。

三檔:語音錯誤在 10 次以下,但方音比較明顯;或語音錯誤在 10 次～15 次之間,有方音但不明顯。扣 3 分、4 分。

四檔:語音錯誤在 10 次～15 次之間,方音比較明顯。扣 5 分、6 分。

五檔:語音錯誤超過 15 次,方音明顯。扣 7 分、8 分、9 分。

六檔:語音錯誤多,方音重。扣 10 分、11 分、12 分。

(2)詞彙、語法規範程度,共 5 分。分三檔:

一檔:詞彙、語法規範。扣 0 分。

二檔:詞彙、語法偶有不規範的情况。扣 0.5 分、1 分。

三檔:詞彙、語法屢有不規範的情况。扣 2 分、3 分。

(3)自然流暢程度,共 5 分。分三檔:

一檔:語言自然流暢,扣 0 分。

二檔:語言基本流暢,口語化較差,有類似背稿子的表現。扣 0.5 分、1 分。

三檔:語言不連貫,語調生硬。扣 2 分、3 分。

說話不足 3 分鐘,酌情扣分:缺時 1 分鐘以内(含 1 分鐘),扣 1 分、2 分、3 分;缺時 1 分鐘以上,扣 4 分、5 分、6 分;說話不滿 30 秒(含 30 秒),本測試項成績計爲 0 分。

三、樣卷(人工擬卷)

(一) 讀 100 個單音節字詞

書	*八	迷	*先	氈	*皮	幕	*美	徹	*飛
鳴	*破	捶	*風	豆	*蹲	霞	*掉	桃	*定
宮	*鐵	翁	*念	勞	*天	旬	*溝	狼	*口
靴	*娘	嫩	*機	蕊	*家	跪	*絶	趣	*全
瓜	*窮	屢	*知	狂	*正	裘	*中	恒	*社
槐	*事	轟	*竹	掠	*茶	肩	*常	概	*蟲
皇	*水	君	*人	伙	*自	滑	*早	絹	*足
炒	*次	渴	*酸	勤	*魚	篩	*院	腔	*愛
鱉	袖	濱	豎	搏	刷	瞟	帆	彩	憤
司	膝	寸	巒	岸	勒	歪	爾	熊	妥

(標 * 的是“表一 ”裏按頻率排在第 1—4000 條之間的字詞。正式試卷不必標出。)

覆蓋聲母情況:

b:4, p:3, m:4, f:4, d:4, t:5, n:3, l:6, g:5, k:3, h:6, j:6, q:6, x:6, zh:6, ch:6, sh:6, r:2, z:3, c:3, s:2, 零聲母:7。

總計:100 次。未出現聲母:0。

覆蓋韻母情況:

a:2, e:4, -i(前):3, -i(後):2, ai:4, ei:2, ao:4, ou:4, an:3, en:3, ang:3, eng:4, i:3, ia:2, ie:2, iao:2, iou:2, ian:4, in:2, iang:2, ing:2, u:4, ua:3, uo/o:4, uai:2, uei:4, uan:2, uen:2, uang:2, ong:4, ueng:1, ü:3, üe:3, üan:2, ün:2, iong:2, er:1。

總計:100 次。未出現韻母:0。

覆蓋聲調情況:

陰平:28；陽平:31；上聲:14；去聲:27。

總計:100。

(二) 讀多音節詞語(100 個音節;其中含雙音節詞語 45 個,三音節詞語 2 個,4 音節詞語 1 個)

*取得 陽臺 *兒童 夾縫兒 混淆 衰落 *分析 防禦
沙丘 *管理 *此外 便宜 光環 *塑料 扭轉 加油
*隊伍 挖潛 女士 *科學 *手指 策略 搶劫 *森林
僑眷 模特兒 港口 没準兒 *乾净 日用 *緊張 熾熱
*群衆 名牌兒 沉醉 *快樂 窗户 *財富 *應當 生字
奔跑 *晚上 卑劣 包裝 灑脱 *現代化 *委員會
輕描淡寫

覆蓋聲母情况:

b:3, p:3, m:4, f:4, d:5, t:4, n:2, l:7, g:4, k:3, h:5, j:6, q:7, x:5, zh:6, ch:3, sh:6, r:2, z:2, c:3, s:3, 零聲母:13。

總計:100 次。未出現聲母:0。

覆蓋韵母情况:

a:2, e:6, -i(前):2, -i(後):4, ai:4, ei:2, ao:2, ou:2, an:2, en:4, ang:5, eng:2, i:3, ia:2, ie:3, iao:4, iou:3, ian:3, in:2, iang:2, ing:4, u:4, ua:2, uo/o:3, uai:3, uei:4, uan:4, uen:2, uang:3, ong:2, ü:3, üe:2, üan:2, ün:1, iong:1, er:1。

總計:100 次。未出現韵母:ueng。

其中兒化韵母 4 個:-engr(夾縫兒),-uenr(没準兒),-er(模特兒),-air(名牌兒)。

覆蓋聲調情况:

陰平:23；陽平:24；上聲:19；去聲:30；輕聲:4。

其中上聲和上聲相連的詞語 4 條:管理,扭轉,手指,港口。

總計:100。

(三) 選擇判斷*(爲便於瞭解題意,樣題顯示答案)

1. 詞語判斷:請判斷并讀出下列 10 組詞語中的普通話詞語。

(1) 如嶄　**現在**　而家　今下　目下

(2) 瞞人　邊個　**誰**　啥儂　啥人

(3) 爲麼子　做脉個　**爲什麽**　爲什裏　爲啥　爲怎樣

(4) **細小**　細粒　幼細　异細

(5) 後生子　後生崽裏　後生家　後生仔　**小夥子**

(6) 日裏嚮　日裏　**白天**　日上　日頭　日時　日辰頭

(7) **嬰兒**　毛它　冒牙子　蘇蝦仔　嬰仔　啊伢欸

(8) 螞蟻子　螞蠅裏　狗蟻　蟻公　**螞蟻**

(9)**這裏**　個搭　咯裏　個裏　呢處　即搭

(10)早上嚮　**早晨**　早間裏　朝早　朝辰頭

2. 量詞、名詞搭配：請按照普通話規範搭配并讀出下列數量名短語。

(例如：一　→ 個 只 粒
↓
人　)

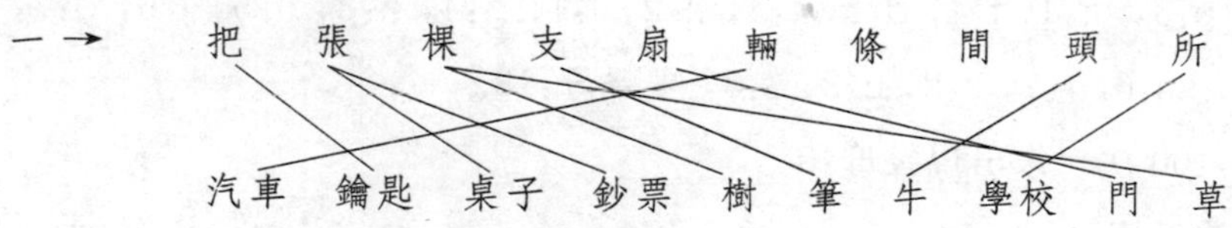

3. 語序或表達形式判斷：請判斷并讀出下列5組句子裏的普通話句子。

(1)**他大約要兩三個月纔能回來。**

他大約要二三個月纔能回來。

(2)他好好可愛。

他非常可愛。

他上可愛。

(3)你去去逛街?

你去不去逛街?

(4) 你矮我。

你比我過矮。

你比我矮。

你比較矮我。

你比我較矮。

(5)**那部電影我看過。**

那部電影我有看。

(四) 朗讀短文:請朗讀第12號短文。

(五) 命題説話:請按照話題"我的業餘生活"或"我熟悉的地方"説一段話(3分鐘)。

*説明:各省(自治區、直轄市)語言文字工作部門可以根據測試對象或本地區的實際情況,決定是否免測"選擇判斷"測試項。如免測此項,"命題説話"測試項的分值由30分調整爲40分。評分檔次不變,具體分值調整如下:

(1)語音標準程度的分值,由20分調整爲25分。

一檔:扣0分、1分、2分。

二檔:扣3分、4分。

三檔:扣5分、6分。

四檔:扣7分、8分。

五檔:扣9分、10分、11分。

六檔:扣12分、13分、14分。

(2)詞彙、語法規範程度的分值,由5分調整爲10分。

一檔:扣0分。

二檔:扣1分、2分。

三檔:扣3分、4分。

(3)自然流暢程度,各檔分值不變。

第一部分

普通話語音分析

普通話以北京語音爲標準音。普通話語音系統主要包括聲母、韵母、聲調、音節,以及變調、輕聲、兒化、語調等。

分述如下:

一、聲　母

普通話的聲母包括零聲母在内共22個。(拼音後爲例字,下同)

b	巴步别	p	怕盤撲	m	門謀木	f	飛付浮		
d	低大奪	t	太同突	n	南牛怒			l	來吕路
g	哥甘共	k	枯開狂			h	海寒很		
j	即結净	q	齊求輕			x	西袖形		
zh	知照鍘	ch	茶産唇			sh	詩手生	r	日鋭榮
z	資走坐	c	慈蠶存			s	絲散頌		

零聲母　安言忘雲

普通話22個聲母中有21個由輔音充當,我們可以根據輔音的發音部位和發音方法給聲母分類。

1. 按發音部位分類

普通話的輔音聲母可以按發音部位分爲三大類,細分爲七個部位。

(1) 唇音　以下唇爲主動器官,普通話又細分爲兩個發音部位:

雙唇音:上唇和下唇閉合構成阻礙。普通話有3個:b、p、m。

唇齒音(也叫"齒唇音"):下唇和上齒靠攏構成阻礙。普通話只有1個:f。

(2) 舌尖音 以舌尖爲主動器官,普通話又細分爲三個發音部位:

舌尖前音(也叫平舌音):舌尖向上門齒背接觸或接近構成阻礙。普通話有3個:z、c、s。

舌尖中音:舌尖和上齒齦(即上牙床)接觸構成阻礙。普通話有4個:d、t、n、l。

舌尖後音(也叫翹舌音):舌尖向硬腭的最前端接觸或接近構成阻礙。普通話有4個:zh、ch、sh、r。

(3) 舌面音 以舌面爲主動器官,普通話又細分爲兩個發音部位:

舌面前音:舌面前部向硬腭前部接觸或接近構成阻礙。普通話有3個:j、q、x。

舌面後音(也叫"舌根音"):舌面後部向硬腭和軟腭的交界處接觸或接近構成阻礙。普通話聲母有3個:g、k、h。

聲母由輔音構成。輔音是氣流呼出時,在口腔某個部位遇到程度不同的阻礙構成的。我們把起始階段叫"成阻",持續階段叫"持阻",阻礙解除的階段叫"除阻"。

2. 按發音方法分類

普通話輔音聲母的發音方法有以下五種:

(1) 塞音 成阻時發音部位完全形成閉塞;持阻時氣流積蓄在阻礙的部位之後;除阻時受阻部位突然解除阻塞,使積蓄的氣流透出,爆發破裂成聲。普通話有6個塞音:b、p、d、t、g、k。

(2) 鼻音 成阻時發音部位完全閉塞,封閉口腔通路;持阻時,軟腭下垂,打開鼻腔通路,聲帶振動,氣流到達口腔和鼻腔,氣流在口腔受到阻礙,由鼻腔透出成聲;除阻時口腔阻礙解除。鼻音是鼻腔和口腔的雙重共鳴形成的。鼻腔是不可調節的發音器官。不同音質的鼻音是由於發音時在口腔的不同部位阻塞,造成不同的口腔共鳴狀態而形成的。普通話有2個鼻音聲母:m、n。

(3) 擦音 成阻時發音部位之間接近,形成適度的間隙;持阻時,氣流從窄縫中間摩擦成聲;除阻時發音結束。普通話有6個擦音:f、h、x、sh、s、r。

(4) 邊音 普通話衹有一個舌尖中的邊音:l。舌尖和上齒齦(上牙床)稍後的部位接觸,使口腔中間的通道阻塞;持阻時聲帶振動,氣流從舌頭兩邊與兩頰内側形成的空隙通過,透出成聲;除阻時發音結束。

(5) 塞擦音 是以"塞音"開始,以"擦音"結束。由於塞擦音的"塞"和"擦"是同部位的,"塞音"的除阻階段和"擦音"的成阻階段融爲一體,兩者結合得很緊密。普通話有6個塞擦音:j、q、zh、ch、z、c。

普通話的輔音聲母還有"送氣音"與"不送氣音"、"清音"與"濁音"的區别。

普通話衹有塞音和塞擦音區分送氣音和不送氣音。

送氣音　這類輔音發音時氣流送出比較快和明顯，由於除阻後聲門大開，流速較快，在聲門以及聲門以上的某個狹窄部位造成摩擦，形成送氣音。普通話有 6 個送氣音：p、t、k、q、ch、c。

不送氣音　指發音時，沒有送氣音特徵，又同送氣音形成對立的音。普通話有 6 個不送氣音：b、d、g、j、zh、z。

普通話有 4 個濁輔音聲母：m、n、l、r。普通話除了 4 個濁輔音聲母外，其餘輔音聲母都是清音，它們是：b、p、f、d、t、g、k、h、j、q、x、zh、ch、sh、z、c、s。

普通話聲母的發音分析：

b [p] 雙唇不送氣清塞音

雙唇閉合，同時軟腭上升，關閉鼻腔通路；氣流到達雙唇後蓄氣；憑藉積蓄在口腔中的氣流突然打開雙唇成聲。

發音例詞：

頒布 bānbù	板報 bǎnbào	褒貶 bāobiǎn
步兵 bùbīng	標本 biāoběn	辨別 biànbié

p [p‘] 雙唇送氣清塞音

成阻和持阻階段與 b 相同。不同的是除阻時，聲門（聲帶開合處）開啓，從肺部呼出一股較强氣流成聲。

發音例詞：

批評 pīpíng	偏旁 piānpáng	乒乓 pīngpāng
匹配 pǐpèi	瓢潑 piáopō	偏僻 piānpì

m [m] 雙唇鼻音

雙唇閉合，軟腭下垂，打開鼻腔通路；聲帶振動，氣流同時到達口腔和鼻腔，在口腔的雙唇後受到阻礙，氣流從鼻腔透出成聲。

發音例詞：

麥苗 màimiáo	眉目 méimù	門面 ménmiàn
磨滅 mómiè	命名 mìngmíng	迷茫 mímáng

f [f] 唇齒清擦音

下唇向上門齒靠攏，形成間隙；軟腭上升，關閉鼻腔通路；使氣流從齒唇形成的間隙摩擦通過而成聲。

發音例詞：

發奮 fāfèn	反復 fǎnfù	方法 fāngfǎ

仿佛 fǎngfú　　肺腑 fèifǔ　　豐富 fēngfù

d [t] 舌尖中不送氣清塞音

舌尖抵住上齒齦，形成阻塞；軟腭上升，關閉鼻腔通路；氣流到達口腔後蓄氣，突然解除阻塞成聲。

發音例詞：

達到 dádào　　帶動 dàidòng　　單調 dāndiào

當初 dāngchū　　道德 dàodé　　等待 děngdài

t [t‘] 舌尖中送氣清塞音

成阻、持阻階段與 d 相同。不同的是除阻階段聲門開啓，從肺部呼出一股較强的氣流成聲。

發音例詞：

談吐 tántǔ　　探討 tàntǎo　　淘汰 táotài

體貼 tǐtiē　　團體 tuántǐ　　妥帖 tuǒtiē

n [n] 舌尖中鼻音

舌尖抵住上齒齦，形成阻塞；軟腭下垂，打開鼻腔通路；聲帶振動，氣流同時到達口腔和鼻腔，在口腔受到阻礙，氣流從鼻腔透出成聲。

發音例詞：

奶牛 nǎiniú　　男女 nánnǚ　　惱怒 nǎonù

能耐 néngnai　　泥濘 nínìng　　農奴 nóngnú

l [l] 舌尖中邊音

舌尖抵住上齒齦的後部，阻塞氣流從口腔中路通過的通道；軟腭上升，關閉鼻腔通路，聲帶振動；氣流到達口腔後從舌頭跟兩頰内側形成的空隙通過而成聲。

發音例詞：

拉力 lālì　　利落 lìluo　　流利 liúlì

履歷 lǚlì　　羅列 luóliè　　輪流 lúnliú

g [k] 舌面後不送氣清塞音

舌面後部隆起抵住硬腭和軟腭交界處，形成阻塞；軟腭上升，關閉鼻腔通路；氣流在形成阻塞的部位後積蓄；突然解除阻塞而成聲。

發音例詞：

杠杆 gànggǎn　　高貴 gāoguì　　更改 gēnggǎi

觀光 guānguāng　　灌溉 guàngài　　光顧 guānggù

k [k‘] 舌面後送氣清塞音

成阻、持阻階段與 g 相同。不同的是除阻階段聲門開啓，從肺部呼出一股較强的氣流成聲。

發音例詞：

開墾 kāikěn　　苛刻 kēkè　　刻苦 kèkǔ

空曠 kōngkuàng　　寬闊 kuānkuò　　困苦 kùnkǔ

h [x] 舌面後清擦音

舌面後部隆起接近硬腭和軟腭的交界處，形成間隙；軟腭上升，關閉鼻腔通路；使氣流從形成的間隙摩擦通過而成聲。

發音例詞：

航海 hánghǎi　　呼唤 hūhuàn　　花卉 huāhuì

謊話 huǎnghuà　　揮霍 huīhuò　　悔恨 huǐhèn

j [tɕ] 舌面前不送氣清塞擦音

舌尖抵住下門齒背，使舌面前貼緊硬腭前部，軟腭上升，關閉鼻腔通路。在阻塞的部位後面積蓄氣流，突然解除阻塞時，在原形成閉塞的部位之間保持適度的間隙，使氣流從間隙透出而成聲。

發音例詞：

積極 jījí　　傢具 jiājù　　堅决 jiānjué

講解 jiǎngjiě　　捷徑 jiéjìng　　軍艦 jūnjiàn

q [tɕʻ] 舌面前送氣清塞擦音

成阻階段與 j 相同。不同的是當舌面前與硬腭前部分離并形成適度間隙的時候，聲門開啓，從肺部呼出一股較强的氣流成聲。

發音例詞：

齊全 qíquán　　恰巧 qiàqiǎo　　親切 qīnqiè

情趣 qíngqù　　請求 qǐngqiú　　缺勤 quēqín

x [ɕ] 舌面前清擦音

舌尖抵住下齒背，使舌面前接近硬腭前部，形成適度的間隙，氣流從空隙摩擦通過而成聲。

發音例詞：

喜訊 xǐxùn　　現象 xiànxiàng　　學習 xuéxí

心胸 xīnxiōng　　行星 xíngxīng　　選修 xuǎnxiū

zh [tʂ] 舌尖後不送氣清塞擦音

舌頭前部上舉，抵住硬腭前端，同時軟腭上升，關閉鼻腔通路。在形成阻塞的部位後積蓄氣流，突然解除阻塞時，在原形成閉塞的部位之間保持適度的間隙，使氣流從間隙透出而成聲。

發音例詞：

戰爭 zhànzhēng　真正 zhēnzhèng　政治 zhèngzhì

支柱 zhīzhù　制止 zhìzhǐ　周轉 zhōuzhuǎn

ch [tʂ‘] 舌尖後送氣清塞擦音

成阻階段與 zh 相同。不同的是在突然解除阻塞時，聲門開啓，從肺部呼出一股較强的氣流成聲。

發音例詞：

超産 chāochǎn　抽查 chōuchá　橱窗 chúchuāng

戳穿 chuōchuān　馳騁 chíchěng　充斥 chōngchì

sh [ʂ] 舌尖後清擦音

舌頭前部上舉，接近硬腭前端，形成適度的間隙；同時軟腭上升，關閉鼻腔通路；使氣流從間隙摩擦通過而成聲。

發音例詞：

賞識 shǎngshí　少數 shǎoshù　設施 shèshī

神聖 shénshèng　事實 shìshí　舒適 shūshì

r [ʐ] 舌尖後濁擦音

發音部位與 sh 相同。不同的是聲帶振動，摩擦輕微。

發音例詞：

忍讓 rěnràng　仍然 réngrán　榮辱 róngrǔ

如若 rúruò　軟弱 ruǎnruò　閏日 rùnrì

z [ts] 舌尖前不送氣清塞擦音

舌尖抵住上門齒背形成阻塞，在阻塞的部位後積蓄氣流；同時軟腭上升，關閉鼻腔通路；突然解除阻塞時，在原形成阻塞的部位之間保持適度的間隙，使氣流從間隙透出而成聲。

發音例詞：

在座 zàizuò　造作 zàozuò　自尊 zìzūn

總則 zǒngzé　祖宗 zǔzong　罪責 zuìzé

c [ts‘] 舌尖前送氣清塞擦音

成阻階段與 z 相同。不同的是在突然解除阻塞時，聲門開啓，從肺部呼出一股較强的氣流成聲。

發音例詞：

猜測 cāicè	殘存 cáncún	倉促 cāngcù
從此 cóngcǐ	催促 cuīcù	措辭 cuòcí

s［s］舌尖前清擦音

舌尖接近上門齒背，形成間隙；同時軟腭上升，關閉鼻腔通路；使氣流從間隙摩擦通過成聲。

發音例詞：

灑掃 sǎsǎo	鬆散 sōngsǎn	訴訟 sùsòng
瑣碎 suǒsuì	思索 sīsuǒ	速算 sùsuàn

零聲母

零聲母也是一種聲母。實驗語音學證明，零聲母往往也有特定的、具有某些輔音特性的起始方式。普通話零聲母可以分爲兩類，一類是開口呼零聲母，一類是非開口呼零聲母。

非開口呼零聲母，即除開口呼以外的齊齒呼、合口呼、撮口呼三種零聲母的起始方式：

齊齒呼零聲母音節漢語拼音用隔音字母 y 開頭，由於起始部分没有輔音聲母，實際發音帶有輕微摩擦，是半元音［j］，半元音仍屬輔音類。合口呼零聲母音節漢語拼音用隔音字母 w 開頭，實際發音帶有輕微摩擦，是半元音［w］或齒唇通音［ʋ］。撮口呼零聲母音節漢語拼音用隔音字母 y(yu)開頭，實際發音帶有輕微的摩擦，是半元音［ɥ］。

開口呼零聲母漢語拼音字母不表示。不經過專門的語音訓練，人們一般感覺不到以 a、o、e 開頭的音節還有微弱的輔音（喉塞音［ʔ］或舌面後濁擦音［ɣ］）存在，因爲這些音節開頭的輔音成分没有辨義作用，我們可以忽略不計。

發音例詞：

恩愛 ēn'ài	偶爾 ǒu'ěr	額外 éwài	洋溢 yángyì
謠言 yáoyán	醫藥 yīyào	萬物 wànwù	忘我 wàngwǒ
威望 wēiwàng	永遠 yǒngyuǎn	踴躍 yǒngyuè	孕育 yùnyù

二、韵　母

普通話的韵母共有 39 個。

		i	閉地七益	u	布畝竹出	ü	女律局域
a	巴打鍘法	ia	加佳瞎壓	ua	瓜抓刷畫		

	i 衣…		
e 哥社得合	ie 爹界別葉		üe 靴月略確
o （波魄抹佛）		uo 多果若握	
ai 該太白麥		uai 怪壞帥外	
ei 杯飛黑賊		uei 對穗惠衛	
ao 包高茂勺	iao 標條交藥		
ou 頭周口肉	iou 牛秋九六		
an 半擔甘暗	ian 邊點減烟	uan 短川關碗	üan 捐全遠
en 本分枕根	in 林巾心因	uen 吞寸昏問	ün 軍訓孕
ang 當方港航	iang 良江向樣	uang 壯窗荒王	
eng 蓬燈能庚	ing 冰丁京杏	ueng 翁	
		ong 東龍冲公	iong 兄永窮

ê 欸

-i(前) 資此思

-i(後) 支赤濕日

er 耳二

普通話39個韵母中23個由元音(單元音或複合元音)充當,16個由元音附帶鼻輔音韵尾構成。普通話韵母的韵頭有i-、u-、ü-三個。韵尾有四個,其中兩個元音韵尾-i、-u(包括漢語拼音的拼寫形式-o,如ao、iao中的-o)和兩個輔音韵尾-n、-ng。

普通話的韵母可以分成單韵母、複韵母、鼻韵母三大類:普通話有10個單韵母,即:a、o、e、ê、i、u、ü、-i(前)、-i(後)、er。有13個複韵母,即:ai、ei、ao、ou、ia、ie、ua、uo、üe、iao、iou、uai、uei。有16個鼻韵母,即:an、en、in、ün、ang、eng、ing、ong、ian、uan、üan、uen、iang、uang、ueng、iong。

漢語音韵學還根據韵母開頭的實際發音把韵母分爲"開口呼""齊齒呼""合口呼""撮口呼"四類。普通話有15個開口呼韵母:a、o、e、ai、ei、ao、ou、an、en、ang、eng、ê、-i(前)、-i(後)、er。有9個齊齒呼韵母:i、ia、ie、iao、iou、ian、in、iang、ing。有10個合口呼韵母:u、ua、uo、uai、uei、uan、uen、uang、ueng、ong。有5個撮口呼韵母:ü、üe、üan、ün、iong。

普通話韵母的發音分析

1. 單韵母(單元音)的發音:

a [A] 央低不圓唇元音

口大開，舌尖微離下齒背，舌面中部微微隆起和硬腭後部相對。發音時，聲帶振動，軟腭上升，關閉鼻腔通路。

發音例詞：

打靶 dǎbǎ　　大廈 dàshà　　發達 fādá

馬達 mǎdá　　喇叭 lǎba　　哪怕 nǎpà

o [ǫ] 後中圓唇元音

上下唇自然攏圓，舌體後縮，舌面後部隆起和軟腭相對，舌位介於半高半低之間。發音時，聲帶振動，軟腭上升，關閉鼻腔通路。

發音例詞：

伯伯 bóbo　　婆婆 pópo　　默默 mòmò　　潑墨 pōmò

e [ɤ] 後半高不圓唇元音

口半閉，展唇，舌體後縮，舌面後部隆起和軟腭相對，比元音 o 略高而偏前。發音時，聲帶振動，軟腭上升，關閉鼻腔通路。

發音例詞：

隔閡 géhé　　合格 hégé　　客車 kèchē

特色 tèsè　　折射 zhéshè　　這個 zhège

ê [E] 前中不圓唇元音

口自然打開，展唇，舌尖抵住下齒背，使舌面前部隆起和硬腭相對。發音時，聲帶振動，軟腭上升，關閉鼻腔通路。

(韻母 ê 除語氣詞“欸”外單用的機會不多，衹出現在複韻母 ie、üe 中。)

i [i] 前高不圓唇元音

口微開，兩唇呈扁平形，上下齒相對(齊齒)，舌尖接觸下齒背，使舌面前部隆起和硬腭前部相對。發音時，聲帶振動，軟腭上升，關閉鼻腔通路。

發音例詞：

筆記 bǐjì　　激勵 jīlì　　基地 jīdì

記憶 jìyì　　霹靂 pīlì　　習題 xítí

u [u] 後高圓唇元音

兩唇收攏成圓形，略向前突出；舌體後縮，舌面後部隆起和軟腭相對。發音時，聲帶振動，軟腭上升，關閉鼻腔通路。

發音例詞：

補助 bǔzhù　　讀物 dúwù　　辜負 gūfù

瀑布 pùbù　　入伍 rùwǔ　　疏忽 shūhu

ü [y] 前高圓唇元音

兩唇攏圓，略向前突；舌尖抵住下齒背，使舌面前部隆起和硬腭前部相對。發音時，聲帶振動，軟腭上升，關閉鼻腔通路。

發音例詞：

聚居 jùjū　　區域 qūyù　　屈居 qūjū

須臾 xūyú　　序曲 xùqǔ　　語序 yǔxù

er [ər] 卷舌元音

口自然開啓，舌位不前不後不高不低，舌前、中部上抬，舌尖向後捲，和硬腭前端相對。發音時，聲帶振動，軟腭上升，關閉鼻腔通路。

發音例詞：

而且 érqiě　　兒歌 érgē　　耳朵 ěrduo　　二胡 èrhú

-i（前）[ɿ] 舌尖前不圓唇元音

口略開，展唇，舌尖和上齒背相對，保持適當距離。發音時，聲帶振動，軟腭上升，關閉鼻腔通路。這個韵母在普通話裏衹出現在 z、c、s 聲母的後面。

發音例詞：

私自 sīzì　　此次 cǐcì　　次子 cìzǐ

-i（後）[ʅ] 舌尖後不圓唇元音

口略開，展唇，舌前端抬起和前硬腭相對。發音時，聲帶振動，軟腭上升，關閉鼻腔通路。這個韵母在普通話裏衹出現在 zh、ch、sh、r 聲母的後面。

發音例詞：

實施 shíshī　　支持 zhīchí　　知識 zhīshi

制止 zhìzhǐ　　值日 zhírì　　試製 shìzhì

2. 複韵母（複合元音）的發音：

普通話前響複合元音共有 4 個：ai、ei、ao、ou。發音的共同點是元音舌位都是由低向高滑動，開頭的元音音素響亮清晰，收尾的元音音素輕短模糊，因此收尾的字母只表示舌位移動的方向。

ai [aɪ]

是前元音音素的複合，動程大。起點元音是比單元音 a [A] 的舌位靠前的前低不圓唇元音 [a]，可以簡稱它爲“前 a”。發音時，舌尖抵住下齒背，使舌面前部隆起與硬腭相對。從“前 a”開始，舌位向 i 的方向滑動升高，大體停在次高元音 [ɪ]。

發音例詞：

愛戴 àidài　　采摘 cǎizhāi　　海帶 hǎidài

開采 kāicǎi　　拍賣 pāimài　　灾害 zāihài

ei [eɪ]

是前元音音素的複合，動程較短。起點元音是前半高不圓唇元音 e [e]。發音時，舌尖抵住下齒背，使舌面前部(略後)隆起對着硬腭中部。從 e 開始，舌位升高，向 i 的方向往前往高滑動，大體停在次高元音 [ɪ]。

發音例詞：

肥美 féiměi　　妹妹 mèimei　　配備 pèibèi

ao [ɑʊ]

是後元音音素的複合。起點元音比單元音 a [A] 的舌位靠後，是個後低不圓唇元音 [ɑ]，可簡稱爲“後 a”。發音時，舌體後縮，使舌面後部隆起。從“後 a”開始，舌位向 u(漢語拼音寫作-o，實際發音接近 u)的方向滑動升高。收尾的-u 舌位略低，爲 [ʊ]。

發音例詞：

懊惱 àonǎo　　操勞 cāoláo　　高潮 gāocháo

騷擾 sāorǎo　　逃跑 táopǎo　　早操 zǎocāo

ou [əʊ]

起點元音比單元音 o 的舌位略高、略前，接近央元音 [ə] 或 [θ]，唇形略圓。發音時，從略帶圓唇的央元音 [ə] 開始，舌位向 u 的方向滑動。收尾的-u 接近 [ʊ]。這個複韵母動程很小。

發音例詞：

醜陋 chǒulòu　　兜售 dōushòu　　口頭 kǒutóu

漏斗 lòudǒu　　收購 shōugòu　　喉頭 hóutóu

普通話後響複合元音有 5 個：ia、ie、ua、uo、üe。它們發音的共同點是舌位由高向低滑動，收尾的元音音素響亮清晰，在韵母中處在韵腹地位，因此舌位移動的終點是確定的。而開頭的元音音素都是高元音 i-、u-、ü-，由於它處於韵母的韵頭位置，發音不太響亮，比較短促。這些韵頭在音節裏特别是零聲母音節裏常伴有輕微摩擦。

ia [iA]

起點元音是前高元音 i，由它開始，舌位滑向央低元音 a [A] 止。i 的發音較短，a 的發音響而長。止點元音 a 位置確定。

發音例詞：

假牙 jiǎyá　　恰恰 qiàqià　　壓價 yājià

ie [iE]

起點元音是前高元音 i，由它開始，舌位滑向前中元音 ê [E] 止。i 較短，ê 響而長。止點元音 ê 位置確定。

發音例詞：

結業 jiéyè　　貼切 tiēqiè　　鐵屑 tiěxiè

ua [uA]

起點元音是後高圓唇元音 u，由它開始，舌位滑向央低元音 ɑ [A] 止，唇形由最圓逐步展開到不圓。u 較短，ɑ 響而長。

發音例詞：

挂花 guàhuā　　耍滑 shuǎhuá　　娃娃 wáwa

uo [uo̞]

由後圓唇元音音素複合而成。起點元音是後高元音 u，由它開始，舌位向下滑到後中元音 o [o̞] 止。u 較短，o 響而長。發音過程中，保持圓唇，開頭最圓，結尾圓唇度略減。

發音例詞：

錯落 cuòluò　　碩果 shuòguǒ　　脱落 tuōluò

üe [yE]

由前元音音素複合而成。起點元音是圓唇的前高元音 ü，由它開始，舌位下滑到前中元音 ê [E]，唇形由圓到不圓。ü 較短，ê 響而長。

發音例詞：

雀躍 quèyuè　　約略 yuēlüè

普通話裏的三合元音都是中響複合元音，共有 4 個：iao、iou、uai、uei。這些韵母發音的共同點是舌位由高向低滑動，再從低向高滑動。開頭的元音音素不響亮，較短促，在音節裏特别是在零聲母音節裏常伴有輕微的摩擦。中間的元音音素響亮清晰。收尾的元音音素輕短模糊。

iao [iɑʊ]

由前高元音 i 開始，舌位降至後低元音 ɑ [ɑ]。然後再向後次高圓唇元音 u [ʊ] 的方向滑升。發音過程中，舌位先降後升，由前到後，曲折幅度大。唇形從中間的元音 ɑ 逐漸圓唇。

發音例詞：

吊銷 diàoxiāo　　療效 liáoxiào　　巧妙 qiǎomiào

調料 tiáoliào　　逍遥 xiāoyáo　　苗條 miáotiao

iou [iəʊ]

由前高元音 i 開始，舌位降至央(略後)元音 [ə]（或 [θ]），然後再向後次高圓唇元音 u [ʊ] 的方向滑升。發音過程中，舌位先降後升，由前到後，曲折幅度較大。唇形從央(略後)元音 [ə] 逐漸圓唇。

複合元音 iou 在陰平(第一聲)和陽平(第二聲)的音節裏，中間的元音(韵腹)弱化，甚至接近消失，舌位動程主要表現爲前後的滑動，成爲 [iʊ]。如：優 [iʊ]、流 [liʊ]、究 [tɕiʊ]、求 [tɕ‘iʊ]。這是漢語拼音 iou 省寫爲 iu 的依據。這種音變是隨着聲調自然變化的，在語音訓練中不必過於强調。

發音例詞：

久留 jiǔliú　　求救 qiújiù　　綉球 xiùqiú

優秀 yōuxiù　　悠久 yōujiǔ　　牛油 niúyóu

uai [uaɪ]

由圓唇的後高元音 u 開始，舌位向前滑降到前低不圓唇元音 ɑ(即“前 ɑ”)，然後再向前高不圓唇元音的方向滑升。舌位動程先降後升，由後到前，曲折幅度大。唇形從前元音 ɑ 逐漸展唇。

發音例詞：

外快 wàikuài　　懷揣 huáichuāi　　乖乖 guāiguāi

uei [ueɪ]

由後高圓唇元音 u 開始，舌位向前向下滑到前半高不圓唇元音偏後靠下的位置(相當於央元音 [ə] 偏前的位置)，然後再向前高不圓唇元音 i 的方向滑升。發音過程中，舌位先降後升，由後到前，曲折幅度較大。唇形從 e 逐漸展唇。

在音節中，韵母 uei 受聲母和聲調的影響，中間的元音弱化。大致有四種情況：1) 在陰平(第一聲)或陽平(第二聲)的零聲母音節裏，韵母 uei 中間的元音音素弱化接近消失。例如：“微”“圍”的韵母弱化爲 [uɪ]。2) 在聲母爲舌尖音 z、c、s、d、t、zh、ch、sh、r 的陰平(第一聲)和陽平(第二聲)的音節裏，韵母 uei 中間的元音音素弱化接近消失。例如：“催”“推”“垂”的韵母弱化爲 [uɪ]。3) 在舌尖音聲母的上聲(第三聲)或去聲(第四聲)的音節裏，韵母 uei 中間的元音音素衹是弱化，但不會消失。例如：“嘴”“腿”“最”“退”的韵母都弱化成 [u^{e}ɪ]。4) 在舌面後(舌根)音聲母 g、k、h 的陰平或陽平音節裏，韵母 uei 中間的元音 e 也衹是弱化而不消失。例如：“規”“葵”的韵母弱化成 [ʊ^{e}ɪ]。這種音變是隨着聲母和聲調的條件變化的，語音訓練中不必過於强調。

發音例詞：

垂危 chuíwēi　　歸隊 guīduì　　悔罪 huǐzuì

追悔 zhuīhuǐ　　　薈萃 huìcuì　　　推諉 tuīwěi

普通話裏三合元音構成的韵母，可以看成是在前響二合元音前面加上了 i-、u-、ü-的韵頭。因此，韵腹舌位的前後，可以根據前響二合元音的情况確定。

3. 鼻韵母(複合鼻尾音)的發音：

鼻韵母是複合鼻尾音充當韵母。複合鼻尾音是在元音音素之後附帶一個鼻輔音作爲尾音(韵尾)。

普通話韵母有兩個輔音韵尾-n、-ng [ŋ]，都是鼻音。韵尾-n 的發音同聲母 n-基本相同，只是-n 的部位比 n-靠後，一般是舌面前部接觸硬腭(參見《普通話發音圖譜》)，教學上仍把它看成是舌尖中鼻音。

普通話區分以-n 和-ng 爲韵尾的兩組韵母。普通話有鼻韵母 16 個，其中以-n 爲韵尾的韵母 8 個：an、en、in、ün、ian、uan、uen、üan，以-ng 爲韵尾的韵母 8 個：ang、eng、ing、ong、iang、uang、ueng、iong。

-n、-ng 兩組韵母的區分，在普通話韵母的教學中占有重要的地位。前、後鼻尾音的韵母區分的主要特點是：1) 韵腹元音舌位的前後不同是兩者區分的主要標志。例如：an 與 ang 的區分主要表現在 an 中的元音是前低元音 [a]，而 ang 中的元音是後低元音 [ɑ]。2) -n、-ng 是韵尾，祇有與韵腹構成一個整體時纔參與前、後鼻韵母對比區分。爲了確切體會鼻尾音的發音和聽感性質，必須要求儘量發音完整。3) 它們之間的對比關係是：an—ang、en—eng、in—ing、ian—iang、uan—uang、uen—ueng (ong)、ün—iong。(傳統語音學認爲 ong、ueng 是一個韵母，注音字母拼寫成ㄨㄥ。漢語拼音方案按照實際發音設計爲兩個韵母。)基本上是一對一的對比關係，不是一對多或多對一的關係。

an [an]

起點元音是前低不圓唇元音 ɑ [a]，舌尖抵住下齒背，舌面前部隆起，舌位降到最低，軟腭上升，關閉鼻腔通路。發“前 ɑ”之後，軟腭下降，打開鼻腔通路，同時舌面前部與硬腭前部閉合，使在口腔受到阻礙的氣流從鼻腔裏透出。口形開合度由大漸小，舌位動程較大。

發音例詞：

參戰 cānzhàn　　　反感 fǎngǎn　　　爛漫 lànmàn

談判 tánpàn　　　坦然 tǎnrán　　　讚嘆 zàntàn

en [ən]

起點元音是央元音 e [ə]，舌位居中(不高不低不前不後)，舌尖接觸下齒背，舌面隆起部位受韵尾影響略靠前，軟腭上升，關閉鼻腔通路。發央元音 e 之後，軟腭下降，打開鼻腔通路，同時舌面前部與硬腭前部閉合，使在口腔受到阻礙的氣流從鼻腔裏透出。口形開合度由大漸小，舌位動程較小。

發音例詞：

根本 gēnběn　　門診 ménzhěn　　人參 rénshēn

認真 rènzhēn　　深沉 shēnchén　　振奮 zhènfèn

in [in]

起點元音是前高不圓唇元音 i，舌尖抵住下齒背，軟腭上升，關閉鼻腔通路。發舌位最高的前元音 i 之後，軟腭下降，打開鼻腔通路，同時舌面前部與硬腭前部閉合，使在口腔受到阻礙的氣流，從鼻腔透出。開口度始終很小，幾乎沒有變化，舌位動程很小。

發音例詞：

近鄰 jìnlín　　拼音 pīnyīn　　信心 xìnxīn

辛勤 xīnqín　　引進 yǐnjìn　　瀕臨 bīnlín

ün [yn]

起點元音是前高圓唇元音 ü。與 in 的發音狀況衹是唇形變化不同。唇形從 ü 開始逐步展開，而 in 始終展唇。

發音例詞：

軍訓 jūnxùn　　均勻 jūnyún　　芸芸 yúnyún

群衆 qúnzhòng　　循環 xúnhuán　　允許 yǔnxǔ

ang [ɑŋ]

起點元音是後低不圓唇元音 ɑ [ɑ]，口最開，舌尖離開下齒背，舌體後縮，軟腭上升，關閉鼻腔通路。發“後 ɑ”之後，軟腭下降，打開鼻腔通路，同時舌面後部與軟腭閉合，使在口腔受到阻礙的氣流從鼻腔裏透出。開口度由大漸小，舌位動程較大。

發音例詞：

幫忙 bāngmáng　　蒼茫 cāngmáng　　當場 dāngchǎng

剛剛 gānggāng　　商場 shāngchǎng　　上當 shàngdàng

eng [ɤŋ]

起點元音是後半高不圓唇元音 e [ɤ]，口半閉，展唇，舌尖離開下齒背，舌體後縮，舌面後部隆起，比發單元音 e [ɤ] 的舌位略低，軟腭上升，關閉鼻腔通路。發 e 之後，軟腭下降，打開鼻腔通路，同時舌面後部與軟腭閉合，使在口腔受到阻礙的氣流從鼻腔裏透出。

發音例詞：

承蒙 chéngméng　　豐盛 fēngshèng　　更正 gēngzhèng

萌生 méngshēng　　聲稱 shēngchēng　　升騰 shēngténg

ing [iŋ]

起點元音是前高不圓唇元音 i，舌尖接觸下齒背，舌面前部隆起，軟腭上升，關閉鼻腔通路。發 i 之後，軟腭下降，打開鼻腔通路，同時舌面後部與軟腭閉合，使在口腔受到阻礙的氣流從鼻腔透出。口形没有明顯變化。

發音例詞：

叮嚀 dīngníng　經營 jīngyíng　命令 mìnglìng

評定 píngdìng　清静 qīngjìng　姓名 xìngmíng

ong [ʊŋ]

起點元音是比後高圓唇元音 u 舌位略低的後次高圓唇元音 [ʊ]，舌尖離開下齒背，舌體後縮，舌面後部隆起，軟腭上升，關閉鼻腔通路。發後次高圓唇元音 [ʊ] 之後，軟腭下降，打開鼻腔通路，同時舌面後部與軟腭閉合，使在口腔受到阻礙的氣流從鼻腔裏透出。唇形始終攏圓。

發音例詞：

共同 gòngtóng　轟動 hōngdòng　空洞 kōngdòng

隆重 lóngzhòng　通融 tōngróng　恐龍 kǒnglóng

ian [iæn]

發音時，從前高元音 i 開始，舌位向前低元音 ɑ(前 ɑ)的方向滑降。舌位衹降到前次低元音 [æ] 的位置就開始升高，直到舌面前部抵住硬腭前部形成鼻音-n。

發音例詞：

艱險 jiānxiǎn　簡便 jiǎnbiàn　連篇 liánpiān

前天 qiántiān　淺顯 qiǎnxiǎn　田間 tiánjiān

uan [uan]

發音時，從圓唇的後高元音 u 開始，口形迅速由合口變爲開口，舌位向前迅速滑降到不圓唇的前低元音(前 ɑ)；然後舌位升高，直到舌面前部抵住硬腭前部形成鼻音-n。

發音例詞：

貫穿 guànchuān　軟緞 ruǎnduàn　酸軟 suānruǎn

婉轉 wǎnzhuǎn　專款 zhuānkuǎn　轉换 zhuǎnhuàn

üan [yæn]

發音時，從圓唇的前高元音 ü 開始，向前低元音 ɑ 的方向滑降。舌位衹降到前次低元音 [æ] 略後就開始升高，直到舌面前部抵住硬腭前部形成鼻音-n。唇形由圓唇在向折點元音的滑動過程中逐漸展唇。

發音例詞：

源泉 yuánquán　　軒轅 xuānyuán　　涓涓 juānjuān

uen [uən]

發音時，從圓唇的後高元音 u 開始，向央元音 e [ə] 滑降，然後舌位升高，直到舌面前部抵住硬腭前部形成鼻音-n。唇形由圓唇在向折點元音的滑動過程中逐漸展唇。

鼻韵母 uen 受聲母和聲調的影響，中間的元音（韵腹）弱化。它的音變條件與 uei 相同。

發音例詞：

昆侖 kūnlún　　温存 wēncún　　温順 wēnshùn

論文 lùnwén　　餛飩 húntun　　諄諄 zhūnzhūn

iang [iaŋ]

發音時，從前高元音 i 開始，舌位向後滑降到後低元音 a [ɑ]，然後舌位升高，接續鼻音-ng。

發音例詞：

兩樣 liǎngyàng　　洋相 yángxiàng　　響亮 xiǎngliàng

uang [uaŋ]

發音時，從圓唇的後高元音 u 開始，舌位滑降至後低元音 a [ɑ]，然後舌位升高，接續鼻音-ng。唇形從圓唇在向折點元音的滑動中逐漸展唇。

發音例詞：

狂妄 kuángwàng　　雙簧 shuānghuáng　　狀況 zhuàngkuàng

ueng [uɤŋ]

發音時，從圓唇的後高元音 u 開始，舌位滑降到後半高元音 e [ɤ]（稍稍靠前略低）的位置，然後舌位升高，接續鼻音-ng。唇形從圓唇在向折點元音滑動過程中逐漸展唇。在普通話裏，韵母 ueng 衹有一種零聲母的音節形式 weng。

發音例詞：

蕹菜 wèngcài　　水瓮 shuǐwèng　　主人翁 zhǔrénwēng

iong [iʊŋ]

發音時，從前高元音 i 開始，舌位向後略向下滑動到後次高圓唇元音 [ʊ] 的位置，然後舌位升高，接續鼻音-ng。由於受後面圓唇元音的影響，開始的前高元音 i 也帶上了圓唇色彩而近似 ü [y]，可以描寫爲 [yuŋ] 甚或爲 [yŋ]。傳統漢語語音學把 iong 歸屬撮口呼。

發音例詞：

炯炯 jiǒngjiǒng　　洶涌 xiōngyǒng

三、聲 調

普通話共有 4 個聲調。

陰平	ˉ	高 天 方 出
陽平	ˊ	時 門 國 白
上聲	ˇ	短 米 有 北
去聲	ˋ	對 稻 必 葉

陰平——高平調,調形爲[˥55]。發音時,聲帶綳到最緊(“最緊”是相對的,下同),始終没有明顯變化,保持高音。

發音例字:	方 fāng	編 biān	端 duān	虧 kuī
	宣 xuān	裝 zhuāng	酸 suān	挑 tiāo

陽平——高升調,調形爲[˧˥35]。發音時,聲帶從不鬆不緊開始,逐漸綳緊,到最緊爲止,聲音由不低不高升到最高。

發音例字:	然 rán	人 rén	棉 mián	連 lián
	年 nián	全 quán	懷 huái	情 qíng

上聲——降升調,調形爲[˨˩˦214]。發音時,聲帶從略微有些緊張開始,立刻鬆弛下來,稍稍延長,然後迅速綳緊,但没有綳到最緊。發音過程中,聲音主要表現在低音段 1—2 度之間,這成爲上聲的基本特徵。上聲的音長在普通話 4 個聲調中是最長的。

發音例字:	惹 rě	秒 miǎo	碾 niǎn	臉 liǎn
	廣 guǎng	九 jiǔ	闖 chuǎng	扁 biǎn

去聲——全降調,調形爲[˥˩51]。發音時,聲帶從緊開始,到完全鬆弛爲止。聲音由高到低。去聲的音長在普通話 4 個聲調中是最短的。

發音例字:	辣 là	熱 rè	賣 mài	浪 làng
	面 miàn	片 piàn	掉 diào	换 huàn

四、普通話音節表

普通話常用音節有 400 個。(1987 年重排本《新華字典》音節索引列出 418 個音節,本書所列的音節表未收其中18個音節，包括某些語氣詞，特別是衹以輔音充當音節的，方言色彩濃重、比較土俗的詞，或僅限於書面語又不常用的音節：chua（欻）den（扽）dia（嗲）nia（嗟）nou（耨）eng（鞥）shei（“誰”又音）kei（克）lo（咯）yo（唷）o（噢）ê、ei（欸）hm（噷）hng（哼）m（呣）n（嗯）ng（嗯）。）

下列音節表按開口呼、齊齒呼、合口呼、撮口呼四類排列：

1. 開口呼音節（179個）

	a	e	-i	er	ai	ei	ao	ou	an	en	ang	eng
零	a	e		er	ai	ei	ao	ou	an	en	ang	eng
b	ba				bai	bei	bao		ban	ben	bang	beng
p	pa				pai	pei	pao	pou	pan	pen	pang	peng
m	ma	(me)			mai	mei	mao	mou	man	men	mang	meng
f	fa					fei		fou	fan	fen	fang	feng
d	da	de			dai	dei	dao	dou	dan		dang	deng
t	ta	te			tai		tao	tou	tan		tang	teng
n	na	ne			nai	nei	nao		nan	nen	nang	neng
l	la	le			lai	lei	lao	lou	lan		lang	leng
g	ga	ge			gai	gei	gao	gou	gan	gen	gang	geng
k	ka	ke			kai		kao	kou	kan	ken	kang	keng
h	ha	he			hai	hei	hao	hou	han	hen	hang	heng
zh	zha	zhe	zhi		zhai	zhei	zhao	zhou	zhan	zhen	zhang	zheng
ch	cha	che	chi		chai		chao	chou	chan	chen	chang	zheng
sh	sha	she	shi		shai	(shei)	shao	shou	shan	shen	shang	sheng
r		re	ri				rao	rou	ran	ren	rang	reng
z	za	ze	zi		zai	zei	zao	zou	zan	zen	zang	zeng
c	ca	ce	ci		cai		cao	cou	can	cen	cang	ceng
s	sa	se	si		sai		sao	sou	san	sen	sang	seng

注：① 橫行按不同韵母排列，竪行按不同的聲母排列。表中“零”表示“零聲母”（下同）。
② me（麼）本是 mo，輕聲音節弱化爲 me。不計數，加括號列入表格備用。
③ shei 是“誰”口語又音，已常被 shui 代替。不計數，加括號列入表格備用。
④ o、ê、ei 等音節只在語氣詞中出現，不列入。因此，未列出單韵母 o、ê。

從開口呼音節表可以看出：

（1）開口呼音節包含音節數目最多，幾乎占400音節的一半。

（2）聲母 j、q、x 不同開口呼韵母相拼。

（3）舌尖元音屬於開口呼音節，衹同舌尖前音聲母 z、c、s 和舌尖後音聲母 zh、ch、sh、r 相拼。

(4) er 獨立自成音節,不同任何聲母相拼。

(5) 舌尖中音聲母 d、t、n、l 不同韵母 en 相拼(nen“嫩”視爲例外,den“扽”除外)。

(6) 韵母 eng 除代表一個極不常用的“鞥”外,不獨立成音節。o、ê 一般出現在韵母 uo、ie、ue 中。獨立成音節衹用於語氣詞。

2. 齊齒呼音節(83 個)

	i	ia	ie	iao	iou	ian	in	iang	ing
零	yi	ya	ye	yao	you	yan	yin	yang	ying
b	bi		bie	biao		bian	bin		bing
p	pi		pie	piao		pian	pin		ping
m	mi		mie	miao	miu	mian	min		ming
d	di		die	diao	diu	dian			ding
t	ti		tie	tiao		tian			ting
n	ni		nie	niao	niu	nian	nin	niang	ning
l	li	lia	lie	liao	liu	lian	lin	liang	ling
j	ji	jia	jie	jiao	jiu	jian	jin	jiang	jing
q	qi	qia	qie	qiao	qiu	qian	qin	qiang	qing
x	xi	xia	xie	xiao	xiu	xian	xin	xiang	xing

從齊齒呼音節表可以看出:

(1) 齊齒呼韵母不同聲母舌尖前音 z、c、s,舌尖後音 zh、ch、sh、r,舌面後音 g、k、h 和唇齒音 f 相拼。

(2) 韵母 ia、iang 不同聲母雙唇音 b、p、m 和舌尖中音 d、t 相拼。

(3) 聲母 d、t 不同韵母 in 相拼。

3. 合口呼音節(114 個)

	u	ua	uo (o)	uai	uei	uan	uen	uang	ueng (ong)
零	wu	wa	wo	wai	wei	wan	wen	wang	weng
b	bu		bo						
p	pu		po						
m	mu		mo						
f	fu		fo						
d	du		duo		dui	duan	dun		dong
t	tu		tuo		tui	tuan	tun		tong
n	nu		nuo			nuan			nong

l	lu		luo			luan	lun		long
g	gu	gua	guo	guai	gui	guan	gun	guang	gong
k	ku	kua	kuo	kuai	kui	kuan	kun	kuang	kong
h	hu	hua	huo	huai	hui	huan	hun	huang	hong
zh	zhu	zhua	zhuo	zhuai	zhui	zhuan	zhun	zhuang	zhong
ch	chu		chuo	chuai	chui	chuan	chun	chuang	chong
sh	shu	shua	shuo	shuai	shui	shuan	shun	shuang	
r	ru		ruo		rui	ruan	run		rong
z	zu		zuo		zui	zuan	zun		zong
c	cu		cuo		cui	cuan	cun		cong
s	su		suo		sui	suan	sun		song

注：① bo、po、mo、fo 按照實際發音列入此表，排列在 uo 韵母下。
② ong 按照實際發音列入此表，同 ueng 排列在一行。

從合口呼音節表可以看出：

(1) 合口呼韵母不同舌面前音聲母 j、q、x 相拼。

(2) 雙唇音聲母衹同韵母 u、uo (o) 相拼。

(3) 舌尖中音聲母 d、t、n、l 不同韵母 ua、uai、uang 相拼。

(4) 聲母 n、l 衹同韵母 ei 相拼，不同韵母 uei 相拼。而聲母 d、t 衹同韵母 ui 相拼，不同韵母 ei 相拼 (dei 衹有一個“得”字)。

(5) 舌尖前音聲母 z、c、s 不同韵母 ua、uai、uang 相拼。

(6) ong 屬於合口呼，一定前拼輔音聲母，不獨立成音節。ueng 則衹獨立成音節，不同任何輔音聲母相拼。

4. 撮口呼音節 (24 個)

	ü	üe	üan	ün	iong
零	yu	yue	yuan	yun	yong
n	nü	nüe			
l	lü	lüe			
j	ju	jue	juan	jun	jiong
q	qu	que	quan	qun	qiong
x	xu	xue	xuan	xun	xiong

注：iong 按實際發音列入此表。

從撮口呼音節表可以看出：

(1) 撮口呼音節包含音節最少。

(2) 輔音聲母同撮口呼韵母相拼的衹有 j、q、x、n、l。

(3) 聲母 n、l 衹同韵母 ü、üe 相拼，不同韵母 üan、ün、iong 相拼。

(4) iong 屬於撮口呼韵母。

普通話裏有多少帶調音節呢？根據《現代漢語詞典》所列的音節表統計共有 1332 個。其中衹在方言中出現的或方言色彩很濃的音節、某些語氣詞(特别是以輔音充當音節的)、現代不常用的音節，共約 70 多個，這些音節不應該或不適合歸入普通話的帶調音節中。普通話帶調音節(不包括兒化音節)約 1250 多個。

五、變 調

1. 上聲變調

上聲在陰平、陽平、上聲、去聲前都會産生變調，衹有在單念或處在詞語、句子的末尾纔有可能讀原調。

(1) 上聲在陰平、陽平、去聲、輕聲前，即在非上聲前，丢掉後半段“14”上升的尾巴，調值由 214 變爲半上聲 211，變調調值描寫爲 214-211。例如：

上聲＋陰平

百般 bǎibān　　擺脱 bǎituō　　保温 bǎowēn

省心 shěngxīn　　警鐘 jǐngzhōng　　火車 huǒchē

上聲＋陽平

祖國 zǔguó　　旅行 lǚxíng　　導游 dǎoyóu

改革 gǎigé　　朗讀 lǎngdú　　考察 kǎochá

上聲＋去聲

廣大 guǎngdà　　討論 tǎolùn　　挑戰 tiǎozhàn

土地 tǔdì　　感謝 gǎnxiè　　稿件 gǎojiàn

上聲在輕聲前調值也變成半上聲 211。例如：矮子、斧子、奶奶、姐姐、尾巴、老婆、耳朵、馬虎、口袋、夥計。

(2) 兩個上聲相連，前一個上聲的調值變爲 35。實驗語音學從語圖和聽辨實驗證明，前字上聲、後字上聲構成的組合與前字陽平、後字上聲構成的組合在聲調模式上是相同的。説明兩個上聲相連，前字上聲的調值變得跟陽平的調值一樣。變調調值描寫爲 214-

35。例如：

上聲＋上聲

懶散 lǎnsǎn　　手指 shǒuzhǐ　　母語 mǔyǔ

海島 hǎidǎo　　旅館 lǚguǎn　　廣場 guǎngchǎng

首長 shǒuzhǎng　　簡短 jiǎnduǎn　　古典 gǔdiǎn

粉筆 fěnbǐ　　小組 xiǎozǔ　　減少 jiǎnshǎo

（3）三個上聲相連的變調：

三個上聲音節相連，如果後面没有其他音節，也不帶什麽語氣，末尾音節一般不變調。開頭、當中的上聲音節有兩種變調：

1）當詞語的結構是雙音節＋單音節（“雙單格”）時，開頭、當中的上聲音節調值變爲35，跟陽平的調值一樣。例如：

手寫體 shǒuxiětǐ　　展覽館 zhǎnlǎnguǎn

管理組 guǎnlǐzǔ　　選舉法 xuǎnjǔfǎ

洗臉水 xǐliǎnshuǐ　　水彩筆 shuǐcǎibǐ

打靶場 dǎbǎchǎng　　勇敢者 yǒnggǎnzhě

2）當詞語的結構是單音節＋雙音節（“單雙格”），開頭音節處在被强調的邏輯重音時，讀作“半上”，調值變爲211，當中音節則按兩字組變調規律變爲35。例如：

黨小組 dǎngxiǎozǔ　　撒火種 sǎhuǒzhǒng

冷處理 lěngchǔlǐ　　耍筆杆 shuǎbǐgǎn

小兩口 xiǎoliǎngkǒu　　紙老虎 zhǐlǎohǔ

老保守 lǎobǎoshǒu　　小拇指 xiǎomǔzhǐ

2. “一”“不”的變調

普通話還有“一”“七”“八”“不”的變調。由於普通話中“七”“八”已經趨向於不變調，學習普通話祇要求掌握“一”“不”的變調。“一”的單字調是陰平55，“不”的單字調是去聲51，在單念或處在詞句末尾的時候，不變調。

“一”有兩種變調：

（1）在去聲音節前調值變爲35，跟陽平的調值一樣。例如（以下“一”字標變調）：

一半 yíbàn　　一旦 yídàn　　一定 yídìng

一度 yídù　　一概 yígài　　一共 yígòng

（2）在陰平、陽平、上聲前，即在非去聲前，調值變爲51，跟去聲的調值一樣。例如（以下“一”字標變調）：

陰平前

一般 yìbān	一邊 yìbiān	一端 yìduān
一經 yìjīng	一瞥 yìpiē	一身 yìshēn
一生 yìshēng	一天 yìtiān	一些 yìxiē

陽平前

一連 yìlián	一齊 yìqí	一如 yìrú
一時 yìshí	一同 yìtóng	一頭 yìtóu
一行 yìxíng	一直 yìzhí	一群 yìqún

上聲前

一舉 yìjǔ	一口 yìkǒu	一覽 yìlǎn
一起 yìqǐ	一手 yìshǒu	一體 yìtǐ
一統 yìtǒng	一早 yìzǎo	一準 yìzhǔn

當"一"作爲序數表示"第一"時不變調,例如:"一樓"的"一"不變調,表示"第一樓"或"第一層樓";而變調表示"全樓"。"一連"的"一"不變調表示"第一連",而變調則表示"全連",副詞"一連"中的"一"也變調,如"一連五天"。

"不"字衹有一種變調。當"不"在去聲音節前調值變爲 35,跟陽平的調值一樣。例如(以下"不"字標變調):

不必 búbì	不變 búbiàn	不便 búbiàn
不測 búcè	不錯 búcuò	不待 búdài
不要 búyào	不但 búdàn	不定 búdìng

"一"嵌在重疊式的動詞之間,"不"夾在動詞或形容詞之間,夾在動詞和補語之間,都輕讀,屬於"次輕音"。例如:聽一聽、學一學、寫一寫、看一看、穿不穿、談不談、買不買、去不去、會不會、缺不缺、紅不紅、好不好、大不大、看不清、起不來、拿不動、打不開。由於"次輕音"的聲調仍依稀可見,當"一"和"不"夾在兩個音節中間時,不是依前一個音節變爲輕聲的調值,而是當音量稍有加强,就依後一個音節産生變調,變調規律如前。例如:聽一聽、看一看、會不會。

六、輕　聲

輕聲是一種特殊的變調現象。由於它長期處於口語輕讀音節的地位,失去了原有聲調的調值,又重新構成自身特有的音高形式,聽感上顯得輕短模糊。普通話的輕聲都是從陰平、陽平、上聲、去聲四個聲調變化而來，例如：哥哥、婆婆、姐姐、弟弟。説它"特殊"，是因爲這種變調總是根據前一個音節聲調的調值決定後一個輕聲音節的調值，而不論後一個音節原調調值的具體形式。

輕聲作爲一種變調的語音現象，一定體現在詞語和句子中，因此輕聲音節的讀音不能獨立存在。固定讀輕聲的單音節助詞、語氣詞也不例外，它們的實際輕聲調值也要依靠前一個音節的聲調來確定。絶大多數的輕聲現象表現在一部分老資格的口語雙音節詞中，長期讀作"重·最輕"的輕重音格式，使後一個音節的原調調值變化，構成輕聲調值。

輕聲的語音特性：

從聲學上分析，輕聲音節的能量較弱，是音高、音長、音色、音强綜合變化的效應，但這些語音的要素在輕聲音節的辨别中所起作用的大小是不同的。語音實驗證明，輕聲音節特性是由音高和音長這兩個比較重要的因素構成的。從音高上看，輕聲音節失去原有的聲調調值，變爲輕聲音節特有的音高形式，構成輕聲調值。從音長上看，輕聲音節一般短於正常重讀音節的長度，甚至大大縮短，可見音長短是構成輕聲特性的另一重要因素。儘管輕聲音節音長短，但它的調形仍然可以分辨，并在辨别輕聲時起着不可忽視的作用。

普通話輕聲音節的調值有兩種形式：

(1) 當前面一個音節的聲調是陰平、陽平、去聲的時候，後面一個輕聲音節的調形是短促的低降調，調值爲(調值下加短横綫表示音長短，下同)31。例如：

陰平·輕聲	他的 tāde	桌子 zhuōzi	説了 shuōle	哥哥 gēge
	先生 xiānsheng	休息 xiūxi	哆嗦 duōsuo	姑娘 gūniang
	清楚 qīngchu	傢伙 jiāhuo	莊稼 zhuāngjia	
陽平·輕聲	紅的 hóngde	房子 fángzi	晴了 qíngle	婆婆 pópo
	活潑 huópo	泥鰍 níqiu	糧食 liángshi	胡琴 húqin
	蘿蔔 luóbo	行李 xíngli	頭髮 tóufa	
去聲·輕聲	壞的 huàide	扇子 shànzi	睡了 shuìle	弟弟 dìdi
	丈夫 zhàngfu	意思 yìsi	困難 kùnnan	駱駝 luòtuo
	豆腐 dòufu	嚇唬 xiàhu	漂亮 piàoliang	

(2)當前面一個音節的聲調是上聲的時候，後面一個輕聲音節的調形是短促的半高平調，調值爲44（實際發音受前面上聲的影響，往往開頭略低於4度，形成一個微升調形，由於輕聲音節音長短，這種細微之處不易察覺）。例如：

上聲·輕聲	我的 wǒde	斧子 fǔzi	起了 qǐle	姐姐 jiějie
	喇叭 lǎba	老實 lǎoshi	脊梁 jǐliang	馬虎 mǎhu
	耳朵 ěrduo	使唤 shǐhuan	囑咐 zhǔfu	口袋 kǒudai

輕聲音節的音色也或多或少發生變化。最明顯的是韵母發生弱化，例如元音(指主要元音)舌位趨向中央等。聲母也可能産生變化，例如不送氣的清塞音、清塞擦音聲母變爲濁塞音、濁塞擦音聲母等。

輕聲音節的音色變化是不穩定的。語音訓練衹要求掌握已經固定下來的輕聲現象(字典、詞典已收入的)。例如：助詞"的"讀 de，"了"讀 le，詞綴"子"讀 zi，"鑰匙"讀 shi，"衣裳"讀 shang。

實驗語音學認爲，音强在辨别輕重音方面起的作用很小。在普通話輕聲音節中音强不起明顯作用。輕聲音節聽感上輕短模糊，是心理感知作用。由於輕聲音節音長短，讀音時所需能量明顯減少，但音强并不一定比正常重讀音節弱。

七、兒　化

普通話的兒化現象主要由詞尾"兒"變化而來。詞尾"兒"本是一個獨立的音節，由於口語中處於輕讀的地位，長期與前面的音節流利地連讀而産生音變，"兒"(er)失去了獨立性，"化"到前一個音節上，只保持一個捲舌動作，使兩個音節融合成爲一個音節，前面音節裏的韵母或多或少地發生變化。這種語音現象就是"兒化"。我們把這種帶有捲舌色彩的韵母稱作"兒化韵"。

兒化韵音變規則是：

兒化音變的基本性質是使一個音節的主要元音帶上捲舌色彩。(-r 是兒化韵的形容性符號，不把它作爲一個音素看待。)兒化韵的音變條件取决於韵腹元音是否便於發生捲舌動作。

(1) 兒化音變是使韵腹(主要元音)、韵尾(尾音)發生變化，對聲母和韵頭 i-、ü-没有影響。

(2) 丢掉韵尾 -i、-n、-ng。

(3) 在主要元音(i、ü 除外)上加捲舌動作。這些主要元音大多數變爲帶有捲舌色彩的央元音 ar 和 er。

(4) 在主要元音 i、ü 後面加上 er [ər]。包括原形韵母 5 個：i、in、ing、ü、ün。另外，兒化時舌尖元音 -i [ɿ] 和 [ʅ] 後加上一個 er，實際讀音是用 [ər] 替换了原來的韵母。

(5) 後鼻尾音韵母兒化時，除丢掉韵尾 -ng 外，往往使主要元音鼻化。

普通話 39 個韵母，除本身已是捲舌韵母的 er 外，理論上都可以兒化，但口語中韵母 ê、o(bo、po、mo、fo 後的 o 實際是 uo 拼寫上的省略，可與 uo 合并)未見兒化詞，實際衹是 36 個韵母可以兒化。

兒化韵和兒化詞的發音舉例：

（下面列出每個原形韵母和所對應的兒化韵，用符號>表示由哪個原形韵母變爲兒化韵。描寫兒化韵中的"："表示"："之前的是主要元音（韵腹），不是介音（韵頭）。注意：此處是藉助漢語拼音描寫兒化音節的實際發音。拼寫時兒化音節要符合拼寫規則。）

a>ar	那兒 nàr	哪兒 năr	把兒 bàr	碴兒 chár
	刀把兒 dāobàr	話把兒 huàbàr	號碼兒 hàomăr	價碼兒 jiàmăr
	在哪兒 zàinăr	找茬兒 zhăochár	打雜兒 dăzár	板擦兒 băncār
ai>ar	帶兒 dàir	蓋兒 gàir	名牌兒 míngpáir	鞋帶兒 xiédàir
	窗臺兒 chuāngtáir	壺蓋兒 húgàir	小孩兒 xiăoháir	女孩兒 nǚháir
	男孩兒 nánháir	加塞兒 jiāsāir		
an>ar	坎兒 kănr	快板兒 kuàibănr	腰板兒 yāobănr	老伴兒 lăobànr
	蒜瓣兒 suànbànr	臉盤兒 liănpánr	臉蛋兒 liăndànr	收攤兒 shōutānr
	柵欄兒 zhàlanr	包乾兒 bāogānr	白乾兒（白酒）báigānr	
	筆杆兒 bĭgănr	光杆兒 guānggănr	門檻兒 ménkănr	
ang>ar	幫忙兒 bāngmángr	藥方兒 yàofāngr	趕趟兒 găntàngr	
	香腸兒 xiāngchángr	瓜瓤兒 guārángr		
ia>iar	掉價兒 diàojiàr	一下兒 yīxiàr	豆芽兒 dòuyár	紙匣兒 zhĭxiár
ian>iar	片兒 piànr	沿兒 yánr	燕兒 yànr	小辮兒 xiăobiànr
	照片兒 zhàopiānr	扇面兒 shànmiànr	差點兒 chàdiănr	一點兒 yīdiănr
	雨點兒 yŭdiănr	有點兒 yŏudiănr	聊天兒 liáotiānr	拉鏈兒 lāliànr
	冒尖兒 màojiānr	坎肩兒 kănjiānr	牛角尖兒 niújiăojiānr	
	牙籤兒 yáqiānr	露餡兒 lòuxiànr	心眼兒 xīnyănr	
iang>iar	鼻梁兒 bíliángr	娘兒（倆）niángr(liă)	透亮兒 tòuliàngr	
	花樣兒 huāyàngr	看樣兒 kànyàngr	像樣兒 xiàngyàngr	
	好樣兒（的）hăoyàngr(de)			
ua>uar	畫兒 huàr	腦瓜兒 năoguār	大褂兒 dàguàr	
	麻花兒 máhuār	笑話兒 xiàohuar	牙刷兒 yáshuār	
uai>uar	一塊兒 yīkuàir			
uan>uar	茶館兒 cháguănr	飯館兒 fànguănr	火罐兒 huŏguànr	
	猪倌兒 zhūguānr	落款兒 luòkuănr	打轉兒 dăzhuànr	
	拐彎兒 guăiwānr	好玩兒 hăowánr	撒歡兒 sāhuānr	

	大碗兒 dàwǎnr			
uang>uar	相框兒 xiàngkuàngr	蛋黄兒 dànhuángr	打晃兒 dǎhuàngr	
	天窗兒 tiānchuāngr			
üan>üar	烟捲兒 yānjuǎnr	手絹兒 shǒujuànr	出圈兒 chūquānr	
	包圓兒 bāoyuánr	人緣兒 rényuánr	繞遠兒 ràoyuǎnr	
	雜院兒 záyuànr			
ei>er	刀背兒 dāobèir	椅子背兒 yǐzibèir	摸黑兒 mōhēir	
	倍兒(棒) bèir(bàng)			
en>er	老本兒 lǎoběnr	花盆兒 huāpénr	嗓門兒 sǎngménr	把門兒 bǎménr
	調門兒 diàoménr	串門兒 chuànménr	哥們兒 gēmenr	納悶兒 nàmènr
	後跟兒 hòugēnr	高跟兒 gāogēnr	壓根兒 yàgēnr	别針兒 biézhēnr
	一陣兒 yīzhènr	走神兒 zǒushénr	大嬸兒 dàshěnr	杏仁兒 xìngrénr
	刀刃兒 dāorènr	小人兒(書) xiǎorénr(shū)		
eng>er	鋼鏰兒 gāngbèngr	夾縫兒 jiāfèngr	板凳兒 bǎndèngr	脖頸兒 bógěngr
	八成兒 bāchéngr	提成兒 tíchéngr	麻繩兒 máshéngr	
ie>ier	鍋貼兒 guōtiēr	半截兒 bànjiér	小街兒 xiǎojiēr	一些兒 yīxiēr
	小鞋兒 xiǎoxiér			
üe>üer	旦角兒 dànjuér	主角兒 zhǔjuér	木橛兒 mùjuér	
uei>uer	會兒 huìr	跑腿兒 pǎotuǐr	一會兒 yīhuìr	這會兒 zhèhuìr
	那會兒 nàhuìr	多會兒 duōhuìr	耳垂兒 ěrchuír	墨水兒 mòshuǐr
	圍嘴兒 wéizuǐr	烟嘴兒 yānzuǐr	走味兒 zǒuwèir	洋味兒 yángwèir
uen>uer	準兒 zhǔnr	打盹兒 dǎdǔnr	胖墩兒 pàngdūnr	屁股墩兒 pìgu dūnr
	砂輪兒 shālúnr	三輪兒 sānlúnr	冰棍兒 bīnggùnr	光棍兒 guānggùnr
	没準兒 méizhǔnr	開春兒 kāichūnr		
i>i:er	針鼻兒 zhēnbír	墊底兒 diàndǐr	肚臍兒 dùqír	玩意兒 wányìr
	没好氣兒 méi hǎoqìr			
in>i:er	有勁兒 yǒujìnr	賣勁兒 màijìnr	一個勁兒 yīgejìnr	
	一股勁兒 yīgǔjìnr	胡琴兒 húqinr	送信兒 sòngxìnr	脚印兒 jiǎoyìnr
ing>i:er	零兒 língr	花瓶兒 huāpíngr	打鳴兒 dǎmíngr	圖釘兒 túdīngr
	門鈴兒 ménlíngr	眼鏡兒 yǎnjìngr	蛋清兒 dànqīngr	火星兒 huǒxīngr
	人影兒 rényǐngr			
ü>ü:er	毛驢兒 máolǘr	蛐蛐兒 qūqur	小曲兒 xiǎoqǔr	金魚兒 jīnyúr

	痰盂兒 tányúr			
ün>ü:er	合群兒 héqúnr	花裙兒 huāqúnr		
-i(前)>er	瓜子兒 guāzǐr	花子兒 huāzǐr	銅子兒 tóngzǐr	石頭子兒 shítouzǐr
	没詞兒 méicír	毛刺兒 máocìr	挑刺兒 tiāocìr	
-i(後)>er	侄兒 zhír	墨汁兒 mòzhīr	鋸齒兒 jùchǐr	記事兒 jìshìr
	没事兒 méishìr	年三十兒 niánsānshír		
e>er	這兒 zhèr	個兒 gèr	嗝兒 gér	模特兒 mótèr
	逗樂兒 dòulèr	唱歌兒 chànggēr	挨個兒 āigèr	打嗝兒 dǎgér
	飯盒兒 fànhér	在這兒 zàizhèr	下巴頦兒 xiàbakēr	
u>ur	主兒 zhǔr	碎步兒 suìbùr	没譜兒 méipǔr	媳婦兒 xífur
	紋路兒 wénlùr	手鼓兒 shǒugǔr	泪珠兒 lèizhūr	有數兒 yǒushùr
	梨核兒 líhúr	煤核兒 méihúr	身子骨兒 shēnzigǔr	
	指頭肚兒 zhǐtoudùr			
ong>or	空兒 kòngr	果凍兒 guǒdòngr	門洞兒 méndòngr	胡同兒 hútòngr
	抽空兒 chōukòngr	酒盅兒 jiǔzhōngr	小葱兒 xiǎocōngr	
	螢火蟲兒 yínghuǒchóngr			
iong>ior	小熊兒 xiǎoxióngr			
ao>aor	着兒(招兒) zhāor	紅包兒 hóngbāor	燈泡兒 dēngpàor	半道兒 bàndàor
	小道兒 xiǎodàor	走道兒 zǒudàor	手套兒 shǒutàor	跳高兒 tiàogāor
	叫好兒 jiàohǎor	符號兒 fúhàor	口罩兒 kǒuzhàor	絶招兒 juézhāor
	口哨兒 kǒushàor	早早兒 zǎozǎor	蜜棗兒 mìzǎor	一股腦兒 yīgǔnǎor
iao>iaor	魚漂兒 yúpiāor	火苗兒 huǒmiáor	跑調兒 pǎodiàor	麵條兒 miàntiáor
	小鳥兒 xiǎoniǎor	豆角兒 dòujiǎor	開竅兒 kāiqiàor	
ou>our	兜兒 dōur	猴兒 hóur	衣兜兒 yīdōur	年頭兒 niántóur
	老頭兒 lǎotóur	兩頭兒 liǎngtóur	小偷兒 xiǎotōur	炕頭兒 kàngtóur
	個頭兒 gètóur	頭頭兒 tóutour	兩口兒 liǎngkǒur	門口兒 ménkǒur
	紐扣兒 niǔkòur	綫軸兒 xiànzhóur	小丑兒 xiǎochǒur	高手兒 gāoshǒur
iou>iour	頂牛兒 dǐngniúr	蝸牛兒 wōniúr	一溜兒 yīliùr	抓鬮兒 zhuājiūr
	打球兒 dǎqiúr	棉球兒 miánqiúr	加油兒 jiāyóur	
uo(o)>uor	朵兒 duǒr	座兒 zuòr	蟈蟈兒 guōguor	火鍋兒 huǒguōr
	做活兒 zuòhuór	大夥兒 dàhuǒr	飯桌兒 fànzhuōr	郵戳兒 yóuchuōr

小說兒 xiǎoshuōr 被窩兒 bèiwōr 酒窩兒 jiǔwōr 心窩兒 xīnwōr
大家夥兒 dàjiāhuǒr
末兒 mòr 土坡兒 tǔpōr 粉末兒 fěnmòr 耳膜兒 ěrmór

兒化韵在普通話裏有一定的語用功能。主要功能在構詞和修辭兩方面:區別不同的詞性或派生同類的詞;在修辭上能够體現人物的言語風格,以及附有指小、表愛的色彩。普通話有相當多的詞在需要附加上述功能時,都可以兒化。當然,在不需要負載上述功能時,就不會兒化。所以,除極少數經常讀爲兒化的詞語,如:"一會兒""一點兒""這兒""那兒"以外,一般不提"必讀兒化詞"。本表按聲韵配合關係,比較多地列舉了可以兒化的詞,這個表不是測試要求的範圍。測試範圍以"普通話水平測試用兒化詞語表"爲準。

八、語　調

語調是人們在語流中用抑揚頓挫來表情達意的所有語音形式的總和。語調構成的語音形式主要表現在音高、音長、音强等非音質成分上。在普通話的語調訓練中,首先應注重音高,其次是在音長的變化上,當然也不要忽略節奏、語速等方面。

學習普通話的語調要注意以下幾個方面:

1. 注意語句總體音高的變化

普通話的語調首先表現在語句音高的高低升降曲折等變化上。

降調——表現爲句子開頭高、句尾明顯降低。如一般陳述句、祈使句、感嘆句,以及近距離對話等情況。在普通話語句中降調出現頻率高。

升調——表現爲句子開頭低、句尾明顯升高。如一般疑問句、反問句,以及出現在長句中前半句。但是,疑問代詞處於句首的特殊疑問句,應爲降調。

平調——表現爲語句音高變化不明顯。如思考問題、宣讀名單、公布成績等情況。另外,遠距離問話,以及在人群前呼喊、喊口令時,可能出現總體高平的調形,但一般句子裏各個字的字調和連讀變調依然存在。

曲折調——表現爲語句音高曲折變化,多在表達特殊感情時出現。如表示嘲諷的語氣,以及重音出現在句子開頭,或疑問代詞出現在句中的疑問句等情況。

2. 聲調(字調)對語調産生影響

普通話的四個聲調(字調)調形爲平、升、曲、降,區别十分明顯。普通話語句的音高模式不會完全改變這四個聲調,同時又對聲調産生某種制約。因此,聲調的準確直接影響語調的正確。學習普通話出現的方言語調,學習漢語出現的洋腔洋調、怪腔怪調,都同没有掌握普通話聲調有直接關係。

普通話上聲調是學習普通話的難點。我們注意了上聲本調是個低調的特點,以及上聲變調的規律,上聲調就容易掌握了。讀陰平調注意保持調值高,讀陽平調注意中間不要拖長出現明顯曲折,而普通話讀去聲的字最多,要注意去聲調開頭的調值高度。聲調讀得準確,就會有效地克服語調當中出現的"方言味兒""洋味兒"。

3. 掌握詞語的輕重音格式

普通話也存在詞重音和句重音。由於聲調負擔起較重的辨義作用,普通話詞重音和句重音的作用有所淡化,不過我們在學習普通話時會常常感知到它的存在。像我們把每個字聲韵調原原本本不折不扣地讀出來,語感上并不自然,甚至感到很生硬,不像純正的普通話。其中,詞語的輕重音格式是不可忽視的一個主要原因。

普通話詞的輕重音格式的基本形式是:雙音節、三音節、四音節詞語大多數最後一個音節讀爲重音;三音節詞語大多數讀爲"中·次輕·重"的格式;四音節詞語大多數讀爲"中·次輕·中·重"的格式;雙音節詞語占普通話詞語總數的絶對優勢,絶大多數讀爲"中·重"的格式。

雙音節詞語讀後輕的詞語可以分爲兩類。一類爲"重·最輕"(或描述爲"重·輕")的格式,即輕聲詞語,用漢語拼音注音時,不標聲調符號。例如:東西、麻煩、規矩、客氣。另一類爲"重·次輕"的格式,一部分詞語在《現代漢語詞典》中輕讀音節標注聲調符號,但在輕讀音節前加圓點。例如:新鮮、客人、風水、匀稱。另一部分詞語,則未作明確標注。例如:分析、臭蟲、老虎、制度。這類詞語一般輕讀,偶爾(間或)重讀,讀音不太穩定。我們可以稱爲"可輕讀詞語"。

掌握輕聲詞語是學習普通話的基本要求。所謂操"港臺腔",主要原因之一是没有掌握輕聲詞語的讀音。另外,我們將大多數"重·次輕"格式詞語,後一個音節輕讀,則語感自然,是普通話水平較高的表現之一。

4. 掌握普通話的正常語速

普通話的正常語速爲中速,大約每分鐘 240 個音節左右,大致在 150～300 個音節之間浮動。一些少數民族語言、外國語正常語速爲快速,即每分鐘超過 300 個音節。有的漢語方言也有偏快的傾向。當學習普通話處在起步階段時,會出現語速過慢或忽快忽慢的情況。學習普通話要掌握好普通話的正常語速。

普通話語調還包括:停連、節拍群、語氣詞運用的諸多方面。這些都要注意學習掌握。

第二部分

普通話水平測試用普通話詞語表

説　　明

1.本表參照國家語言文字工作委員會現代漢語語料庫和中國社會科學院語言研究所編輯的《現代漢語詞典》(1996年7月修訂第三版)編制。

2.本表供普通話水平測試第一項——讀單音節字詞(100個音節)和第二項——讀多音節詞語(100個音節)測試使用。

3.本表共收詞語17041條,由“表一”(6593條)和“表二”(10448條)兩部分組成,條目按漢語拼音字母順序排列。“表一”裏帶*的是按頻率在第4000條以前的最常用詞。

4.本表條目除必讀輕聲音節外,一律衹標本調,不標變調。

5.條目中的必讀輕聲音節,注音不標調號,如:“明白 míngbai”;一般輕讀、間或重讀的音節,注音上標調號,注音前再加圓點提示,如:“玻璃 bō•lí”。

6.條目中兒化音節的注音,衹在基本形式後面加 r,如:“一會兒 yīhuìr”,不標語音上的實際變化。

表 一

1	*阿	ā
2	阿姨	āyí
3	挨	āi
4	挨	ái
5	矮	ǎi
6	*愛	ài
7	*愛國	àiguó
8	愛好	àihào
9	愛護	àihù
10	*愛情	àiqíng
11	*愛人	àiren
12	*安	ān
13	安定	āndìng
14	安静	ānjìng
15	*安排	ānpái
16	安培	ānpéi
17	*安全	ānquán
18	*安慰	ānwèi
19	安心	ānxīn
20	安置	ānzhì
21	安裝	ānzhuāng
22	氨	ān
23	氨基酸	ānjīsuān
24	岸	àn
25	*按	àn
26	*按照	ànzhào
27	*案	àn
28	*案件	ànjiàn
29	*暗	àn
30	暗示	ànshì
31	暗中	ànzhōng
32	凹	āo
33	熬	āo
34	熬	áo
35	奥秘	àomì
36	奥運會	Àoyùnhuì
37	*八	bā
38	巴	bā
39	扒	bā
40	拔	bá
41	*把	bǎ
42	*把握	bǎwò
43	*把兒	bàr
44	爸	bà
45	爸爸	bàba
46	*罷	bà
47	罷工	bàgōng
48	*白	bái
49	*白色	báisè
50	*白天	bái·tiān
51	*百	bǎi
52	百年	bǎinián
53	百姓	bǎixìng
54	*擺	bǎi
55	擺動	bǎidòng
56	*擺脱	bǎituō
57	敗	bài
58	拜	bài
59	*班	bān
60	*般	bān
61	頒布	bānbù
62	搬	bān
63	搬家	bānjiā
64	搬運	bānyùn
65	*板	bǎn
66	板凳	bǎndèng
67	板塊	bǎnkuài
68	版	bǎn
69	*辦	bàn
70	*辦法	bànfǎ
71	*辦公室	bàngōngshì
72	*辦理	bànlǐ
73	*辦事	bànshì
74	*半	bàn
75	半導體	bàndǎotǐ
76	半島	bàndǎo
77	*半徑	bànjìng
78	*半天	bàntiān
79	半夜	bànyè
80	扮演	bànyǎn
81	伴	bàn
82	伴隨	bànsuí
83	伴奏	bànzòu
84	瓣	bàn
85	*幫	bāng
86	幫忙	bāngmáng
87	*幫助	bāngzhù

88 榜樣 bǎngyàng
89 *棒 bàng
90 傍晚 bàngwǎn
91 *包 bāo
92 包袱 bāofu
93 包乾兒 bāogānr
94 *包含 bāohán
95 *包括 bāokuò
96 *包圍 bāowéi
97 包裝 bāozhuāng
98 孢子 bāozǐ
99 炮 bāo
100 *薄 báo
101 飽 bǎo
102 *飽和 bǎohé
103 寶 bǎo
104 寶貝 bǎobèi
105 寶貴 bǎoguì
106 寶石 bǎoshí
107 *保 bǎo
108 *保持 bǎochí
109 *保存 bǎocún
110 保管 bǎoguǎn
111 *保護 bǎohù
112 *保留 bǎoliú
113 保守 bǎoshǒu
114 *保衛 bǎowèi
115 保險 bǎoxiǎn
116 *保障 bǎozhàng
117 *保證 bǎozhèng
118 *報 bào
119 *報酬 bào•chóu
120 *報導 bàodào
121 報復 bào•fù
122 *報告 bàogào
123 *報刊 bàokān
124 報名 bàomíng
125 *報紙 bàozhǐ
126 *抱 bào
127 暴動 bàodòng
128 暴力 bàolì
129 *暴露 bàolù
130 暴雨 bàoyǔ
131 *爆發 bàofā
132 *爆炸 bàozhà
133 *杯 bēi
134 *背 bēi
135 悲哀 bēi'āi
136 悲慘 bēicǎn
137 *悲劇 bēijù
138 *北 běi
139 *北方 běifāng
140 貝 bèi
141 備 bèi
142 *背 bèi
143 *背後 bèihòu
144 *背景 bèijǐng
145 *倍 bèi
146 *被 bèi
147 被動 bèidòng
148 被告 bèigào
149 被子 bèizi
150 輩 bèi
151 奔 bēn
152 奔跑 bēnpǎo
153 *本 běn
154 本地 běndì
155 *本來 běnlái
156 *本領 běnlǐng
157 本能 běnnéng
158 *本人 běnrén
159 *本身 běnshēn
160 本事 běnshì
161 本事 běnshi
162 本體 běntǐ
163 本性 běnxìng
164 *本質 běnzhì
165 苯 běn
166 奔 bèn
167 笨 bèn
168 崩潰 bēngkuì
169 蹦 bèng
170 逼 bī
171 鼻 bí
172 鼻孔 bíkǒng
173 *鼻子 bízi
174 *比 bǐ
175 比價 bǐjià
176 *比較 bǐjiào
177 *比例 bǐlì
178 *比如 bǐrú
179 *比賽 bǐsài
180 比喻 bǐyù
181 *比重 bǐzhòng
182 彼 bǐ
183 *彼此 bǐcǐ
184 *筆 bǐ
185 筆記 bǐjì
186 筆者 bǐzhě
187 *必 bì
188 必定 bìdìng
189 *必然 bìrán

190 必然性 bìránxìng
191 *必須 bìxū
192 必需 bìxū
193 *必要 bìyào
194 *畢竟 bìjìng
195 *畢業 bìyè
196 閉 bì
197 閉合 bìhé
198 *壁 bì
199 壁畫 bìhuà
200 避 bì
201 *避免 bìmiǎn
202 臂 bì
203 *邊 biān
204 邊疆 biānjiāng
205 邊界 biānjiè
206 邊境 biānjìng
207 邊區 biānqū
208 邊緣 biānyuán
209 *編 biān
210 編輯 biānjí
211 編寫 biānxiě
212 *編制 biānzhì
213 鞭 biān
214 鞭子 biānzi
215 扁 biǎn
216 *變 biàn
217 *變動 biàndòng
218 變法 biànfǎ
219 *變革 biàngé
220 變更 biàngēng
221 *變化 biànhuà
222 變換 biànhuàn
223 變量 biànliàng
224. 變遷 biànqiān
225 變態 biàntài
226 變形 biànxíng
227 變异 biànyì
228 *便 biàn
229 便利 biànlì
230 *便於 biànyú
231 *遍 biàn
232 辨 biàn
233 辨別 biànbié
234 辨認 biànrèn
235 辯護 biànhù
236 *辯證 biànzhèng
237 *辯證法 biànzhèngfǎ
238 標 biāo
239 標本 biāoběn
240 標題 biāotí
241 標語 biāoyǔ
242 *標志 biāozhì
243 *標準 biāozhǔn
244 標準化 biāozhǔnhuà
245 *表 biǎo
246 表層 biǎocéng
247 *表達 biǎodá
248 *表面 biǎomiàn
249 *表明 biǎomíng
250 表皮 biǎopí
251 *表情 biǎoqíng
252 *表示 biǎoshì
253 表述 biǎoshù
254 *表現 biǎoxiàn
255 表象 biǎoxiàng
256 *表演 biǎoyǎn
257 表揚 biǎoyáng
258 表彰 biǎozhāng
259 *別 bié
260 *別人 bié•rén
261 *彆 biè
262 賓 bīn
263 *冰 bīng
264 冰川 bīngchuān
265 *兵 bīng
266 兵力 bīnglì
267 丙 bǐng
268 柄 bǐng
269 餅 bǐng
270 屏 bǐng
271 *并 bìng
272 *并且 bìngqiě
273 并用 bìngyòng
274 *病 bìng
275 病變 bìngbiàn
276 病毒 bìngdú
277 病理 bìnglǐ
278 病情 bìngqíng
279 *病人 bìngrén
280 撥 bō
281 *波 bō
282 *波長 bōcháng
283 *波動 bōdòng
284 波浪 bōlàng
285 *玻璃 bō•lí
286 剥奪 bōduó
287 *剥削 bōxuē
288 播種 bōzhǒng
289 播種 bōzhòng
290 伯 bó
291 *脖子 bózi
292 *博士 bóshì

293	搏鬥	bódòu
294	*薄	bó
295	薄弱	bóruò
296	*薄	bò
297	*補	bǔ
298	補償	bǔcháng
299	*補充	bǔchōng
300	補貼	bǔtiē
301	捕	bǔ
302	捕撈	bǔlāo
303	捕食	bǔshí
304	捕捉	bǔzhuō
305	*不	bù
306	*不安	bù'ān
307	*不必	bùbì
308	不便	bùbiàn
309	不曾	bùcéng
310	*不錯	bùcuò
311	*不但	bùdàn
312	不當	bùdàng
313	不等	bùděng
314	不定	bùdìng
315	*不斷	bùduàn
316	*不對	bùduì
317	不妨	bùfáng
318	不服	bùfú
319	*不够	bùgòu
320	*不顧	bùgù
321	*不管	bùguǎn
322	不光	bùguāng
323	*不過	bùguò
324	不合	bùhé
325	不及	bùjí
326	*不禁	bùjīn
327	*不僅	bùjǐn
328	*不久	bùjiǔ
329	不堪	bùkān
330	*不可	bùkě
331	不快	bùkuài
332	*不利	bùlì
333	*不良	bùliáng
334	不料	bùliào
335	*不論	bùlùn
336	*不滿	bùmǎn
337	不免	bùmiǎn
338	*不怕	bùpà
339	不平	bùpíng
340	*不然	bùrán
341	不容	bùróng
342	*不如	bùrú
343	不時	bùshí
344	不惜	bùxī
345	*不想	bùxiǎng
346	*不行	bùxíng
347	*不幸	bùxìng
348	*不許	bùxǔ
349	*不要	bùyào
350	不宜	bùyí
351	不已	bùyǐ
352	*不用	bùyòng
353	不止	bùzhǐ
354	*不足	bùzú
355	*布	bù
356	布局	bùjú
357	*布置	bùzhì
358	*步	bù
359	步伐	bùfá
360	*步驟	bùzhòu
361	步子	bùzi
362	*部	bù
363	*部隊	bùduì
364	*部分	bùfen
365	*部落	bùluò
366	*部門	bùmén
367	部署	bùshǔ
368	*部位	bùwèi
369	*擦	cā
370	猜	cāi
371	*才	cái
372	*才能	cáinéng
373	材	cái
374	*材料	cáiliào
375	財	cái
376	*財産	cáichǎn
377	*財富	cáifù
378	財力	cáilì
379	財務	cáiwù
380	*財政	cáizhèng
381	*采	cǎi
382	*采訪	cǎifǎng
383	采購	cǎigòu
384	采集	cǎijí
385	*采取	cǎiqǔ
386	*采用	cǎiyòng
387	彩	cǎi
388	彩色	cǎisè
389	踩	cǎi
390	*菜	cài
391	蔡	cài
392	參	cān
393	*參觀	cānguān

394	*參加	cānjiā
395	*參考	cānkǎo
396	參謀	cānmóu
397	參數	cānshù
398	*參與	cānyù
399	參照	cānzhào
400	殘	cán
401	殘酷	cánkù
402	殘餘	cányú
403	蠶	cán
404	燦爛	cànlàn
405	倉	cāng
406	倉庫	cāngkù
407	蒼白	cāngbái
408	蒼蠅	cāngying
409	艙	cāng
410	*藏	cáng
411	操	cāo
412	操縱	cāozòng
413	*操作	cāozuò
414	曹	cáo
415	槽	cáo
416	*草	cǎo
417	草案	cǎo'àn
418	草地	cǎodì
419	*草原	cǎoyuán
420	册	cè
421	*側	cè
422	側面	cèmiàn
423	側重	cèzhòng
424	*測	cè
425	*測定	cèdìng
426	*測量	cèliáng
427	測驗	cèyàn
428	策略	cèlüè

429	*層	céng
430	*層次	céngcì
431	*曾	céng
432	*曾經	céngjīng
433	叉	chā
434	*差	chā
435	*差别	chābié
436	差價	chājià
437	差距	chājù
438	*差异	chāyì
439	*插	chā
440	*茶	chá
441	茶館兒	cháguǎnr
442	茶葉	cháyè
443	*查	chá
444	察	chá
445	叉	chǎ
446	*差	chà
447	*差不多	chà •bùduō
448	差點兒	chàdiǎnr
449	拆	chāi
450	*差	chāi
451	柴	chái
452	纏	chán
453	*産	chǎn
454	産地	chǎndì
455	*産量	chǎnliàng
456	*産品	chǎnpǐn
457	*産生	chǎnshēng
458	*産物	chǎnwù
459	*産業	chǎnyè
460	産值	chǎnzhí
461	闡明	chǎnmíng
462	闡述	chǎnshù

463	顫抖	chàndǒu
464	*長	cháng
465	長城	Chángchéng
466	長處	cháng•chù
467	*長度	chángdù
468	長短	chángduǎn
469	長久	chángjiǔ
470	*長期	chángqī
471	長遠	chángyuǎn
472	長征	chángzhēng
473	*場	cháng
474	腸	cháng
475	嘗	cháng
476	嘗試	chángshì
477	*常	cháng
478	常規	chángguī
479	常年	chángnián
480	常識	chángshí
481	常數	chángshù
482	*廠	chǎng
483	廠房	chǎngfáng
484	*場	chǎng
485	場地	chǎngdì
486	場合	chǎnghé
487	*場面	chǎngmiàn
488	*場所	chǎngsuǒ
489	*唱	chàng
490	抄	chāo
491	*超	chāo
492	超出	chāochū
493	超額	chāo'é
494	*超過	chāoguò
495	超越	chāoyuè
496	巢	cháo
497	*朝	cháo

498 朝廷 cháotíng
499 潮 cháo
500 潮流 cháoliú
501 潮濕 cháoshī
502 吵 chǎo
503 炒 chǎo
504 *車 chē
505 *車間 chējiān
506 車輛 chēliàng
507 車廂 chēxiāng
508 車站 chēzhàn
509 車子 chēzi
510 扯 chě
511 *徹底 chèdǐ
512 撤 chè
513 撤銷 chèxiāo
514 臣 chén
515 塵 chén
516 沉 chén
517 *沉澱 chéndiàn
518 沉積 chénjī
519 *沉默 chénmò
520 沉思 chénsī
521 *沉重 chénzhòng
522 沉着 chénzhuó
523 *陳 chén
524 陳舊 chénjiù
525 陳述 chénshù
526 *稱 chèn
527 趁 chèn
528 *稱 chēng
529 稱號 chēnghào
530 稱呼 chēnghu
531 稱贊 chēngzàn
532 撑 chēng
533 *成 chéng
534 *成本 chéngběn
535 成蟲 chéngchóng
536 *成分 chéng•fèn
537 *成功 chénggōng
538 *成果 chéngguǒ
539 *成績 chéngjì
540 *成就 chéngjiù
541 *成立 chénglì
542 成年 chéngnián
543 *成人 chéngrén
544 *成熟 chéngshú
545 *成爲 chéngwéi
546 成效 chéngxiào
547 成語 chéngyǔ
548 *成員 chéngyuán
549 *成長 chéngzhǎng
550 *呈 chéng
551 *呈現 chéngxiàn
552 誠 chéng
553 誠懇 chéngkěn
554 誠實 chéng•shí
555 承 chéng
556 承包 chéngbāo
557 *承擔 chéngdān
558 *承認 chéngrèn
559 承受 chéngshòu
560 *城 chéng
561 *城市 chéngshì
562 城鎮 chéngzhèn
563 *乘 chéng
564 乘機 chéngjī
565 乘客 chéngkè
566 *盛 chéng
567 程 chéng
568 *程度 chéngdù
569 程式 chéngshì
570 *程序 chéngxù
571 懲罰 chéngfá
572 秤 chèng
573 *吃 chī
574 *吃飯 chīfàn
575 吃驚 chījīng
576 吃力 chīlì
577 *池 chí
578 池塘 chítáng
579 *遲 chí
580 *持 chí
581 持久 chíjiǔ
582 *持續 chíxù
583 *尺 chǐ
584 *尺度 chǐdù
585 齒 chǐ
586 赤 chì
587 赤道 chìdào
588 翅 chì
589 *翅膀 chìbǎng
590 *衝 chōng
591 衝動 chōngdòng
592 衝擊 chōngjī
593 衝破 chōngpò
594 *衝突 chōngtū
595 充 chōng
596 充當 chōngdāng
597 *充分 chōngfèn
598 *充滿 chōngmǎn
599 充實 chōngshí

805 *大陸 dàlù
806 大媽 dàmā
807 *大門 dàmén
808 *大腦 dànǎo
809 *大娘 dàniáng
810 大炮 dàpào
811 *大氣 dàqì
812 大慶 dàqìng
813 *大人 dà•rén
814 大嫂 dàsǎo
815 大廈 dàshà
816 大嬸兒 dàshěnr
817 大師 dàshī
818 *大事 dàshì
819 大叔 dàshū
820 大體 dàtǐ
821 大廳 dàtīng
822 大王 dàwáng
823 *大小 dàxiǎo
824 *大型 dàxíng
825 *大學 dàxué
826 *大學生 dàxuéshēng
827 大洋 dàyáng
828 大爺 dàyé
829 大爺 dàye
830 大衣 dàyī
831 大雨 dàyǔ
832 *大約 dàyuē
833 大戰 dàzhàn
834 *大致 dàzhì
835 大衆 dàzhòng
836 大自然 dàzìrán
837 *呆 dāi
838 *待 dāi
839 *大夫 dàifu
840 *代 dài
841 *代表 dàibiǎo
842 代價 dàijià
843 代理 dàilǐ
844 代理人 dàilǐrén
845 *代替 dàitì
846 代謝 dàixiè
847 *帶 dài
848 帶動 dàidòng
849 *帶領 dàilǐng
850 帶頭 dàitóu
851 *貸款 dàikuǎn
852 *待 dài
853 待遇 dàiyù
854 袋 dài
855 逮捕 dàibǔ
856 *戴 dài
857 *擔 dān
858 擔負 dānfù
859 *擔任 dānrèn
860 *擔心 dānxīn
861 *單 dān
862 *單純 dānchún
863 單調 dāndiào
864 *單獨 dāndú
865 *單位 dānwèi
866 單一 dānyī
867 躭誤 dānwu
868 膽 dǎn
869 *石 dàn
870 *但 dàn
871 *但是 dànshì
872 *擔 dàn
873 擔子 dànzi
874 *誕生 dànshēng
875 淡 dàn
876 淡水 dànshuǐ
877 *彈 dàn
878 *蛋 dàn
879 蛋白 dànbái
880 *蛋白質 dànbáizhì
881 *氮 dàn
882 *當 dāng
883 當場 dāngchǎng
884 當初 dāngchū
885 *當代 dāngdài
886 *當地 dāngdì
887 當即 dāngjí
888 當今 dāngjīn
889 當局 dāngjú
890 *當年 dāngnián
891 *當前 dāngqián
892 *當然 dāngrán
893 *當時 dāngshí
894 *當事人 dāngshìrén
895 當選 dāngxuǎn
896 當中 dāngzhōng
897 擋 dǎng
898 *黨 dǎng
899 *黨委 dǎngwěi
900 黨性 dǎngxìng
901 *黨員 dǎngyuán
902 *當 dàng
903 當成 dàngchéng
904 *當年 dàngnián
905 *當時 dàngshí
906 當天 dàngtiān

907 當做 dàngzuò
908 檔案 dàng'àn
909 *刀 dāo
910 導 dǎo
911 導彈 dǎodàn
912 導管 dǎoguǎn
913 *導體 dǎotǐ
914 *導綫 dǎoxiàn
915 *導演 dǎoyǎn
916 *導致 dǎozhì
917 *島 dǎo
918 島嶼 dǎoyǔ
919 *倒 dǎo
920 倒霉 dǎoméi
921 *到 dào
922 *到處 dàochù
923 *到達 dàodá
924 *到底 dàodǐ
925 到來 dàolái
926 *倒 dào
927 盗竊 dàoqiè
928 *道 dào
929 *道德 dàodé
930 道教 Dàojiào
931 *道理 dào•lǐ
932 *道路 dàolù
933 稻 dào
934 稻穀 dàogǔ
935 *得 dé
936 *得到 dédào
937 *得以 déyǐ
938 得意 déyì
939 *德 dé
940 德育 déyù
941 *得 děi
942 *燈 dēng
943 *燈光 dēngguāng
944 燈泡兒 dēngpàor
945 登 dēng
946 *登記 dēngjì
947 蹬 dēng
948 *等 děng
949 *等待 děngdài
950 *等到 děngdào
951 等候 děnghòu
952 *等級 děngjí
953 *等於 děngyú
954 鄧 Dèng
955 *瞪 dèng
956 *低 dī
957 低級 dījí
958 低頭 dītóu
959 低温 dīwēn
960 低下 dīxià
961 *滴 dī
962 *的確 díquè
963 *敵 dí
964 敵對 díduì
965 *敵人 dírén
966 抵 dǐ
967 抵抗 dǐkàng
968 抵制 dǐzhì
969 *底 dǐ
970 底層 dǐcéng
971 *底下 dǐ•xià
972 *地 dì
973 地板 dìbǎn
974 地表 dìbiǎo
975 地步 dìbù
976 地層 dìcéng
977 *地帶 dìdài
978 *地點 dìdiǎn
979 *地方 dìfāng
980 *地方 dìfang
981 *地理 dìlǐ
982 *地貌 dìmào
983 *地面 dìmiàn
984 地殼 dìqiào
985 *地球 dìqiú
986 *地區 dìqū
987 地勢 dìshì
988 *地圖 dìtú
989 *地位 dìwèi
990 *地下 dìxià
991 *地下 dì•xia
992 地下水 dìxiàshuǐ
993 *地形 dìxíng
994 地域 dìyù
995 地震 dìzhèn
996 *地質 dìzhì
997 *地主 dìzhǔ
998 地租 dìzū
999 *弟弟 dìdi
1000 弟兄 dìxiong
1001 弟子 dìzǐ
1002 帝 dì
1003 帝國 dìguó
1004 遞 dì
1005 *第 dì
1006 *典型 diǎnxíng
1007 *點 diǎn

1008 點燃 diǎnrán
1009 *點頭 diǎntóu
1010 碘 diǎn
1011 *電 diàn
1012 電報 diànbào
1013 電場 diànchǎng
1014 電池 diànchí
1015 電磁 diàncí
1016 電磁波 diàncíbō
1017 電燈 diàndēng
1018 電動 diàndòng
1019 *電荷 diànhè
1020 *電話 diànhuà
1021 電離 diànlí
1022 電力 diànlì
1023 電量 diànliàng
1024 *電流 diànliú
1025 *電路 diànlù
1026 電腦 diànnǎo
1027 電能 diànnéng
1028 電器 diànqì
1029 電容 diànróng
1030 *電視 diànshì
1031 電視劇 diànshìjù
1032 電視臺 diànshìtái
1033 電臺 diàntái
1034 電綫 diànxiàn
1035 *電壓 diànyā
1036 *電影 diànyǐng
1037 電源 diànyuán
1038 *電子 diànzǐ
1039 *電阻 diànzǔ
1040 *店 diàn
1041 墊 diàn
1042 澱粉 diànfěn
1043 奠定 diàndìng
1044 雕 diāo
1045 雕刻 diāokè
1046 雕塑 diāosù
1047 吊 diào
1048 *調 diào
1049 調撥 diàobō
1050 *調查 diàochá
1051 *調動 diàodòng
1052 *掉 diào
1053 *爹 diē
1054 跌 diē
1055 迭 dié
1056 疊 dié
1057 *丁 dīng
1058 盯 dīng
1059 釘 dīng
1060 *頂 dǐng
1061 頂點 dǐngdiǎn
1062 頂端 dǐngduān
1063 訂 dìng
1064 訂貨 dìnghuò
1065 釘 dìng
1066 *定 dìng
1067 *定額 dìng'é
1068 *定理 dìnglǐ
1069 定量 dìngliàng
1070 *定律 dìnglǜ
1071 定期 dìngqī
1072 定向 dìngxiàng
1073 定型 dìngxíng
1074 *定義 dìngyì
1075 *丟 diū
1076 *東 dōng
1077 *東北 dōngběi
1078 *東方 dōngfāng
1079 東南 dōngnán
1080 東歐 Dōng Ōu
1081 *東西 dōngxī
1082 *東西 dōngxi
1083 *冬 dōng
1084 *冬季 dōngjì
1085 *冬天 dōngtiān
1086 *懂 dǒng
1087 *懂得 dǒng•dé
1088 *動 dòng
1089 動詞 dòngcí
1090 *動機 dòngjī
1091 動静 dòngjing
1092 *動力 dònglì
1093 動量 dòngliàng
1094 動脉 dòngmài
1095 動能 dòngnéng
1096 動人 dòngrén
1097 *動手 dòngshǒu
1098 動態 dòngtài
1099 *動物 dòngwù
1100 動摇 dòngyáo
1101 *動員 dòngyuán
1102 *動作 dòngzuò
1103 *凍 dòng
1104 *洞 dòng
1105 *都 dōu
1106 兜 dōu
1107 *斗 dǒu
1108 抖 dǒu
1109 *鬥 dòu

1110	*鬥爭	dòuzhēng
1111	豆	dòu
1112	豆腐	dòufu
1113	逗	dòu
1114	*都	dū
1115	*都會	dūhuì
1116	都市	dūshì
1117	*毒	dú
1118	毒素	dúsù
1119	獨	dú
1120	*獨立	dúlì
1121	*獨特	dútè
1122	獨占	dúzhàn
1123	獨自	dúzì
1124	*讀	dú
1125	*讀書	dúshū
1126	*讀者	dúzhě
1127	*肚子	dǔzi
1128	堵	dǔ
1129	杜	dù
1130	肚皮	dùpí
1131	*肚子	dùzi
1132	*度	dù
1133	渡	dù
1134	*端	duān
1135	端正	duānzhèng
1136	*短	duǎn
1137	短期	duǎnqī
1138	短暫	duǎnzàn
1139	*段	duàn
1140	*斷	duàn
1141	斷定	duàndìng
1142	*鍛煉	duànliàn
1143	*堆	duī
1144	堆積	duījī
1145	*隊	duì
1146	*隊伍	duìwu
1147	*對	duì
1148	*對比	duìbǐ
1149	*對不起	duì •bùqǐ
1150	*對稱	duìchèn
1151	*對待	duìdài
1152	*對方	duìfāng
1153	對付	duìfu
1154	對話	duìhuà
1155	對抗	duìkàng
1156	*對立	duìlì
1157	對流	duìliú
1158	對面	duìmiàn
1159	對手	duìshǒu
1160	*對象	duìxiàng
1161	*對應	duìyìng
1162	*對於	duìyú
1163	對照	duìzhào
1164	*噸	dūn
1165	*蹲	dūn
1166	*頓	dùn
1167	*頓時	dùnshí
1168	*多	duō
1169	多邊形	duōbiānxíng
1170	*多麼	duōme
1171	*多少	duō•shǎo
1172	*多數	duōshù
1173	多餘	duōyú
1174	奪	duó
1175	*奪取	duóqǔ
1176	*度	duó
1177	*朵	duǒ
1178	*躲	duǒ
1179	*阿	ē
1180	俄	é
1181	鵝	é
1182	*額	é
1183	*惡	è
1184	惡化	èhuà
1185	惡劣	èliè
1186	*餓	è
1187	恩	ēn
1188	*兒	ér
1189	兒女	érnǚ
1190	*兒童	értóng
1191	*兒子	érzi
1192	*而	ér
1193	而後	érhòu
1194	*而且	érqiě
1195	爾	ěr
1196	*耳	ěr
1197	*耳朵	ěrduo
1198	餌料	ěrliào
1199	*二	èr
1200	*發	fā
1201	*發表	fābiǎo
1202	發病	fābìng
1203	發布	fābù
1204	*發出	fāchū
1205	*發達	fādá
1206	發電	fādiàn
1207	*發動	fādòng
1208	發動機	fādòngjī
1209	發抖	fādǒu
1210	*發揮	fāhuī

1211 發覺 fājué
1212 發掘 fājué
1213 *發明 fāmíng
1214 發起 fāqǐ
1215 發熱 fārè
1216 *發射 fāshè
1217 *發生 fāshēng
1218 *發現 fāxiàn
1219 *發行 fāxíng
1220 發芽 fāyá
1221 發言 fāyán
1222 *發揚 fāyáng
1223 發音 fāyīn
1224 *發育 fāyù
1225 *發展 fāzhǎn
1226 發作 fāzuò
1227 罰 fá
1228 罰款 fákuǎn
1229 *法 fǎ
1230 法定 fǎdìng
1231 法官 fǎguān
1232 *法規 fǎguī
1233 法令 fǎlìng
1234 *法律 fǎlǜ
1235 法人 fǎrén
1236 法庭 fǎtíng
1237 法西斯 fǎxīsī
1238 法學 fǎxué
1239 *法院 fǎyuàn
1240 *法則 fǎzé
1241 *法制 fǎzhì
1242 *髮 fà
1243 番 fān
1244 *翻 fān
1245 翻身 fānshēn
1246 *翻譯 fānyì
1247 *凡 fán
1248 *凡是 fánshì
1249 煩惱 fánnǎo
1250 繁 fán
1251 繁多 fánduō
1252 *繁榮 fánróng
1253 *繁殖 fánzhí
1254 繁重 fánzhòng
1255 *反 fǎn
1256 *反動 fǎndòng
1257 *反對 fǎnduì
1258 *反而 fǎn'ér
1259 *反復 fǎnfù
1260 *反抗 fǎnkàng
1261 反饋 fǎnkuì
1262 反面 fǎnmiàn
1263 *反射 fǎnshè
1264 *反應 fǎnyìng
1265 *反映 fǎnyìng
1266 *反正 fǎn•zhèng
1267 *反之 fǎnzhī
1268 返 fǎn
1269 返回 fǎnhuí
1270 *犯 fàn
1271 *犯罪 fànzuì
1272 *飯 fàn
1273 飯店 fàndiàn
1274 泛 fàn
1275 範 fàn
1276 *範疇 fànchóu
1277 *範圍 fànwéi
1278 *方 fāng
1279 *方案 fāng'àn
1280 *方便 fāngbiàn
1281 方纔 fāngcái
1282 *方程 fāngchéng
1283 *方法 fāngfǎ
1284 方法論 fāngfǎlùn
1285 *方面 fāngmiàn
1286 *方式 fāngshì
1287 *方向 fāngxiàng
1288 *方言 fāngyán
1289 *方針 fāngzhēn
1290 防 fáng
1291 防禦 fángyù
1292 *防止 fángzhǐ
1293 *防治 fángzhì
1294 妨礙 fáng'ài
1295 *房 fáng
1296 *房間 fángjiān
1297 *房屋 fángwū
1298 *房子 fángzi
1299 *仿佛 fǎngfú
1300 訪 fǎng
1301 *訪問 fǎngwèn
1302 紡織 fǎngzhī
1303 *放 fàng
1304 放大 fàngdà
1305 *放弃 fàngqì
1306 放射 fàngshè
1307 放射性 fàngshèxìng
1308 放鬆 fàngsōng
1309 *放心 fàngxīn
1310 *飛 fēi

1311　飛船　fēichuán
1312 *飛機　fēijī
1313　飛快　fēikuài
1314　飛翔　fēixiáng
1315 *飛行　fēixíng
1316　飛躍　fēiyuè
1317 *非　fēi
1318 *非常　fēicháng
1319　非法　fēifǎ
1320 *肥　féi
1321　肥料　féiliào
1322　匪　fěi
1323 *肺　fèi
1324　廢　fèi
1325　廢除　fèichú
1326　沸騰　fèiténg
1327 *費　fèi
1328 *費用　fèi•yòng
1329 *分　fēn
1330　分辨　fēnbiàn
1331 *分別　fēnbié
1332 *分布　fēnbù
1333 *分成　fēnchéng
1334　分割　fēngē
1335 *分工　fēngōng
1336 *分化　fēnhuà
1337 *分解　fēnjiě
1338 *分開　fēnkāi
1339 *分類　fēnlèi
1340 *分離　fēnlí
1341 *分裂　fēnliè
1342 *分泌　fēnmì
1343　分明　fēnmíng
1344 *分配　fēnpèi
1345　分歧　fēnqí
1346 *分散　fēnsàn
1347 *分析　fēnxī
1348　分支　fēnzhī
1349 *分子　fēnzǐ
1350 *粉　fěn
1351　粉末　fěnmò
1352　粉碎　fěnsuì
1353 *分　fèn
1354　分量　fèn•liàng
1355 *分子　fènzǐ
1356 *份　fèn
1357 *奮鬥　fèndòu
1358　糞　fèn
1359　憤怒　fènnù
1360　豐　fēng
1361 *豐富　fēngfù
1362　豐收　fēngshōu
1363 *風　fēng
1364　風暴　fēngbào
1365 *風格　fēnggé
1366　風光　fēngguāng
1367　風景　fēngjǐng
1368　風力　fēnglì
1369　風氣　fēngqì
1370　風俗　fēngsú
1371　風速　fēngsù
1372　風險　fēngxiǎn
1373　風雨　fēngyǔ
1374 *封　fēng
1375　封閉　fēngbì
1376 *封建　fēngjiàn
1377　封鎖　fēngsuǒ
1378　瘋狂　fēngkuáng
1379　峰　fēng
1380　鋒　fēng
1381　蜂　fēng
1382　馮　Féng
1383　縫　féng
1384　諷刺　fěngcì
1385　奉　fèng
1386　奉獻　fèngxiàn
1387 *縫　fèng
1388 *佛　fó
1389 *佛教　Fójiào
1390　否　fǒu
1391 *否定　fǒudìng
1392 *否認　fǒurèn
1393 *否則　fǒuzé
1394 *夫　fū
1395　夫婦　fūfù
1396 *夫妻　fūqī
1397 *夫人　fū•rén
1398　孵化　fūhuà
1399 *伏　fú
1400　伏特　fútè
1401 *扶　fú
1402 *服　fú
1403 *服從　fúcóng
1404 *服務　fúwù
1405　服務員　fúwùyuán
1406 *服裝　fúzhuāng
1407　俘虜　fúlǔ
1408　浮　fú
1409　浮動　fúdòng
1410　浮游　fúyóu
1411 *符號　fúhào

1412	*符合	fúhé
1413	*幅	fú
1414	幅度	fúdù
1415	*輻射	fúshè
1416	福	fú
1417	福利	fúlì
1418	撫摸	fǔmō
1419	府	fǔ
1420	輔助	fǔzhù
1421	腐	fǔ
1422	腐敗	fǔbài
1423	腐蝕	fǔshí
1424	腐朽	fǔxiǔ
1425	*父母	fùmǔ
1426	*父親	fù•qīn
1427	付	fù
1428	付出	fùchū
1429	*負	fù
1430	*負擔	fùdān
1431	*負責	fùzé
1432	婦	fù
1433	*婦女	fùnǚ
1434	附	fù
1435	附加	fùjiā
1436	*附近	fùjìn
1437	附着	fùzhuó
1438	*服	fù
1439	赴	fù
1440	*復	fù
1441	復辟	fùbì
1442	複合	fùhé
1443	*複雜	fùzá
1444	複製	fùzhì
1445	*副	fù
1446	副業	fùyè
1447	賦	fù
1448	賦予	fùyǔ
1449	*富	fù
1450	*富有	fùyǒu
1451	富裕	fùyù
1452	*腹	fù
1453	覆蓋	fùgài
1454	*該	gāi
1455	*改	gǎi
1456	改編	gǎibiān
1457	*改變	gǎibiàn
1458	*改革	gǎigé
1459	*改進	gǎijìn
1460	改良	gǎiliáng
1461	*改善	gǎishàn
1462	*改造	gǎizào
1463	改正	gǎizhèng
1464	改組	gǎizǔ
1465	鈣	gài
1466	*蓋	gài
1467	*概括	gàikuò
1468	概率	gàilǜ
1469	*概念	gàiniàn
1470	*乾	gān
1471	乾脆	gāncuì
1472	乾旱	gānhàn
1473	*乾净	gān•jìng
1474	*干擾	gānrǎo
1475	*干涉	gānshè
1476	干預	gānyù
1477	*乾燥	gānzào
1478	甘心	gānxīn
1479	杆	gān
1480	*肝	gān
1481	肝臟	gānzàng
1482	杆	gǎn
1483	*趕	gǎn
1484	*趕緊	gǎnjǐn
1485	*趕快	gǎnkuài
1486	趕忙	gǎnmáng
1487	*敢	gǎn
1488	敢於	gǎnyú
1489	*感	gǎn
1490	*感到	gǎndào
1491	*感動	gǎndòng
1492	感官	gǎnguān
1493	感激	gǎn•jī
1494	*感覺	gǎnjué
1495	感概	gǎnkǎi
1496	*感情	gǎnqíng
1497	*感染	gǎnrǎn
1498	*感受	gǎnshòu
1499	感謝	gǎnxiè
1500	感性	gǎnxìng
1501	感應	gǎnyìng
1502	感知	gǎnzhī
1503	*幹	gàn
1504	*幹部	gànbù
1505	*剛	gāng
1506	*剛纔	gāngcái
1507	*綱	gāng
1508	綱領	gānglǐng
1509	*鋼	gāng
1510	鋼琴	gāngqín
1511	*鋼鐵	gāngtiě
1512	*崗位	gǎngwèi

1513	港	gǎng
1514	港口	gǎngkǒu
1515	*高	gāo
1516	高產	gāochǎn
1517	高潮	gāocháo
1518	*高大	gāodà
1519	高等	gāoděng
1520	*高低	gāodī
1521	高地	gāodì
1522	*高度	gāodù
1523	*高級	gāojí
1524	高空	gāokōng
1525	高尚	gāoshàng
1526	高速	gāosù
1527	*高温	gāowēn
1528	高校	gāoxiào
1529	*高興	gāoxìng
1530	高壓	gāoyā
1531	*高原	gāoyuán
1532	高漲	gāozhǎng
1533	高中	gāozhōng
1534	*搞	gǎo
1535	稿	gǎo
1536	告	gào
1537	告别	gàobié
1538	*告訴	gàosu
1539	疙瘩	gēda
1540	*哥哥	gēge
1541	胳膊	gēbo
1542	鴿子	gēzi
1543	擱	gē
1544	割	gē
1545	*歌	gē
1546	歌唱	gēchàng
1547	歌劇	gējù
1548	*歌曲	gēqǔ
1549	歌聲	gēshēng
1550	歌頌	gēsòng
1551	歌舞	gēwǔ
1552	*革命	gémìng
1553	*革新	géxīn
1554	*格	gé
1555	格外	géwài
1556	*隔	gé
1557	隔壁	gébì
1558	隔離	gélí
1559	*個	gè
1560	*個别	gèbié
1561	*個人	gèrén
1562	*個體	gètǐ
1563	*個性	gèxìng
1564	*各	gè
1565	*各自	gèzì
1566	*給	gěi
1567	給以	gěiyǐ
1568	*根	gēn
1569	*根本	gēnběn
1570	*根據	gēnjù
1571	*根據地	gēnjùdì
1572	根系	gēnxì
1573	根源	gēnyuán
1574	*跟	gēn
1575	跟前	gēn·qián
1576	跟隨	gēnsuí
1577	*更	gēng
1578	*更新	gēngxīn
1579	耕	gēng
1580	*耕地	gēngdì
1581	耕作	gēngzuò
1582	*更	gèng
1583	*更加	gèngjiā
1584	*工	gōng
1585	*工廠	gōngchǎng
1586	工場	gōngchǎng
1587	*工程	gōngchéng
1588	*工程師	gōngchéngshī
1589	工地	gōngdì
1590	工夫	gōngfu
1591	工會	gōnghuì
1592	*工具	gōngjù
1593	*工人	gōng·rén
1594	工商業	gōngshāngyè
1595	*工業	gōngyè
1596	工業化	gōngyèhuà
1597	*工藝	gōngyì
1598	*工資	gōngzī
1599	*工作	gōngzuò
1600	弓	gōng
1601	*公	gōng
1602	公安	gōng'ān
1603	公布	gōngbù
1604	公公	gōnggong
1605	*公共	gōnggòng
1606	*公開	gōngkāi
1607	*公理	gōnglǐ
1608	*公路	gōnglù
1609	*公民	gōngmín
1610	公平	gōng·píng
1611	公認	gōngrèn
1612	*公社	gōngshè
1613	*公式	gōngshì

1614 *公司 gōngsī
1615 公有 gōngyǒu
1616 *公有制 gōngyǒuzhì
1617 *公元 gōngyuán
1618 公園 gōngyuán
1619 公正 gōngzhèng
1620 公主 gōngzhǔ
1621 *功 gōng
1622 功夫 gōngfu
1623 功課 gōngkè
1624 功率 gōnglǜ
1625 *功能 gōngnéng
1626 攻 gōng
1627 *攻擊 gōngjī
1628 *供 gōng
1629 *供給 gōngjǐ
1630 供求 gōngqiú
1631 *供應 gōngyìng
1632 宫 gōng
1633 宫廷 gōngtíng
1634 *鞏固 gǒnggù
1635 汞 gǒng
1636 拱 gǒng
1637 *共 gòng
1638 *共産黨 gòngchǎndǎng
1639 共和國 gònghéguó
1640 共鳴 gòngmíng
1641 *共同 gòngtóng
1642 *貢獻 gòngxiàn
1643 *供 gòng
1644 勾結 gōujié
1645 *溝 gōu
1646 溝通 gōutōng
1647 鉤 gōu
1648 *狗 gǒu
1649 構 gòu
1650 *構成 gòuchéng
1651 構思 gòusī
1652 *構造 gòuzào
1653 購 gòu
1654 *購買 gòumǎi
1655 購銷 gòuxiāo
1656 *够 gòu
1657 *估計 gūjì
1658 *姑娘 gūniang
1659 孤獨 gūdú
1660 *孤立 gūlì
1661 *古 gǔ
1662 *古代 gǔdài
1663 古典 gǔdiǎn
1664 *古老 gǔlǎo
1665 古人 gǔrén
1666 *穀 gǔ
1667 *股 gǔ
1668 股票 gǔpiào
1669 *骨 gǔ
1670 骨幹 gǔgàn
1671 骨骼 gǔgé
1672 骨頭 gǔtou
1673 *鼓 gǔ
1674 鼓吹 gǔchuī
1675 *鼓勵 gǔlì
1676 鼓舞 gǔwǔ
1677 *固 gù
1678 *固定 gùdìng
1679 *固然 gùrán
1680 *固體 gùtǐ
1681 固有 gùyǒu
1682 固執 gù•zhí
1683 *故 gù
1684 *故事 gùshi
1685 故鄉 gùxiāng
1686 *故意 gùyì
1687 顧 gù
1688 *顧客 gùkè
1689 顧慮 gùlǜ
1690 顧問 gùwèn
1691 雇 gù
1692 瓜 guā
1693 刮 guā
1694 寡婦 guǎfu
1695 *挂 guà
1696 拐 guǎi
1697 *怪 guài
1698 怪物 guàiwu
1699 *關 guān
1700 關閉 guānbì
1701 關懷 guānhuái
1702 *關鍵 guānjiàn
1703 關節 guānjié
1704 關聯 guānlián
1705 *關係 guānxi
1706 *關心 guānxīn
1707 *關於 guānyú
1708 關注 guānzhù
1709 *觀 guān
1710 *觀測 guāncè
1711 *觀察 guānchá
1712 *觀點 guāndiǎn
1713 觀看 guānkàn
1714 *觀念 guānniàn

1715 *觀衆 guānzhòng
1716 *官 guān
1717 官兵 guānbīng
1718 官吏 guānlì
1719 官僚 guānliáo
1720 官員 guānyuán
1721 冠 guān
1722 館 guǎn
1723 *管 guǎn
1724 管道 guǎndào
1725 *管理 guǎnlǐ
1726 管轄 guǎnxiá
1727 *觀 guàn
1728 *貫徹 guànchè
1729 貫穿 guànchuān
1730 冠 guàn
1731 *冠軍 guànjūn
1732 慣 guàn
1733 慣性 guànxìng
1734 灌 guàn
1735 *灌溉 guàngài
1736 *光 guāng
1737 光彩 guāngcǎi
1738 光滑 guānghuá
1739 *光輝 guānghuī
1740 光景 guāngjǐng
1741 光亮 guāngliàng
1742 光芒 guāngmáng
1743 光明 guāngmíng
1744 光譜 guāngpǔ
1745 *光榮 guāngróng
1746 *光綫 guāngxiàn
1747 光學 guāngxué
1748 光源 guāngyuán
1749 光澤 guāngzé
1750 光照 guāngzhào
1751 *廣 guǎng
1752 *廣播 guǎngbō
1753 廣場 guǎngchǎng
1754 *廣大 guǎngdà
1755 *廣泛 guǎngfàn
1756 *廣告 guǎnggào
1757 *廣闊 guǎngkuò
1758 廣義 guǎngyì
1759 逛 guàng
1760 *歸 guī
1761 歸結 guījié
1762 歸來 guīlái
1763 歸納 guīnà
1764 *規定 guīdìng
1765 *規範 guīfàn
1766 規格 guīgé
1767 *規劃 guīhuà
1768 規矩 guīju
1769 *規律 guīlǜ
1770 *規模 guīmó
1771 *規則 guīzé
1772 閨女 guīnü
1773 *硅 guī
1774 *軌道 guǐdào
1775 *鬼 guǐ
1776 *鬼子 guǐzi
1777 *貴 guì
1778 *貴族 guìzú
1779 桂 guì
1780 跪 guì
1781 *滾 gǔn
1782 郭 guō
1783 鍋 guō
1784 *國 guó
1785 國防 guófáng
1786 國會 guóhuì
1787 *國際 guójì
1788 *國家 guójiā
1789 *國民 guómín
1790 國情 guóqíng
1791 國土 guótǔ
1792 *國王 guówáng
1793 *國務院 guówùyuàn
1794 *國營 guóyíng
1795 國有 guóyǒu
1796 *果 guǒ
1797 果斷 guǒduàn
1798 *果然 guǒrán
1799 *果實 guǒshí
1800 果樹 guǒshù
1801 裹 guǒ
1802 *過 guò
1803 *過程 guòchéng
1804 過度 guòdù
1805 *過渡 guòdù
1806 *過分 guòfèn
1807 過後 guòhòu
1808 *過來 guò•lái
1809 過年 guònián
1810 *過去 guòqù
1811 *過去 guò•qù
1812 過於 guòyú
1813 哈 hā
1814 *還 hái
1815 *孩子 háizi
1816 *海 hǎi

2023 緩和 huǎnhé
2024 *緩慢 huǎnmàn
2025 幻覺 huànjué
2026 *幻想 huànxiǎng
2027 *換 huàn
2028 喚 huàn
2029 喚起 huànqǐ
2030 *患 huàn
2031 *患者 huànzhě
2032 荒 huāng
2033 慌 huāng
2034 *皇帝 huángdì
2035 *黄 huáng
2036 黄昏 huánghūn
2037 *黄金 huángjīn
2038 *黄色 huángsè
2039 黄土 huángtǔ
2040 晃 huǎng
2041 晃 huàng
2042 *灰 huī
2043 灰塵 huīchén
2044 灰色 huīsè
2045 揮 huī
2046 *恢復 huīfù
2047 輝煌 huīhuáng
2048 *回 huí
2049 迴避 huíbì
2050 *回答 huídá
2051 回顧 huígù
2052 回歸 huíguī
2053 *回來 huí•lái
2054 *回去 huí•qù
2055 *回頭 huítóu
2056 *回憶 huíyì
2057 毁 huǐ
2058 毁滅 huǐmiè
2059 *彙報 huìbào
2060 *會 huì
2061 會場 huìchǎng
2062 會見 huìjiàn
2063 *會議 huìyì
2064 會員 huìyuán
2065 繪 huì
2066 *繪畫 huìhuà
2067 婚 hūn
2068 婚禮 hūnlǐ
2069 *婚姻 hūnyīn
2070 *渾身 húnshēn
2071 *混 hún
2072 魂 hún
2073 *混 hùn
2074 *混合 hùnhé
2075 *混亂 hùnluàn
2076 混淆 hùnxiáo
2077 *和 huó
2078 *活 huó
2079 *活動 huó•dòng
2080 *活力 huólì
2081 *活潑 huópo
2082 *活躍 huóyuè
2083 *火 huǒ
2084 火柴 huǒchái
2085 *火車 huǒchē
2086 火光 huǒguāng
2087 *火箭 huǒjiàn
2088 火山 huǒshān
2089 火星 huǒxīng
2090 火焰 huǒyàn
2091 夥伴 huǒbàn
2092 *或 huò
2093 或許 huòxǔ
2094 *或者 huòzhě
2095 *和 huò
2096 *貨 huò
2097 *貨幣 huòbì
2098 貨物 huòwù
2099 *獲 huò
2100 *獲得 huòdé
2101 獲取 huòqǔ
2102 *幾乎 jīhū
2103 擊 jī
2104 飢餓 jī'è
2105 *機 jī
2106 機場 jīchǎng
2107 機車 jīchē
2108 *機構 jīgòu
2109 *機關 jīguān
2110 *機會 jī•huì
2111 *機能 jīnéng
2112 *機器 jī•qì
2113 機器人 jī•qìrén
2114 機體 jītǐ
2115 *機械 jīxiè
2116 機械化 jīxièhuà
2117 *機制 jīzhì
2118 肌 jī
2119 *肌肉 jīròu
2120 *鷄 jī
2121 *積 jī
2122 *積極 jījí
2123 *積極性 jījíxìng

2124	*積纍	jīlěi
2125	積壓	jīyā
2126	*基	jī
2127	*基本	jīběn
2128	*基層	jīcéng
2129	*基礎	jīchǔ
2130	*基地	jīdì
2131	*基督教	Jīdūjiào
2132	基建	jījiàn
2133	*基金	jījīn
2134	*基因	jīyīn
2135	基於	jīyú
2136	畸形	jīxíng
2137	激	jī
2138	*激動	jīdòng
2139	*激發	jīfā
2140	激光	jīguāng
2141	激勵	jīlì
2142	*激烈	jīliè
2143	激情	jīqíng
2144	激素	jīsù
2145	*及	jí
2146	*及時	jíshí
2147	*級	jí
2148	*極	jí
2149	極端	jíduān
2150	極力	jílì
2151	*極其	jíqí
2152	*極爲	jíwéi
2153	*即	jí
2154	即將	jíjiāng
2155	*即使	jíshǐ
2156	*急	jí
2157	急劇	jíjù
2158	*急忙	jímáng
2159	急性	jíxìng
2160	急需	jíxū
2161	急於	jíyú
2162	*疾病	jíbìng
2163	*集	jí
2164	集合	jíhé
2165	集會	jíhuì
2166	*集體	jítǐ
2167	*集團	jítuán
2168	*集中	jízhōng
2169	集資	jízī
2170	*幾	jǐ
2171	幾何	jǐhé
2172	己	jǐ
2173	*擠	jǐ
2174	濟濟	jǐjǐ
2175	*給予	jǐyǔ
2176	脊	jǐ
2177	*計	jì
2178	*計劃	jìhuà
2179	*計算	jìsuàn
2180	*計算機	jìsuànjī
2181	*記	jì
2182	*記得	jì•dé
2183	*記録	jìlù
2184	*記憶	jìyì
2185	*記載	jìzǎi
2186	*記者	jìzhě
2187	紀録	jìlù
2188	*紀律	jìlǜ
2189	紀念	jìniàn
2190	*技能	jìnéng
2191	*技巧	jìqiǎo
2192	*技術	jìshù
2193	技術員	jìshùyuán
2194	技藝	jìyì
2195	*繫	jì
2196	季	jì
2197	季風	jìfēng
2198	*季節	jìjié
2199	*劑	jì
2200	濟	jì
2201	*既	jì
2202	*既然	jìrán
2203	*既是	jìshì
2204	繼	jì
2205	*繼承	jìchéng
2206	繼承人	jìchéngrén
2207	*繼續	jìxù
2208	祭	jì
2209	祭祀	jìsì
2210	寄	jì
2211	寄生	jìshēng
2212	寄生蟲	jìshēngchóng
2213	寄托	jìtuō
2214	寄主	jìzhǔ
2215	寂静	jìjìng
2216	寂寞	jìmò
2217	*加	jiā
2218	*加工	jiāgōng
2219	加緊	jiājǐn
2220	加劇	jiājù
2221	*加快	jiākuài
2222	*加强	jiāqiáng
2223	*加熱	jiārè

2426 *結合 jiéhé
2427 *結婚 jiéhūn
2428 *結晶 jiéjīng
2429 結局 jiéjú
2430 *結論 jiélùn
2431 *結束 jiéshù
2432 結算 jiésuàn
2433 截 jié
2434 竭力 jiélì
2435 *姐姐 jiějie
2436 姐妹 jiěmèi
2437 *解 jiě
2438 解除 jiěchú
2439 解答 jiědá
2440 *解放 jiěfàng
2441 解放軍 jiěfàngjūn
2442 *解決 jiějué
2443 解剖 jiěpōu
2444 解散 jiěsàn
2445 *解釋 jiěshì
2446 解脱 jiětuō
2447 *介紹 jièshào
2448 介質 jièzhì
2449 戒 jiè
2450 *届 jiè
2451 *界 jiè
2452 *界限 jièxiàn
2453 *借 jiè
2454 借鑒 jièjiàn
2455 藉口 jièkǒu
2456 借款 jièkuǎn
2457 借用 jièyòng
2458 藉助 jièzhù
2459 *解 jiè
2460 *斤 jīn
2461 *今 jīn
2462 *今後 jīnhòu
2463 *今年 jīnnián
2464 *今日 jīnrì
2465 *今天 jīntiān
2466 *金 jīn
2467 金額 jīn'é
2468 金剛石 jīngāngshí
2469 金牌 jīnpái
2470 金錢 jīnqián
2471 金融 jīnróng
2472 *金屬 jīnshǔ
2473 津 jīn
2474 *僅 jǐn
2475 *儘 jǐn
2476 *儘管 jǐnguǎn
2477 儘快 jǐnkuài
2478 *儘量 jǐnliàng
2479 *緊 jǐn
2480 *緊急 jǐnjí
2481 *緊密 jǐnmì
2482 *緊張 jǐnzhāng
2483 錦標賽 jǐnbiāosài
2484 謹慎 jǐnshèn
2485 *盡 jìn
2486 盡力 jìnlì
2487 *盡量 jìnliàng
2488 *進 jìn
2489 *進步 jìnbù
2490 *進程 jìnchéng
2491 進而 jìn'ér
2492 *進攻 jìngōng
2493 *進化 jìnhuà
2494 進化論 jìnhuàlùn
2495 進軍 jìnjūn
2496 *進口 jìnkǒu
2497 *進來 jìn•lái
2498 進取 jìnqǔ
2499 *進去 jìn•qù
2500 *進入 jìnrù
2501 *進行 jìnxíng
2502 *進展 jìnzhǎn
2503 *近 jìn
2504 *近代 jìndài
2505 近來 jìnlái
2506 近似 jìnsì
2507 *勁 jìn
2508 晋 jìn
2509 浸 jìn
2510 *禁止 jìnzhǐ
2511 *莖 jīng
2512 *京 jīng
2513 京劇 jīngjù
2514 *經 jīng
2515 *經常 jīngcháng
2516 經典 jīngdiǎn
2517 經費 jīngfèi
2518 *經過 jīngguò
2519 *經濟 jīngjì
2520 *經理 jīnglǐ
2521 *經歷 jīnglì
2522 經受 jīngshòu
2523 *經驗 jīngyàn
2524 *經營 jīngyíng
2525 驚 jīng

2526 驚奇 jīngqí
2527 驚人 jīngrén
2528 驚喜 jīngxǐ
2529 驚醒 jīngxǐng
2530 驚訝 jīngyà
2531 驚异 jīngyì
2532 *晶 jīng
2533 *晶體 jīngtǐ
2534 *精 jīng
2535 *精力 jīnglì
2536 精密 jīngmì
2537 *精確 jīngquè
2538 *精神 jīngshén
2539 *精神 jīngshen
2540 精細 jīngxì
2541 精心 jīngxīn
2542 精子 jīngzǐ
2543 鯨 jīng
2544 井 jǐng
2545 頸 jǐng
2546 景 jǐng
2547 景色 jǐngsè
2548 景物 jǐngwù
2549 景象 jǐngxiàng
2550 *警察 jǐngchá
2551 警告 jǐnggào
2552 警惕 jǐngtì
2553 *勁 jìng
2554 徑 jìng
2555 徑流 jìngliú
2556 *净 jìng
2557 净化 jìnghuà
2558 競賽 jìngsài
2559 *競争 jìngzhēng
2560 *竟 jìng
2561 竟然 jìngrán
2562 敬 jìng
2563 *静 jìng
2564 静脉 jìngmài
2565 静止 jìngzhǐ
2566 境 jìng
2567 境地 jìngdì
2568 *境界 jìngjiè
2569 *鏡 jìng
2570 鏡頭 jìngtóu
2571 鏡子 jìngzi
2572 糾紛 jiūfēn
2573 *糾正 jiūzhèng
2574 究 jiū
2575 *究竟 jiūjìng
2576 *九 jiǔ
2577 *久 jiǔ
2578 *酒 jiǔ
2579 酒精 jiǔjīng
2580 *舊 jiù
2581 *救 jiù
2582 救國 jiùguó
2583 救濟 jiùjì
2584 *就 jiù
2585 *就是 jiùshì
2586 就算 jiùsuàn
2587 *就業 jiùyè
2588 舅舅 jiùjiu
2589 *車 jū
2590 *居 jū
2591 *居民 jūmín
2592 *居然 jūrán
2593 居於 jūyú
2594 *居住 jūzhù
2595 *局 jú
2596 *局部 júbù
2597 *局面 júmiàn
2598 局勢 júshì
2599 局限 júxiàn
2600 菊花 júhuā
2601 咀嚼 jǔjué
2602 *舉 jǔ
2603 *舉辦 jǔbàn
2604 舉動 jǔdòng
2605 *舉行 jǔxíng
2606 巨 jù
2607 *巨大 jùdà
2608 *句 jù
2609 *句子 jùzi
2610 *拒絶 jùjué
2611 *具 jù
2612 *具備 jùbèi
2613 *具體 jùtǐ
2614 *具有 jùyǒu
2615 俱 jù
2616 劇 jù
2617 *劇本 jùběn
2618 劇場 jùchǎng
2619 劇烈 jùliè
2620 劇團 jùtuán
2621 劇種 jùzhǒng
2622 *據 jù
2623 據點 jùdiǎn
2624 *據説 jùshuō
2625 距 jù
2626 *距離 jùlí
2627 聚 jù
2628 聚集 jùjí

2834	*來信	láixìn
2835	*來源	láiyuán
2836	賴	lài
2837	蘭	lán
2838	欄	lán
2839	*藍	lán
2840	爛	làn
2841	狼	láng
2842	浪	làng
2843	*浪費	làngfèi
2844	浪花	lànghuā
2845	撈	lāo
2846	勞	láo
2847	*勞動	láodòng
2848	*勞動力	láodònglì
2849	勞動日	láodòngrì
2850	*勞動者	láodòngzhě
2851	勞力	láolì
2852	牢	láo
2853	牢固	láogù
2854	*老	lǎo
2855	老百姓	lǎobǎixìng
2856	老闆	lǎobǎn
2857	老伴兒	lǎobànr
2858	老大	lǎodà
2859	老漢	lǎohàn
2860	老虎	lǎohǔ
2861	老年	lǎonián
2862	*老婆	lǎopo
2863	*老人	lǎorén
2864	老人家	lǎo•rén•jiā
2865	*老師	lǎoshī
2866	老實	lǎoshi
2867	老鼠	lǎo•shǔ
2868	老太太	lǎotàitai
2869	老頭子	lǎotóuzi
2870	老鄉	lǎoxiāng
2871	*老爺	lǎoye
2872	老子	lǎozi
2873	*落	lào
2874	*樂	lè
2875	樂觀	lèguān
2876	*纍	léi
2877	雷	léi
2878	雷達	léidá
2879	*纍	lěi
2880	*淚	lèi
2881	淚水	lèishuǐ
2882	*類	lèi
2883	*類似	lèisì
2884	*類型	lèixíng
2885	*累	lèi
2886	*冷	lěng
2887	冷静	lěngjìng
2888	冷却	lěngquè
2889	冷水	lěngshuǐ
2890	冷笑	lěngxiào
2891	愣	lèng
2892	*離	lí
2893	*離婚	líhūn
2894	*離開	líkāi
2895	*離子	lízǐ
2896	梨	lí
2897	犁	lí
2898	*禮	lǐ
2899	禮貌	lǐmào
2900	禮物	lǐwù
2901	*李	lǐ
2902	*裏	lǐ
2903	裏邊	lǐ•biān
2904	*裏面	lǐ•miàn
2905	裏頭	lǐtou
2906	*理	lǐ
2907	*理解	lǐjiě
2908	*理論	lǐlùn
2909	*理想	lǐxiǎng
2910	*理性	lǐxìng
2911	*理由	lǐyóu
2912	理智	lǐzhì
2913	*力	lì
2914	*力量	lì•liàng
2915	力氣	lìqi
2916	力求	lìqiú
2917	力圖	lìtú
2918	*力學	lìxué
2919	歷	lì
2920	歷代	lìdài
2921	歷來	lìlái
2922	*歷史	lìshǐ
2923	*厲害	lìhai
2924	*立	lì
2925	*立場	lìchǎng
2926	*立法	lìfǎ
2927	*立即	lìjí
2928	*立刻	lìkè
2929	立體	lìtǐ
2930	*利	lì
2931	利害	lìhài
2932	利率	lìlǜ
2933	*利潤	lìrùn
2934	利息	lìxī
2935	*利益	lìyì

2936 *利用 lìyòng
2937 *利於 lìyú
2938 *例 lì
2939 *例如 lìrú
2940 例外 lìwài
2941 *例子 lìzi
2942 *粒 lì
2943 *粒子 lìzǐ
2944 倆 liǎ
2945 *連 lián
2946 連隊 liánduì
2947 *連接 liánjiē
2948 *連忙 liánmáng
2949 連同 liántóng
2950 *連續 liánxù
2951 蓮子 liánzǐ
2952 聯 lián
2953 聯邦 liánbāng
2954 *聯合 liánhé
2955 聯合國 Liánhéguó
2956 聯結 liánjié
2957 聯絡 liánluò
2958 聯盟 liánméng
2959 *聯繫 liánxì
2960 *聯想 liánxiǎng
2961 聯營 liányíng
2962 廉價 liánjià
2963 *臉 liǎn
2964 *臉色 liǎnsè
2965 *練 liàn
2966 *練習 liànxí
2967 煉 liàn
2968 戀愛 liàn'ài
2969 鏈 liàn
2970 良 liáng
2971 *良好 liánghǎo
2972 良心 liángxīn
2973 良種 liángzhǒng
2974 涼 liáng
2975 梁 liáng
2976 *量 liáng
2977 *糧 liáng
2978 *糧食 liángshi
2979 *兩 liǎng
2980 兩岸 liǎng'àn
2981 *兩邊 liǎngbiān
2982 兩極 liǎngjí
2983 兩旁 liǎngpáng
2984 *亮 liàng
2985 涼 liàng
2986 *輛 liàng
2987 *量 liàng
2988 量子 liàngzǐ
2989 遼闊 liáokuò
2990 *了 liǎo
2991 了不起 liǎo•bùqǐ
2992 *瞭解 liǎojiě
2993 *料 liào
2994 咧 liě
2995 *列 liè
2996 列車 lièchē
2997 列舉 lièjǔ
2998 烈士 lièshì
2999 獵 liè
3000 裂 liè
3001 鄰 lín
3002 鄰近 línjìn
3003 鄰居 lín•jū
3004 *林 lín
3005 林木 línmù
3006 林業 línyè
3007 臨 lín
3008 *臨床 línchuáng
3009 *臨時 línshí
3010 淋 lín
3011 淋巴 línbā
3012 *磷 lín
3013 *靈 líng
3014 靈感 línggǎn
3015 *靈魂 línghún
3016 *靈活 línghuó
3017 靈敏 língmǐn
3018 鈴 líng
3019 *零 líng
3020 零件 língjiàn
3021 零售 língshòu
3022 齡 líng
3023 *令 lǐng
3024 嶺 lǐng
3025 *領 lǐng
3026 *領導 lǐngdǎo
3027 領會 lǐnghuì
3028 領事 lǐngshì
3029 *領土 lǐngtǔ
3030 *領袖 lǐngxiù
3031 *領域 lǐngyù
3032 *另 lìng
3033 *另外 lìngwài
3034 *令 lìng
3035 溜 liū
3036 *劉 Liú
3037 *留 liú
3038 留學 liúxué

3039 *流 liú
3040 流傳 liúchuán
3041 *流動 liúdòng
3042 流露 liúlù
3043 流氓 liúmáng
3044 流派 liúpài
3045 流水 liúshuǐ
3046 流體 liútǐ
3047 *流通 liútōng
3048 流向 liúxiàng
3049 *流行 liúxíng
3050 流血 liúxuè
3051 流域 liúyù
3052 硫 liú
3053 *硫酸 liúsuān
3054 瘤 liú
3055 柳 liǔ
3056 *六 liù
3057 陸 liù
3058 溜 liù
3059 *龍 lóng
3060 籠 lóng
3061 *壟斷 lǒngduàn
3062 攏 lǒng
3063 籠 lǒng
3064 籠罩 lǒngzhào
3065 摟 lōu
3066 *樓 lóu
3067 樓房 lóufáng
3068 摟 lǒu
3069 漏 lòu
3070 *露 lòu
3071 爐 lú
3072 爐子 lúzi
3073 鹵 lǔ
3074 魯 lǔ
3075 陸 lù
3076 *陸地 lùdì
3077 陸軍 lùjūn
3078 陸續 lùxù
3079 録 lù
3080 鹿 lù
3081 *路 lù
3082 路程 lùchéng
3083 路過 lùguò
3084 *路綫 lùxiàn
3085 路子 lùzi
3086 *露 lù
3087 驢 lǘ
3088 旅 lǚ
3089 旅館 lǚguǎn
3090 旅客 lǚkè
3091 旅行 lǚxíng
3092 旅游 lǚyóu
3093 *鋁 lǚ
3094 縷 lǚ
3095 *履行 lǚxíng
3096 *律 lǜ
3097 律師 lǜshī
3098 *率 lǜ
3099 *緑 lǜ
3100 緑化 lǜhuà
3101 氯 lǜ
3102 氯氣 lǜqì
3103 濾 lǜ
3104 *卵 luǎn
3105 卵巢 luǎncháo
3106 *亂 luàn
3107 掠奪 lüèduó
3108 *略 lüè
3109 倫理 lúnlǐ
3110 *輪 lún
3111 輪船 lúnchuán
3112 輪廓 lúnkuò
3113 輪流 lúnliú
3114 *論 lùn
3115 論點 lùndiǎn
3116 *論述 lùnshù
3117 *論文 lùnwén
3118 論證 lùnzhèng
3119 *羅 luó
3120 *邏輯 luó•jí
3121 螺旋 luóxuán
3122 駱駝 luòtuo
3123 絡 luò
3124 *落 luò
3125 落地 luòdì
3126 *落後 luòhòu
3127 *落實 luòshí
3128 *媽媽 māma
3129 *抹 mā
3130 麻 má
3131 麻煩 máfan
3132 麻醉 mázuì
3133 *馬 mǎ
3134 馬車 mǎchē
3135 *馬路 mǎlù
3136 *馬上 mǎshàng
3137 碼 mǎ
3138 碼頭 mǎtou
3139 *螞蟻 mǎyǐ
3140 *罵 mà
3141 埋 mái
3142 *買 mǎi

3143	*買賣	mǎimai
3144	邁	mài
3145	麥	mài
3146	*賣	mài
3147	脉	mài
3148	蠻	mán
3149	饅頭	mántou
3150	瞞	mán
3151	*滿	mǎn
3152	*滿意	mǎnyì
3153	*滿足	mǎnzú
3154	漫長	màncháng
3155	*慢	màn
3156	慢性	mànxìng
3157	*忙	máng
3158	忙碌	mánglù
3159	*盲目	mángmù
3160	茫然	mángrán
3161	*猫	māo
3162	*毛	máo
3163	毛病	máo•bìng
3164	毛巾	máojīn
3165	*矛盾	máodùn
3166	*冒	mào
3167	冒險	màoxiǎn
3168	*貿易	màoyì
3169	帽	mào
3170	*帽子	màozi
3171	*没	méi
3172	没事	méishì
3173	*没有	méi•yǒu
3174	*枚	méi
3175	眉	méi
3176	眉毛	méimao
3177	眉頭	méitóu
3178	梅	méi
3179	媒介	méijiè
3180	*煤	méi
3181	煤炭	méitàn
3182	酶	méi
3183	*每	měi
3184	*每年	měinián
3185	*美	měi
3186	美感	měigǎn
3187	*美好	měihǎo
3188	美化	měihuà
3189	*美麗	měilì
3190	美妙	měimiào
3191	*美術	měishù
3192	*美學	měixué
3193	*美元	měiyuán
3194	鎂	měi
3195	*妹妹	mèimei
3196	魅力	mèilì
3197	悶	mēn
3198	*門	mén
3199	*門口	ménkǒu
3200	悶	mèn
3201	蒙	mēng
3202	萌發	méngfā
3203	萌芽	méngyá
3204	蒙	méng
3205	*猛	měng
3206	猛烈	měngliè
3207	蒙	Měng
3208	孟	mèng
3209	*夢	mèng
3210	彌補	míbǔ
3211	彌漫	mímàn
3212	迷	mí
3213	迷人	mírén
3214	迷信	míxìn
3215	謎	mí
3216	*米	mǐ
3217	*秘密	mìmì
3218	秘書	mìshū
3219	*密	mì
3220	*密度	mìdù
3221	密集	mìjí
3222	*密切	mìqiè
3223	蜜	mì
3224	蜜蜂	mìfēng
3225	*棉	mián
3226	*棉花	mián•hua
3227	免	miǎn
3228	免疫	miǎnyì
3229	勉强	miǎnqiǎng
3230	*面	miàn
3231	*面積	miànjī
3232	面孔	miànkǒng
3233	*面臨	miànlín
3234	*面貌	miànmào
3235	面目	miànmù
3236	*面前	miànqián
3237	*苗	miáo
3238	*描繪	miáohuì
3239	*描述	miáoshù
3240	*描寫	miáoxiě
3241	*秒	miǎo
3242	妙	miào
3243	廟	miào
3244	*滅	miè

3245 滅亡 mièwáng
3246 *民 mín
3247 *民兵 mínbīng
3248 民歌 míngē
3249 民國 Mínguó
3250 *民間 mínjiān
3251 民事 mínshì
3252 民俗 mínsú
3253 民衆 mínzhòng
3254 *民主 mínzhǔ
3255 *民族 mínzú
3256 敏感 mǐngǎn
3257 敏捷 mǐnjié
3258 敏鋭 mǐnruì
3259 *名 míng
3260 *名稱 míngchēng
3261 *名詞 míngcí
3262 名義 míngyì
3263 *名字 míngzi
3264 *明 míng
3265 *明白 míngbai
3266 明亮 míngliàng
3267 明年 míngnián
3268 *明確 míngquè
3269 *明天 míngtiān
3270 *明顯 míngxiǎn
3271 鳴 míng
3272 *命 mìng
3273 *命令 mìnglìng
3274 命名 mìngmíng
3275 *命題 mìngtí
3276 *命運 mìngyùn
3277 *摸 mō
3278 摸索 mō•suǒ
3279 模 mó
3280 模範 mófàn
3281 *模仿 mófǎng
3282 *模糊 móhu
3283 模擬 mónǐ
3284 *模式 móshì
3285 *模型 móxíng
3286 *膜 mó
3287 摩 mó
3288 摩擦 mócā
3289 *磨 mó
3290 *抹 mǒ
3291 *末 mò
3292 末期 mòqī
3293 *没 mò
3294 没落 mòluò
3295 没收 mòshōu
3296 *抹 mò
3297 陌生 mòshēng
3298 *莫 mò
3299 墨 mò
3300 *默默 mòmò
3301 *磨 mò
3302 謀 móu
3303 *某 mǒu
3304 模樣 múyàng
3305 *母 mǔ
3306 *母親 mǔ•qīn
3307 母體 mǔtǐ
3308 *畝 mǔ
3309 *木 mù
3310 木材 mùcái
3311 木頭 mùtou
3312 *目 mù
3313 *目標 mùbiāo
3314 *目的 mùdì
3315 *目光 mùguāng
3316 *目前 mùqián
3317 墓 mù
3318 幕 mù
3319 *拿 ná
3320 *哪 nǎ
3321 *哪裏 nǎ•lǐ
3322 *哪兒 nǎr
3323 *哪些 nǎxiē
3324 *那 nà
3325 *那裏 nà•lǐ
3326 *那麽 nàme
3327 *那兒 nàr
3328 *那些 nàxiē
3329 *那樣 nàyàng
3330 納 nà
3331 納入 nàrù
3332 納税 nàshuì
3333 *鈉 nà
3334 *乃 nǎi
3335 乃至 nǎizhì
3336 奶 nǎi
3337 *奶奶 nǎinai
3338 耐 nài
3339 耐心 nàixīn
3340 *男 nán
3341 *男女 nánnǚ
3342 *男人 nánrén
3343 男性 nánxìng
3344 *男子 nánzǐ
3345 *南 nán

3346 *南北 nánběi
3347 *南方 nánfāng
3348 南極 nánjí
3349 *難 nán
3350 *難道 nándào
3351 難得 nándé
3352 難怪 nánguài
3353 難過 nánguò
3354 難免 nánmiǎn
3355 難受 nánshòu
3356 難題 nántí
3357 *難以 nányǐ
3358 難於 nányú
3359 *難 nàn
3360 囊 náng
3361 *腦 nǎo
3362 *腦袋 nǎodai
3363 *腦子 nǎozi
3364 *鬧 nào
3365 *内 nèi
3366 *内部 nèibù
3367 内地 nèidì
3368 内涵 nèihán
3369 *内容 nèiróng
3370 内外 nèiwài
3371 *内心 nèixīn
3372 *内在 nèizài
3373 内臟 nèizàng
3374 嫩 nèn
3375 *能 néng
3376 能動 néngdòng
3377 *能够 nénggòu
3378 *能力 nénglì
3379 *能量 néngliàng
3380 *能源 néngyuán
3381 *泥 ní
3382 泥土 nítǔ
3383 擬 nǐ
3384 *你 nǐ
3385 *你們 nǐmen
3386 逆 nì
3387 *年 nián
3388 年初 niánchū
3389 *年代 niándài
3390 年底 niándǐ
3391 年度 niándù
3392 年級 niánjí
3393 *年紀 niánjì
3394 *年間 niánjiān
3395 *年齡 niánlíng
3396 年青 niánqīng
3397 *年輕 niánqīng
3398 年頭兒 niántóur
3399 *念 niàn
3400 念頭 niàntou
3401 *娘 niáng
3402 *鳥 niǎo
3403 尿 niào
3404 捏 niē
3405 *您 nín
3406 寧 níng
3407 寧静 níngjìng
3408 擰 níng
3409 凝 níng
3410 凝固 nínggù
3411 凝結 níngjié
3412 凝聚 níngjù
3413 凝視 níngshì
3414 擰 nǐng
3415 寧 nìng
3416 擰 nìng
3417 *牛 niú
3418 *牛頓 niúdùn
3419 扭 niǔ
3420 扭轉 niǔzhuǎn
3421 *農 nóng
3422 *農產品 nóngchǎnpǐn
3423 農場 nóngchǎng
3424 *農村 nóngcūn
3425 農户 nónghù
3426 農具 nóngjù
3427 *農民 nóngmín
3428 農田 nóngtián
3429 農藥 nóngyào
3430 *農業 nóngyè
3431 農作物 nóngzuòwù
3432 *濃 nóng
3433 *濃度 nóngdù
3434 濃厚 nónghòu
3435 膿 nóng
3436 *弄 nòng
3437 *奴隸 núlì
3438 奴役 núyì
3439 *努力 nǔlì
3440 怒 nù
3441 *女 nǚ
3442 *女兒 nǚ'ér
3443 女工 nǚgōng
3444 *女人 nǚrén
3445 女士 nǚshì
3446 *女性 nǚxìng
3447 女婿 nǚxu

3448 *女子 nǚzǐ
3449 *暖 nuǎn
3450 歐 Ōu
3451 偶 ǒu
3452 偶爾 ǒu'ěr
3453 *偶然 ǒurán
3454 偶然性 ǒuránxìng
3455 扒 pá
3456 *爬 pá
3457 *怕 pà
3458 *拍 pāi
3459 拍攝 pāishè
3460 *排 pái
3461 *排斥 páichì
3462 排除 páichú
3463 排放 páifàng
3464 *排列 páiliè
3465 *牌 pái
3466 牌子 páizi
3467 *派 pài
3468 派出所 pàichūsuǒ
3469 派遣 pàiqiǎn
3470 潘 Pān
3471 攀 pān
3472 *盤 pán
3473 判 pàn
3474 判處 pànchǔ
3475 判定 pàndìng
3476 *判斷 pànduàn
3477 判決 pànjué
3478 盼 pàn
3479 盼望 pànwàng
3480 龐大 pángdà
3481 *旁 páng
3482 *旁邊 pángbiān
3483 *胖 pàng
3484 拋 pāo
3485 拋弃 pāoqì
3486 *泡 pāo
3487 炮 páo
3488 *跑 pǎo
3489 *泡 pào
3490 炮 pào
3491 炮彈 pàodàn
3492 胚 pēi
3493 胚胎 pēitāi
3494 陪 péi
3495 培訓 péixùn
3496 *培養 péiyǎng
3497 培育 péiyù
3498 賠償 péicháng
3499 佩服 pèi•fú
3500 *配 pèi
3501 *配合 pèihé
3502 配套 pèitào
3503 配置 pèizhì
3504 噴 pēn
3505 *盆 pén
3506 盆地 péndì
3507 *朋友 péngyou
3508 彭 Péng
3509 棚 péng
3510 蓬勃 péngbó
3511 *膨脹 péngzhàng
3512 捧 pěng
3513 *碰 pèng
3514 *批 pī
3515 *批發 pīfā
3516 *批判 pīpàn
3517 *批評 pīpíng
3518 *批准 pīzhǔn
3519 披 pī
3520 *皮 pí
3521 *皮膚 pífū
3522 疲倦 píjuàn
3523 疲勞 píláo
3524 脾 pí
3525 脾氣 píqi
3526 *匹 pǐ
3527 屁股 pìgu
3528 *譬如 pìrú
3529 *偏 piān
3530 偏見 piānjiàn
3531 偏偏 piānpiān
3532 偏向 piānxiàng
3533 *篇 piān
3534 便宜 piányi
3535 *片 piàn
3536 片刻 piànkè
3537 片面 piànmiàn
3538 騙 piàn
3539 飄 piāo
3540 票 piào
3541 *漂亮 piàoliang
3542 拼命 pīnmìng
3543 貧 pín
3544 貧困 pínkùn
3545 貧窮 pínqióng
3546 頻繁 pínfán
3547 *頻率 pínlǜ
3548 *品 pǐn
3549 品德 pǐndé
3550 *品質 pǐnzhì

3551	*品種	pǐnzhǒng
3552	乒乓球	pīngpāngqiú
3553	*平	píng
3554	*平常	píngcháng
3555	*平等	píngděng
3556	平凡	píngfán
3557	平分	píngfēn
3558	*平衡	pínghéng
3559	*平静	píngjìng
3560	*平均	píngjūn
3561	*平面	píngmiàn
3562	平民	píngmín
3563	平日	píngrì
3564	*平時	píngshí
3565	平坦	píngtǎn
3566	*平行	píngxíng
3567	*平原	píngyuán
3568	評	píng
3569	*評價	píngjià
3570	*評論	pínglùn
3571	評選	píngxuǎn
3572	蘋果	píngguǒ
3573	*憑	píng
3574	憑藉	píngjiè
3575	屏	píng
3576	屏幕	píngmù
3577	*瓶	píng
3578	坡	pō
3579	*頗	pō
3580	婆婆	pópo
3581	迫	pò
3582	迫害	pòhài
3583	迫切	pòqiè
3584	迫使	pòshǐ
3585	*破	pò
3586	破産	pòchǎn
3587	*破壞	pòhuài
3588	破裂	pòliè
3589	剖面	pōumiàn
3590	撲	pū
3591	*鋪	pū
3592	菩薩	pú·sà
3593	葡萄	pú·táo
3594	葡萄糖	pú·táotáng
3595	樸素	pǔsù
3596	*普遍	pǔbiàn
3597	普及	pǔjí
3598	*普通	pǔtōng
3599	普通話	Pǔtōnghuà
3600	譜	pǔ
3601	*鋪	pù
3602	*七	qī
3603	*妻子	qī·zǐ
3604	凄凉	qīliáng
3605	*期	qī
3606	期待	qīdài
3607	期貨	qīhuò
3608	*期間	qījiān
3609	期望	qīwàng
3610	期限	qīxiàn
3611	欺騙	qīpiàn
3612	漆	qī
3613	*齊	qí
3614	*其	qí
3615	*其次	qícì
3616	其間	qíjiān
3617	*其實	qíshí
3618	*其他	qítā
3619	*其餘	qíyú
3620	*其中	qízhōng
3621	奇	qí
3622	*奇怪	qíguài
3623	奇迹	qíjì
3624	奇特	qítè
3625	奇异	qíyì
3626	*騎	qí
3627	旗	qí
3628	旗幟	qízhì
3629	*企圖	qǐtú
3630	*企業	qǐyè
3631	*啓發	qǐfā
3632	啓示	qǐshì
3633	*起	qǐ
3634	起初	qǐchū
3635	起點	qǐdiǎn
3636	起伏	qǐfú
3637	*起來	qǐ·lái
3638	起碼	qǐmǎ
3639	起身	qǐshēn
3640	*起義	qǐyì
3641	*起源	qǐyuán
3642	*氣	qì
3643	*氣氛	qì·fēn
3644	氣憤	qìfèn
3645	*氣候	qìhòu
3646	氣流	qìliú
3647	*氣體	qìtǐ
3648	氣團	qìtuán
3649	氣味	qìwèi
3650	*氣温	qìwēn
3651	氣息	qìxī
3652	*氣象	qìxiàng

3653 氣壓 qìyā
3654 氣質 qìzhì
3655 弃 qì
3656 *汽車 qìchē
3657 汽油 qìyóu
3658 契約 qìyuē
3659 砌 qì
3660 *器 qì
3661 器材 qìcái
3662 *器官 qìguān
3663 卡 qiǎ
3664 恰當 qiàdàng
3665 恰好 qiàhǎo
3666 *千 qiān
3667 千方百計 qiānfāng-bǎijì
3668 千克 qiānkè
3669 遷 qiān
3670 遷移 qiānyí
3671 牽 qiān
3672 鉛 qiān
3673 鉛筆 qiānbǐ
3674 *簽訂 qiāndìng
3675 *前 qián
3676 前邊 qián•biān
3677 前方 qiánfāng
3678 *前後 qiánhòu
3679 *前進 qiánjìn
3680 前景 qiánjǐng
3681 *前面 qián•miàn
3682 前期 qiánqī
3683 前人 qiánrén
3684 *前提 qiántí
3685 前頭 qiántou
3686 *前途 qiántú
3687 前往 qiánwǎng
3688 前夕 qiánxī
3689 前綫 qiánxiàn
3690 *錢 qián
3691 潛 qián
3692 潛力 qiánlì
3693 潛在 qiánzài
3694 *淺 qiǎn
3695 遣 qiǎn
3696 欠 qiàn
3697 嵌 qiàn
3698 *槍 qiāng
3699 腔 qiāng
3700 *强 qiáng
3701 *强大 qiángdà
3702 强盜 qiángdào
3703 *强調 qiángdiào
3704 *强度 qiángdù
3705 强化 qiánghuà
3706 *强烈 qiángliè
3707 强制 qiángzhì
3708 *墙 qiáng
3709 墻壁 qiángbì
3710 *搶 qiǎng
3711 搶救 qiǎngjiù
3712 *强 qiǎng
3713 *悄悄 qiāoqiāo
3714 *敲 qiāo
3715 *橋 qiáo
3716 橋梁 qiáoliáng
3717 *瞧 qiáo
3718 巧 qiǎo
3719 巧妙 qiǎomiào
3720 殻 qiào
3721 *切 qiē
3722 *且 qiě
3723 *切 qiè
3724 切實 qièshí
3725 侵 qīn
3726 侵犯 qīnfàn
3727 *侵略 qīnlüè
3728 侵權 qīnquán
3729 侵入 qīnrù
3730 侵蝕 qīnshí
3731 侵占 qīnzhàn
3732 *親 qīn
3733 親密 qīnmì
3734 親戚 qīnqi
3735 *親切 qīnqiè
3736 親熱 qīnrè
3737 親人 qīnrén
3738 親屬 qīnshǔ
3739 親眼 qīnyǎn
3740 親友 qīnyǒu
3741 *親自 qīnzì
3742 *秦 Qín
3743 琴 qín
3744 勤 qín
3745 勤勞 qínláo
3746 *青 qīng
3747 青春 qīngchūn
3748 *青年 qīngnián
3749 青蛙 qīngwā
3750 *輕 qīng
3751 輕工業 qīnggōngyè
3752 輕聲 qīngshēng
3753 輕視 qīngshì
3754 輕鬆 qīngsōng
3755 輕微 qīngwēi

3756 輕易 qīngyì
3757 輕重 qīngzhòng
3758 *氫 qīng
3759 *氫氣 qīngqì
3760 傾 qīng
3761 傾聽 qīngtīng
3762 *傾向 qīngxiàng
3763 傾斜 qīngxié
3764 *清 qīng
3765 清晨 qīngchén
3766 清除 qīngchú
3767 *清楚 qīngchu
3768 清潔 qīngjié
3769 清理 qīnglǐ
3770 *清晰 qīngxī
3771 清醒 qīngxǐng
3772 *情 qíng
3773 *情報 qíngbào
3774 情操 qíngcāo
3775 *情感 qínggǎn
3776 *情節 qíngjié
3777 *情景 qíngjǐng
3778 情境 qíngjìng
3779 *情況 qíngkuàng
3780 情趣 qíngqù
3781 *情形 qíng•xíng
3782 *情緒 qíng•xù
3783 *請 qǐng
3784 *請求 qǐngqiú
3785 請示 qǐngshì
3786 慶祝 qìngzhù
3787 *窮 qióng
3788 窮人 qióngrén
3789 *秋 qiū
3790 秋季 qiūjì
3791 秋天 qiūtiān
3792 *求 qiú
3793 求證 qiúzhèng
3794 酋長 qiúzhǎng
3795 *球 qiú
3796 *區 qū
3797 *區別 qūbié
3798 *區分 qūfēn
3799 *區域 qūyù
3800 *曲 qū
3801 *曲綫 qūxiàn
3802 曲折 qūzhé
3803 驅 qū
3804 驅逐 qūzhú
3805 屈服 qūfú
3806 趨 qū
3807 *趨勢 qūshì
3808 趨向 qūxiàng
3809 渠 qú
3810 渠道 qúdào
3811 *曲 qǔ
3812 *取 qǔ
3813 取代 qǔdài
3814 *取得 qǔdé
3815 *取消 qǔxiāo
3816 娶 qǔ
3817 *去 qù
3818 *去年 qùnián
3819 去世 qùshì
3820 趣味 qùwèi
3821 *圈 quān
3822 *權 quán
3823 *權力 quánlì
3824 *權利 quánlì
3825 權威 quánwēi
3826 權益 quányì
3827 *全 quán
3828 *全部 quánbù
3829 全局 quánjú
3830 *全面 quánmiàn
3831 全民 quánmín
3832 全球 quánqiú
3833 *全身 quánshēn
3834 *全體 quántǐ
3835 泉 quán
3836 拳 quán
3837 拳頭 quántou
3838 *勸 quàn
3839 *缺 quē
3840 *缺點 quēdiǎn
3841 *缺乏 quēfá
3842 *缺少 quēshǎo
3843 缺陷 quēxiàn
3844 *却 què
3845 確 què
3846 確保 quèbǎo
3847 *確定 quèdìng
3848 *確立 quèlì
3849 確切 quèqiè
3850 確認 quèrèn
3851 *確實 quèshí
3852 *群 qún
3853 群落 qúnluò
3854 *群體 qúntǐ
3855 *群衆 qúnzhòng
3856 *然 rán
3857 *然而 rán'ér

3858 *然後 ránhòu
3859 燃 rán
3860 *燃料 ránliào
3861 *燃燒 ránshāo
3862 染 rǎn
3863 染色 rǎnsè
3864 *染色體 rǎnsètǐ
3865 嚷 rǎng
3866 *讓 ràng
3867 擾動 rǎodòng
3868 擾亂 rǎoluàn
3869 *繞 rào
3870 惹 rě
3871 *熱 rè
3872 *熱愛 rè'ài
3873 *熱帶 rèdài
3874 *熱量 rèliàng
3875 *熱烈 rèliè
3876 *熱鬧 rènao
3877 熱能 rènéng
3878 *熱情 rèqíng
3879 熱心 rèxīn
3880 *人 rén
3881 *人才 réncái
3882 *人格 réngé
3883 *人工 réngōng
3884 *人家 rénjiā
3885 *人家 rénjia
3886 *人間 rénjiān
3887 人均 rénjūn
3888 *人口 rénkǒu
3889 *人類 rénlèi
3890 *人力 rénlì
3891 *人們 rénmen
3892 *人民 rénmín
3893 人民幣 rénmínbì
3894 *人群 rénqún
3895 人身 rénshēn
3896 *人生 rénshēng
3897 人士 rénshì
3898 人事 rénshì
3899 *人體 réntǐ
3900 人爲 rénwéi
3901 *人物 rénwù
3902 人心 rénxīn
3903 人性 rénxìng
3904 人影兒 rényǐngr
3905 *人員 rényuán
3906 人造 rénzào
3907 仁 rén
3908 *任 Rén
3909 忍 rěn
3910 忍耐 rěnnài
3911 忍受 rěnshòu
3912 認 rèn
3913 認定 rèndìng
3914 *認識 rènshi
3915 認識論 rènshílùn
3916 *認爲 rènwéi
3917 *認真 rènzhēn
3918 *任 rèn
3919 *任何 rènhé
3920 任命 rènmìng
3921 *任務 rèn•wù
3922 *任意 rènyì
3923 扔 rēng
3924 *仍 réng
3925 仍舊 réngjiù
3926 *仍然 réngrán
3927 *日 rì
3928 日報 rìbào
3929 日常 rìcháng
3930 日記 rìjì
3931 日期 rìqī
3932 日前 rìqián
3933 日趨 rìqū
3934 日夜 rìyè
3935 *日益 rìyì
3936 *日子 rìzi
3937 榮譽 róngyù
3938 容 róng
3939 容量 róngliàng
3940 容納 róngnà
3941 容器 róngqì
3942 *容易 róng•yì
3943 *溶 róng
3944 溶劑 róngjì
3945 *溶解 róngjiě
3946 *溶液 róngyè
3947 熔 róng
3948 熔點 róngdiǎn
3949 融合 rónghé
3950 柔和 róuhé
3951 柔軟 róuruǎn
3952 揉 róu
3953 *肉 ròu
3954 肉體 ròutǐ
3955 *如 rú
3956 *如此 rúcǐ
3957 *如果 rúguǒ
3958 *如何 rúhé
3959 *如今 rújīn

3960	*如同	rútóng
3961	*如下	rúxià
3962	儒家	Rújiā
3963	*乳	rǔ
3964	*入	rù
3965	入侵	rùqīn
3966	入手	rùshǒu
3967	入學	rùxué
3968	*軟	ruǎn
3969	*若	ruò
3970	*若干	ruògān
3971	若是	ruòshì
3972	*弱	ruò
3973	弱點	ruòdiǎn
3974	撒	sā
3975	灑	sǎ
3976	撒	sǎ
3977	塞	sāi
3978	鰓	sāi
3979	塞	sài
3980	賽	sài
3981	*三	sān
3982	三角	sānjiǎo
3983	*三角形	sānjiǎoxíng
3984	傘	sǎn
3985	*散	sǎn
3986	散射	sǎnshè
3987	散文	sǎnwén
3988	*散	sàn
3989	散布	sànbù
3990	散步	sànbù
3991	散發	sànfā
3992	嗓子	sǎngzi
3993	*喪失	sàngshī
3994	掃	sǎo
3995	掃蕩	sǎodàng
3996	嫂子	sǎozi
3997	*色	sè
3998	*色彩	sècǎi
3999	塞	sè
4000	*森林	sēnlín
4001	僧	sēng
4002	僧侶	sēnglǚ
4003	*殺	shā
4004	殺害	shāhài
4005	*沙	shā
4006	沙發	shāfā
4007	*沙漠	shāmò
4008	沙灘	shātān
4009	紗	shā
4010	砂	shā
4011	傻	shǎ
4012	*色	shǎi
4013	曬	shài
4014	*山	shān
4015	山地	shāndì
4016	山峰	shānfēng
4017	山谷	shāngǔ
4018	山林	shānlín
4019	山路	shānlù
4020	山脉	shānmài
4021	*山區	shānqū
4022	山水	shānshuǐ
4023	山頭	shāntóu
4024	*扇	shān
4025	*閃	shǎn
4026	閃電	shǎndiàn
4027	閃光	shǎnguāng
4028	閃爍	shǎnshuò
4029	*單	Shàn
4030	*扇	shàn
4031	*善	shàn
4032	善良	shànliáng
4033	*善於	shànyú
4034	*傷	shāng
4035	傷害	shānghài
4036	傷口	shāngkǒu
4037	傷心	shāngxīn
4038	傷員	shāngyuán
4039	*商	shāng
4040	商標	shāngbiāo
4041	*商店	shāngdiàn
4042	*商量	shāngliang
4043	*商品	shāngpǐn
4044	*商人	shāngrén
4045	*商業	shāngyè
4046	*上	shǎng
4047	賞	shǎng
4048	*上	shàng
4049	上班	shàngbān
4050	上邊	shàng•biān
4051	上層	shàngcéng
4052	*上帝	Shàngdì
4053	*上級	shàngjí
4054	上課	shàngkè
4055	上空	shàngkōng
4056	*上來	shàng•lái
4057	*上面	shàng•miàn
4058	*上去	shàng•qù
4059	上山	shàngshān
4060	*上升	shàngshēng
4061	上市	shàngshì
4062	*上述	shàngshù
4063	上訴	shàngsù

4064 *上午 shàngwǔ
4065 *上下 shàngxià
4066 上學 shàngxué
4067 上衣 shàngyī
4068 上游 shàngyóu
4069 上漲 shàngzhǎng
4070 *尚 shàng
4071 *燒 shāo
4072 *梢 shāo
4073 *稍 shāo
4074 稍稍 shāoshāo
4075 稍微 shāowēi
4076 *少 shǎo
4077 *少量 shǎoliàng
4078 *少數 shǎoshù
4079 *少 shào
4080 *少年 shàonián
4081 少女 shàonǚ
4082 少爺 shàoye
4083 *舌 shé
4084 舌頭 shétou
4085 *折 shé
4086 *蛇 shé
4087 捨 shě
4088 捨不得 shě ·bù ·dé
4089 *設 shè
4090 *設備 shèbèi
4091 設法 shèfǎ
4092 *設計 shèjì
4093 *設立 shèlì
4094 *設施 shèshī
4095 *設想 shèxiǎng
4096 *設置 shèzhì
4097 *社 shè
4098 *社會 shèhuì
4099 *社會學 shèhuìxué
4100 舍 shè
4101 *射 shè
4102 射擊 shèjī
4103 *射綫 shèxiàn
4104 *涉及 shèjí
4105 攝 shè
4106 攝影 shèyǐng
4107 *誰 shéi
4108 申請 shēnqǐng
4109 *伸 shēn
4110 伸手 shēnshǒu
4111 *身 shēn
4112 *身邊 shēnbiān
4113 身材 shēncái
4114 *身份 shēn•fèn
4115 身後 shēnhòu
4116 身軀 shēnqū
4117 *身體 shēntǐ
4118 身心 shēnxīn
4119 身影 shēnyǐng
4120 *身子 shēnzi
4121 參 shēn
4122 *深 shēn
4123 深沉 shēnchén
4124 *深度 shēndù
4125 深厚 shēnhòu
4126 深化 shēnhuà
4127 *深刻 shēnkè
4128 深情 shēnqíng
4129 *深入 shēnrù
4130 深夜 shēnyè
4131 深遠 shēnyuǎn
4132 *什麼 shénme
4133 *神 shén
4134 *神話 shénhuà
4135 *神經 shénjīng
4136 *神秘 shénmì
4137 神奇 shénqí
4138 神氣 shén•qì
4139 神情 shénqíng
4140 神色 shénsè
4141 神聖 shénshèng
4142 神態 shéntài
4143 神學 shénxué
4144 沈 Shěn
4145 審查 shěnchá
4146 *審美 shěnměi
4147 *審判 shěnpàn
4148 嬸 shěn
4149 *腎 shèn
4150 *甚 shèn
4151 *甚至 shènzhì
4152 *滲透 shèntòu
4153 慎重 shènzhòng
4154 *升 shēng
4155 *生 shēng
4156 *生產 shēngchǎn
4157 *生產力 shēngchǎnlì
4158 *生成 shēngchéng
4159 *生存 shēngcún
4160 *生動 shēngdòng
4161 *生活 shēnghuó
4162 *生理 shēnglǐ
4163 *生命 shēngmìng

4164 生命力 shēngmìnglì
4165 *生氣 shēngqì
4166 生前 shēngqián
4167 生態 shēngtài
4168 *生物 shēngwù
4169 生意 shēngyì
4170 生意 shēngyi
4171 生育 shēngyù
4172 *生長 shēngzhǎng
4173 *生殖 shēngzhí
4174 *聲 shēng
4175 聲調 shēngdiào
4176 聲明 shēngmíng
4177 聲響 shēngxiǎng
4178 *聲音 shēngyīn
4179 牲畜 shēngchù
4180 牲口 shēngkou
4181 繩 shéng
4182 繩子 shéngzi
4183 *省 shěng
4184 聖 shèng
4185 聖經 Shèngjīng
4186 *勝 shèng
4187 *勝利 shènglì
4188 *盛 shèng
4189 盛行 shèngxíng
4190 剩 shèng
4191 剩餘 shèngyú
4192 尸體 shītǐ
4193 *失 shī
4194 *失敗 shībài
4195 失掉 shīdiào
4196 *失去 shīqù
4197 失調 shītiáo
4198 *失望 shīwàng
4199 失誤 shīwù
4200 失業 shīyè
4201 *師 shī
4202 師範 shīfàn
4203 *師傅 shīfu
4204 師長 shīzhǎng
4205 *詩 shī
4206 詩歌 shīgē
4207 *詩人 shīrén
4208 詩意 shīyì
4209 *施 shī
4210 施肥 shīféi
4211 施工 shīgōng
4212 施行 shīxíng
4213 *濕 shī
4214 濕度 shīdù
4215 濕潤 shīrùn
4216 *十 shí
4217 *石 shí
4218 石灰 shíhuī
4219 *石頭 shítou
4220 *石油 shíyóu
4221 *時 shí
4222 時常 shícháng
4223 *時代 shídài
4224 時而 shí’ér
4225 *時候 shíhou
4226 時機 shíjī
4227 *時間 shíjiān
4228 時節 shíjié
4229 *時刻 shíkè
4230 時空 shíkōng
4231 時髦 shímáo
4232 *時期 shíqī
4233 識 shí
4234 識別 shíbié
4235 識字 shízì
4236 *實 shí
4237 *實際 shíjì
4238 *實踐 shíjiàn
4239 實力 shílì
4240 實例 shílì
4241 *實施 shíshī
4242 實體 shítǐ
4243 *實物 shíwù
4244 *實現 shíxiàn
4245 *實行 shíxíng
4246 *實驗 shíyàn
4247 實用 shíyòng
4248 *實在 shízài
4249 *實在 shízai
4250 *實質 shízhì
4251 拾 shí
4252 *食 shí
4253 *食品 shípǐn
4254 食堂 shítáng
4255 *食物 shíwù
4256 食鹽 shíyán
4257 食用 shíyòng
4258 *史 shǐ
4259 史學 shǐxué
4260 *使 shǐ
4261 *使得 shǐ•dé
4262 使勁 shǐjìn
4263 使命 shǐmìng
4264 *使用 shǐyòng
4265 *始 shǐ
4266 *始終 shǐzhōng

4267 士 shì
4268 士兵 shìbīng
4269 *氏 shì
4270 *氏族 shìzú
4271 *示 shì
4272 示範 shìfàn
4273 示威 shìwēi
4274 *世 shì
4275 世代 shìdài
4276 *世紀 shìjì
4277 *世界 shìjiè
4278 *世界觀 shìjièguān
4279 *市 shì
4280 *市場 shìchǎng
4281 市民 shìmín
4282 *式 shì
4283 *似的 shìde
4284 *事 shì
4285 事變 shìbiàn
4286 *事故 shìgù
4287 事後 shìhòu
4288 事迹 shìjì
4289 *事件 shìjiàn
4290 事例 shìlì
4291 *事情 shìqing
4292 *事實 shìshí
4293 事務 shìwù
4294 *事物 shìwù
4295 事先 shìxiān
4296 *事業 shìyè
4297 *勢 shì
4298 勢必 shìbì
4299 *勢力 shì•lì
4300 勢能 shìnéng
4301 *試 shì
4302 *試管 shìguǎn
4303 試圖 shìtú
4304 *試驗 shìyàn
4305 試製 shìzhì
4306 *視 shì
4307 視覺 shìjué
4308 視綫 shìxiàn
4309 視野 shìyě
4310 *是 shì
4311 是非 shìfēi
4312 *是否 shìfǒu
4313 適 shì
4314 *適當 shìdàng
4315 *適合 shìhé
4316 *適宜 shìyí
4317 *適應 shìyìng
4318 *適用 shìyòng
4319 *室 shì
4320 逝世 shìshì
4321 *釋放 shìfàng
4322 *收 shōu
4323 *收購 shōugòu
4324 收回 shōuhuí
4325 收穫 shōuhuò
4326 *收集 shōují
4327 *收入 shōurù
4328 收拾 shōushi
4329 *收縮 shōusuō
4330 收益 shōuyì
4331 收音機 shōuyīnjī
4332 *熟 shóu
4333 *手 shǒu
4334 手臂 shǒubì
4335 手錶 shǒubiǎo
4336 *手段 shǒuduàn
4337 *手法 shǒufǎ
4338 手工 shǒugōng
4339 *手工業 shǒugōngyè
4340 手脚 shǒujiǎo
4341 手榴彈 shǒuliúdàn
4342 手槍 shǒuqiāng
4343 手勢 shǒushì
4344 *手術 shǒushù
4345 手續 shǒuxù
4346 手掌 shǒuzhǎng
4347 *手指 shǒuzhǐ
4348 *守 shǒu
4349 守恒 shǒuhéng
4350 *首 shǒu
4351 *首都 shǒudū
4352 首領 shǒulǐng
4353 *首先 shǒuxiān
4354 首要 shǒuyào
4355 首長 shǒuzhǎng
4356 壽命 shòumìng
4357 *受 shòu
4358 受精 shòujīng
4359 受傷 shòushāng
4360 狩獵 shòuliè
4361 授 shòu
4362 獸 shòu
4363 *瘦 shòu
4364 *書 shū
4365 書包 shūbāo
4366 書本 shūběn
4367 書籍 shūjí
4368 *書記 shū•jì

4369 書面 shūmiàn
4370 書寫 shūxiě
4371 抒情 shūqíng
4372 *叔叔 shūshu
4373 梳 shū
4374 舒服 shūfu
4375 舒適 shūshì
4376 疏 shū
4377 輸 shū
4378 輸出 shūchū
4379 輸入 shūrù
4380 輸送 shūsòng
4381 *蔬菜 shūcài
4382 *熟 shú
4383 熟練 shúliàn
4384 *熟悉 shú•xī
4385 *屬 shǔ
4386 *屬性 shǔxìng
4387 *屬於 shǔyú
4388 鼠 shǔ
4389 *數 shǔ
4390 術 shù
4391 術語 shùyǔ
4392 *束 shù
4393 *束縛 shùfù
4394 述 shù
4395 *樹 shù
4396 樹幹 shùgàn
4397 *樹立 shùlì
4398 樹林 shùlín
4399 *樹木 shùmù
4400 樹種 shùzhǒng
4401 竪 shù
4402 *數 shù
4403 *數據 shùjù
4404 *數量 shùliàng
4405 *數目 shùmù
4406 *數學 shùxué
4407 數值 shùzhí
4408 *數字 shùzì
4409 刷 shuā
4410 耍 shuǎ
4411 衰變 shuāibiàn
4412 衰老 shuāilǎo
4413 摔 shuāi
4414 甩 shuǎi
4415 *率 shuài
4416 *率領 shuàilǐng
4417 拴 shuān
4418 *雙 shuāng
4419 *雙方 shuāngfāng
4420 霜 shuāng
4421 *誰 shuí
4422 *水 shuǐ
4423 水稻 shuǐdào
4424 *水分 shuǐfèn
4425 水果 shuǐguǒ
4426 水庫 shuǐkù
4427 水利 shuǐlì
4428 水流 shuǐliú
4429 *水面 shuǐmiàn
4430 水泥 shuǐní
4431 *水平 shuǐpíng
4432 水汽 shuǐqì
4433 水手 shuǐshǒu
4434 水位 shuǐwèi
4435 水文 shuǐwén
4436 水銀 shuǐyín
4437 水源 shuǐyuán
4438 水蒸氣 shuǐzhēngqì
4439 *稅 shuì
4440 稅收 shuìshōu
4441 *睡 shuì
4442 *睡覺 shuìjiào
4443 睡眠 shuìmián
4444 順 shùn
4445 *順利 shùnlì
4446 順手 shùnshǒu
4447 *順序 shùnxù
4448 瞬間 shùnjiān
4449 *説 shuō
4450 *説法 shuō•fǎ
4451 説服 shuōfú
4452 *説話 shuōhuà
4453 *説明 shuōmíng
4454 司 sī
4455 司法 sīfǎ
4456 司機 sījī
4457 司令 sīlìng
4458 *絲 sī
4459 絲毫 sīháo
4460 私 sī
4461 *私人 sīrén
4462 私營 sīyíng
4463 私有 sīyǒu
4464 私有制 sīyǒuzhì
4465 思 sī
4466 思潮 sīcháo
4467 *思考 sīkǎo
4468 思路 sīlù
4469 *思索 sīsuǒ
4470 *思維 sīwéi

4471 *思想 sīxiǎng
4472 思想家 sīxiǎngjiā
4473 斯 sī
4474 *死 sǐ
4475 *死亡 sǐwáng
4476 死刑 sǐxíng
4477 *四 sì
4478 四邊形 sìbiānxíng
4479 四處 sìchù
4480 四面 sìmiàn
4481 四肢 sìzhī
4482 *四周 sìzhōu
4483 寺 sì
4484 寺院 sìyuàn
4485 *似 sì
4486 *似乎 sìhū
4487 *飼料 sìliào
4488 飼養 sìyǎng
4489 *鬆 sōng
4490 *宋 Sòng
4491 *送 sòng
4492 搜集 sōují
4493 艘 sōu
4494 *蘇 sū
4495 俗 sú
4496 俗稱 súchēng
4497 訴訟 sùsòng
4498 *素 sù
4499 素材 sùcái
4500 *素質 sùzhì
4501 速 sù
4502 *速度 sùdù
4503 速率 sùlǜ
4504 宿 sù
4505 宿舍 sùshè
4506 *塑料 sùliào
4507 *塑造 sùzào
4508 *酸 suān
4509 *算 suàn
4510 *雖 suī
4511 *雖然 suīrán
4512 雖説 suīshuō
4513 隋 Suí
4514 *隨 suí
4515 *隨便 suíbiàn
4516 *隨後 suíhòu
4517 隨即 suíjí
4518 *隨時 suíshí
4519 隨意 suíyì
4520 *遂 suí
4521 髓 suǐ
4522 *歲 suì
4523 歲月 suìyuè
4524 *遂 suì
4525 碎 suì
4526 穗 suì
4527 *孫 sūn
4528 孫子 sūnzi
4529 *損害 sǔnhài
4530 損耗 sǔnhào
4531 損傷 sǔnshāng
4532 *損失 sǔnshī
4533 縮 suō
4534 縮短 suōduǎn
4535 *縮小 suōxiǎo
4536 *所 suǒ
4537 所屬 suǒshǔ
4538 *所謂 suǒwèi
4539 *所以 suǒyǐ
4540 *所有 suǒyǒu
4541 *所有制 suǒyǒuzhì
4542 *所在 suǒzài
4543 索 suǒ
4544 鎖 suǒ
4545 *他 tā
4546 *他們 tāmen
4547 *他人 tārén
4548 *它 tā
4549 *它們 tāmen
4550 *她 tā
4551 *她們 tāmen
4552 塔 tǎ
4553 踏 tà
4554 胎 tāi
4555 胎兒 tāi'ér
4556 *臺 tái
4557 颱風 táifēng
4558 *抬 tái
4559 抬頭 táitóu
4560 *太 tài
4561 太空 tàikōng
4562 太平 tàipíng
4563 *太太 tàitai
4564 *太陽 tài•yáng
4565 太陽能 tàiyángnéng
4566 太陽系 tàiyángxì
4567 *態 tài
4568 *態度 tài•dù
4569 攤 tān
4570 灘 tān
4571 *談 tán
4572 *談話 tánhuà

4573 談論 tánlùn
4574 談判 tánpàn
4575 *彈 tán
4576 彈簧 tánhuáng
4577 彈性 tánxìng
4578 痰 tán
4579 坦克 tǎnkè
4580 *嘆 tàn
4581 嘆息 tànxī
4582 探 tàn
4583 探測 tàncè
4584 *探索 tànsuǒ
4585 *探討 tàntǎo
4586 *碳 tàn
4587 *湯 tāng
4588 *唐 táng
4589 堂 táng
4590 塘 táng
4591 *糖 táng
4592 倘若 tǎngruò
4593 *躺 tǎng
4594 燙 tàng
4595 *趟 tàng
4596 掏 tāo
4597 逃 táo
4598 逃避 táobì
4599 逃跑 táopǎo
4600 逃走 táozǒu
4601 桃 táo
4602 陶 táo
4603 陶冶 táoyě
4604 淘汰 táotài
4605 討 tǎo
4606 *討論 tǎolùn
4607 討厭 tǎoyàn
4608 *套 tào
4609 *特 tè
4610 *特別 tèbié
4611 特地 tèdì
4612 *特點 tèdiǎn
4613 *特定 tèdìng
4614 特權 tèquán
4615 *特色 tèsè
4616 *特殊 tèshū
4617 特務 tèwu
4618 *特性 tèxìng
4619 特意 tèyì
4620 *特徵 tèzhēng
4621 疼 téng
4622 疼痛 téngtòng
4623 藤 téng
4624 踢 tī
4625 *提 tí
4626 *提倡 tíchàng
4627 *提高 tígāo
4628 *提供 tígōng
4629 提煉 tíliàn
4630 *提起 tíqǐ
4631 提前 tíqián
4632 提取 tíqǔ
4633 提醒 tíxǐng
4634 提議 tíyì
4635 *題 tí
4636 *題材 tícái
4637 題目 tímù
4638 *體 tǐ
4639 體裁 tǐcái
4640 體操 tǐcāo
4641 *體會 tǐhuì
4642 *體積 tǐjī
4643 體力 tǐlì
4644 體溫 tǐwēn
4645 *體系 tǐxì
4646 *體現 tǐxiàn
4647 *體驗 tǐyàn
4648 *體育 tǐyù
4649 *體制 tǐzhì
4650 體質 tǐzhì
4651 體重 tǐzhòng
4652 *替 tì
4653 替代 tìdài
4654 *天 tiān
4655 天才 tiāncái
4656 *天地 tiāndì
4657 天鵝 tiān'é
4658 *天空 tiānkōng
4659 *天氣 tiānqì
4660 *天然 tiānrán
4661 天然氣 tiānránqì
4662 天生 tiānshēng
4663 *天體 tiāntǐ
4664 天文 tiānwén
4665 *天下 tiānxià
4666 天真 tiānzhēn
4667 天主教 Tiānzhǔjiào
4668 添 tiān
4669 *田 tián
4670 田地 tiándì
4671 田野 tiányě
4672 *甜 tián
4673 *填 tián
4674 *挑 tiāo
4675 挑選 tiāoxuǎn

4676	*條	tiáo
4677	*條件	tiáojiàn
4678	條款	tiáokuǎn
4679	*條例	tiáolì
4680	*條約	tiáoyuē
4681	*調	tiáo
4682	調和	tiáohé
4683	*調節	tiáojié
4684	調解	tiáojiě
4685	*調整	tiáozhěng
4686	*挑	tiǎo
4687	挑戰	tiǎozhàn
4688	*跳	tiào
4689	跳動	tiàodòng
4690	跳舞	tiàowǔ
4691	跳躍	tiàoyuè
4692	*貼	tiē
4693	*鐵	tiě
4694	*鐵路	tiělù
4695	廳	tīng
4696	*聽	tīng
4697	聽話	tīnghuà
4698	*聽見	tīng•jiàn
4699	聽覺	tīngjué
4700	聽取	tīngqǔ
4701	聽衆	tīngzhòng
4702	*停	tíng
4703	停頓	tíngdùn
4704	停留	tíngliú
4705	*停止	tíngzhǐ
4706	*挺	tǐng
4707	*通	tōng
4708	*通常	tōngcháng
4709	通道	tōngdào
4710	通電	tōngdiàn
4711	*通過	tōngguò
4712	通紅	tōnghóng
4713	通信	tōngxìn
4714	*通訊	tōngxùn
4715	通用	tōngyòng
4716	*通知	tōngzhī
4717	*同	tóng
4718	同伴	tóngbàn
4719	同胞	tóngbāo
4720	同等	tóngděng
4721	同行	tóngháng
4722	同化	tónghuà
4723	同類	tónglèi
4724	同年	tóngnián
4725	同期	tóngqī
4726	*同情	tóngqíng
4727	*同時	tóngshí
4728	同事	tóngshì
4729	同行	tóngxíng
4730	*同學	tóngxué
4731	*同樣	tóngyàng
4732	*同意	tóngyì
4733	*同志	tóngzhì
4734	*銅	tóng
4735	童話	tónghuà
4736	童年	tóngnián
4737	統	tǒng
4738	*統計	tǒngjì
4739	*統一	tǒngyī
4740	*統治	tǒngzhì
4741	桶	tǒng
4742	筒	tǒng
4743	*通	tòng
4744	*痛	tòng
4745	*痛苦	tòngkǔ
4746	痛快	tòng•kuài
4747	*偷	tōu
4748	偷偷	tōutōu
4749	*頭	tóu
4750	頭頂	tóudǐng
4751	*頭髮	tóufa
4752	*頭腦	tóunǎo
4753	投	tóu
4754	投產	tóuchǎn
4755	投機	tóujī
4756	*投入	tóurù
4757	投降	tóuxiáng
4758	*投資	tóuzī
4759	*透	tòu
4760	透鏡	tòujìng
4761	透露	tòulù
4762	*透明	tòumíng
4763	凸	tū
4764	突	tū
4765	突變	tūbiàn
4766	*突出	tūchū
4767	突擊	tūjī
4768	*突破	tūpò
4769	*突然	tūrán
4770	*圖	tú
4771	圖案	tú'àn
4772	圖畫	túhuà
4773	圖書	túshū
4774	*圖書館	túshūguǎn
4775	圖形	túxíng
4776	圖紙	túzhǐ
4777	徒	tú

4778 *途徑 tújìng
4779 塗 tú
4780 屠殺 túshā
4781 *土 tǔ
4782 *土地 tǔdì
4783 土匪 tǔfěi
4784 *土壤 tǔrǎng
4785 *吐 tǔ
4786 *吐 tù
4787 兔子 tùzi
4788 湍流 tuānliú
4789 *團 tuán
4790 *團結 tuánjié
4791 *團體 tuántǐ
4792 團員 tuányuán
4793 *推 tuī
4794 推測 tuīcè
4795 *推動 tuīdòng
4796 *推翻 tuīfān
4797 *推廣 tuīguǎng
4798 推薦 tuījiàn
4799 推進 tuījìn
4800 推理 tuīlǐ
4801 推論 tuīlùn
4802 推銷 tuīxiāo
4803 *推行 tuīxíng
4804 *腿 tuǐ
4805 *退 tuì
4806 退出 tuìchū
4807 退化 tuìhuà
4808 退休 tuìxiū
4809 *托 tuō
4810 *拖 tuō
4811 *拖拉機 tuōlājī
4812 *脫 tuō
4813 *脫離 tuōlí
4814 脫落 tuōluò
4815 妥協 tuǒxié
4816 *挖 wā
4817 挖掘 wājué
4818 娃娃 wáwa
4819 瓦 wǎ
4820 歪 wāi
4821 歪曲 wāiqū
4822 *外 wài
4823 外邊 wài•biān
4824 外表 wàibiǎo
4825 *外部 wàibù
4826 外地 wàidì
4827 *外國 wàiguó
4828 外匯 wàihuì
4829 外交 wàijiāo
4830 *外界 wàijiè
4831 外科 wàikē
4832 外來 wàilái
4833 外力 wàilì
4834 外貿 wàimào
4835 *外面 wài•miàn
4836 外商 wàishāng
4837 外形 wàixíng
4838 外語 wàiyǔ
4839 外在 wàizài
4840 外資 wàizī
4841 *彎 wān
4842 彎曲 wānqū
4843 *完 wán
4844 完備 wánbèi
4845 完畢 wánbì
4846 *完成 wánchéng
4847 完美 wánměi
4848 *完全 wánquán
4849 *完善 wánshàn
4850 *完整 wánzhěng
4851 *玩 wán
4852 玩具 wánjù
4853 玩笑 wánxiào
4854 頑強 wánqiáng
4855 挽 wǎn
4856 *晚 wǎn
4857 晚飯 wǎnfàn
4858 晚期 wǎnqī
4859 *晚上 wǎnshang
4860 *碗 wǎn
4861 *萬 wàn
4862 萬物 wànwù
4863 萬一 wànyī
4864 汪 wāng
4865 亡 wáng
4866 *王 wáng
4867 王朝 wángcháo
4868 王國 wángguó
4869 *網 wǎng
4870 網絡 wǎngluò
4871 *往 wǎng
4872 往來 wǎnglái
4873 *往往 wǎngwǎng
4874 *忘 wàng
4875 *忘記 wàngjì
4876 旺 wàng
4877 旺盛 wàngshèng
4878 *望 wàng
4879 望遠鏡 wàngyuǎnjìng

4880	*危害	wēihài
4881	*危機	wēijī
4882	*危險	wēixiǎn
4883	威力	wēilì
4884	*威脅	wēixié
4885	威信	wēixìn
4886	*微	wēi
4887	微觀	wēiguān
4888	微粒	wēilì
4889	微弱	wēiruò
4890	微生物	wēishēngwù
4891	*微微	wēiwēi
4892	微小	wēixiǎo
4893	*微笑	wēixiào
4894	*爲	wéi
4895	爲難	wéinán
4896	爲人	wéirén
4897	爲首	wéishǒu
4898	*爲止	wéizhǐ
4899	違背	wéibèi
4900	違法	wéifǎ
4901	*違反	wéifǎn
4902	*圍	wéi
4903	圍剿	wéijiǎo
4904	*圍繞	wéirào
4905	唯	wéi
4906	惟	wéi
4907	*維持	wéichí
4908	*維護	wéihù
4909	維生素	wéishēngsù
4910	維新	wéixīn
4911	維修	wéixiū
4912	*偉大	wěidà
4913	僞	wěi
4914	*尾	wěi
4915	*尾巴	wěiba
4916	緯	wěi
4917	緯度	wěidù
4918	委屈	wěiqu
4919	委托	wěituō
4920	*委員	wěiyuán
4921	*委員會	wěiyuánhuì
4922	衛	wèi
4923	*衛生	wèishēng
4924	*衛星	wèixīng
4925	*爲	wèi
4926	爲何	wèihé
4927	*爲了	wèile
4928	*未	wèi
4929	未必	wèibì
4930	未曾	wèicéng
4931	*未來	wèilái
4932	*位	wèi
4933	位移	wèiyí
4934	*位置	wèizhi
4935	*味	wèi
4936	味道	wèi•dào
4937	*胃	wèi
4938	*謂	wèi
4939	*喂	wèi
4940	魏	Wèi
4941	*温	wēn
4942	温帶	wēndài
4943	*温度	wēndù
4944	温度計	wēndùjì
4945	温和	wēnhé
4946	*温暖	wēnnuǎn
4947	温柔	wēnróu
4948	*文	wén
4949	*文化	wénhuà
4950	*文件	wénjiàn
4951	*文明	wénmíng
4952	文人	wénrén
4953	文物	wénwù
4954	*文獻	wénxiàn
4955	*文學	wénxué
4956	*文藝	wényì
4957	*文章	wénzhāng
4958	*文字	wénzì
4959	紋	wén
4960	*聞	wén
4961	蚊子	wénzi
4962	吻	wěn
4963	穩	wěn
4964	*穩定	wěndìng
4965	*問	wèn
4966	問世	wènshì
4967	*問題	wèntí
4968	窩	wō
4969	*我	wǒ
4970	*我們	wǒmen
4971	卧	wò
4972	卧室	wòshì
4973	握	wò
4974	握手	wòshǒu
4975	烏龜	wūguī
4976	*污染	wūrǎn
4977	*屋	wū
4978	*屋子	wūzi
4979	*無	wú
4980	無比	wúbǐ
4981	無從	wúcóng

4982 *無法 wúfǎ
4983 無非 wúfēi
4984 無關 wúguān
4985 無機 wújī
4986 無可奈何 wúkě-nàihé
4987 無力 wúlì
4988 *無論 wúlùn
4989 無情 wúqíng
4990 無窮 wúqióng
4991 無聲 wúshēng
4992 *無數 wúshù
4993 *無限 wúxiàn
4994 無綫電 wúxiàndiàn
4995 無效 wúxiào
4996 無形 wúxíng
4997 *無疑 wúyí
4998 無意 wúyì
4999 無知 wúzhī
5000 吾 wú
5001 *吴 Wú
5002 *五 wǔ
5003 武 wǔ
5004 武力 wǔlì
5005 *武器 wǔqì
5006 *武裝 wǔzhuāng
5007 侮辱 wǔrǔ
5008 *舞 wǔ
5009 *舞蹈 wǔdǎo
5010 舞劇 wǔjù
5011 *舞臺 wǔtái
5012 勿 wù
5013 務 wù
5014 *物 wù
5015 物化 wùhuà
5016 *物價 wùjià
5017 *物理 wùlǐ
5018 物力 wùlì
5019 物品 wùpǐn
5020 *物體 wùtǐ
5021 *物質 wùzhì
5022 物種 wùzhǒng
5023 *物資 wùzī
5024 誤 wù
5025 誤差 wùchā
5026 誤會 wùhuì
5027 誤解 wùjiě
5028 *惡 wù
5029 *霧 wù
5030 *西 xī
5031 *西北 xīběi
5032 *西方 xīfāng
5033 西風 xīfēng
5034 西瓜 xī•guā
5035 *西南 xīnán
5036 *西歐 Xī Ōu
5037 *吸 xī
5038 吸附 xīfù
5039 吸取 xīqǔ
5040 *吸收 xīshōu
5041 *吸引 xīyǐn
5042 *希望 xīwàng
5043 *犧牲 xīshēng
5044 息 xī
5045 *稀 xī
5046 稀少 xīshǎo
5047 錫 xī
5048 熄滅 xīmiè
5049 習 xí
5050 *習慣 xíguàn
5051 習俗 xísú
5052 習性 xíxìng
5053 席 xí
5054 襲擊 xíjī
5055 *媳婦 xífu
5056 *洗 xǐ
5057 洗澡 xǐzǎo
5058 *喜 xǐ
5059 *喜愛 xǐ'ài
5060 *喜歡 xǐhuan
5061 喜劇 xǐjù
5062 喜悦 xǐyuè
5063 *戲 xì
5064 *戲劇 xìjù
5065 *戲曲 xìqǔ
5066 *系 xì
5067 系列 xìliè
5068 係數 xìshù
5069 *系統 xìtǒng
5070 *細 xì
5071 *細胞 xìbāo
5072 細節 xìjié
5073 *細菌 xìjūn
5074 細小 xìxiǎo
5075 細心 xìxīn
5076 細緻 xìzhì
5077 蝦 xiā
5078 瞎 xiā
5079 狹 xiá
5080 狹隘 xiá'ài
5081 狹義 xiáyì
5082 狹窄 xiázhǎi
5083 *下 xià

5084 下班 xiàbān
5085 下邊 xià•biān
5086 下層 xiàcéng
5087 下達 xiàdá
5088 下頜 xiàhé
5089 下級 xiàjí
5090 *下降 xiàjiàng
5091 *下來 xià•lái
5092 *下列 xiàliè
5093 下令 xiàlìng
5094 下落 xiàluò
5095 *下面 xià•miàn
5096 *下去 xià•qù
5097 下屬 xiàshǔ
5098 *下午 xiàwǔ
5099 下旬 xiàxún
5100 下游 xiàyóu
5101 *嚇 xià
5102 *夏 xià
5103 *夏季 xiàjì
5104 *夏天 xiàtiān
5105 仙 xiān
5106 *先 xiān
5107 *先後 xiānhòu
5108 *先進 xiānjìn
5109 先前 xiānqián
5110 *先生 xiānsheng
5111 先天 xiāntiān
5112 *纖維 xiānwéi
5113 掀起 xiānqǐ
5114 鮮 xiān
5115 鮮花 xiānhuā
5116 *鮮明 xiānmíng
5117 鮮血 xiānxuè
5118 鮮艷 xiānyàn
5119 閑 xián
5120 *弦 xián
5121 咸 xián
5122 銜 xián
5123 嫌 xián
5124 顯 xiǎn
5125 *顯得 xiǎn•dé
5126 顯露 xiǎnlù
5127 *顯然 xiǎnrán
5128 *顯示 xiǎnshì
5129 顯微鏡 xiǎnwēijìng
5130 顯現 xiǎnxiàn
5131 *顯著 xiǎnzhù
5132 險 xiǎn
5133 鮮 xiǎn
5134 *縣 xiàn
5135 縣城 xiànchéng
5136 *現 xiàn
5137 現場 xiànchǎng
5138 現存 xiàncún
5139 *現代 xiàndài
5140 *現代化 xiàndàihuà
5141 現今 xiànjīn
5142 現金 xiànjīn
5143 *現實 xiànshí
5144 *現象 xiànxiàng
5145 現行 xiànxíng
5146 *現在 xiànzài
5147 現狀 xiànzhuàng
5148 限 xiàn
5149 *限度 xiàndù
5150 限於 xiànyú
5151 *限制 xiànzhì
5152 *綫 xiàn
5153 *綫段 xiànduàn
5154 綫路 xiànlù
5155 *綫圈 xiànquān
5156 綫索 xiànsuǒ
5157 綫條 xiàntiáo
5158 *憲法 xiànfǎ
5159 陷 xiàn
5160 *陷入 xiànrù
5161 陷於 xiànyú
5162 羨慕 xiànmù
5163 獻 xiàn
5164 獻身 xiànshēn
5165 腺 xiàn
5166 *鄉 xiāng
5167 *鄉村 xiāngcūn
5168 鄉下 xiāngxia
5169 *相 xiāng
5170 *相當 xiāngdāng
5171 *相等 xiāngděng
5172 *相對 xiāngduì
5173 *相反 xiāngfǎn
5174 *相關 xiāngguān
5175 *相互 xiānghù
5176 相繼 xiāngjì
5177 相交 xiāngjiāo
5178 相近 xiāngjìn
5179 相連 xiānglián
5180 *相似 xiāngsì
5181 相通 xiāngtōng
5182 *相同 xiāngtóng
5183 *相信 xiāngxìn
5184 *相應 xiāngyìng
5185 *香 xiāng

5186 香烟 xiāngyān
5187 箱 xiāng
5188 箱子 xiāngzi
5189 *詳細 xiángxì
5190 降 xiáng
5191 享 xiǎng
5192 *享受 xiǎngshòu
5193 *享有 xiǎngyǒu
5194 *響 xiǎng
5195 響聲 xiǎngshēng
5196 響應 xiǎngyìng
5197 *想 xiǎng
5198 *想法 xiǎng•fǎ
5199 想像 xiǎngxiàng
5200 想像力 xiǎngxiànglì
5201 *向 xiàng
5202 向來 xiànglái
5203 *向上 xiàngshàng
5204 向往 xiàngwǎng
5205 *項 xiàng
5206 *項目 xiàngmù
5207 *相 xiàng
5208 *象 xiàng
5209 *象徵 xiàngzhēng
5210 *像 xiàng
5211 橡膠 xiàngjiāo
5212 橡皮 xiàngpí
5213 削 xiāo
5214 消 xiāo
5215 *消除 xiāochú
5216 消毒 xiāodú
5217 *消費 xiāofèi
5218 消費品 xiāofèipǐn
5219 *消耗 xiāohào
5220 *消化 xiāohuà
5221 *消極 xiāojí
5222 *消滅 xiāomiè
5223 *消失 xiāoshī
5224 消亡 xiāowáng
5225 *消息 xiāoxi
5226 硝酸 xiāosuān
5227 銷 xiāo
5228 *銷售 xiāoshòu
5229 *小 xiǎo
5230 小兒 xiǎo'ér
5231 *小夥子 xiǎohuǒzi
5232 *小姐 xiǎo•jiě
5233 *小麥 xiǎomài
5234 小朋友 xiǎopéngyǒu
5235 *小時 xiǎoshí
5236 *小說兒 xiǎoshuōr
5237 小心 xiǎo•xīn
5238 小型 xiǎoxíng
5239 *小學 xiǎoxué
5240 小學生 xiǎoxuéshēng
5241 小子 xiǎozi
5242 *小組 xiǎozǔ
5243 *曉得 xiǎo•dé
5244 *校 xiào
5245 *校長 xiàozhǎng
5246 *笑 xiào
5247 笑話 xiàohua
5248 笑話兒 xiàohuar
5249 笑容 xiàoróng
5250 效 xiào
5251 *效果 xiàoguǒ
5252 效力 xiàolì
5253 *效率 xiàolǜ
5254 *效益 xiàoyì
5255 *效應 xiàoyìng
5256 *些 xiē
5257 歇 xiē
5258 協定 xiédìng
5259 協會 xiéhuì
5260 協商 xiéshāng
5261 *協調 xiétiáo
5262 協同 xiétóng
5263 協議 xiéyì
5264 協助 xiézhù
5265 *協作 xiézuò
5266 邪 xié
5267 *斜 xié
5268 携帶 xiédài
5269 *鞋 xié
5270 *寫 xiě
5271 *寫作 xiězuò
5272 *血 xiě
5273 泄 xiè
5274 謝 xiè
5275 *謝謝 xièxie
5276 *解 xiè
5277 蟹 xiè
5278 *心 xīn
5279 心底 xīndǐ
5280 *心裏 xīn•lǐ
5281 *心理 xīnlǐ
5282 *心靈 xīnlíng
5283 *心情 xīqíng
5284 心事 xīnshì

5285 心思 xīnsi
5286 心頭 xīntóu
5287 心血 xīnxuè
5288 *心臟 xīnzàng
5289 辛苦 xīnkǔ
5290 辛勤 xīnqín
5291 *欣賞 xīnshǎng
5292 鋅 xīn
5293 *新 xīn
5294 新陳代謝 xīnchén-dàixiè
5295 新娘 xīnniáng
5296 新奇 xīnqí
5297 新人 xīnrén
5298 新式 xīnshì
5299 *新聞 xīnwén
5300 *新鮮 xīn•xiān
5301 *新興 xīnxīng
5302 新型 xīnxíng
5303 新穎 xīnyǐng
5304 *信 xìn
5305 信貸 xìndài
5306 *信號 xìnhào
5307 信念 xìnniàn
5308 信任 xìnrèn
5309 信徒 xìntú
5310 *信息 xìnxī
5311 *信心 xìnxīn
5312 *信仰 xìnyǎng
5313 信用 xìnyòng
5314 興 xīng
5315 *興奮 xīngfèn
5316 興建 xīngjiàn
5317 興起 xīngqǐ
5318 *星 xīng
5319 星際 xīngjì
5320 *星期 xīngqī
5321 星球 xīngqiú
5322 星系 xīngxì
5323 星星 xīngxing
5324 星雲 xīngyún
5325 刑 xíng
5326 刑罰 xíngfá
5327 刑法 xíngfǎ
5328 刑事 xíngshì
5329 *行 xíng
5330 *行動 xíngdòng
5331 行軍 xíngjūn
5332 行李 xíngli
5333 行人 xíngrén
5334 *行使 xíngshǐ
5335 行駛 xíngshǐ
5336 *行爲 xíngwéi
5337 *行星 xíngxīng
5338 *行政 xíngzhèng
5339 行走 xíngzǒu
5340 *形 xíng
5341 *形成 xíngchéng
5342 形容 xíngróng
5343 *形式 xíngshì
5344 *形勢 xíngshì
5345 *形態 xíngtài
5346 形體 xíngtǐ
5347 *形象 xíngxiàng
5348 *形狀 xíngzhuàng
5349 *型 xíng
5350 *省 xǐng
5351 *醒 xǐng
5352 興 xìng
5353 *興趣 xìngqù
5354 *幸福 xìngfú
5355 *性 xìng
5356 性别 xìngbié
5357 *性格 xìnggé
5358 *性能 xìngnéng
5359 性情 xìngqíng
5360 *性質 xìngzhì
5361 性狀 xìngzhuàng
5362 *姓 xìng
5363 姓名 xìngmíng
5364 凶 xiōng
5365 兄 xiōng
5366 *兄弟 xiōngdì
5367 *兄弟 xiōngdi
5368 *胸 xiōng
5369 胸脯 xiōngpú
5370 *雄 xióng
5371 雄偉 xióngwěi
5372 熊 xióng
5373 休眠 xiūmián
5374 *休息 xiūxi
5375 *修 xiū
5376 修辭 xiūcí
5377 修復 xiūfù
5378 *修改 xiūgǎi
5379 修建 xiūjiàn
5380 修理 xiūlǐ
5381 *修養 xiūyǎng
5382 修正 xiūzhèng
5383 宿 xiǔ
5384 臭 xiù
5385 袖 xiù
5386 綉 xiù

5387 宿 xiù
5388 嗅 xiù
5389 *須 xū
5390 *虛 xū
5391 *需 xū
5392 *需求 xūqiú
5393 *需要 xūyào
5394 *徐 xú
5395 許 xǔ
5396 *許多 xǔduō
5397 許可 xǔkě
5398 序 xù
5399 *叙述 xùshù
5400 *畜 xù
5401 *宣布 xuānbù
5402 *宣傳 xuānchuán
5403 宣告 xuāngào
5404 宣言 xuānyán
5405 宣揚 xuānyáng
5406 懸 xuán
5407 懸挂 xuánguà
5408 旋 xuán
5409 旋律 xuánlǜ
5410 *旋轉 xuánzhuǎn
5411 *選 xuǎn
5412 選拔 xuǎnbá
5413 *選舉 xuǎnjǔ
5414 選手 xuǎnshǒu
5415 選用 xuǎnyòng
5416 *選擇 xuǎnzé
5417 旋 xuàn
5418 削 xuē
5419 削弱 xuēruò
5420 穴 xué
5421 *學 xué
5422 *學會 xuéhuì
5423 *學科 xuékē
5424 學派 xuépài
5425 *學生 xuésheng
5426 *學術 xuéshù
5427 *學説 xuéshuō
5428 學堂 xuétáng
5429 學徒 xuétú
5430 學問 xuéwen
5431 *學習 xuéxí
5432 *學校 xuéxiào
5433 學員 xuéyuán
5434 學院 xuéyuàn
5435 *學者 xuézhě
5436 *雪 xuě
5437 雪白 xuěbái
5438 雪花 xuěhuā
5439 *血 xuè
5440 *血管 xuèguǎn
5441 *血液 xuèyè
5442 尋 xún
5443 尋求 xúnqiú
5444 *尋找 xúnzhǎo
5445 詢問 xúnwèn
5446 *循環 xúnhuán
5447 訓 xùn
5448 *訓練 xùnliàn
5449 *迅速 xùnsù
5450 *壓 yā
5451 *壓力 yālì
5452 *壓迫 yāpò
5453 壓强 yāqiáng
5454 壓縮 yāsuō
5455 壓抑 yāyì
5456 壓制 yāzhì
5457 押 yā
5458 鴉片 yāpiàn
5459 鴨 yā
5460 *牙 yá
5461 牙齒 yáchǐ
5462 *芽 yá
5463 亞 yà
5464 咽 yān
5465 *烟 yān
5466 烟囱 yān•cōng
5467 *延長 yáncháng
5468 延伸 yánshēn
5469 延續 yánxù
5470 嚴 yán
5471 *嚴格 yángé
5472 嚴寒 yánhán
5473 嚴峻 yánjùn
5474 嚴厲 yánlì
5475 嚴密 yánmì
5476 *嚴肅 yánsù
5477 *嚴重 yánzhòng
5478 *言 yán
5479 言論 yánlùn
5480 *言語 yányǔ
5481 岩 yán
5482 *岩石 yánshí
5483 炎 yán
5484 *沿 yán
5485 沿岸 yán'àn
5486 *沿海 yánhǎi
5487 *研究 yánjiū
5488 研究生 yánjiūshēng

5692 *意見 yì•jiàn
5693 意境 yìjìng
5694 *意識 yì•shí
5695 *意思 yìsi
5696 意圖 yìtú
5697 *意外 yìwài
5698 *意味 yìwèi
5699 意象 yìxiàng
5700 *意義 yìyì
5701 *意志 yìzhì
5702 毅然 yìrán
5703 翼 yì
5704 *因 yīn
5705 *因此 yīncǐ
5706 因地制宜 yīndì-zhìyí
5707 *因而 yīn'ér
5708 因果 yīnguǒ
5709 *因素 yīnsù
5710 *因爲 yīn•wèi
5711 因子 yīnzǐ
5712 *陰 yīn
5713 陰謀 yīnmóu
5714 陰陽 yīnyáng
5715 陰影 yīnyǐng
5716 *音 yīn
5717 音調 yīndiào
5718 音階 yīnjiē
5719 音節 yīnjié
5720 音響 yīnxiǎng
5721 *音樂 yīnyuè
5722 *銀 yín
5723 *銀行 yínháng
5724 *引 yǐn
5725 *引導 yǐndǎo
5726 *引進 yǐnjìn
5727 引力 yǐnlì
5728 *引起 yǐnqǐ
5729 引用 yǐnyòng
5730 飲 yǐn
5731 飲食 yǐnshí
5732 隱 yǐn
5733 隱蔽 yǐnbì
5734 隱藏 yǐncáng
5735 *印 yìn
5736 印刷 yìnshuā
5737 *印象 yìnxiàng
5738 飲 yìn
5739 *應 yīng
5740 *應當 yīngdāng
5741 *應該 yīnggāi
5742 *英 yīng
5743 *英雄 yīngxióng
5744 英勇 yīngyǒng
5745 *嬰兒 yīng'ér
5746 鷹 yīng
5747 迎 yíng
5748 迎接 yíngjiē
5749 熒光屏 yíngguāngpíng
5750 盈利 yínglì
5751 *營 yíng
5752 *營養 yíngyǎng
5753 營業 yíngyè
5754 贏得 yíngdé
5755 影 yǐng
5756 影片 yǐngpiàn
5757 *影響 yǐngxiǎng
5758 *影子 yǐngzi
5759 *應 yìng
5760 應付 yìng•fù
5761 *應用 yìngyòng
5762 映 yìng
5763 *硬 yìng
5764 擁 yōng
5765 擁護 yōnghù
5766 擁擠 yōngjǐ
5767 *擁有 yōngyǒu
5768 永 yǒng
5769 永恒 yǒnghéng
5770 永久 yǒngjiǔ
5771 *永遠 yǒngyuǎn
5772 *勇敢 yǒnggǎn
5773 勇氣 yǒngqì
5774 勇於 yǒngyú
5775 涌 yǒng
5776 涌現 yǒngxiàn
5777 *用 yòng
5778 用處 yòng•chù
5779 用户 yònghù
5780 用力 yònglì
5781 用品 yòngpǐn
5782 用途 yòngtú
5783 優 yōu
5784 *優點 yōudiǎn
5785 優惠 yōuhuì
5786 *優良 yōuliáng
5787 *優美 yōuměi
5788 *優勢 yōushì
5789 優先 yōuxiān
5790 *優秀 yōuxiù
5791 優越 yōuyuè
5792 優質 yōuzhì

5793 憂鬱 yōuyù
5794 幽默 yōumò
5795 悠久 yōujiǔ
5796 尤 yóu
5797 *尤其 yóuqí
5798 尤爲 yóuwéi
5799 *由 yóu
5800 *由於 yóuyú
5801 郵票 yóupiào
5802 猶 yóu
5803 猶如 yóurú
5804 猶豫 yóuyù
5805 *油 yóu
5806 油畫 yóuhuà
5807 油田 yóutián
5808 鈾 yóu
5809 *游 yóu
5810 游擊 yóujī
5811 游擊隊 yóujīduì
5812 游戲 yóuxì
5813 游行 yóuxíng
5814 游泳 yóuyǒng
5815 友 yǒu
5816 友好 yǒuhǎo
5817 友人 yǒurén
5818 *友誼 yǒuyì
5819 *有 yǒu
5820 *有關 yǒuguān
5821 *有機 yǒujī
5822 *有力 yǒulì
5823 *有利 yǒulì
5824 有名 yǒumíng
5825 *有趣 yǒuqù
5826 有如 yǒurú
5827 *有時 yǒushí
5828 *有限 yǒuxiàn
5829 *有效 yǒuxiào
5830 有益 yǒuyì
5831 有意 yǒuyì
5832 *又 yòu
5833 *右 yòu
5834 右邊 yòu•biān
5835 *右手 yòushǒu
5836 *幼 yòu
5837 *幼蟲 yòuchóng
5838 幼兒 yòu'ér
5839 幼苗 yòumiáo
5840 幼年 yòunián
5841 誘導 yòudǎo
5842 *於 yú
5843 *於是 yúshì
5844 予 yú
5845 *餘 yú
5846 餘地 yúdì
5847 *魚 yú
5848 娛樂 yúlè
5849 漁 yú
5850 漁業 yúyè
5851 *愉快 yúkuài
5852 輿論 yúlùn
5853 *與 yǔ
5854 與其 yǔqí
5855 予 yǔ
5856 *予以 yǔyǐ
5857 *宇宙 yǔzhòu
5858 羽 yǔ
5859 羽毛 yǔmáo
5860 *雨 yǔ
5861 雨水 yǔshuǐ
5862 *語 yǔ
5863 *語法 yǔfǎ
5864 語句 yǔjù
5865 語氣 yǔqì
5866 語文 yǔwén
5867 *語言 yǔyán
5868 *語音 yǔyīn
5869 玉 yù
5870 *玉米 yùmǐ
5871 *育 yù
5872 育種 yùzhǒng
5873 *預報 yùbào
5874 *預備 yùbèi
5875 *預測 yùcè
5876 預定 yùdìng
5877 *預防 yùfáng
5878 預計 yùjì
5879 預料 yùliào
5880 預期 yùqī
5881 預算 yùsuàn
5882 預先 yùxiān
5883 預言 yùyán
5884 域 yù
5885 *欲 yù
5886 欲望 yùwàng
5887 遇 yù
5888 遇見 yù•jiàn
5889 *愈 yù
5890 *元 yuán
5891 *元素 yuánsù
5892 園 yuán
5893 *員 yuán
5894 袁 Yuán
5895 *原 yuán

6099 *哲學 zhéxué
6100 *者 zhě
6101 *這 zhè
6102 *這個 zhège
6103 *這裏 zhè·lǐ
6104 *這麼 zhème
6105 *這兒 zhèr
6106 *這些 zhèxiē
6107 *這樣 zhèyàng
6108 *針 zhēn
6109 *針對 zhēnduì
6110 針灸 zhēnjiǔ
6111 偵查 zhēnchá
6112 偵察 zhēnchá
6113 珍貴 zhēnguì
6114 珍珠 zhēnzhū
6115 *真 zhēn
6116 真誠 zhēnchéng
6117 真空 zhēnkōng
6118 *真理 zhēnlǐ
6119 *真實 zhēnshí
6120 *真正 zhēnzhèng
6121 *診斷 zhěnduàn
6122 枕頭 zhěntou
6123 *陣 zhèn
6124 *陣地 zhèndì
6125 *振 zhèn
6126 振蕩 zhèndàng
6127 *振動 zhèndòng
6128 振奮 zhènfèn
6129 振興 zhènxīng
6130 震 zhèn
6131 震動 zhèndòng
6132 震驚 zhènjīng
6133 *鎮 zhèn
6134 *鎮壓 zhènyā
6135 *争 zhēng
6136 争奪 zhēngduó
6137 *争論 zhēnglùn
6138 *争取 zhēngqǔ
6139 征 zhēng
6140 征服 zhēngfú
6141 徵求 zhēngqiú
6142 徵收 zhēngshōu
6143 挣 zhēng
6144 睁 zhēng
6145 蒸 zhēng
6146 *蒸發 zhēngfā
6147 蒸氣 zhēngqì
6148 *整 zhěng
6149 *整頓 zhěngdùn
6150 *整個 zhěnggè
6151 *整理 zhěnglǐ
6152 整齊 zhěngqí
6153 *整體 zhěngtǐ
6154 *正 zhèng
6155 *正常 zhèngcháng
6156 *正當 zhèngdāng
6157 *正當 zhèngdàng
6158 正規 zhèngguī
6159 *正好 zhènghǎo
6160 正面 zhèngmiàn
6161 *正確 zhèngquè
6162 *正式 zhèngshì
6163 正義 zhèngyì
6164 *正在 zhèngzài
6165 *證 zhèng
6166 證據 zhèngjù
6167 *證明 zhèngmíng
6168 *證實 zhèngshí
6169 證書 zhèngshū
6170 鄭 Zhèng
6171 政 zhèng
6172 *政策 zhèngcè
6173 *政黨 zhèngdǎng
6174 *政府 zhèngfǔ
6175 *政權 zhèngquán
6176 *政委 zhèngwěi
6177 *政治 zhèngzhì
6178 挣 zhèng
6179 *症 zhèng
6180 *症狀 zhèngzhuàng
6181 *之 zhī
6182 *之後 zhīhòu
6183 *之前 zhīqián
6184 *支 zhī
6185 支部 zhībù
6186 支撑 zhīchēng
6187 *支持 zhīchí
6188 *支出 zhīchū
6189 支隊 zhīduì
6190 支付 zhīfù
6191 *支配 zhīpèi
6192 *支援 zhīyuán
6193 *隻 zhī
6194 汁 zhī
6195 *枝 zhī
6196 枝條 zhītiáo
6197 枝葉 zhīyè
6198 *知 zhī

6199 *知道 zhī•dào
6200 知覺 zhījué
6201 *知識 zhīshi
6202 肢 zhī
6203 織 zhī
6204 脂肪 zhīfáng
6205 *執行 zhíxíng
6206 *直 zhí
6207 直觀 zhíguān
6208 直角 zhíjiǎo
6209 *直接 zhíjiē
6210 *直徑 zhíjìng
6211 直覺 zhíjué
6212 直立 zhílì
6213 直轄市 zhíxiáshì
6214 *直綫 zhíxiàn
6215 直至 zhízhì
6216 *值 zhí
6217 值班 zhíbān
6218 *值得 zhí•dé
6219 職 zhí
6220 *職工 zhígōng
6221 *職能 zhínéng
6222 職權 zhíquán
6223 *職務 zhíwù
6224 *職業 zhíyè
6225 職員 zhíyuán
6226 職責 zhízé
6227 植 zhí
6228 *植物 zhíwù
6229 植株 zhízhū
6230 殖 zhí
6231 殖民 zhímín
6232 *殖民地 zhímíndì
6233 止 zhǐ
6234 *衹 zhǐ
6235 *衹得 zhǐdé
6236 衹顧 zhǐgù
6237 *衹好 zhǐhǎo
6238 *衹是 zhǐshì
6239 *衹要 zhǐyào
6240 *衹有 zhǐyǒu
6241 *紙 zhǐ
6242 *指 zhǐ
6243 *指標 zhǐbiāo
6244 *指導 zhǐdǎo
6245 指定 zhǐdìng
6246 *指揮 zhǐhuī
6247 指令 zhǐlìng
6248 指明 zhǐmíng
6249 *指示 zhǐshì
6250 指數 zhǐshù
6251 指責 zhǐzé
6252 *至 zhì
6253 至此 zhìcǐ
6254 *至今 zhìjīn
6255 *至少 zhìshǎo
6256 *至於 zhìyú
6257 *志 zhì
6258 *制 zhì
6259 *制訂 zhìdìng
6260 *制定 zhìdìng
6261 *制度 zhìdù
6262 製品 zhìpǐn
6263 *制約 zhìyuē
6264 *製造 zhìzào
6265 制止 zhìzhǐ
6266 *製作 zhìzuò
6267 *質 zhì
6268 質變 zhìbiàn
6269 *質量 zhìliàng
6270 質子 zhìzǐ
6271 *治 zhì
6272 治安 zhì'ān
6273 治理 zhìlǐ
6274 *治療 zhìliáo
6275 *致 zhì
6276 致富 zhìfù
6277 致使 zhìshǐ
6278 *秩序 zhìxù
6279 智 zhì
6280 *智慧 zhìhuì
6281 *智力 zhìlì
6282 智能 zhìnéng
6283 滯 zhì
6284 置 zhì
6285 *中 zhōng
6286 中等 zhōngděng
6287 中斷 zhōngduàn
6288 中華 zhōnghuá
6289 *中間 zhōngjiān
6290 中年 zhōngnián
6291 中期 zhōngqī
6292 中世紀 zhōngshìjì
6293 中樞 zhōngshū
6294 中外 zhōngwài
6295 中午 zhōngwǔ
6296 *中心 zhōngxīn
6297 中性 zhōngxìng
6298 *中學 zhōngxué
6299 中學生 zhōngxuéshēng

6502 *自治區 zìzhìqū
6503 自主 zìzhǔ
6504 自轉 zìzhuàn
6505 *字 zì
6506 字母 zìmǔ
6507 宗 zōng
6508 *宗教 zōngjiào
6509 宗旨 zōngzhǐ
6510 *綜合 zōnghé
6511 *總 zǒng
6512 總額 zǒng'é
6513 總和 zǒnghé
6514 *總結 zǒngjié
6515 *總理 zǒnglǐ
6516 總數 zǒngshù
6517 總算 zǒngsuàn
6518 *總體 zǒngtǐ
6519 *總統 zǒngtǒng
6520 *總之 zǒngzhī
6521 縱 zòng
6522 縱隊 zòngduì
6523 *走 zǒu
6524 走廊 zǒuláng
6525 *走向 zǒuxiàng
6526 奏 zòu
6527 租 zū
6528 租界 zūjiè
6529 *足 zú
6530 *足够 zúgòu
6531 足球 zúqiú
6532 *足以 zúyǐ
6533 *族 zú
6534 阻 zǔ
6535 *阻礙 zǔ'ài
6536 阻力 zǔlì
6537 阻止 zǔzhǐ
6538 *組 zǔ
6539 *組合 zǔhé
6540 *組織 zǔzhī
6541 祖 zǔ
6542 祖父 zǔfù
6543 *祖國 zǔguó
6544 祖母 zǔmǔ
6545 *祖先 zǔxiān
6546 祖宗 zǔzong
6547 *鑽 zuān
6548 鑽研 zuānyán
6549 *鑽 zuàn
6550 *嘴 zuǐ
6551 嘴巴 zuǐba
6552 *嘴唇 zuǐchún
6553 *最 zuì
6554 *最初 zuìchū
6555 *最後 zuìhòu
6556 *最近 zuìjìn
6557 *最爲 zuìwéi
6558 *最終 zuìzhōng
6559 *罪 zuì
6560 罪惡 zuì'è
6561 罪犯 zuìfàn
6562 罪行 zuìxíng
6563 醉 zuì
6564 尊 zūn
6565 尊敬 zūnjìng
6566 尊嚴 zūnyán
6567 *尊重 zūnzhòng
6568 *遵守 zūnshǒu
6569 *遵循 zūnxún
6570 *昨天 zuótiān
6571 琢磨 zuómo
6572 *左 zuǒ
6573 左邊 zuǒ•biān
6574 左手 zuǒshǒu
6575 *左右 zuǒyòu
6576 *作 zuò
6577 作法 zuòfǎ
6578 *作風 zuòfēng
6579 *作家 zuòjiā
6580 *作品 zuòpǐn
6581 *作爲 zuòwéi
6582 *作物 zuòwù
6583 *作業 zuòyè
6584 *作用 zuòyòng
6585 *作戰 zuòzhàn
6586 *作者 zuòzhě
6587 *坐 zuò
6588 坐標 zuòbiāo
6589 *座 zuò
6590 座位 zuò•wèi
6591 *做 zuò
6592 *做法 zuòfǎ
6593 做夢 zuòmèng

表 二

1	哀	āi
2	哀愁	āichóu
3	哀悼	āidào
4	哀求	āiqiú
5	哀傷	āishāng
6	哀怨	āiyuàn
7	哀樂	āiyuè
8	皚皚	ái'ái
9	癌	ái
10	矮小	ǎixiǎo
11	艾	ài
12	愛戴	àidài
13	愛撫	àifǔ
14	愛慕	àimù
15	愛惜	àixī
16	礙	ài
17	礙事	àishì
18	安插	ānchā
19	安頓	āndùn
20	安放	ānfàng
21	安分	ānfèn
22	安撫	ānfǔ
23	安家	ānjiā
24	安居樂業	ānjū-lèyè
25	安理會	Ānlǐhuì
26	安寧	ānníng
27	安生	ānshēng
28	安穩	ānwěn
29	安息	ānxī
30	安閑	ānxián
31	安詳	ānxiáng
32	安逸	ānyì
33	安葬	ānzàng
34	庵	ān
35	按摩	ànmó
36	按捺	ànnà
37	按鈕	ànniǔ
38	按期	ànqī
39	按時	ànshí
40	按説	ànshuō
41	案例	ànlì
42	案情	ànqíng
43	案頭	àntóu
44	案子	ànzi
45	暗藏	àncáng
46	暗淡	àndàn
47	暗號	ànhào
48	暗殺	ànshā
49	暗自	ànzì
50	黯	àn
51	黯然	ànrán
52	昂	áng
53	昂貴	ángguì
54	昂然	ángrán
55	昂首	ángshǒu
56	昂揚	ángyáng
57	盎然	àngrán
58	凹陷	āoxiàn
59	遨游	áoyóu
60	螯	áo
61	翱翔	áoxiáng
62	襖	ǎo
63	拗	ào
64	傲	ào
65	傲慢	àomàn
66	傲然	àorán
67	奥	ào
68	奥妙	àomiào
69	澳	ào
70	懊悔	àohuǐ
71	懊惱	àonǎo
72	懊喪	àosàng
73	八股	bāgǔ
74	八卦	bāguà
75	八仙桌	bāxiānzhuō
76	八字	bāzì
77	巴掌	bāzhang
78	芭蕉	bājiāo
79	芭蕾舞	bālěiwǔ
80	疤	bā
81	疤痕	bāhén
82	拔除	báchú
83	拔節	bájié
84	拔腿	bátuǐ
85	跋涉	báshè
86	把柄	bǎbǐng
87	把持	bǎchí
88	把門兒	bǎménr
89	把手	bǎ•shǒu
90	把守	bǎshǒu
91	把戲	bǎxì
92	把子	bǎzi
93	靶	bǎ

94 靶場 bǎchǎng
95 壩 bà
96 把子 bàzi
97 耙 bà
98 罷官 bàguān
99 罷課 bàkè
100 罷免 bàmiǎn
101 罷休 bàxiū
102 霸 bà
103 霸權 bàquán
104 霸王 bàwáng
105 霸占 bàzhàn
106 掰 bāi
107 白菜 báicài
108 白費 báifèi
109 白骨 báigǔ
110 白果 báiguǒ
111 白話 báihuà
112 白話文 báihuàwén
113 白樺 báihuà
114 白凈 báijing
115 白酒 báijiǔ
116 白人 báirén
117 白日 báirì
118 白薯 báishǔ
119 白糖 báitáng
120 白皙 báixī
121 白眼 báiyǎn
122 白蟻 báiyǐ
123 白銀 báiyín
124 白晝 báizhòu
125 百般 bǎibān
126 百分比 bǎifēnbǐ
127 百合 bǎihé
128 百花齊放 bǎihuā-qífàng
129 百貨 bǎihuò
130 百家爭鳴 bǎijiā-zhēngmíng
131 百科全書 bǎikē quánshū
132 百靈 bǎilíng
133 柏 bǎi
134 柏油 bǎiyóu
135 擺布 bǎi•bù
136 擺弄 bǎi•nòng
137 擺設 bǎi•shè
138 敗壞 bàihuài
139 敗仗 bàizhàng
140 拜訪 bàifǎng
141 拜年 bàinián
142 扳 bān
143 班車 bānchē
144 班級 bānjí
145 班主任 bānzhǔrèn
146 班子 bānzi
147 頒發 bānfā
148 斑 bān
149 斑白 bānbái
150 斑駁 bānbó
151 斑點 bāndiǎn
152 斑斕 bānlán
153 斑紋 bānwén
154 搬遷 bānqiān
155 搬用 bānyòng
156 板栗 bǎnlì
157 板子 bǎnzi
158 版本 bǎnběn
159 版畫 bǎnhuà
160 版面 bǎnmiàn
161 版權 bǎnquán
162 版圖 bǎntú
163 辦案 bàn'àn
164 辦公 bàngōng
165 辦學 bànxué
166 半邊 bànbiān
167 半成品 bànchéngpǐn
168 半截 bànjié
169 半空 bànkōng
170 半路 bànlù
171 半途 bàntú
172 半圓 bànyuán
173 扮 bàn
174 伴侶 bànlǚ
175 拌 bàn
176 絆 bàn
177 邦 bāng
178 幫辦 bāngbàn
179 幫工 bānggōng
180 幫手 bāngshou
181 幫凶 bāngxiōng
182 梆 bāng
183 梆子 bāngzi
184 綁 bǎng
185 綁架 bǎngjià
186 榜 bǎng
187 膀 bǎng
188 膀子 bǎngzi
189 蚌 bàng
190 棒槌 bàngchui
191 棒球 bàngqiú
192 棒子 bàngzi
193 傍 bàng
194 磅 bàng
195 包辦 bāobàn
196 包庇 bāobì
197 包工 bāogōng
198 包裹 bāoguǒ
199 包涵 bāohan
200 包攬 bāolǎn
201 包羅萬象 bāoluó-wànxiàng

202 包容 bāoróng
203 包銷 bāoxiāo
204 包扎 bāozā
205 包子 bāozi
206 苞 bāo
207 胞 bāo
208 剥 bāo
209 褒貶 bāo•biǎn
210 雹 báo
211 飽含 bǎohán
212 飽滿 bǎomǎn
213 寶劍 bǎojiàn
214 寶庫 bǎokù
215 寶塔 bǎotǎ
216 寶物 bǎowù
217 寶藏 bǎozàng
218 寶座 bǎozuò
219 保安 bǎo'ān
220 保護色 bǎohùsè
221 保健 bǎojiàn
222 保密 bǎomì
223 保姆 bǎomǔ
224 保全 bǎoquán
225 保温 bǎowēn
226 保險絲 bǎoxiǎnsī
227 保養 bǎoyǎng
228 保佑 bǎoyòu
229 保證金 bǎozhèngjīn
230 保證人 bǎozhèngrén
231 保重 bǎozhòng
232 堡 bǎo
233 堡壘 bǎolěi
234 報表 bàobiǎo
235 報仇 bàochóu
236 報答 bàodá
237 報導 bàodǎo
238 報到 bàodào
239 報廢 bàofèi
240 報館 bàoguǎn
241 報警 bàojǐng
242 報考 bàokǎo
243 報請 bàoqǐng
244 報社 bàoshè
245 報喜 bàoxǐ
246 報銷 bàoxiāo
247 報信 bàoxìn
248 報應 bào•yìng
249 刨 bào
250 抱不平 bào bùpíng
251 抱負 bàofù
252 抱歉 bàoqiàn
253 抱怨 bào•yuàn
254 豹 bào
255 豹子 bàozi
256 鮑魚 bàoyú
257 暴 bào
258 暴發 bàofā
259 暴風雪 bàofēngxuě
260 暴風雨 bàofēngyǔ
261 暴君 bàojūn
262 暴亂 bàoluàn
263 暴徒 bàotú
264 暴行 bàoxíng
265 暴躁 bàozào
266 暴漲 bàozhǎng
267 爆 bào
268 爆裂 bàoliè
269 爆破 bàopò
270 爆竹 bàozhú
271 杯子 bēizi
272 卑 bēi
273 卑鄙 bēibǐ
274 卑劣 bēiliè
275 卑微 bēiwēi
276 卑下 bēixià
277 悲 bēi
278 悲憤 bēifèn
279 悲觀 bēiguān
280 悲苦 bēikǔ
281 悲涼 bēiliáng
282 悲傷 bēishāng
283 悲痛 bēitòng
284 悲壯 bēizhuàng
285 碑 bēi
286 碑文 bēiwén
287 北半球 běibànqiú
288 北邊 běi•biān
289 北國 běiguó
290 北極 běijí
291 北極星 běijíxīng
292 貝殼 bèiké
293 備案 bèi'àn
294 備課 bèikè
295 備用 bèiyòng
296 備戰 bèizhàn
297 背包 bèibāo
298 背道而馳 bèidào'érchí
299 背風 bèifēng
300 背脊 bèijǐ
301 背離 bèilí
302 背面 bèimiàn
303 背叛 bèipàn
304 背誦 bèisòng
305 背心 bèixīn
306 背影 bèiyǐng
307 鋇 bèi
308 倍數 bèishù
309 倍增 bèizēng
310 被單 bèidān
311 被褥 bèirù
312 奔波 bēnbō

313 奔馳 bēnchí
314 奔放 bēnfàng
315 奔赴 bēnfù
316 奔流 bēnliú
317 奔騰 bēnténg
318 奔涌 bēnyǒng
319 奔走 bēnzǒu
320 本部 běnbù
321 本分 běnfèn
322 本行 běnháng
323 本家 běnjiā
324 本科 běnkē
325 本錢 běn•qián
326 本色 běnsè
327 本土 běntǔ
328 本位 běnwèi
329 本義 běnyì
330 本意 běnyì
331 本原 běnyuán
332 本源 běnyuán
333 本子 běnzi
334 笨重 bènzhòng
335 笨拙 bènzhuō
336 崩 bēng
337 綳 bēng
338 綳帶 bēngdài
339 綳 běng
340 泵 bèng
341 迸 bèng
342 迸發 bèngfā
343 綳 bèng
344 逼近 bījìn
345 逼迫 bīpò
346 逼真 bīzhēn
347 鼻尖 bíjiān
348 鼻梁 bíliáng
349 鼻腔 bíqiāng
350 鼻涕 bí•tì
351 鼻音 bíyīn
352 匕首 bǐshǒu
353 比方 bǐfang
354 比分 bǐfēn
355 比例尺 bǐlìchǐ
356 比率 bǐlǜ
357 比擬 bǐnǐ
358 比熱 bǐrè
359 比武 bǐwǔ
360 比值 bǐzhí
361 彼岸 bǐ'àn
362 筆觸 bǐchù
363 筆法 bǐfǎ
364 筆畫 bǐhuà
365 筆迹 bǐjì
366 筆尖 bǐjiān
367 筆名 bǐmíng
368 筆墨 bǐmò
369 筆直 bǐzhí
370 鄙 bǐ
371 鄙視 bǐshì
372 鄙夷 bǐyí
373 幣 bì
374 幣制 bìzhì
375 必需品 bìxūpǐn
376 畢 bì
377 畢生 bìshēng
378 閉幕 bìmù
379 閉塞 bìsè
380 庇護 bìhù
381 陛下 bìxià
382 斃 bì
383 敝 bì
384 婢女 bìnǚ
385 痹 bì
386 辟 bì
387 碧 bì
388 碧波 bìbō
389 碧緑 bìlǜ
390 蔽 bì
391 弊 bì
392 弊病 bìbìng
393 弊端 bìduān
394 壁壘 bìlěi
395 避風 bìfēng
396 避雷針 bìléizhēn
397 避難 bìnàn
398 臂膀 bìbǎng
399 璧 bì
400 邊陲 biānchuí
401 邊防 biānfáng
402 邊際 biānjì
403 邊沿 biānyán
404 邊遠 biānyuǎn
405 編導 biāndǎo
406 編號 biānhào
407 編碼 biānmǎ
408 編排 biānpái
409 編造 biānzào
410 編者 biānzhě
411 編織 biānzhī
412 編撰 biānzhuàn
413 編纂 biānzuǎn
414 鞭策 biāncè
415 鞭打 biāndǎ
416 鞭炮 biānpào
417 貶 biǎn
418 貶低 biǎndī
419 貶義 biǎnyì
420 貶值 biǎnzhí
421 扁擔 biǎndan
422 匾 biǎn
423 變故 biàngù

424 變幻 biànhuàn
425 變賣 biànmài
426 變色 biànsè
427 變數 biànshù
428 變通 biàntōng
429 變相 biànxiàng
430 變性 biànxìng
431 變壓器 biànyāqì
432 變樣 biànyàng
433 變質 biànzhì
434 變種 biànzhǒng
435 便秘 biànmì
436 便衣 biànyī
437 遍布 biànbù
438 遍地 biàndì
439 遍及 biànjí
440 辨證 biànzhèng
441 辯 biàn
442 辯駁 biànbó
443 辯護人 biànhùrén
444 辯解 biànjiě
445 辯論 biànlùn
446 辮 biàn
447 辮子 biànzi
448 標榜 biāobǎng
449 標兵 biāobīng
450 標尺 biāochǐ
451 標的 biāodì
452 標記 biāojì
453 標明 biāomíng
454 標籤 biāoqiān
455 標新立异 biāoxīn-lìyì
456 膘 biāo
457 表白 biǎobái
458 表格 biǎogé
459 表决 biǎojué
460 表露 biǎolù
461 表率 biǎoshuài
462 表態 biǎotài
463 憋 biē
464 鱉 biē
465 别出心裁 biéchū-xīncái
466 别具一格 biéjù-yīgé
467 别開生面 biékāi-shēngmiàn
468 别名 biémíng
469 别墅 biéshù
470 别有用心 biéyǒu-yòngxīn
471 别致 bié•zhì
472 癟 biě
473 彆扭 bièniu
474 賓館 bīnguǎn
475 賓客 bīnkè
476 賓語 bīnyǔ
477 賓主 bīnzhǔ
478 濱 bīn
479 瀕臨 bīnlín
480 瀕於 bīnyú
481 擯弃 bìnqì
482 鬢 bìn
483 冰雹 bīngbáo
484 冰點 bīngdiǎn
485 冰凍 bīngdòng
486 冰窖 bīngjiào
487 冰晶 bīngjīng
488 冰冷 bīnglěng
489 冰凉 bīngliáng
490 冰山 bīngshān
491 冰天雪地 bīngtiān-xuědì
492 冰箱 bīngxiāng
493 兵法 bīngfǎ
494 兵家 bīngjiā
495 兵器 bīngqì
496 兵團 bīngtuán
497 兵役 bīngyì
498 兵營 bīngyíng
499 兵站 bīngzhàn
500 兵種 bīngzhǒng
501 餅乾 bǐnggān
502 餅子 bǐngzi
503 屏息 bǐngxī
504 稟 bǐng
505 并發 bìngfā
506 并肩 bìngjiān
507 并進 bìngjìn
508 并舉 bìngjǔ
509 并聯 bìnglián
510 并列 bìngliè
511 并排 bìngpái
512 并行 bìngxíng
513 并重 bìngzhòng
514 病程 bìngchéng
515 病床 bìngchuáng
516 病房 bìngfáng
517 病根 bìnggēn
518 病故 bìnggù
519 病害 bìnghài
520 病號 bìnghào
521 病菌 bìngjūn
522 病例 bìnglì
523 病魔 bìngmó
524 病史 bìngshǐ
525 病榻 bìngtà
526 病態 bìngtài
527 病痛 bìngtòng
528 病因 bìngyīn

529 病員 bìngyuán
530 病原體 bìngyuántǐ
531 病竈 bìngzào
532 病症 bìngzhèng
533 摒弃 bìngqì
534 撥款 bōkuǎn
535 撥弄 bōnong
536 波段 bōduàn
537 波峰 bōfēng
538 波谷 bōgǔ
539 波及 bōjí
540 波瀾 bōlán
541 波濤 bōtāo
542 波紋 bōwén
543 波折 bōzhé
544 鉢 bō
545 剥離 bōlí
546 剥蝕 bōshí
547 菠菜 bōcài
548 菠蘿 bōluó
549 播 bō
550 播放 bōfàng
551 播送 bōsòng
552 伯父 bófù
553 伯樂 Bólè
554 伯母 bómǔ
555 駁 bó
556 駁斥 bóchì
557 駁回 bóhuí
558 帛 bó
559 泊 bó
560 鉑 bó
561 脖 bó
562 脖頸兒 bógěngr
563 博 bó
564 博愛 bó'ài
565 博大 bódà
566 博得 bódé
567 博覽會 bólǎnhuì
568 博物館 bówùguǎn
569 搏 bó
570 搏擊 bójī
571 箔 bó
572 膊 bó
573 跛 bǒ
574 簸箕 bòji
575 卜 bǔ
576 補丁 bǔding
577 補給 bǔjǐ
578 補救 bǔjiù
579 補課 bǔkè
580 補習 bǔxí
581 補助 bǔzhù
582 補足 bǔzú
583 捕獲 bǔhuò
584 捕殺 bǔshā
585 哺乳 bǔrǔ
586 哺育 bǔyù
587 不啻 bùchì
588 不得了 bù déliǎo
589 不得已 bùdéyǐ
590 不動産 bùdòngchǎn
591 不動聲色 bùdòng-shēngsè
592 不乏 bùfá
593 不法 bùfǎ
594 不凡 bùfán
595 不符 bùfú
596 不甘 bùgān
597 不敢當 bùgǎndāng
598 不計其數 bùjì-qíshù
599 不見得 bù jiàn·dé
600 不脛而走 bùjìng'érzǒu
601 不可思議 bùkě-sīyì
602 不可一世 bùkě-yīshì
603 不力 bùlì
604 不妙 bùmiào
605 不配 bùpèi
606 不屈 bùqū
607 不忍 bùrěn
608 不善 bùshàn
609 不適 bùshì
610 不速之客 bùsùzhīkè
611 不祥 bùxiáng
612 不像話 bù xiànghuà
613 不孝 bùxiào
614 不屑 bùxiè
615 不懈 bùxiè
616 不休 bùxiū
617 不朽 bùxiǔ
618 不銹鋼 bùxiùgāng
619 不言而喻 bùyán'éryù
620 不一 bùyī
621 不依 bùyī
622 不以爲然 bùyǐwéirán
623 不由得 bùyóude
624 不約而同 bùyuē'értóng
625 不在乎 bùzàihu
626 不只 bùzhǐ
627 不至於 bùzhìyú
628 布告 bùgào
629 布景 bùjǐng
630 布匹 bùpǐ
631 布衣 bùyī

632	步兵	bùbīng
633	步履	bùlǚ
634	步槍	bùqiāng
635	步行	bùxíng
636	部件	bùjiàn
637	部屬	bùshǔ
638	部委	bùwěi
639	部下	bùxià
640	埠	bù
641	簿	bù
642	擦拭	cāshì
643	猜測	cāicè
644	猜想	cāixiǎng
645	猜疑	cāiyí
646	才幹	cáigàn
647	才華	cáihuá
648	才智	cáizhì
649	財經	cáijīng
650	財會	cáikuài
651	財貿	cáimào
652	財權	cáiquán
653	財團	cáituán
654	財物	cáiwù
655	財源	cáiyuán
656	財主	cáizhu
657	裁	cái
658	裁定	cáidìng
659	裁縫	cáifeng
660	裁減	cáijiǎn
661	裁剪	cáijiǎn
662	裁决	cáijué
663	裁軍	cáijūn
664	裁判	cáipàn
665	采伐	cǎifá
666	采掘	cǎijué
667	采礦	cǎikuàng
668	采納	cǎinà
669	采寫	cǎixiě
670	采樣	cǎiyàng
671	采油	cǎiyóu
672	采摘	cǎizhāi
673	彩電	cǎidiàn
674	彩虹	cǎihóng
675	彩繪	cǎihuì
676	彩禮	cǎilǐ
677	彩旗	cǎiqí
678	彩塑	cǎisù
679	彩陶	cǎitáo
680	睬	cǎi
681	菜場	càichǎng
682	菜刀	càidāo
683	菜蔬	càishū
684	菜肴	càiyáo
685	菜園	càiyuán
686	參見	cānjiàn
687	參軍	cānjūn
688	參看	cānkàn
689	參賽	cānsài
690	參天	cāntiān
691	參議院	cānyìyuàn
692	參閲	cānyuè
693	參展	cānzhǎn
694	參戰	cānzhàn
695	參政	cānzhèng
696	餐	cān
697	餐具	cānjù
698	餐廳	cāntīng
699	餐桌	cānzhuō
700	殘暴	cánbào
701	殘存	cáncún
702	殘廢	cánfèi
703	殘害	cánhài
704	殘疾	cán•jí
705	殘留	cánliú
706	殘破	cánpò
707	殘缺	cánquē
708	殘忍	cánrěn
709	殘殺	cánshā
710	蠶豆	cándòu
711	蠶食	cánshí
712	蠶絲	cánsī
713	慚愧	cánkuì
714	慘	cǎn
715	慘案	cǎn'àn
716	慘白	cǎnbái
717	慘敗	cǎnbài
718	慘死	cǎnsǐ
719	慘痛	cǎntòng
720	慘重	cǎnzhòng
721	倉促	cāngcù
722	倉皇	cānghuáng
723	蒼	cāng
724	蒼翠	cāngcuì
725	蒼老	cānglǎo
726	蒼茫	cāngmáng
727	蒼穹	cāngqióng
728	蒼天	cāngtiān
729	滄桑	cāngsāng
730	藏身	cángshēn
731	藏書	cángshū
732	操辦	cāobàn
733	操場	cāochǎng
734	操持	cāochí
735	操勞	cāoláo
736	操練	cāoliàn
737	操心	cāoxīn
738	嘈雜	cáozá
739	草本	cǎoběn
740	草場	cǎochǎng
741	草叢	cǎocóng
742	草帽	cǎomào

743 草莓 cǎoméi
744 草擬 cǎonǐ
745 草皮 cǎopí
746 草坪 cǎopíng
747 草率 cǎoshuài
748 草圖 cǎotú
749 草屋 cǎowū
750 草鞋 cǎoxié
751 草藥 cǎoyào
752 厠所 cèsuǒ
753 側耳 cè'ěr
754 側身 cèshēn
755 測繪 cèhuì
756 測試 cèshì
757 測算 cèsuàn
758 策 cè
759 策動 cèdòng
760 策劃 cèhuà
761 層出不窮 céngchū-bùqióng
762 層面 céngmiàn
763 蹭 cèng
764 叉腰 chāyāo
765 杈 chā
766 差錯 chācuò
767 差額 chā'é
768 插隊 chāduì
769 插話 chāhuà
770 插曲 chāqǔ
771 插手 chāshǒu
772 插圖 chātú
773 插秧 chāyāng
774 插嘴 chāzuǐ
775 茬 chá
776 茶點 chádiǎn
777 茶花 cháhuā
778 茶几 chájī
779 茶具 chájù
780 茶水 cháshuǐ
781 茶園 cháyuán
782 查處 cháchǔ
783 查對 cháduì
784 查獲 cháhuò
785 查禁 chájìn
786 查看 chákàn
787 查問 cháwèn
788 查詢 cháxún
789 查閱 cháyuè
790 查找 cházhǎo
791 察覺 chájué
792 察看 chákàn
793 杈 chà
794 岔 chà
795 刹 chà
796 刹那 chànà
797 詫异 chàyì
798 拆除 chāichú
799 拆毁 chāihuǐ
800 拆遷 chāiqiān
801 拆卸 chāixiè
802 差使 chāishǐ
803 差事 chāishi
804 柴火 cháihuo
805 柴油 cháiyóu
806 摻 chān
807 攙 chān
808 攙扶 chānfú
809 饞 chán
810 禪 chán
811 禪宗 chánzōng
812 纏綿 chánmián
813 纏繞 chánrào
814 蟬 chán
815 潺潺 chánchán
816 蟾蜍 chánchú
817 産婦 chǎnfù
818 産權 chǎnquán
819 産銷 chǎnxiāo
820 鏟 chǎn
821 鏟除 chǎnchú
822 闡發 chǎnfā
823 闡釋 chǎnshì
824 懺悔 chànhuǐ
825 顫 chàn
826 顫動 chàndòng
827 昌 chāng
828 猖獗 chāngjué
829 猖狂 chāngkuáng
830 娼妓 chāngjì
831 長臂猿 chángbìyuán
832 長波 chángbō
833 長笛 chángdí
834 長方形 chángfāngxíng
835 長工 chánggōng
836 長頸鹿 chángjǐnglù
837 長空 chángkōng
838 長年 chángnián
839 長袍 chángpáo
840 長跑 chángpǎo
841 長篇 chángpiān
842 長衫 chángshān
843 長壽 chángshòu
844 長嘆 chángtàn
845 長途 chángtú
846 長綫 chángxiàn
847 長夜 chángyè
848 長於 chángyú
849 長足 chángzú
850 腸胃 chángwèi
851 腸子 chángzi
852 嘗新 chángxīn

853 常人 chángrén
854 常設 chángshè
855 常態 chángtài
856 常委 chángwěi
857 常温 chángwēn
858 常務 chángwù
859 常住 chángzhù
860 償 cháng
861 償付 chángfù
862 償還 chánghuán
863 廠家 chǎngjiā
864 廠礦 chǎngkuàng
865 廠商 chǎngshāng
866 廠子 chǎngzi
867 場景 chǎngjǐng
868 場子 chǎngzi
869 敞 chǎng
870 敞開 chǎngkāi
871 悵惘 chàngwǎng
872 暢 chàng
873 暢快 chàngkuài
874 暢所欲言 chàngsuǒyùyán
875 暢談 chàngtán
876 暢通 chàngtōng
877 暢銷 chàngxiāo
878 倡 chàng
879 倡導 chàngdǎo
880 倡議 chàngyì
881 唱詞 chàngcí
882 唱片 chàngpiàn
883 唱腔 chàngqiāng
884 唱戲 chàngxì
885 抄襲 chāoxí
886 抄寫 chāoxiě
887 鈔 chāo
888 鈔票 chāopiào
889 超産 chāochǎn
890 超常 chāocháng
891 超導體 chāodǎotǐ
892 超級 chāojí
893 超前 chāoqián
894 超然 chāorán
895 超人 chāorén
896 超聲波 chāoshēngbō
897 超脱 chāotuō
898 剿 chāo
899 巢穴 cháoxué
900 朝拜 cháobài
901 朝代 cháodài
902 朝向 cháoxiàng
903 朝陽 cháoyáng
904 朝野 cháoyě
905 朝政 cháozhèng
906 嘲諷 cháofěng
907 嘲弄 cháonòng
908 嘲笑 cháoxiào
909 潮水 cháoshuǐ
910 潮汐 cháoxī
911 吵架 chǎojià
912 吵鬧 chǎonào
913 吵嘴 chǎozuǐ
914 車床 chēchuáng
915 車隊 chēduì
916 車夫 chēfū
917 車禍 chēhuò
918 車門 chēmén
919 車身 chēshēn
920 車頭 chētóu
921 扯皮 chěpí
922 徹 chè
923 撤换 chèhuàn
924 撤回 chèhuí
925 撤離 chèlí
926 撤退 chètuì
927 撤職 chèzhí
928 澈 chè
929 抻 chēn
930 臣民 chénmín
931 塵埃 chén'āi
932 塵土 chéntǔ
933 辰 chén
934 沉寂 chénjì
935 沉降 chénjiàng
936 沉浸 chénjìn
937 沉静 chénjìng
938 沉淪 chénlún
939 沉悶 chénmèn
940 沉没 chénmò
941 沉睡 chénshuì
942 沉痛 chéntòng
943 沉吟 chényín
944 沉鬱 chényù
945 沉醉 chénzuì
946 陳腐 chénfǔ
947 陳規 chénguī
948 陳迹 chénjì
949 陳列 chénliè
950 陳設 chénshè
951 晨 chén
952 晨光 chénguāng
953 晨曦 chénxī
954 襯 chèn
955 襯衫 chènshān
956 襯托 chèntuō
957 襯衣 chènyī
958 稱職 chènzhí
959 趁機 chènjī
960 趁勢 chènshì
961 趁早 chènzǎo

962 稱霸 chēngbà
963 稱道 chēngdào
964 稱頌 chēngsòng
965 稱謂 chēngwèi
966 撐腰 chēngyāo
967 成敗 chéngbài
968 成才 chéngcái
969 成材 chéngcái
970 成風 chéngfēng
971 成活 chénghuó
972 成家 chéngjiā
973 成見 chéngjiàn
974 成交 chéngjiāo
975 成名 chéngmíng
976 成品 chéngpǐn
977 成親 chéngqīn
978 成全 chéngquán
979 成書 chéngshū
980 成套 chéngtào
981 成天 chéngtiān
982 成行 chéngxíng
983 成形 chéngxíng
984 成因 chéngyīn
985 丞 chéng
986 丞相 chéngxiàng
987 誠然 chéngrán
988 誠心 chéngxīn
989 誠摯 chéngzhì
990 承辦 chéngbàn
991 承繼 chéngjì
992 承建 chéngjiàn
993 承襲 chéngxí
994 城堡 chéngbǎo
995 城郊 chéngjiāo
996 城樓 chénglóu
997 城墻 chéngqiáng
998 城區 chéngqū
999 乘法 chéngfǎ
1000 乘方 chéngfāng
1001 乘積 chéngjī
1002 乘涼 chéngliáng
1003 乘務員 chéngwùyuán
1004 乘坐 chéngzuò
1005 懲 chéng
1006 懲辦 chéngbàn
1007 懲處 chéngchǔ
1008 懲戒 chéngjiè
1009 懲治 chéngzhì
1010 澄清 chéngqīng
1011 橙 chéng
1012 逞 chěng
1013 吃不消 chī•bùxiāo
1014 吃苦 chīkǔ
1015 吃虧 chīkuī
1016 吃水 chīshuǐ
1017 吃香 chīxiāng
1018 嗤 chī
1019 痴 chī
1020 痴呆 chīdāi
1021 池子 chízi
1022 馳騁 chíchěng
1023 馳名 chímíng
1024 遲到 chídào
1025 遲緩 chíhuǎn
1026 遲疑 chíyí
1027 遲早 chízǎo
1028 持之以恒 chízhīyǐhéng
1029 持重 chízhòng
1030 尺寸 chǐ•cùn
1031 尺子 chǐzi
1032 齒輪 chǐlún
1033 齒齦 chǐyín
1034 耻辱 chǐrǔ
1035 斥 chì
1036 斥責 chìzé
1037 赤誠 chìchéng
1038 赤裸 chìluǒ
1039 赤手空拳 chìshǒu-kōngquán
1040 赤字 chìzì
1041 熾烈 chìliè
1042 熾熱 chìrè
1043 冲淡 chōngdàn
1044 衝鋒 chōngfēng
1045 冲積 chōngjī
1046 冲刷 chōngshuā
1047 衝天 chōngtiān
1048 冲洗 chōngxǐ
1049 衝撞 chōngzhuàng
1050 充斥 chōngchì
1051 充電 chōngdiàn
1052 充飢 chōngjī
1053 充沛 chōngpèi
1054 充塞 chōngsè
1055 充血 chōngxuè
1056 充溢 chōngyì
1057 充裕 chōngyù
1058 舂 chōng
1059 憧憬 chōngjǐng
1060 蟲害 chónghài
1061 蟲子 chóngzi
1062 重叠 chóngdié
1063 重逢 chóngféng
1064 重申 chóngshēn
1065 重圍 chóngwéi
1066 重行 chóngxíng
1067 重修 chóngxiū
1068 重演 chóngyǎn
1069 崇敬 chóngjìng

1070 崇尚 chóngshàng
1071 寵 chǒng
1072 寵愛 chǒng'ài
1073 寵兒 chǒng'ér
1074 抽查 chōuchá
1075 抽搐 chōuchù
1076 抽打 chōudǎ
1077 抽調 chōudiào
1078 抽空 chōukòng
1079 抽泣 chōuqì
1080 抽籤 chōuqiān
1081 抽取 chōuqǔ
1082 抽穗 chōusuì
1083 抽屜 chōu•tì
1084 抽樣 chōuyàng
1085 仇 chóu
1086 仇敵 chóudí
1087 仇人 chóurén
1088 仇視 chóushì
1089 惆悵 chóuchàng
1090 綢 chóu
1091 綢緞 chóuduàn
1092 綢子 chóuzi
1093 稠 chóu
1094 稠密 chóumì
1095 愁苦 chóukǔ
1096 籌 chóu
1097 籌辦 chóubàn
1098 籌備 chóubèi
1099 籌措 chóucuò
1100 籌劃 chóuhuà
1101 籌集 chóují
1102 籌建 chóujiàn
1103 躊躇 chóuchú
1104 醜惡 chǒu'è
1105 醜陋 chǒulòu
1106 臭氧 chòuyǎng
1107 出兵 chūbīng
1108 出差 chūchāi
1109 出廠 chūchǎng
1110 出場 chūchǎng
1111 出動 chūdòng
1112 出工 chūgōng
1113 出海 chūhǎi
1114 出擊 chūjī
1115 出家 chūjiā
1116 出嫁 chūjià
1117 出境 chūjìng
1118 出類拔萃 chūlèi-bácuì
1119 出力 chūlì
1120 出馬 chūmǎ
1121 出面 chūmiàn
1122 出苗 chūmiáo
1123 出名 chūmíng
1124 出没 chūmò
1125 出品 chūpǐn
1126 出其不意 chūqíbùyì
1127 出奇 chūqí
1128 出氣 chūqì
1129 出勤 chūqín
1130 出人意料 chūrényìliào
1131 出任 chūrèn
1132 出入 chūrù
1133 出山 chūshān
1134 出神 chūshén
1135 出生率 chūshēnglǜ
1136 出師 chūshī
1137 出使 chūshǐ
1138 出示 chūshì
1139 出世 chūshì
1140 出事 chūshì
1141 出手 chūshǒu
1142 出臺 chūtái
1143 出頭 chūtóu
1144 出外 chūwài
1145 出院 chūyuàn
1146 出征 chūzhēng
1147 出衆 chūzhòng
1148 出資 chūzī
1149 出走 chūzǒu
1150 出租 chūzū
1151 初春 chūchūn
1152 初等 chūděng
1153 初冬 chūdōng
1154 初戀 chūliàn
1155 初年 chūnián
1156 初秋 chūqiū
1157 初夏 chūxià
1158 初學 chūxué
1159 除塵 chúchén
1160 除法 chúfǎ
1161 除外 chúwài
1162 除夕 chúxī
1163 厨 chú
1164 厨師 chúshī
1165 鋤 chú
1166 鋤頭 chútou
1167 雛 chú
1168 雛形 chúxíng
1169 櫥 chú
1170 櫥窗 chúchuāng
1171 處方 chǔfāng
1172 處决 chǔjué
1173 處女 chǔnǚ
1174 處世 chǔshì
1175 處事 chǔshì
1176 處死 chǔsǐ
1177 處置 chǔzhì

1178 儲 chǔ
1179 儲藏 chǔcáng
1180 處所 chùsuǒ
1181 畜力 chùlì
1182 畜生 chùsheng
1183 觸電 chùdiàn
1184 觸動 chùdòng
1185 觸發 chùfā
1186 觸犯 chùfàn
1187 觸及 chùjí
1188 觸角 chùjiǎo
1189 觸覺 chùjué
1190 觸摸 chùmō
1191 觸目驚心 chùmù-jīngxīn
1192 觸手 chùshǒu
1193 觸鬚 chùxū
1194 矗立 chùlì
1195 揣 chuāi
1196 揣測 chuǎicè
1197 揣摩 chuǎimó
1198 踹 chuài
1199 川劇 chuānjù
1200 川流不息 chuānliú-bùxī
1201 穿插 chuānchā
1202 穿刺 chuāncì
1203 穿戴 chuāndài
1204 穿孔 chuānkǒng
1205 穿山甲 chuānshānjiǎ
1206 穿梭 chuānsuō
1207 穿行 chuānxíng
1208 穿越 chuānyuè
1209 傳布 chuánbù
1210 傳承 chuánchéng
1211 傳單 chuándān
1212 傳道 chuándào
1213 傳教 chuánjiào
1214 傳令 chuánlìng
1215 傳奇 chuánqí
1216 傳染 chuánrǎn
1217 傳人 chuánrén
1218 傳神 chuánshén
1219 傳輸 chuánshū
1220 傳送 chuánsòng
1221 傳誦 chuánsòng
1222 傳聞 chuánwén
1223 傳真 chuánzhēn
1224 船艙 chuáncāng
1225 船夫 chuánfū
1226 船家 chuánjiā
1227 船臺 chuántái
1228 船舷 chuánxián
1229 船員 chuányuán
1230 船閘 chuánzhá
1231 喘氣 chuǎnqì
1232 喘息 chuǎnxī
1233 創口 chuāngkǒu
1234 瘡 chuāng
1235 瘡疤 chuāngbā
1236 窗簾 chuānglián
1237 窗臺 chuāngtái
1238 床單 chuángdān
1239 床鋪 chuángpù
1240 床位 chuángwèi
1241 創匯 chuànghuì
1242 創見 chuàngjiàn
1243 創建 chuàngjiàn
1244 創舉 chuàngjǔ
1245 創刊 chuàngkān
1246 創設 chuàngshè
1247 創始 chuàngshǐ
1248 創業 chuàngyè
1249 創制 chuàngzhì
1250 炊烟 chuīyān
1251 吹拂 chuīfú
1252 吹牛 chuīniú
1253 吹捧 chuīpěng
1254 吹噓 chuīxū
1255 吹奏 chuīzòu
1256 垂釣 chuídiào
1257 垂柳 chuíliǔ
1258 垂死 chuísǐ
1259 垂危 chuíwēi
1260 捶 chuí
1261 錘煉 chuíliàn
1262 錘子 chuízi
1263 春分 chūnfēn
1264 春風 chūnfēng
1265 春耕 chūngēng
1266 春光 chūnguāng
1267 春雷 chūnléi
1268 春色 chūnsè
1269 純度 chúndù
1270 純净 chúnjìng
1271 純真 chúnzhēn
1272 純正 chúnzhèng
1273 淳樸 chúnpǔ
1274 醇 chún
1275 蠢 chǔn
1276 蠢事 chǔnshì
1277 戳 chuō
1278 戳穿 chuōchuān
1279 啜泣 chuòqì
1280 綽號 chuòhào
1281 詞句 cíjù
1282 祠 cí
1283 祠堂 cítáng
1284 瓷 cí
1285 瓷器 cíqì

1286 瓷磚 cízhuān
1287 辭典 cídiǎn
1288 辭退 cítuì
1289 慈 cí
1290 慈愛 cí'ài
1291 慈悲 cíbēi
1292 慈善 císhàn
1293 慈祥 cíxiáng
1294 磁帶 cídài
1295 磁化 cíhuà
1296 磁極 cíjí
1297 磁體 cítǐ
1298 磁頭 cítóu
1299 磁性 cíxìng
1300 雌蕊 círuǐ
1301 雌性 cíxìng
1302 雌雄 cíxióng
1303 此間 cǐjiān
1304 此起彼伏 cǐqǐ-bǐfú
1305 次第 cìdì
1306 次品 cìpǐn
1307 次日 cìrì
1308 刺刀 cìdāo
1309 刺耳 cì'ěr
1310 刺骨 cìgǔ
1311 刺客 cìkè
1312 刺殺 cìshā
1313 刺猬 cìwei
1314 刺綉 cìxiù
1315 刺眼 cìyǎn
1316 賜予 cìyǔ
1317 匆忙 cōngmáng
1318 葱 cōng
1319 聰慧 cōnghuì
1320 從容 cóngróng
1321 從軍 cóngjūn
1322 從屬 cóngshǔ
1323 從頭 cóngtóu
1324 從新 cóngxīn
1325 從業 cóngyè
1326 從衆 cóngzhòng
1327 叢林 cónglín
1328 叢生 cóngshēng
1329 叢書 cóngshū
1330 凑合 còuhe
1331 凑近 còujìn
1332 凑巧 còuqiǎo
1333 粗暴 cūbào
1334 粗笨 cūbèn
1335 粗布 cūbù
1336 粗大 cūdà
1337 粗放 cūfàng
1338 粗獷 cūguǎng
1339 粗魯 cūlǔ
1340 粗略 cūlüè
1341 粗俗 cūsú
1342 粗細 cūxì
1343 粗心 cūxīn
1344 粗野 cūyě
1345 粗壯 cūzhuàng
1346 醋 cù
1347 簇擁 cùyōng
1348 蹿 cuān
1349 攢 cuán
1350 篡奪 cuànduó
1351 篡改 cuàngǎi
1352 崔 Cuī
1353 催促 cuīcù
1354 催化 cuīhuà
1355 催化劑 cuīhuàjì
1356 催眠 cuīmián
1357 摧 cuī
1358 璀璨 cuǐcàn
1359 脆 cuì
1360 脆弱 cuìruò
1361 萃取 cuìqǔ
1362 啐 cuì
1363 淬火 cuìhuǒ
1364 翠 cuì
1365 翠緑 cuìlǜ
1366 村落 cūnluò
1367 村民 cūnmín
1368 村寨 cūnzhài
1369 村鎮 cūnzhèn
1370 皴 cūn
1371 存儲 cúnchǔ
1372 存放 cúnfàng
1373 存活 cúnhuó
1374 存貨 cúnhuò
1375 存留 cúnliú
1376 存亡 cúnwáng
1377 存心 cúnxīn
1378 存摺 cúnzhé
1379 搓 cuō
1380 磋商 cuōshāng
1381 撮 cuō
1382 挫 cuò
1383 挫敗 cuòbài
1384 挫傷 cuòshāng
1385 銼 cuò
1386 錯過 cuòguò
1387 錯覺 cuòjué
1388 錯位 cuòwèi
1389 錯綜複雜 cuòzōng-fùzá
1390 耷拉 dāla
1391 搭救 dājiù
1392 搭配 dāpèi
1393 搭訕 dā•shàn
1394 答辯 dábiàn
1395 答話 dáhuà

1396 打岔 dǎchà
1397 打點 dǎdian
1398 打動 dǎdòng
1399 打賭 dǎdǔ
1400 打盹兒 dǎdǔnr
1401 打發 dǎfa
1402 打火機 dǎhuǒjī
1403 打交道 dǎ jiāo•dào
1404 打攪 dǎjiǎo
1405 打垮 dǎkuǎ
1406 打撈 dǎlāo
1407 打獵 dǎliè
1408 打趣 dǎqù
1409 打擾 dǎrǎo
1410 打掃 dǎsǎo
1411 打鐵 dǎtiě
1412 打通 dǎtōng
1413 打消 dǎxiāo
1414 打印 dǎyìn
1415 打顫 dǎzhàn
1416 打字 dǎzì
1417 大白 dàbái
1418 大本營 dàběnyíng
1419 大便 dàbiàn
1420 大不了 dà•bùliǎo
1421 大腸 dàcháng
1422 大潮 dàcháo
1423 大車 dàchē
1424 大抵 dàdǐ
1425 大殿 dàdiàn
1426 大度 dàdù
1427 大法 dàfǎ
1428 大凡 dàfán
1429 大方 dàfāng
1430 大方 dàfang
1431 大副 dàfù
1432 大公無私 dàgōng-wúsī
1433 大鼓 dàgǔ
1434 大褂 dàguà
1435 大漢 dàhàn
1436 大號 dàhào
1437 大户 dàhù
1438 大計 dàjì
1439 大將 dàjiàng
1440 大驚小怪 dàjīng-xiǎoguài
1441 大局 dàjú
1442 大舉 dàjǔ
1443 大理石 dàlǐshí
1444 大陸架 dàlùjià
1445 大路 dàlù
1446 大略 dàlüè
1447 大麻 dàmá
1448 大麥 dàmài
1449 大米 dàmǐ
1450 大氣層 dàqìcéng
1451 大氣壓 dàqìyā
1452 大權 dàquán
1453 大人物 dàrénwù
1454 大賽 dàsài
1455 大使 dàshǐ
1456 大勢 dàshì
1457 大肆 dàsì
1458 大同小异 dàtóng-xiǎoyì
1459 大腿 dàtuǐ
1460 大喜 dàxǐ
1461 大顯身手 dàxiǎn-shēnshǒu
1462 大相徑庭 dàxiāng-jìngtíng
1463 大修 dàxiū
1464 大選 dàxuǎn
1465 大雪 dàxuě
1466 大雁 dàyàn
1467 大業 dàyè
1468 大義 dàyì
1469 大專 dàzhuān
1470 大宗 dàzōng
1471 大作 dàzuò
1472 呆板 dāibǎn
1473 呆滯 dāizhì
1474 歹徒 dǎitú
1475 逮 dǎi
1476 代辦 dàibàn
1477 代表作 dàibiǎozuò
1478 代詞 dàicí
1479 代號 dàihào
1480 代數 dàishù
1481 玳瑁 dàimào
1482 帶電 dàidiàn
1483 帶勁 dàijìn
1484 帶路 dàilù
1485 帶子 dàizi
1486 貸 dài
1487 待命 dàimìng
1488 待業 dàiyè
1489 怠工 dàigōng
1490 怠慢 dàimàn
1491 袋子 dàizi
1492 逮 dài
1493 丹 dān
1494 丹頂鶴 dāndǐnghè
1495 擔保 dānbǎo
1496 擔當 dāndāng
1497 擔架 dānjià
1498 擔憂 dānyōu
1499 單薄 dānbó
1500 單産 dānchǎn
1501 單詞 dāncí

1502 單方 dānfāng
1503 單幹 dāngàn
1504 單價 dānjià
1505 單據 dānjù
1506 單身 dānshēn
1507 單項 dānxiàng
1508 單衣 dānyī
1509 單元 dānyuán
1510 單子 dānzi
1511 躭擱 dānge
1512 膽固醇 dǎngùchún
1513 膽量 dǎnliàng
1514 膽略 dǎnlüè
1515 膽囊 dǎnnáng
1516 膽怯 dǎnqiè
1517 膽小鬼 dǎnxiǎoguǐ
1518 膽汁 dǎnzhī
1519 膽子 dǎnzi
1520 撣 dǎn
1521 旦 dàn
1522 旦角兒 dànjuér
1523 誕辰 dànchén
1524 淡薄 dànbó
1525 淡化 dànhuà
1526 淡漠 dànmò
1527 淡然 dànrán
1528 彈片 dànpiàn
1529 彈頭 dàntóu
1530 彈藥 dànyào
1531 蛋糕 dàngāo
1532 氮肥 dànféi
1533 氮氣 dànqì
1534 當差 dāngchāi
1535 當歸 dāngguī
1536 當家 dāngjiā
1537 當量 dāngliàng
1538 當面 dāngmiàn
1539 當權 dāngquán
1540 當日 dāngrì
1541 當下 dāngxià
1542 當心 dāngxīn
1543 當衆 dāngzhòng
1544 襠 dāng
1545 黨籍 dǎngjí
1546 黨紀 dǎngjì
1547 黨派 dǎngpài
1548 黨團 dǎngtuán
1549 黨務 dǎngwù
1550 黨校 dǎngxiào
1551 黨章 dǎngzhāng
1552 當鋪 dàng•pù
1553 當日 dàngrì
1554 當晚 dàngwǎn
1555 當夜 dàngyè
1556 當真 dàngzhēn
1557 蕩 dàng
1558 蕩漾 dàngyàng
1559 檔 dàng
1560 檔次 dàngcì
1561 刀槍 dāoqiāng
1562 刀子 dāozi
1563 導電 dǎodiàn
1564 導航 dǎoháng
1565 導熱 dǎorè
1566 導師 dǎoshī
1567 導向 dǎoxiàng
1568 導游 dǎoyóu
1569 導語 dǎoyǔ
1570 搗 dǎo
1571 搗鬼 dǎoguǐ
1572 搗毁 dǎohuǐ
1573 搗亂 dǎoluàn
1574 倒閉 dǎobì
1575 倒伏 dǎofú
1576 倒賣 dǎomài
1577 倒塌 dǎotā
1578 禱告 dǎogào
1579 蹈 dǎo
1580 到家 dàojiā
1581 倒掛 dàoguà
1582 倒立 dàolì
1583 倒數 dàoshǔ
1584 倒數 dàoshù
1585 倒退 dàotuì
1586 倒影 dàoyǐng
1587 倒置 dàozhì
1588 倒轉 dàozhuǎn
1589 倒轉 dàozhuàn
1590 盜 dào
1591 盜賊 dàozéi
1592 悼念 dàoniàn
1593 道家 Dàojiā
1594 道具 dàojù
1595 道歉 dàoqiàn
1596 道士 dàoshi
1597 道喜 dàoxǐ
1598 道謝 dàoxiè
1599 道義 dàoyì
1600 稻草 dàocǎo
1601 稻子 dàozi
1602 得逞 déchěng
1603 得當 dédàng
1604 得分 défēn
1605 得救 déjiù
1606 得力 délì
1607 得失 déshī
1608 得體 détǐ
1609 得天獨厚 détiān-dúhòu
1610 得心應手 déxīn-yìngshǒu

1611 得罪 dé•zuì
1612 燈火 dēnghuǒ
1613 燈籠 dēnglong
1614 燈塔 dēngtǎ
1615 登場 dēngcháng
1616 登場 dēngchǎng
1617 登高 dēnggāo
1618 登陸 dēnglù
1619 登門 dēngmén
1620 登山 dēngshān
1621 登臺 dēngtái
1622 登載 dēngzǎi
1623 等號 děnghào
1624 等價 děngjià
1625 等式 děngshì
1626 等同 děngtóng
1627 凳 dèng
1628 凳子 dèngzi
1629 澄 dèng
1630 瞪眼 dèngyǎn
1631 低層 dīcéng
1632 低潮 dīcháo
1633 低沉 dīchén
1634 低估 dīgū
1635 低空 dīkōng
1636 低廉 dīlián
1637 低劣 dīliè
1638 低落 dīluò
1639 低能 dīnéng
1640 低窪 dīwā
1641 低微 dīwēi
1642 低壓 dīyā
1643 堤 dī
1644 堤壩 dībà
1645 提防 dīfang
1646 滴灌 dīguàn
1647 敵國 díguó
1648 敵後 díhòu
1649 敵寇 díkòu
1650 敵情 díqíng
1651 敵視 díshì
1652 敵意 díyì
1653 滌綸 dílún
1654 笛 dí
1655 笛子 dízi
1656 嫡 dí
1657 詆毀 dǐhuǐ
1658 抵償 dǐcháng
1659 抵觸 dǐchù
1660 抵達 dǐdá
1661 抵擋 dǐdǎng
1662 抵消 dǐxiāo
1663 抵押 dǐyā
1664 抵禦 dǐyù
1665 底片 dǐpiàn
1666 底細 dǐ•xì
1667 底子 dǐzi
1668 地產 dìchǎn
1669 地磁 dìcí
1670 地道 dìdào
1671 地道 dìdao
1672 地段 dìduàn
1673 地核 dìhé
1674 地基 dìjī
1675 地窖 dìjiào
1676 地雷 dìléi
1677 地力 dìlì
1678 地幔 dìmàn
1679 地盤 dìpán
1680 地皮 dìpí
1681 地平綫 dìpíngxiàn
1682 地熱 dìrè
1683 地毯 dìtǎn
1684 地下室 dìxiàshì
1685 地衣 dìyī
1686 地獄 dìyù
1687 地址 dìzhǐ
1688 弟妹 dìmèi
1689 帝王 dìwáng
1690 帝制 dìzhì
1691 遞減 dìjiǎn
1692 遞增 dìzēng
1693 諦聽 dìtīng
1694 蒂 dì
1695 締 dì
1696 締結 dìjié
1697 締約 dìyuē
1698 掂 diān
1699 滇 Diān
1700 顛 diān
1701 顛簸 diānbǒ
1702 顛倒 diāndǎo
1703 顛覆 diānfù
1704 巔 diān
1705 典 diǎn
1706 典範 diǎnfàn
1707 典故 diǎngù
1708 典籍 diǎnjí
1709 典禮 diǎnlǐ
1710 典雅 diǎnyǎ
1711 點滴 diǎndī
1712 點火 diǎnhuǒ
1713 點名 diǎnmíng
1714 點心 diǎnxin
1715 點綴 diǎn•zhuì
1716 電表 diànbiǎo
1717 電波 diànbō
1718 電車 diànchē
1719 電磁場 diàncíchǎng
1720 電鍍 diàndù
1721 電工 diàngōng

1722 電光 diànguāng
1723 電焊 diànhàn
1724 電機 diànjī
1725 電極 diànjí
1726 電解 diànjiě
1727 電解質 diànjiězhì
1728 電纜 diànlǎn
1729 電鈴 diànlíng
1730 電爐 diànlú
1731 電氣 diànqì
1732 電氣化 diànqìhuà
1733 電扇 diànshàn
1734 電梯 diàntī
1735 電筒 diàntǒng
1736 電網 diànwǎng
1737 電文 diànwén
1738 電信 diànxìn
1739 電訊 diànxùn
1740 電影院 diànyǐngyuàn
1741 佃 diàn
1742 店鋪 diànpù
1743 店堂 diàntáng
1744 店員 diànyuán
1745 墊圈 diànquān
1746 惦記 diàn•jì
1747 惦念 diànniàn
1748 奠 diàn
1749 奠基 diànjī
1750 殿 diàn
1751 殿堂 diàntáng
1752 殿下 diànxià
1753 刁 diāo
1754 刁難 diāonàn
1755 叼 diāo
1756 貂 diāo
1757 碉堡 diāobǎo
1758 雕琢 diāozhuó
1759 吊環 diàohuán
1760 釣 diào
1761 釣竿 diàogān
1762 調度 diàodù
1763 調換 diàohuàn
1764 調集 diàojí
1765 調配 diàopèi
1766 調遣 diàoqiǎn
1767 調運 diàoyùn
1768 調子 diàozi
1769 掉隊 diàoduì
1770 掉頭 diàotóu
1771 跌落 diēluò
1772 碟 dié
1773 蝶 dié
1774 叮 dīng
1775 叮嚀 dīngníng
1776 叮囑 dīngzhǔ
1777 釘子 dīngzi
1778 頂峰 dǐngfēng
1779 頂替 dǐngtì
1780 鼎 dǐng
1781 鼎盛 dǐngshèng
1782 訂購 dìnggòu
1783 訂婚 dìnghūn
1784 訂立 dìnglì
1785 訂閱 dìngyuè
1786 訂正 dìngzhèng
1787 定點 dìngdiǎn
1788 定都 dìngdū
1789 定購 dìnggòu
1790 定價 dìngjià
1791 定居 dìngjū
1792 定論 dìnglùn
1793 定名 dìngmíng
1794 定神 dìngshén
1795 定時 dìngshí
1796 定位 dìngwèi
1797 定性 dìngxìng
1798 定語 dìngyǔ
1799 定員 dìngyuán
1800 定罪 dìngzuì
1801 錠 dìng
1802 丟掉 diūdiào
1803 丟臉 diūliǎn
1804 丟人 diūrén
1805 丟失 diūshī
1806 東邊 dōng•biān
1807 東道主 dōngdàozhǔ
1808 東風 dōngfēng
1809 東家 dōngjia
1810 東經 dōngjīng
1811 東正教 Dōngzhèngjiào
1812 冬眠 dōngmián
1813 冬至 dōngzhì
1814 董 dǒng
1815 董事 dǒngshì
1816 董事會 dǒngshìhuì
1817 懂事 dǒngshì
1818 動產 dòngchǎn
1819 動蕩 dòngdàng
1820 動工 dònggōng
1821 動畫片 dònghuàpiàn
1822 動亂 dòngluàn
1823 動情 dòngqíng
1824 動身 dòngshēn
1825 動彈 dòngtan
1826 動聽 dòngtīng
1827 動物園 dòngwùyuán
1828 動向 dòngxiàng
1829 動心 dòngxīn
1830 動用 dòngyòng

1831 動輒 dòngzhé
1832 凍瘡 dòngchuāng
1833 凍結 dòngjié
1834 棟 dòng
1835 洞察 dòngchá
1836 洞房 dòngfáng
1837 洞穴 dòngxué
1838 斗笠 dǒulì
1839 抖動 dǒudòng
1840 抖擻 dǒusǒu
1841 陡 dǒu
1842 陡坡 dǒupō
1843 陡峭 dǒuqiào
1844 陡然 dǒurán
1845 鬥志 dòuzhì
1846 豆漿 dòujiāng
1847 豆芽兒 dòuyár
1848 豆子 dòuzi
1849 逗樂兒 dòulèr
1850 逗留 dòuliú
1851 痘 dòu
1852 竇 dòu
1853 都城 dūchéng
1854 督 dū
1855 督辦 dūbàn
1856 督促 dūcù
1857 督軍 dūjūn
1858 嘟囔 dūnang
1859 毒草 dúcǎo
1860 毒打 dúdǎ
1861 毒害 dúhài
1862 毒劑 dújì
1863 毒品 dúpǐn
1864 毒氣 dúqì
1865 毒蛇 dúshé
1866 毒物 dúwù
1867 毒藥 dúyào
1868 獨霸 dúbà
1869 獨白 dúbái
1870 獨裁 dúcái
1871 獨唱 dúchàng
1872 獨創 dúchuàng
1873 獨到 dúdào
1874 獨斷 dúduàn
1875 獨家 dújiā
1876 獨身 dúshēn
1877 獨舞 dúwǔ
1878 獨一無二 dúyī-wú'èr
1879 獨奏 dúzòu
1880 讀數 dúshù
1881 讀物 dúwù
1882 讀音 dúyīn
1883 犢 dú
1884 篤信 dǔxìn
1885 堵截 dǔjié
1886 堵塞 dǔsè
1887 賭 dǔ
1888 賭博 dǔbó
1889 賭氣 dǔqì
1890 睹 dǔ
1891 杜鵑 dùjuān
1892 杜絶 dùjué
1893 妒忌 dùjì
1894 度量 dùliàng
1895 度日 dùrì
1896 渡船 dùchuán
1897 渡口 dùkǒu
1898 鍍 dù
1899 端午 Duānwǔ
1900 端詳 duānxiáng
1901 端莊 duānzhuāng
1902 短波 duǎnbō
1903 短處 duǎn•chù
1904 短促 duǎncù
1905 短工 duǎngōng
1906 短路 duǎnlù
1907 短跑 duǎnpǎo
1908 短缺 duǎnquē
1909 短綫 duǎnxiàn
1910 短小 duǎnxiǎo
1911 短語 duǎnyǔ
1912 段落 duànluò
1913 斷層 duàncéng
1914 斷絶 duànjué
1915 斷然 duànrán
1916 斷送 duànsòng
1917 斷言 duànyán
1918 緞 duàn
1919 緞子 duànzi
1920 煅 duàn
1921 鍛 duàn
1922 堆放 duīfàng
1923 堆砌 duīqì
1924 隊列 duìliè
1925 對岸 duì'àn
1926 對策 duìcè
1927 對答 duìdá
1928 對等 duìděng
1929 對接 duìjiē
1930 對口 duìkǒu
1931 對聯 duìlián
1932 對路 duìlù
1933 對門 duìmén
1934 對偶 duì'ǒu
1935 對數 duìshù
1936 對頭 duìtou
1937 對蝦 duìxiā
1938 對峙 duìzhì
1939 兑 duì
1940 兑换 duìhuàn

1941 兑現 duìxiàn
1942 敦促 dūncù
1943 墩 dūn
1944 囤 dùn
1945 炖 dùn
1946 鈍 dùn
1947 盾 dùn
1948 頓悟 dùnwù
1949 多寡 duōguǎ
1950 多虧 duōkuī
1951 多情 duōqíng
1952 多事 duōshì
1953 多謝 duōxiè
1954 多嘴 duōzuǐ
1955 奪目 duómù
1956 踱 duó
1957 垛 duǒ
1958 躲避 duǒbì
1959 躲藏 duǒcáng
1960 躲閃 duǒshǎn
1961 剁 duò
1962 垛 duò
1963 舵 duò
1964 墮 duò
1965 墮落 duòluò
1966 惰性 duòxìng
1967 跺 duò
1968 跺脚 duòjiǎo
1969 鵝卵石 éluǎnshí
1970 蛾子 ézi
1971 額定 édìng
1972 額角 éjiǎo
1973 額頭 étóu
1974 額外 éwài
1975 厄運 èyùn
1976 扼 è
1977 扼殺 èshā
1978 扼要 èyào
1979 惡霸 èbà
1980 惡臭 èchòu
1981 惡毒 èdú
1982 惡棍 ègùn
1983 惡果 èguǒ
1984 惡魔 èmó
1985 惡人 èrén
1986 惡習 èxí
1987 惡性 èxìng
1988 惡意 èyì
1989 惡作劇 èzuòjù
1990 鄂 È
1991 萼片 èpiàn
1992 遏止 èzhǐ
1993 遏制 èzhì
1994 愕然 èrán
1995 腭 è
1996 恩賜 ēncì
1997 恩情 ēnqíng
1998 恩人 ēnrén
1999 兒科 érkē
2000 兒孫 érsūn
2001 兒戲 érxì
2002 而今 érjīn
2003 爾後 ěrhòu
2004 耳光 ěrguāng
2005 耳環 ěrhuán
2006 耳機 ěrjī
2007 耳鳴 ěrmíng
2008 耳目 ěrmù
2009 耳語 ěryǔ
2010 餌 ěr
2011 二胡 èrhú
2012 發報 fābào
2013 發財 fācái
2014 發愁 fāchóu
2015 發呆 fādāi
2016 發放 fāfàng
2017 發瘋 fāfēng
2018 發還 fāhuán
2019 發火 fāhuǒ
2020 發酵 fājiào
2021 發狂 fākuáng
2022 發愣 fālèng
2023 發毛 fāmáo
2024 發霉 fāméi
2025 發怒 fānù
2026 發配 fāpèi
2027 發票 fāpiào
2028 發情 fāqíng
2029 發球 fāqiú
2030 發散 fāsàn
2031 發燒 fāshāo
2032 發誓 fāshì
2033 發售 fāshòu
2034 發送 fāsòng
2035 發文 fāwén
2036 發問 fāwèn
2037 發笑 fāxiào
2038 發泄 fāxiè
2039 發言人 fāyánrén
2040 發源 fāyuán
2041 乏 fá
2042 乏力 fálì
2043 乏味 fáwèi
2044 伐 fá
2045 伐木 fámù
2046 罰金 fájīn
2047 閥 fá
2048 筏 fá
2049 法案 fǎ’àn
2050 法寶 fǎbǎo
2051 法典 fǎdiǎn

2052 法紀 fǎjì
2053 法權 fǎquán
2054 法師 fǎshī
2055 法術 fǎshù
2056 法醫 fǎyī
2057 法治 fǎzhì
2058 髮型 fàxíng
2059 帆 fān
2060 帆布 fānbù
2061 帆船 fānchuán
2062 番茄 fānqié
2063 藩鎮 fānzhèn
2064 翻案 fān'àn
2065 翻動 fāndòng
2066 翻滾 fāngǔn
2067 翻騰 fān•téng
2068 翻閱 fānyuè
2069 凡人 fánrén
2070 凡事 fánshì
2071 煩 fán
2072 煩悶 fánmèn
2073 煩躁 fánzào
2074 繁複 fánfù
2075 繁華 fánhuá
2076 繁忙 fánmáng
2077 繁茂 fánmào
2078 繁盛 fánshèng
2079 繁瑣 fánsuǒ
2080 繁星 fánxīng
2081 繁衍 fányǎn
2082 繁育 fányù
2083 繁雜 fánzá
2084 反比 fǎnbǐ
2085 反駁 fǎnbó
2086 反常 fǎncháng
2087 反芻 fǎnchú
2088 反倒 fǎndào
2089 反感 fǎngǎn
2090 反攻 fǎngōng
2091 反光 fǎnguāng
2092 反擊 fǎnjī
2093 反叛 fǎnpàn
2094 反撲 fǎnpū
2095 反思 fǎnsī
2096 反問 fǎnwèn
2097 反響 fǎnxiǎng
2098 反省 fǎnxǐng
2099 反義詞 fǎnyìcí
2100 反證 fǎnzhèng
2101 返航 fǎnháng
2102 返還 fǎnhuán
2103 返青 fǎnqīng
2104 犯法 fànfǎ
2105 犯人 fànrén
2106 飯菜 fàncài
2107 飯館兒 fànguǎnr
2108 飯盒 fànhé
2109 飯廳 fàntīng
2110 飯碗 fànwǎn
2111 飯桌 fànzhuō
2112 泛濫 fànlàn
2113 範例 fànlì
2114 販 fàn
2115 販賣 fànmài
2116 販運 fànyùn
2117 販子 fànzi
2118 梵文 fànwén
2119 方劑 fāngjì
2120 方略 fānglüè
2121 方位 fāngwèi
2122 方向盤 fāngxiàngpán
2123 方興未艾 fāngxīng-wèi'ài
2124 方圓 fāngyuán
2125 方桌 fāngzhuō
2126 芳香 fāngxiāng
2127 防備 fángbèi
2128 防毒 fángdú
2129 防範 fángfàn
2130 防寒 fánghán
2131 防洪 fánghóng
2132 防護 fánghù
2133 防護林 fánghùlín
2134 防空 fángkōng
2135 防守 fángshǒu
2136 防衛 fángwèi
2137 防務 fángwù
2138 防綫 fángxiàn
2139 防汛 fángxùn
2140 防疫 fángyì
2141 妨害 fánghài
2142 房產 fángchǎn
2143 房東 fángdōng
2144 房租 fángzū
2145 仿 fǎng
2146 仿效 fǎngxiào
2147 仿照 fǎngzhào
2148 仿製 fǎngzhì
2149 紡 fǎng
2150 紡織品 fǎngzhīpǐn
2151 放大鏡 fàngdàjìng
2152 放電 fàngdiàn
2153 放火 fànghuǒ
2154 放假 fàngjià
2155 放寬 fàngkuān
2156 放牧 fàngmù
2157 放炮 fàngpào
2158 放任 fàngrèn
2159 放哨 fàngshào
2160 放射綫 fàngshèxiàn

2161 放聲 fàngshēng
2162 放手 fàngshǒu
2163 放肆 fàngsì
2164 放行 fàngxíng
2165 放學 fàngxué
2166 放眼 fàngyǎn
2167 放養 fàngyǎng
2168 放映 fàngyìng
2169 放置 fàngzhì
2170 放縱 fàngzòng
2171 飛馳 fēichí
2172 飛碟 fēidié
2173 飛濺 fēijiàn
2174 飛禽 fēiqín
2175 飛速 fēisù
2176 飛騰 fēiténg
2177 飛天 fēitiān
2178 飛艇 fēitǐng
2179 飛舞 fēiwǔ
2180 飛行器 fēixíngqì
2181 飛行員 fēixíngyuán
2182 飛揚 fēiyáng
2183 飛越 fēiyuè
2184 飛漲 fēizhǎng
2185 妃 fēi
2186 非得 fēiděi
2187 非凡 fēifán
2188 非難 fēinàn
2189 非同小可 fēitóngxiǎokě
2190 非議 fēiyì
2191 緋紅 fēihóng
2192 肥大 féidà
2193 肥厚 féihòu
2194 肥力 féilì
2195 肥胖 féipàng
2196 肥水 féishuǐ
2197 肥沃 féiwò
2198 肥效 féixiào
2199 肥皂 féizào
2200 匪幫 fěibāng
2201 匪徒 fěitú
2202 誹謗 fěibàng
2203 翡翠 fěicuì
2204 吠 fèi
2205 肺病 fèibìng
2206 肺活量 fèihuóliàng
2207 肺結核 fèijiéhé
2208 肺炎 fèiyán
2209 廢話 fèihuà
2210 廢舊 fèijiù
2211 廢料 fèiliào
2212 廢品 fèipǐn
2213 廢氣 fèiqì
2214 廢弃 fèiqì
2215 廢水 fèishuǐ
2216 廢物 fèiwù
2217 廢物 fèiwu
2218 廢渣 fèizhā
2219 廢止 fèizhǐ
2220 沸 fèi
2221 沸點 fèidiǎn
2222 沸水 fèishuǐ
2223 費解 fèijiě
2224 費勁 fèijìn
2225 費力 fèilì
2226 分辯 fēnbiàn
2227 分兵 fēnbīng
2228 分寸 fēn•cùn
2229 分擔 fēndān
2230 分隊 fēnduì
2231 分發 fēnfā
2232 分隔 fēngé
2233 分管 fēnguǎn
2234 分紅 fēnhóng
2235 分家 fēnjiā
2236 分居 fēnjū
2237 分流 fēnliú
2238 分娩 fēnmiǎn
2239 分蘖 fēnniè
2240 分派 fēnpài
2241 分清 fēnqīng
2242 分手 fēnshǒu
2243 分數 fēnshù
2244 分水嶺 fēnshuǐlǐng
2245 分攤 fēntān
2246 分頭 fēntóu
2247 分享 fēnxiǎng
2248 芬芳 fēnfāng
2249 紛繁 fēnfán
2250 紛飛 fēnfēi
2251 紛亂 fēnluàn
2252 紛紜 fēnyún
2253 紛爭 fēnzhēng
2254 氛圍 fēnwéi
2255 酚 fēn
2256 墳 fén
2257 墳地 féndì
2258 墳墓 fénmù
2259 墳頭 féntóu
2260 焚 fén
2261 焚毁 fénhuǐ
2262 焚燒 fénshāo
2263 粉筆 fěnbǐ
2264 粉塵 fěnchén
2265 粉刺 fěncì
2266 粉紅 fěnhóng
2267 粉劑 fěnjì
2268 粉飾 fěnshì
2269 分外 fènwài
2270 份額 fèn'é

2271 份兒 fènr
2272 份子 fènzi
2273 奮不顧身
fènbùgùshēn
2274 奮發 fènfā
2275 奮力 fènlì
2276 奮起 fènqǐ
2277 奮勇 fènyǒng
2278 奮戰 fènzhàn
2279 糞便 fènbiàn
2280 憤 fèn
2281 憤恨 fènhèn
2282 憤慨 fènkǎi
2283 憤然 fènrán
2284 豐產 fēngchǎn
2285 豐厚 fēnghòu
2286 豐滿 fēngmǎn
2287 豐年 fēngnián
2288 豐盛 fēngshèng
2289 豐碩 fēngshuò
2290 豐腴 fēngyú
2291 風波 fēngbō
2292 風采 fēngcǎi
2293 風潮 fēngcháo
2294 風車 fēngchē
2295 風馳電掣
fēngchí-diànchè
2296 風度 fēngdù
2297 風帆 fēngfān
2298 風寒 fēnghán
2299 風化 fēnghuà
2300 風浪 fēnglàng
2301 風流 fēngliú
2302 風貌 fēngmào
2303 風靡 fēngmǐ
2304 風起雲涌
fēngqǐ-yúnyǒng
2305 風情 fēngqíng
2306 風趣 fēngqù
2307 風沙 fēngshā
2308 風尚 fēngshàng
2309 風聲 fēngshēng
2310 風水 fēng•shuǐ
2311 風味 fēngwèi
2312 風箱 fēngxiāng
2313 風向 fēngxiàng
2314 風行 fēngxíng
2315 風雅 fēngyǎ
2316 風雲 fēngyún
2317 風韵 fēngyùn
2318 風箏 fēngzheng
2319 風姿 fēngzī
2320 楓 fēng
2321 封面 fēngmiàn
2322 瘋 fēng
2323 瘋子 fēngzi
2324 峰巒 fēngluán
2325 烽火 fēnghuǒ
2326 鋒利 fēnglì
2327 鋒芒 fēngmáng
2328 蜂巢 fēngcháo
2329 蜂房 fēngfáng
2330 蜂蜜 fēngmì
2331 蜂王 fēngwáng
2332 蜂窩 fēngwō
2333 逢 féng
2334 縫合 fénghé
2335 縫紉 féngrèn
2336 諷 fěng
2337 鳳 fèng
2338 鳳凰 fèng•huáng
2339 奉命 fèngmìng
2340 奉行 fèngxíng
2341 縫隙 fèngxì
2342 佛典 fódiǎn
2343 佛法 fófǎ
2344 佛經 fójīng
2345 佛寺 fósì
2346 佛像 fóxiàng
2347 佛學 fóxué
2348 否決 fǒujué
2349 夫子 fūzǐ
2350 膚淺 fūqiǎn
2351 膚色 fūsè
2352 孵 fū
2353 敷 fū
2354 敷衍 fūyǎn
2355 弗 fú
2356 伏擊 fújī
2357 伏帖 fútiē
2358 芙蓉 fúróng
2359 扶持 fúchí
2360 扶貧 fúpín
2361 扶桑 fúsāng
2362 扶手 fú•shǒu
2363 扶養 fúyǎng
2364 扶植 fúzhí
2365 扶助 fúzhù
2366 拂 fú
2367 拂曉 fúxiǎo
2368 服侍 fú•shì
2369 服飾 fúshì
2370 服藥 fúyào
2371 服役 fúyì
2372 氟 fú
2373 俘 fú
2374 俘獲 fúhuò
2375 浮雕 fúdiāo
2376 浮力 fúlì
2377 浮現 fúxiàn
2378 浮雲 fúyún

2379 浮腫 fúzhǒng
2380 符 fú
2381 輻 fú
2382 福氣 fúqi
2383 福音 fúyīn
2384 甫 fǔ
2385 撫 fǔ
2386 撫摩 fǔmó
2387 撫慰 fǔwèi
2388 撫養 fǔyǎng
2389 撫育 fǔyù
2390 斧頭 fǔ•tóu
2391 斧子 fǔzi
2392 俯 fǔ
2393 俯衝 fǔchōng
2394 俯瞰 fǔkàn
2395 俯視 fǔshì
2396 俯首 fǔshǒu
2397 輔 fǔ
2398 輔導 fǔdǎo
2399 腐化 fǔhuà
2400 腐爛 fǔlàn
2401 父輩 fùbèi
2402 父老 fùlǎo
2403 負電 fùdiàn
2404 負荷 fùhè
2405 負極 fùjí
2406 負離子 fùlízǐ
2407 負傷 fùshāng
2408 負載 fùzài
2409 負債 fùzhài
2410 負重 fùzhòng
2411 婦科 fùkē
2412 附帶 fùdài
2413 附和 fùhè
2414 附件 fùjiàn
2415 附録 fùlù
2416 附設 fùshè
2417 附屬 fùshǔ
2418 附庸 fùyōng
2419 復查 fùchá
2420 復仇 fùchóu
2421 復發 fùfā
2422 復古 fùgǔ
2423 復核 fùhé
2424 復活 fùhuó
2425 復述 fùshù
2426 復蘇 fùsū
2427 複習 fùxí
2428 復興 fùxīng
2429 複眼 fùyǎn
2430 復議 fùyì
2431 復員 fùyuán
2432 復原 fùyuán
2433 副本 fùběn
2434 副詞 fùcí
2435 副官 fùguān
2436 副刊 fùkān
2437 副食 fùshí
2438 副作用 fùzuòyòng
2439 賦税 fùshuì
2440 富貴 fùguì
2441 富麗 fùlì
2442 富强 fùqiáng
2443 富饒 fùráo
2444 富庶 fùshù
2445 富翁 fùwēng
2446 富足 fùzú
2447 腹地 fùdì
2448 腹膜 fùmó
2449 腹腔 fùqiāng
2450 腹瀉 fùxiè
2451 縛 fù
2452 覆 fù
2453 覆滅 fùmiè
2454 改道 gǎidào
2455 改動 gǎidòng
2456 改觀 gǎiguān
2457 改行 gǎiháng
2458 改换 gǎihuàn
2459 改悔 gǎihuǐ
2460 改嫁 gǎijià
2461 改建 gǎijiàn
2462 改口 gǎikǒu
2463 改寫 gǎixiě
2464 改選 gǎixuǎn
2465 改制 gǎizhì
2466 改裝 gǎizhuāng
2467 蓋子 gàizi
2468 概 gài
2469 概況 gàikuàng
2470 概論 gàilùn
2471 概述 gàishù
2472 乾杯 gānbēi
2473 乾癟 gānbiě
2474 乾冰 gānbīng
2475 乾草 gāncǎo
2476 乾涸 gānhé
2477 乾枯 gānkū
2478 乾糧 gān•liáng
2479 甘 gān
2480 甘草 gāncǎo
2481 甘露 gānlù
2482 甘薯 gānshǔ
2483 甘願 gānyuàn
2484 甘蔗 gānzhe
2485 杆子 gānzi
2486 坩堝 gānguō
2487 柑 gān
2488 柑橘 gānjú
2489 竿 gān

2490 杆菌 gǎnjūn
2491 杆子 gǎnzi
2492 秆 gǎn
2493 趕場 gǎnchǎng
2494 趕車 gǎnchē
2495 趕集 gǎnjí
2496 趕路 gǎnlù
2497 感觸 gǎnchù
2498 感光 gǎnguāng
2499 感化 gǎnhuà
2500 感冒 gǎnmào
2501 感人 gǎnrén
2502 感傷 gǎnshāng
2503 感嘆 gǎntàn
2504 感想 gǎnxiǎng
2505 橄欖 gǎnlǎn
2506 擀 gǎn
2507 幹勁 gànjìn
2508 幹流 gànliú
2509 幹事 gànshi
2510 幹綫 gànxiàn
2511 贛 Gàn
2512 剛好 gānghǎo
2513 剛健 gāngjiàn
2514 剛勁 gāngjìng
2515 剛强 gāngqiáng
2516 肛門 gāngmén
2517 綱要 gāngyào
2518 鋼板 gāngbǎn
2519 鋼筆 gāngbǐ
2520 鋼材 gāngcái
2521 鋼筋 gāngjīn
2522 鋼盔 gāngkuī
2523 缸 gāng
2524 崗 gǎng
2525 港幣 gǎngbì
2526 港灣 gǎngwān
2527 杠 gàng
2528 杠杆 gànggǎn
2529 杠子 gàngzi
2530 高昂 gāo'áng
2531 高傲 gāo'ào
2532 高倍 gāobèi
2533 高層 gāocéng
2534 高超 gāochāo
2535 高檔 gāodàng
2536 高貴 gāoguì
2537 高寒 gāohán
2538 高價 gāojià
2539 高舉 gāojǔ
2540 高亢 gāokàng
2541 高考 gāokǎo
2542 高粱 gāoliang
2543 高齡 gāolíng
2544 高明 gāomíng
2545 高能 gāonéng
2546 高强 gāoqiáng
2547 高熱 gāorè
2548 高燒 gāoshāo
2549 高深 gāoshēn
2550 高手 gāoshǒu
2551 高聳 gāosǒng
2552 高下 gāoxià
2553 高效 gāoxiào
2554 高血壓 gāoxuèyā
2555 高雅 gāoyǎ
2556 羔 gāo
2557 羔皮 gāopí
2558 羔羊 gāoyáng
2559 膏 gāo
2560 膏藥 gāoyao
2561 篙 gāo
2562 糕 gāo
2563 糕點 gāodiǎn
2564 鎬 gǎo
2565 稿費 gǎofèi
2566 稿件 gǎojiàn
2567 稿紙 gǎozhǐ
2568 稿子 gǎozi
2569 告辭 gàocí
2570 告發 gàofā
2571 告急 gàojí
2572 告誡 gàojiè
2573 告示 gào•shì
2574 告知 gàozhī
2575 告終 gàozhōng
2576 告狀 gàozhuàng
2577 膏 gào
2578 戈壁 gēbì
2579 哥們兒 gēmenr
2580 擱置 gēzhì
2581 割斷 gēduàn
2582 割據 gējù
2583 割裂 gēliè
2584 割讓 gēràng
2585 歌詞 gēcí
2586 歌喉 gēhóu
2587 歌手 gēshǒu
2588 歌星 gēxīng
2589 歌咏 gēyǒng
2590 革 gé
2591 革除 géchú
2592 閣 gé
2593 閣樓 gélóu
2594 閣下 géxià
2595 格調 gédiào
2596 格局 géjú
2597 格律 gélǜ
2598 格式 gé•shì
2599 格言 géyán
2600 格子 gézi

2601 隔斷 géduàn
2602 隔閡 géhé
2603 隔絶 géjué
2604 隔膜 gémó
2605 膈 gé
2606 葛 Gě
2607 個子 gèzi
2608 各别 gèbié
2609 根除 gēnchú
2610 根基 gēnjī
2611 根深蒂固 gēnshēn-dìgù
2612 根治 gēnzhì
2613 根子 gēnzi
2614 跟頭 gēntou
2615 跟蹤 gēnzōng
2616 更改 gēnggǎi
2617 更换 gēnghuàn
2618 更替 gengtì
2619 更正 gēngzhèng
2620 庚 gēng
2621 耕耘 gēngyún
2622 耕種 gēngzhòng
2623 羹 gēng
2624 埂 gěng
2625 耿 gěng
2626 哽咽 gěngyè
2627 梗 gěng
2628 工段 gōngduàn
2629 工分 gōngfēn
2630 工匠 gōngjiàng
2631 工礦 gōngkuàng
2632 工齡 gōnglíng
2633 工期 gōngqī
2634 工錢 gōng•qián
2635 工時 gōngshí
2636 工事 gōngshì
2637 工頭 gōngtóu
2638 工效 gōngxiào
2639 工序 gōngxù
2640 工藝品 gōngyìpǐn
2641 工友 gōngyǒu
2642 工種 gōngzhǒng
2643 工作日 gōngzuòrì
2644 弓子 gōngzi
2645 公案 gōng'àn
2646 公報 gōngbào
2647 公差 gōngchāi
2648 公道 gōng•dào
2649 公法 gōngfǎ
2650 公費 gōngfèi
2651 公告 gōnggào
2652 公關 gōngguān
2653 公館 gōngguǎn
2654 公海 gōnghǎi
2655 公害 gōnghài
2656 公函 gōnghán
2657 公會 gōnghuì
2658 公積金 gōngjījīn
2659 公家 gōng•jiā
2660 公款 gōngkuǎn
2661 公墓 gōngmù
2662 公婆 gōngpó
2663 公僕 gōngpú
2664 公然 gōngrán
2665 公使 gōngshǐ
2666 公事 gōngshì
2667 公私 gōngsī
2668 公訴 gōngsù
2669 公文 gōngwén
2670 公務 gōngwù
2671 公務員 gōngwùyuán
2672 公益 gōngyì
2673 公用 gōngyòng
2674 公寓 gōngyù
2675 公約 gōngyuē
2676 公債 gōngzhài
2677 公證 gōngzhèng
2678 公職 gōngzhí
2679 公衆 gōngzhòng
2680 公轉 gōngzhuàn
2681 公子 gōngzǐ
2682 功臣 gōngchén
2683 功德 gōngdé
2684 功績 gōngjì
2685 功勞 gōng•láo
2686 功力 gōnglì
2687 功利 gōnglì
2688 功名 gōngmíng
2689 功效 gōngxiào
2690 功勛 gōngxūn
2691 功用 gōngyòng
2692 攻打 gōngdǎ
2693 攻讀 gōngdú
2694 攻關 gōngguān
2695 攻克 gōngkè
2696 攻破 gōngpò
2697 攻勢 gōngshì
2698 攻陷 gōngxiàn
2699 攻占 gōngzhàn
2700 供銷 gōngxiāo
2701 供需 gōngxū
2702 供養 gōngyǎng
2703 宫殿 gōngdiàn
2704 宫女 gōngnǚ
2705 恭敬 gōngjìng
2706 恭維 gōng•wéi
2707 恭喜 gōngxǐ
2708 躬 gōng
2709 龔 Gōng
2710 拱橋 gǒngqiáo

2711 拱手 gǒngshǒu
2712 共存 gòngcún
2713 共和 gònghé
2714 共計 gòngjì
2715 共生 gòngshēng
2716 共事 gòngshì
2717 共通 gòngtōng
2718 共性 gòngxìng
2719 共振 gòngzhèn
2720 貢 gòng
2721 供奉 gòngfèng
2722 供養 gòngyǎng
2723 勾 gōu
2724 勾畫 gōuhuà
2725 勾勒 gōulè
2726 勾引 gōuyǐn
2727 溝谷 gōugǔ
2728 溝渠 gōuqú
2729 鈎子 gōuzi
2730 篝火 gōuhuǒ
2731 苟且 gǒuqiě
2732 狗熊 gǒuxióng
2733 勾當 gòu•dàng
2734 構件 gòujiàn
2735 構圖 gòutú
2736 構想 gòuxiǎng
2737 構築 gòuzhù
2738 購置 gòuzhì
2739 垢 gòu
2740 估 gū
2741 估價 gūjià
2742 估量 gū•liáng
2743 估算 gūsuàn
2744 姑姑 gūgu
2745 姑且 gūqiě
2746 姑息 gūxī
2747 孤 gū
2748 孤單 gūdān
2749 孤兒 gū'ér
2750 孤寂 gūjì
2751 孤軍 gūjūn
2752 孤僻 gūpì
2753 辜負 gūfù
2754 古董 gǔdǒng
2755 古怪 gǔguài
2756 古籍 gǔjí
2757 古迹 gǔjì
2758 古蘭經 Gǔlánjīng
2759 古樸 gǔpǔ
2760 古書 gǔshū
2761 古文 gǔwén
2762 古音 gǔyīn
2763 谷地 gǔdì
2764 穀物 gǔwù
2765 穀子 gǔzi
2766 股東 gǔdōng
2767 股份 gǔfèn
2768 股金 gǔjīn
2769 股息 gǔxī
2770 骨灰 gǔhuī
2771 骨架 gǔjià
2772 骨盆 gǔpén
2773 骨氣 gǔqì
2774 骨肉 gǔròu
2775 骨髓 gǔsuǐ
2776 骨折 gǔzhé
2777 鼓動 gǔdòng
2778 鼓膜 gǔmó
2779 鼓掌 gǔzhǎng
2780 固守 gùshǒu
2781 固態 gùtài
2782 故此 gùcǐ
2783 故而 gù'ér
2784 故宫 gùgōng
2785 故國 gùguó
2786 故土 gùtǔ
2787 故障 gùzhàng
2788 顧及 gùjí
2789 顧忌 gùjì
2790 顧名思義 gùmíng-sīyì
2791 顧盼 gùpàn
2792 雇工 gùgōng
2793 雇傭 gùyōng
2794 雇用 gùyòng
2795 雇員 gùyuán
2796 雇主 gùzhǔ
2797 瓜分 guāfēn
2798 瓜子 guāzǐ
2799 寡 guǎ
2800 卦 guà
2801 挂鈎 guàgōu
2802 挂念 guàniàn
2803 挂帥 guàshuài
2804 褂子 guàzi
2805 乖 guāi
2806 拐棍 guǎigùn
2807 拐彎 guǎiwān
2808 拐杖 guǎizhàng
2809 怪事 guàishì
2810 怪异 guàiyì
2811 關口 guānkǒu
2812 關門 guānmén
2813 關卡 guānqiǎ
2814 關切 guānqiè
2815 關税 guānshuì
2816 關頭 guāntóu
2817 關押 guānyā
2818 關照 guānzhào
2819 觀光 guānguāng
2820 觀摩 guānmó

2821	觀賞	guānshǎng
2822	觀望	guānwàng
2823	官辦	guānbàn
2824	官場	guānchǎng
2825	官方	guānfāng
2826	官府	guānfǔ
2827	官司	guānsi
2828	官職	guānzhí
2829	管家	guǎnjiā
2830	管教	guǎnjiào
2831	管事	guǎnshì
2832	管弦樂	guǎnxiányuè
2833	管用	guǎnyòng
2834	管制	guǎnzhì
2835	貫通	guàntōng
2836	慣例	guànlì
2837	慣用	guànyòng
2838	灌木	guànmù
2839	灌區	guànqū
2840	灌輸	guànshū
2841	灌注	guànzhù
2842	罐	guàn
2843	罐頭	guàntou
2844	罐子	guànzi
2845	光波	guāngbō
2846	光度	guāngdù
2847	光復	guāngfù
2848	光顧	guānggù
2849	光環	guānghuán
2850	光潔	guāngjié
2851	光臨	guānglín
2852	光能	guāngnéng
2853	光年	guāngnián
2854	光束	guāngshù
2855	光速	guāngsù
2856	光陰	guāngyīn
2857	廣博	guǎngbó
2858	廣度	guǎngdù
2859	廣袤	guǎngmào
2860	廣漠	guǎngmò
2861	歸隊	guīduì
2862	歸附	guīfù
2863	歸還	guīhuán
2864	歸僑	guīqiáo
2865	歸屬	guīshǔ
2866	歸宿	guīsù
2867	歸途	guītú
2868	歸於	guīyú
2869	龜	guī
2870	規	guī
2871	規程	guīchéng
2872	規範化	guīfànhuà
2873	規勸	guīquàn
2874	規章	guīzhāng
2875	皈依	guīyī
2876	瑰麗	guīlì
2877	軌	guǐ
2878	軌迹	guǐjì
2879	詭辯	guǐbiàn
2880	詭秘	guǐmì
2881	鬼魂	guǐhún
2882	鬼臉	guǐliǎn
2883	鬼神	guǐshén
2884	櫃	guì
2885	櫃檯	guìtái
2886	櫃子	guìzi
2887	貴賓	guìbīn
2888	貴妃	guìfēi
2889	貴賤	guìjiàn
2890	貴人	guìrén
2891	貴姓	guìxìng
2892	貴重	guìzhòng
2893	桂冠	guìguān
2894	桂花	guìhuā
2895	桂圓	guìyuán
2896	滾動	gǔndòng
2897	滾燙	gǔntàng
2898	棍	gùn
2899	棍棒	gùnbàng
2900	棍子	gùnzi
2901	鍋爐	guōlú
2902	鍋臺	guōtái
2903	鍋子	guōzi
2904	國策	guócè
2905	國產	guóchǎn
2906	國度	guódù
2907	國法	guófǎ
2908	國歌	guógē
2909	國畫	guóhuà
2910	國貨	guóhuò
2911	國籍	guójí
2912	國界	guójiè
2913	國境	guójìng
2914	國君	guójūn
2915	國庫	guókù
2916	國力	guólì
2917	國立	guólì
2918	國難	guónàn
2919	國旗	guóqí
2920	國慶	guóqìng
2921	國人	guórén
2922	國事	guóshì
2923	國勢	guóshì
2924	國體	guótǐ
2925	國務	guówù
2926	國語	guóyǔ
2927	果木	guǒmù
2928	果皮	guǒpí
2929	果品	guǒpǐn
2930	果肉	guǒròu
2931	果園	guǒyuán

2932 果真 guǒzhēn
2933 果子 guǒzi
2934 過場 guòchǎng
2935 過錯 guòcuò
2936 過道 guòdào
2937 過冬 guòdōng
2938 過關 guòguān
2939 過火 guòhuǒ
2940 過境 guòjìng
2941 過量 guòliàng
2942 過路 guòlù
2943 過濾 guòlǜ
2944 過敏 guòmǐn
2945 過熱 guòrè
2946 過人 guòrén
2947 過剩 guòshèng
2948 過失 guòshī
2949 過時 guòshí
2950 過頭 guòtóu
2951 過往 guòwǎng
2952 過問 guòwèn
2953 過夜 guòyè
2954 過癮 guòyǐn
2955 過硬 guòyìng
2956 哈密瓜 hāmìguā
2957 蛤蟆 háma
2958 孩提 háití
2959 海岸綫 hǎi'ànxiàn
2960 海報 hǎibào
2961 海濱 hǎibīn
2962 海潮 hǎicháo
2963 海島 hǎidǎo
2964 海盜 hǎidào
2965 海防 hǎifáng
2966 海風 hǎifēng
2967 海港 hǎigǎng
2968 海口 hǎikǒu
2969 海里 hǎilǐ
2970 海流 hǎiliú
2971 海輪 hǎilún
2972 海綿 hǎimián
2973 海參 hǎishēn
2974 海市蜃樓 hǎishì-shènlóu
2975 海灘 hǎitān
2976 海棠 hǎitáng
2977 海豚 hǎitún
2978 海峽 hǎixiá
2979 海嘯 hǎixiào
2980 海員 hǎiyuán
2981 海運 hǎiyùn
2982 海蜇 hǎizhé
2983 駭 hài
2984 氦 hài
2985 害處 hài•chù
2986 害羞 hàixiū
2987 蚶 hān
2988 酣睡 hānshuì
2989 憨 hān
2990 憨厚 hānhòu
2991 鼾聲 hānshēng
2992 含糊 hánhu
2993 含混 hánhùn
2994 含笑 hánxiào
2995 含蓄 hánxù
2996 含意 hányì
2997 函 hán
2998 函授 hánshòu
2999 涵義 hányì
3000 韓 Hán
3001 寒潮 háncháo
3002 寒帶 hándài
3003 寒假 hánjià
3004 寒噤 hánjìn
3005 寒流 hánliú
3006 寒氣 hánqì
3007 寒熱 hánrè
3008 寒暑 hánshǔ
3009 寒暄 hánxuān
3010 寒意 hányì
3011 寒顫 hánzhàn
3012 罕 hǎn
3013 喊叫 hǎnjiào
3014 汗流浹背 hànliú-jiābèi
3015 汗毛 hànmáo
3016 汗衫 hànshān
3017 旱地 hàndì
3018 旱烟 hànyān
3019 旱灾 hànzāi
3020 捍衛 hànwèi
3021 悍然 hànrán
3022 焊 hàn
3023 焊接 hànjiē
3024 憾 hàn
3025 行當 hángdang
3026 行會 hánghuì
3027 行家 háng•jiā
3028 行情 hángqíng
3029 杭 Háng
3030 航 háng
3031 航程 hángchéng
3032 航船 hángchuán
3033 航道 hángdào
3034 航路 hánglù
3035 航天 hángtiān
3036 航綫 hángxiàn
3037 航運 hángyùn
3038 巷道 hàngdào
3039 毫 háo
3040 豪 háo

3041 豪放 háofàng
3042 豪華 háohuá
3043 豪邁 háomài
3044 豪情 háoqíng
3045 豪爽 háoshuǎng
3046 壕 háo
3047 壕溝 háogōu
3048 嚎 háo
3049 嚎啕 háotáo
3050 好歹 hǎodǎi
3051 好感 hǎogǎn
3052 好漢 hǎohàn
3053 好評 hǎopíng
3054 好受 hǎoshòu
3055 好説 hǎoshuō
3056 好似 hǎosì
3057 好玩兒 hǎowánr
3058 好笑 hǎoxiào
3059 好心 hǎoxīn
3060 好意 hǎoyì
3061 郝 Hǎo
3062 號稱 hàochēng
3063 號角 hàojiǎo
3064 號令 hàolìng
3065 號碼 hàomǎ
3066 好客 hàokè
3067 好惡 hàowù
3068 耗資 hàozī
3069 浩大 hàodà
3070 浩劫 hàojié
3071 呵斥 hēchì
3072 禾 hé
3073 合唱 héchàng
3074 合夥 héhuǒ
3075 合擊 héjī
3076 合計 héjì
3077 合流 héliú
3078 合算 hésuàn
3079 合體 hétǐ
3080 合營 héyíng
3081 合影 héyǐng
3082 合用 héyòng
3083 合資 hézī
3084 合奏 hézòu
3085 何嘗 hécháng
3086 何苦 hékǔ
3087 何止 hézhǐ
3088 和藹 hé'ǎi
3089 和緩 héhuǎn
3090 和解 héjiě
3091 和睦 hémù
3092 和氣 hé•qì
3093 和聲 héshēng
3094 和約 héyuē
3095 河床 héchuáng
3096 河道 hédào
3097 河谷 hégǔ
3098 河口 hékǒu
3099 河山 héshān
3100 河灘 hétān
3101 河豚 hétún
3102 荷包 hé•bāo
3103 核定 hédìng
3104 核對 héduì
3105 核能 hénéng
3106 核實 héshí
3107 核桃 hétao
3108 核准 hézhǔn
3109 核子 hézǐ
3110 盒子 hézi
3111 賀 hè
3112 賀喜 hèxǐ
3113 喝彩 hècǎi
3114 赫 hè
3115 赫然 hèrán
3116 褐 hè
3117 鶴 hè
3118 壑 hè
3119 黑白 hēibái
3120 黑板 hēibǎn
3121 黑洞 hēidòng
3122 黑體 hēitǐ
3123 痕 hén
3124 狠 hěn
3125 狠心 hěnxīn
3126 恒定 héngdìng
3127 恒温 héngwēn
3128 恒心 héngxīn
3129 横渡 héngdù
3130 横亘 hénggèn
3131 横貫 héngguàn
3132 横掃 héngsǎo
3133 横行 héngxíng
3134 衡 héng
3135 轟動 hōngdòng
3136 轟擊 hōngjī
3137 轟鳴 hōngmíng
3138 轟然 hōngrán
3139 轟響 hōngxiǎng
3140 轟炸 hōngzhà
3141 烘 hōng
3142 烘托 hōngtuō
3143 弘揚 hóngyáng
3144 紅火 hónghuo
3145 紅利 hónglì
3146 紅領巾 hónglǐngjīn
3147 紅木 hóngmù
3148 紅娘 Hóngniáng
3149 紅潤 hóngrùn
3150 紅燒 hóngshāo
3151 紅外綫 hóngwàixiàn

3369 回師 huíshī
3370 回收 huíshōu
3371 回首 huíshǒu
3372 回味 huíwèi
3373 回響 huíxiǎng
3374 回想 huíxiǎng
3375 回信 huíxìn
3376 迴旋 huíxuán
3377 回憶録 huíyìlù
3378 回音 huíyīn
3379 回應 huíyìng
3380 回轉 huízhuǎn
3381 洄游 huíyóu
3382 蛔蟲 huíchóng
3383 悔 huǐ
3384 悔改 huǐgǎi
3385 悔恨 huǐhèn
3386 毁壞 huǐhuài
3387 匯 huì
3388 彙編 huìbiān
3389 匯合 huìhé
3390 彙集 huìjí
3391 匯率 huìlǜ
3392 彙總 huìzǒng
3393 會合 huìhé
3394 會話 huìhuà
3395 會聚 huìjù
3396 會面 huìmiàn
3397 會師 huìshī
3398 會談 huìtán
3399 會堂 huìtáng
3400 會晤 huìwù
3401 會心 huìxīn
3402 會意 huìyì
3403 會戰 huìzhàn
3404 諱言 huìyán
3405 薈萃 huìcuì
3406 繪製 huìzhì
3407 賄賂 huìlù
3408 彗星 huìxīng
3409 晦氣 huì•qì
3410 惠 huì
3411 喙 huì
3412 慧 huì
3413 昏 hūn
3414 昏暗 hūn'àn
3415 昏黄 hūnhuáng
3416 昏迷 hūnmí
3417 昏睡 hūnshuì
3418 葷 hūn
3419 婚配 hūnpèi
3420 婚事 hūnshì
3421 渾 hún
3422 渾厚 húnhòu
3423 渾濁 húnzhuó
3424 魂魄 húnpò
3425 混沌 hùndùn
3426 混合物 hùnhéwù
3427 混凝土 hùnníngtǔ
3428 混同 hùntóng
3429 混雜 hùnzá
3430 混戰 hùnzhàn
3431 混濁 hùnzhuó
3432 豁 huō
3433 豁口 huōkǒu
3434 活命 huómìng
3435 活期 huóqī
3436 活塞 huósāi
3437 活體 huótǐ
3438 活捉 huózhuō
3439 火把 huǒbǎ
3440 火海 huǒhǎi
3441 火紅 huǒhóng
3442 火候 huǒhou
3443 火花 huǒhuā
3444 火化 huǒhuà
3445 火炬 huǒjù
3446 火坑 huǒkēng
3447 火力 huǒlì
3448 火爐 huǒlú
3449 火苗 huǒmiáo
3450 火炮 huǒpào
3451 火氣 huǒ•qì
3452 火器 huǒqì
3453 火熱 huǒrè
3454 火速 huǒsù
3455 火綫 huǒxiàn
3456 火藥 huǒyào
3457 火灾 huǒzāi
3458 火葬 huǒzàng
3459 火種 huǒzhǒng
3460 伙 huǒ
3461 伙房 huǒfáng
3462 夥計 huǒji
3463 伙食 huǒ•shí
3464 貨場 huòchǎng
3465 貨車 huòchē
3466 貨款 huòkuǎn
3467 貨輪 huòlún
3468 貨色 huòsè
3469 貨源 huòyuán
3470 貨運 huòyùn
3471 獲悉 huòxī
3472 禍 huò
3473 禍害 huò•hài
3474 惑 huò
3475 霍 huò
3476 霍亂 huòluàn
3477 豁免 huòmiǎn
3478 幾率 jīlǜ
3479 譏諷 jīfěng

3480 譏笑　jīxiào
3481 擊敗　jībài
3482 擊斃　jībì
3483 擊毀　jīhuǐ
3484 擊落　jīluò
3485 飢　jī
3486 機艙　jīcāng
3487 機床　jīchuáng
3488 機電　jīdiàn
3489 機動　jīdòng
3490 機井　jījǐng
3491 機警　jījǐng
3492 機理　jīlǐ
3493 機靈　jīling
3494 機密　jīmì
3495 機敏　jīmǐn
3496 機槍　jīqiāng
3497 機遇　jīyù
3498 機緣　jīyuán
3499 機智　jīzhì
3500 機組　jīzǔ
3501 肌膚　jīfū
3502 肌腱　jījiàn
3503 肌體　jītǐ
3504 積存　jīcún
3505 積分　jīfēn
3506 積聚　jījù
3507 積蓄　jīxù
3508 姬　jī
3509 基本功 jīběngōng
3510 基調　jīdiào
3511 基石　jīshí
3512 基數　jīshù
3513 激昂　jī'áng
3514 激蕩　jīdàng
3515 激憤　jīfèn
3516 激化　jīhuà
3517 激活　jīhuó
3518 激進　jījìn
3519 激流　jīliú
3520 激怒　jīnù
3521 激增　jīzēng
3522 激戰　jīzhàn
3523 羈絆　jībàn
3524 及格　jígé
3525 及早　jízǎo
3526 吉　jí
3527 吉利　jílì
3528 吉普車 jípǔchē
3529 吉他　jítā
3530 吉祥　jíxiáng
3531 汲取　jíqǔ
3532 級別　jíbié
3533 級差　jíchā
3534 極地　jídì
3535 極點　jídiǎn
3536 極度　jídù
3537 極限　jíxiàn
3538 即便　jíbiàn
3539 即刻　jíkè
3540 即日　jírì
3541 即時　jíshí
3542 即位　jíwèi
3543 即興　jíxìng
3544 急促　jícù
3545 急救　jíjiù
3546 急遽　jíjù
3547 急流　jíliú
3548 急迫　jípò
3549 急切　jíqiè
3550 急事　jíshì
3551 急速　jísù
3552 急中生智　jízhōng-shēngzhì
3553 疾　jí
3554 疾馳　jíchí
3555 疾患　jíhuàn
3556 疾苦　jíkǔ
3557 棘手　jíshǒu
3558 集成　jíchéng
3559 集結　jíjié
3560 集聚　jíjù
3561 集權　jíquán
3562 集市　jíshì
3563 集訓　jíxùn
3564 集郵　jíyóu
3565 集約　jíyuē
3566 集鎮　jízhèn
3567 集裝箱　jízhuāngxiāng
3568 輯　jí
3569 嫉妒　jídù
3570 瘠　jí
3571 幾經　jǐjīng
3572 幾時　jǐshí
3573 紀　Jǐ
3574 給養　jǐyǎng
3575 脊背　jǐbèi
3576 脊梁　jǐliang
3577 脊髓　jǐsuǐ
3578 脊柱　jǐzhù
3579 脊椎　jǐzhuī
3580 戟　jǐ
3581 麂　jǐ
3582 計價　jìjià
3583 計較　jìjiào
3584 計量　jìliàng
3585 計數　jìshù
3586 記號　jìhao
3587 記事　jìshì
3588 記述　jìshù

4690 冷氣 lěngqì
4691 冷清 lěng•qīng
4692 冷眼 lěngyǎn
4693 冷飲 lěngyǐn
4694 冷遇 lěngyù
4695 厘 lí
4696 離別 líbié
4697 離奇 líqí
4698 離散 lísàn
4699 離心 líxīn
4700 離心力 líxīnlì
4701 離休 líxiū
4702 離异 líyì
4703 離職 lízhí
4704 梨園 líyuán
4705 黎明 límíng
4706 籬笆 líba
4707 禮拜 lǐbài
4708 禮法 lǐfǎ
4709 禮教 lǐjiào
4710 禮節 lǐjié
4711 禮品 lǐpǐn
4712 禮讓 lǐràng
4713 禮堂 lǐtáng
4714 禮儀 lǐyí
4715 里程 lǐchéng
4716 里程碑 lǐchéngbēi
4717 理財 lǐcái
4718 理睬 lǐcǎi
4719 理髮 lǐfà
4720 理會 lǐhuì
4721 理科 lǐkē
4722 理事 lǐ•shì
4723 理應 lǐyīng
4724 理直氣壯 lǐzhí-qìzhuàng
4725 鋰 lǐ
4726 鯉 lǐ
4727 力度 lìdù
4728 力争 lìzhēng
4729 歷程 lìchéng
4730 歷次 lìcì
4731 曆法 lìfǎ
4732 歷屆 lìjiè
4733 歷盡 lìjìn
4734 歷經 lìjīng
4735 歷年 lìnián
4736 曆書 lìshū
4737 厲聲 lìshēng
4738 立案 lì'àn
4739 立方 lìfāng
4740 立功 lìgōng
4741 立國 lìguó
4742 立論 lìlùn
4743 立憲 lìxiàn
4744 立意 lìyì
4745 立正 lìzhèng
4746 立志 lìzhì
4747 立足 lìzú
4748 吏 lì
4749 利弊 lìbì
4750 利落 lìluo
4751 利尿 lìniào
4752 利索 lìsuo
4753 瀝青 lìqīng
4754 例證 lìzhèng
4755 隸 lì
4756 隸屬 lìshǔ
4757 荔枝 lìzhī
4758 栗子 lìzi
4759 礫石 lìshí
4760 痢疾 lìji
4761 連帶 liándài
4762 連貫 liánguàn
4763 連環 liánhuán
4764 連環畫 liánhuánhuà
4765 連累 liánlei
4766 連綿 liánmián
4767 連年 liánnián
4768 連日 liánrì
4769 連聲 liánshēng
4770 連鎖 liánsuǒ
4771 連通 liántōng
4772 連夜 liányè
4773 連衣裙 liányīqún
4774 憐 lián
4775 憐憫 liánmǐn
4776 簾 lián
4777 簾子 liánzi
4778 蓮 lián
4779 蓮花 liánhuā
4780 漣漪 liányī
4781 聯歡 liánhuān
4782 聯名 liánmíng
4783 聯賽 liánsài
4784 聯姻 liányīn
4785 廉 lián
4786 廉潔 liánjié
4787 鐮 lián
4788 鐮刀 liándāo
4789 斂 liǎn
4790 臉紅 liǎnhóng
4791 臉頰 liǎnjiá
4792 臉面 liǎnmiàn
4793 臉龐 liǎnpáng
4794 臉皮 liǎnpí
4795 臉譜 liǎnpǔ
4796 練兵 liànbīng
4797 練功 liàngōng
4798 練武 liànwǔ
4799 戀 liàn

4800 戀人 liànrén
4801 鏈條 liàntiáo
4802 良機 liángjī
4803 良久 liángjiǔ
4804 良田 liángtián
4805 良性 liángxìng
4806 涼快 liángkuai
4807 涼爽 liángshuǎng
4808 涼水 liángshuǐ
4809 涼鞋 liángxié
4810 糧倉 liángcāng
4811 兩口子 liǎngkǒuzi
4812 兩棲 liǎngqī
4813 兩性 liǎngxìng
4814 兩樣 liǎngyàng
4815 兩翼 liǎngyì
4816 亮度 liàngdù
4817 亮光 liàngguāng
4818 亮相 liàngxiàng
4819 諒解 liàngjiě
4820 量變 liàngbiàn
4821 量詞 liàngcí
4822 量刑 liàngxíng
4823 晾 liàng
4824 踉蹌 liàngqiàng
4825 撩 liāo
4826 遼 liáo
4827 療 liáo
4828 療程 liáochéng
4829 療效 liáoxiào
4830 療養 liáoyǎng
4831 療養院 liáoyǎngyuàn
4832 聊 liáo
4833 聊天兒 liáotiānr
4834 撩 liáo
4835 嘹亮 liáoliàng
4836 潦倒 liáodǎo
4837 繚繞 liáorào
4838 燎 liáo
4839 了不得 liǎo•bù•dé
4840 了結 liǎojié
4841 瞭然 liǎorán
4842 瞭如指掌 liǎorúzhǐzhǎng
4843 燎 liǎo
4844 料理 liàolǐ
4845 料想 liàoxiǎng
4846 料子 liàozi
4847 撂 liào
4848 廖 Liào
4849 瞭望 liàowàng
4850 列強 lièqiáng
4851 列席 lièxí
4852 劣 liè
4853 劣等 lièděng
4854 劣勢 lièshì
4855 劣質 lièzhì
4856 烈 liè
4857 烈火 lièhuǒ
4858 烈日 lièrì
4859 烈性 lièxìng
4860 烈焰 lièyàn
4861 獵狗 liègǒu
4862 獵槍 lièqiāng
4863 獵取 lièqǔ
4864 獵犬 lièquǎn
4865 獵人 lièrén
4866 獵手 lièshǒu
4867 獵物 lièwù
4868 裂變 lièbiàn
4869 裂縫 lièfèng
4870 裂痕 lièhén
4871 裂紋 lièwén
4872 裂隙 lièxì
4873 拎 līn
4874 鄰里 línlǐ
4875 鄰舍 línshè
4876 林帶 líndài
4877 林地 líndì
4878 林立 línlì
4879 林陰道 línyīndào
4880 林子 línzi
4881 臨別 línbié
4882 臨到 líndào
4883 臨界 línjiè
4884 臨近 línjìn
4885 臨摹 línmó
4886 臨終 línzhōng
4887 淋巴結 línbājié
4888 淋漓 línlí
4889 淋漓盡致 línlí-jìnzhì
4890 琳瑯滿目 línláng-mǎnmù
4891 嶙峋 línxún
4892 霖 lín
4893 磷肥 línféi
4894 磷脂 línzhī
4895 鱗 lín
4896 鱗片 línpiàn
4897 吝嗇 lìnsè
4898 伶 líng
4899 伶俐 líng•lì
4900 靈巧 língqiǎo
4901 靈堂 língtáng
4902 靈通 língtōng
4903 靈性 língxìng
4904 靈芝 língzhī
4905 玲瓏 línglóng
4906 凌 líng

5128 脉冲 màichōng
5129 脉絡 màiluò
5130 蠻幹 mángàn
5131 蠻横 mánhèng
5132 饅 mán
5133 滿腹 mǎnfù
5134 滿懷 mǎnhuái
5135 滿口 mǎnkǒu
5136 滿面 mǎnmiàn
5137 滿目 mǎnmù
5138 滿腔 mǎnqiāng
5139 滿心 mǎnxīn
5140 滿月 mǎnyuè
5141 滿載 mǎnzài
5142 滿嘴 mǎnzuǐ
5143 蟎 mǎn
5144 曼 màn
5145 謾罵 mànmà
5146 蔓 màn
5147 蔓延 mànyán
5148 漫 màn
5149 漫不經心 màn bù jīngxīn
5150 漫步 mànbù
5151 漫畫 mànhuà
5152 漫天 màntiān
5153 漫游 mànyóu
5154 慢條斯理 màntiáo-sīlǐ
5155 忙活 mánghuo
5156 忙亂 mángluàn
5157 盲 máng
5158 盲腸 mángcháng
5159 盲從 mángcóng
5160 盲流 mángliú
5161 盲人 mángrén
5162 蟒 mǎng
5163 猫頭鷹 māotóuyīng
5164 毛筆 máobǐ
5165 毛蟲 máochóng
5166 毛髮 máofà
5167 毛骨悚然 máogǔ-sǒngrán
5168 毛料 máoliào
5169 毛驢 máolǘ
5170 毛囊 máonáng
5171 毛皮 máopí
5172 毛毯 máotǎn
5173 毛綫 máoxiàn
5174 毛衣 máoyī
5175 矛 máo
5176 矛頭 máotóu
5177 茅草 máocǎo
5178 茅屋 máowū
5179 錨 máo
5180 卯 mǎo
5181 鉚 mǎo
5182 茂密 màomì
5183 茂盛 màoshèng
5184 冒充 màochōng
5185 冒火 màohuǒ
5186 冒昧 màomèi
5187 冒失 màoshi
5188 貿然 màorán
5189 貌 mào
5190 貌似 màosì
5191 没勁 méijìn
5192 没命 méimìng
5193 没趣 méiqù
5194 没準兒 méizhǔnr
5195 玫瑰 méi•guī
5196 眉飛色舞 méifēi-sèwǔ
5197 眉開眼笑 méikāi-yǎnxiào
5198 眉目 méi•mù
5199 眉眼 méiyǎn
5200 眉宇 méiyǔ
5201 梅花 méihuā
5202 梅雨 méiyǔ
5203 媒 méi
5204 媒人 méiren
5205 煤氣 méiqì
5206 煤油 méiyóu
5207 霉 méi
5208 霉菌 méijūn
5209 霉爛 méilàn
5210 美德 měidé
5211 美觀 měiguān
5212 美景 měijǐng
5213 美酒 měijiǔ
5214 美滿 měimǎn
5215 美貌 měimào
5216 美女 měinǚ
5217 美人 měirén
5218 美容 měiróng
5219 美談 měitán
5220 美味 měiwèi
5221 美育 měiyù
5222 昧 mèi
5223 媚 mèi
5224 悶熱 mēnrè
5225 門板 ménbǎn
5226 門道 méndao
5227 門第 méndì
5228 門洞兒 méndòngr
5229 門户 ménhù
5230 門檻 ménkǎn
5231 門框 ménkuàng
5232 門類 ménlèi
5233 門簾 ménlián

5234 門鈴　ménlíng
5235 門面　mén•miàn
5236 門票　ménpiào
5237 門生　ménshēng
5238 門徒　méntú
5239 門牙　ményá
5240 門診　ménzhěn
5241 萌　méng
5242 萌動　méngdòng
5243 萌生　méngshēng
5244 蒙蔽　méngbì
5245 蒙昧　méngmèi
5246 蒙受　méngshòu
5247 盟　méng
5248 盟國　méngguó
5249 猛然　měngrán
5250 猛獸　měngshòu
5251 蒙古包　měnggǔbāo
5252 錳　měng
5253 夢幻　mènghuàn
5254 夢境　mèngjìng
5255 夢寐以求　mèngmèiyǐqiú
5256 夢鄉　mèngxiāng
5257 夢想　mèngxiǎng
5258 夢囈　mèngyì
5259 眯　mī
5260 眯縫　mīfeng
5261 彌　mí
5262 彌散　mísàn
5263 迷宮　mígōng
5264 迷糊　míhu
5265 迷惑　míhuò
5266 迷離　mílí
5267 迷戀　míliàn
5268 迷路　mílù
5269 迷茫　mímáng
5270 迷蒙　míméng
5271 迷失　míshī
5272 迷惘　míwǎng
5273 迷霧　míwù
5274 獼猴　míhóu
5275 糜爛　mílàn
5276 米飯　mǐfàn
5277 覓　mì
5278 秘　mì
5279 秘訣　mìjué
5280 密閉　mìbì
5281 密布　mìbù
5282 密封　mìfēng
5283 密碼　mìmǎ
5284 冪　mì
5285 蜜月　mìyuè
5286 眠　mián
5287 綿　mián
5288 綿延　miányán
5289 綿羊　miányáng
5290 棉布　miánbù
5291 棉紗　miánshā
5292 棉田　miántián
5293 棉絮　miánxù
5294 免除　miǎnchú
5295 免得　miǎn•dé
5296 免費　miǎnfèi
5297 免稅　miǎnshuì
5298 勉　miǎn
5299 勉勵　miǎnlì
5300 緬懷　miǎnhuái
5301 面額　miàn'é
5302 麵粉　miànfěn
5303 面頰　miànjiá
5304 面具　miànjù
5305 面龐　miànpáng
5306 面容　miànróng
5307 面色　miànsè
5308 面紗　miànshā
5309 面談　miàntán
5310 麵條兒　miàntiáor
5311 面子　miànzi
5312 苗木　miáomù
5313 苗圃　miáopǔ
5314 苗條　miáotiao
5315 苗頭　miáotou
5316 描　miáo
5317 描畫　miáohuà
5318 描摹　miáomó
5319 瞄　miáo
5320 瞄準　miáozhǔn
5321 渺　miǎo
5322 渺茫　miǎománg
5323 渺小　miǎoxiǎo
5324 藐視　miǎoshì
5325 廟會　miàohuì
5326 廟宇　miàoyǔ
5327 滅火　mièhuǒ
5328 滅絕　mièjué
5329 蔑視　mièshì
5330 篾　miè
5331 民辦　mínbàn
5332 民法　mínfǎ
5333 民房　mínfáng
5334 民工　míngōng
5335 民航　mínháng
5336 民警　mínjǐng
5337 民情　mínqíng
5338 民權　mínquán
5339 民生　mínshēng
5340 民心　mínxīn
5341 民謠　mínyáo
5342 民意　mínyì
5343 民營　mínyíng

5562 逆向 nìxiàng
5563 逆轉 nìzhuǎn
5564 膩 nì
5565 溺 nì
5566 溺愛 nì'ài
5567 拈 niān
5568 蔫 niān
5569 年份 niánfèn
5570 年華 niánhuá
5571 年畫 niánhuà
5572 年會 niánhuì
5573 年景 niánjǐng
5574 年輪 niánlún
5575 年邁 niánmài
5576 年歲 niánsuì
5577 年限 niánxiàn
5578 年終 niánzhōng
5579 黏 nián
5580 捻 niǎn
5581 碾 niǎn
5582 攆 niǎn
5583 廿 niàn
5584 念白 niànbái
5585 念叨 niàndao
5586 娘家 niángjia
5587 釀 niàng
5588 鳥瞰 niǎokàn
5589 裊裊 niǎoniǎo
5590 尿布 niàobù
5591 尿素 niàosù
5592 揑造 niēzào
5593 聶 Niè
5594 涅槃 nièpán
5595 囓 niè
5596 鑷子 nièzi
5597 鎳 niè
5598 孽 niè
5599 獰笑 níngxiào
5600 凝神 níngshén
5601 凝望 níngwàng
5602 寧可 nìngkě
5603 寧肯 nìngkěn
5604 寧願 nìngyuàn
5605 牛犢 niúdú
5606 牛皮 niúpí
5607 牛仔褲 niúzǎikù
5608 扭曲 niǔqū
5609 紐帶 niǔdài
5610 紐扣 niǔkòu
5611 拗 niù
5612 農夫 nóngfū
5613 農婦 nóngfù
5614 農耕 nónggēng
5615 農機 nóngjī
5616 農家 nóngjiā
5617 農墾 nóngkěn
5618 農曆 nónglì
5619 農忙 nóngmáng
5620 農事 nóngshì
5621 農閑 nóngxián
5622 濃淡 nóngdàn
5623 濃烈 nóngliè
5624 濃眉 nóngméi
5625 濃密 nóngmì
5626 濃縮 nóngsuō
5627 濃郁 nóngyù
5628 濃重 nóngzhòng
5629 弄虛作假 nòngxū-zuòjiǎ
5630 奴 nú
5631 奴才 núcai
5632 奴僕 núpú
5633 怒放 nùfàng
5634 怒吼 nùhǒu
5635 怒火 nùhuǒ
5636 怒氣 nùqì
5637 女方 nǚfāng
5638 女皇 nǚhuáng
5639 女郎 nǚláng
5640 女神 nǚshén
5641 女生 nǚshēng
5642 女王 nǚwáng
5643 暖和 nuǎnhuo
5644 暖流 nuǎnliú
5645 暖瓶 nuǎnpíng
5646 暖氣 nuǎnqì
5647 瘧疾 nüèji
5648 虐待 nüèdài
5649 挪 nuó
5650 挪動 nuó·dòng
5651 挪用 nuóyòng
5652 諾言 nuòyán
5653 懦弱 nuòruò
5654 糯米 nuòmǐ
5655 謳歌 ōugē
5656 鷗 ōu
5657 毆打 ōudǎ
5658 嘔 ǒu
5659 嘔吐 ǒutù
5660 偶像 ǒuxiàng
5661 藕 ǒu
5662 趴 pā
5663 爬行 páxíng
5664 耙 pá
5665 帕 pà
5666 拍板 pāibǎn
5667 拍賣 pāimài
5668 拍手 pāishǒu
5669 拍照 pāizhào
5670 拍子 pāizi
5671 排場 pái·chǎng

5672 排隊 páiduì
5673 排擠 páijǐ
5674 排練 páiliàn
5675 排卵 páiluǎn
5676 排球 páiqiú
5677 排戲 páixì
5678 排泄 páixiè
5679 排演 páiyǎn
5680 排憂解難 páiyōu-jiěnàn
5681 牌坊 pái•fāng
5682 牌價 páijià
5683 牌樓 páilou
5684 派別 pàibié
5685 派生 pàishēng
5686 派頭 pàitóu
5687 派系 pàixì
5688 派性 pàixìng
5689 攀登 pāndēng
5690 攀談 pāntán
5691 攀援 pānyuán
5692 盤剝 pánbō
5693 盤踞 pánjù
5694 盤算 pánsuan
5695 盤問 pánwèn
5696 盤旋 pánxuán
5697 盤子 pánzi
5698 判別 pànbié
5699 判決書 pànjuéshū
5700 判明 pànmíng
5701 判刑 pànxíng
5702 叛 pàn
5703 叛變 pànbiàn
5704 叛亂 pànluàn
5705 叛逆 pànnì
5706 叛徒 pàntú
5707 畔 pàn
5708 膀 pāng
5709 龐 páng
5710 旁白 pángbái
5711 旁人 pángrén
5712 旁聽 pángtīng
5713 膀胱 pángguāng
5714 磅礴 pángbó
5715 胖子 pàngzi
5716 刨 páo
5717 咆哮 páoxiào
5718 狍子 páozi
5719 炮製 páozhì
5720 袍 páo
5721 跑步 pǎobù
5722 跑道 pǎodào
5723 泡菜 pàocài
5724 泡沫 pàomò
5725 炮兵 pàobīng
5726 炮火 pàohuǒ
5727 炮擊 pàojī
5728 炮樓 pàolóu
5729 炮臺 pàotái
5730 胚芽 pēiyá
5731 陪伴 péibàn
5732 陪襯 péichèn
5733 陪同 péitóng
5734 培 péi
5735 培土 péitǔ
5736 培植 péizhí
5737 賠 péi
5738 賠款 péikuǎn
5739 賠錢 péiqián
5740 裴 Péi
5741 佩 pèi
5742 佩戴 pèidài
5743 配備 pèibèi
5744 配對 pèiduì
5745 配方 pèifāng
5746 配件 pèijiàn
5747 配角 pèijué
5748 配偶 pèi'ǒu
5749 配伍 pèiwǔ
5750 配製 pèizhì
5751 配種 pèizhǒng
5752 噴發 pēnfā
5753 噴泉 pēnquán
5754 噴灑 pēnsǎ
5755 噴射 pēnshè
5756 噴嚏 pēn•tì
5757 噴塗 pēntú
5758 盆景 pénjǐng
5759 盆栽 pénzāi
5760 盆子 pénzi
5761 抨擊 pēngjī
5762 烹飪 pēngrèn
5763 烹調 pēngtiáo
5764 棚子 péngzi
5765 蓬 péng
5766 蓬亂 péngluàn
5767 蓬鬆 péngsōng
5768 硼 péng
5769 篷 péng
5770 膨大 péngdà
5771 碰見 pèng•jiàn
5772 碰巧 pèngqiǎo
5773 碰頭 pèngtóu
5774 碰撞 pèngzhuàng
5775 批駁 pībó
5776 批量 pīliàng
5777 批示 pīshì
5778 坯 pī
5779 披露 pīlù
5780 劈 pī
5781 霹靂 pīlì

5782 皮包 píbāo
5783 皮層 pícéng
5784 皮帶 pídài
5785 皮革 pígé
5786 皮毛 pímáo
5787 皮球 píqiú
5788 皮肉 píròu
5789 皮子 pízi
5790 毗鄰 pílín
5791 疲 pí
5792 疲憊 píbèi
5793 疲乏 pífá
5794 啤酒 píjiǔ
5795 琵琶 pí•pá
5796 脾胃 píwèi
5797 脾臟 pízàng
5798 匹配 pǐpèi
5799 痞子 pǐzi
5800 劈 pǐ
5801 癖 pǐ
5802 屁 pì
5803 辟 pì
5804 媲美 pìměi
5805 僻靜 pìjìng
5806 片子 piānzi
5807 偏愛 piān'ài
5808 偏差 piānchā
5809 偏激 piānjī
5810 偏離 piānlí
5811 偏旁 piānpáng
5812 偏僻 piānpì
5813 偏頗 piānpō
5814 偏心 piānxīn
5815 偏重 piānzhòng
5816 篇幅 piān•fú
5817 篇章 piānzhāng
5818 片段 piànduàn
5819 片斷 piànduàn
5820 騙局 piànjú
5821 騙取 piànqǔ
5822 騙子 piànzi
5823 漂 piāo
5824 漂泊 piāobó
5825 漂浮 piāofú
5826 漂流 piāoliú
5827 漂移 piāoyí
5828 飄帶 piāodài
5829 飄蕩 piāodàng
5830 飄動 piāodòng
5831 飄浮 piāofú
5832 飄忽 piāohū
5833 飄零 piāolíng
5834 飄落 piāoluò
5835 飄然 piāorán
5836 飄散 piāosàn
5837 飄揚 piāoyáng
5838 飄逸 piāoyì
5839 朴 Piáo
5840 瓢 piáo
5841 漂 piǎo
5842 漂白粉 piǎobáifěn
5843 瞟 piǎo
5844 票據 piàojù
5845 票子 piàozi
5846 撇 piē
5847 撇開 piē•kāi
5848 瞥 piē
5849 瞥見 piējiàn
5850 撇 piě
5851 拼 pīn
5852 拼搏 pīnbó
5853 拼湊 pīncòu
5854 拼死 pīnsǐ
5855 拼音 pīnyīn
5856 貧乏 pínfá
5857 貧寒 pínhán
5858 貧瘠 pínjí
5859 貧苦 pínkǔ
5860 貧民 pínmín
5861 貧血 pínxuè
5862 頻 pín
5863 頻道 píndào
5864 品嘗 pǐncháng
5865 品格 pǐngé
5866 品評 pǐnpíng
5867 品位 pǐnwèi
5868 品味 pǐnwèi
5869 品行 pǐnxíng
5870 聘 pìn
5871 聘請 pìnqǐng
5872 平安 píng'ān
5873 平板 píngbǎn
5874 平淡 píngdàn
5875 平地 píngdì
5876 平定 píngdìng
5877 平反 píngfǎn
5878 平方 píngfāng
5879 平房 píngfáng
5880 平衡木 pínghéngmù
5881 平滑 pínghuá
5882 平緩 pínghuǎn
5883 平價 píngjià
5884 平米 píngmǐ
5885 平生 píngshēng
5886 平素 píngsù
5887 平臺 píngtái
5888 平穩 píngwěn
5889 平息 píngxī
5890 平移 píngyí
5891 平庸 píngyōng
5892 平整 píngzhěng

5893 評比 píngbǐ
5894 評定 píngdìng
5895 評分 píngfēn
5896 評估 pínggū
5897 評獎 píngjiǎng
5898 評劇 píngjù
5899 評判 píngpàn
5900 評審 píngshěn
5901 評述 píngshù
5902 評彈 píngtán
5903 評議 píngyì
5904 評語 píngyǔ
5905 坪 píng
5906 憑吊 píngdiào
5907 憑空 píngkōng
5908 憑證 píngzhèng
5909 屏風 píngfēng
5910 屏障 píngzhàng
5911 瓶子 píngzi
5912 萍 píng
5913 坡地 pōdì
5914 坡度 pōdù
5915 泊 pō
5916 潑 pō
5917 潑辣 pō•là
5918 婆家 pójia
5919 迫不及待 pòbùjídài
5920 破案 pò'àn
5921 破除 pòchú
5922 破格 pògé
5923 破獲 pòhuò
5924 破舊 pòjiù
5925 破爛 pòlàn
5926 破例 pòlì
5927 破滅 pòmiè
5928 破碎 pòsuì
5929 破綻 pò•zhàn
5930 魄 pò
5931 魄力 pò•lì
5932 剖 pōu
5933 剖析 pōuxī
5934 仆 pū
5935 撲鼻 pūbí
5936 撲克 pūkè
5937 撲滅 pūmiè
5938 鋪蓋 pūgai
5939 鋪設 pūshè
5940 僕 pú
5941 僕人 púrén
5942 僕役 púyì
5943 匍匐 púfú
5944 葡萄酒 pú•táojiǔ
5945 蒲公英 púgōngyīng
5946 蒲扇 púshàn
5947 樸實 pǔshí
5948 圃 pǔ
5949 浦 pǔ
5950 普 pǔ
5951 普查 pǔchá
5952 普法 pǔfǎ
5953 普選 pǔxuǎn
5954 譜寫 pǔxiě
5955 堡 pù
5956 瀑 pù
5957 瀑布 pùbù
5958 沏 qī
5959 栖息 qīxī
5960 淒慘 qīcǎn
5961 淒楚 qīchǔ
5962 淒厲 qīlì
5963 淒然 qīrán
5964 戚 qī
5965 期刊 qīkān
5966 欺 qī
5967 欺負 qīfu
5968 欺凌 qīlíng
5969 欺侮 qīwǔ
5970 欺壓 qīyā
5971 欺詐 qīzhà
5972 漆黑 qīhēi
5973 漆器 qīqì
5974 齊備 qíbèi
5975 齊名 qímíng
5976 齊全 qíquán
5977 齊整 qízhěng
5978 奇觀 qíguān
5979 奇妙 qímiào
5980 奇聞 qíwén
5981 歧視 qíshì
5982 歧途 qítú
5983 歧義 qíyì
5984 祈 qí
5985 祈禱 qídǎo
5986 祈求 qíqiú
5987 畦 qí
5988 崎嶇 qíqū
5989 騎兵 qíbīng
5990 棋 qí
5991 棋盤 qípán
5992 棋子 qízǐ
5993 旗號 qíhào
5994 旗袍 qípáo
5995 旗子 qízi
5996 鰭 qí
5997 乞丐 qǐgài
5998 乞求 qǐqiú
5999 乞討 qǐtǎo
6000 豈有此理 qǐyǒucǐlǐ
6001 企鵝 qǐ'é
6002 啓 qǐ
6003 啓程 qǐchéng

6004 啓迪 qǐdí
6005 啓動 qǐdòng
6006 啓蒙 qǐméng
6007 啓事 qǐshì
6008 起兵 qǐbīng
6009 起步 qǐbù
6010 起草 qǐcǎo
6011 起床 qǐchuáng
6012 起飛 qǐfēi
6013 起哄 qǐhòng
6014 起火 qǐhuǒ
6015 起家 qǐjiā
6016 起見 qǐjiàn
6017 起勁 qǐjìn
6018 起居 qǐjū
6019 起立 qǐlì
6020 起落 qǐluò
6021 起事 qǐshì
6022 起訴 qǐsù
6023 起先 qǐxiān
6024 起因 qǐyīn
6025 綺麗 qǐlì
6026 氣喘 qìchuǎn
6027 氣墊 qìdiàn
6028 氣度 qìdù
6029 氣概 qìgài
6030 氣功 qìgōng
6031 氣管 qìguǎn
6032 氣急 qìjí
6033 氣節 qìjié
6034 氣孔 qìkǒng
6035 氣力 qìlì
6036 氣囊 qìnáng
6037 氣惱 qìnǎo
6038 氣餒 qìněi
6039 氣派 qìpài
6040 氣泡 qìpào
6041 氣魄 qìpò
6042 氣球 qìqiú
6043 氣色 qìsè
6044 氣勢 qìshì
6045 氣態 qìtài
6046 氣虛 qìxū
6047 氣旋 qìxuán
6048 氣焰 qìyàn
6049 迄 qì
6050 迄今 qìjīn
6051 汽 qì
6052 汽笛 qìdí
6053 汽缸 qìgāng
6054 汽化 qìhuà
6055 汽水 qìshuǐ
6056 汽艇 qìtǐng
6057 泣 qì
6058 契 qì
6059 契機 qìjī
6060 器件 qìjiàn
6061 器具 qìjù
6062 器皿 qìmǐn
6063 器物 qìwù
6064 器械 qìxiè
6065 器樂 qìyuè
6066 器重 qìzhòng
6067 掐 qiā
6068 洽 qià
6069 洽談 qiàtán
6070 恰 qià
6071 恰巧 qiàqiǎo
6072 恰如 qiàrú
6073 恰似 qiàsì
6074 千古 qiāngǔ
6075 千金 qiānjīn
6076 千鈞一髮 qiānjūn-yīfà
6077 千卡 qiānkǎ
6078 千瓦 qiānwǎ
6079 扦 qiān
6080 遷就 qiānjiù
6081 遷居 qiānjū
6082 牽動 qiāndòng
6083 牽挂 qiānguà
6084 牽連 qiānlián
6085 牽涉 qiānshè
6086 牽引 qiānyǐn
6087 牽制 qiānzhì
6088 謙虛 qiānxū
6089 謙遜 qiānxùn
6090 簽 qiān
6091 簽發 qiānfā
6092 簽名 qiānmíng
6093 簽署 qiānshǔ
6094 簽約 qiānyuē
6095 簽證 qiānzhèng
6096 簽字 qiānzì
6097 前輩 qiánbèi
6098 前臂 qiánbì
6099 前程 qiánchéng
6100 前額 qián'é
6101 前鋒 qiánfēng
6102 前列 qiánliè
6103 前年 qiánnián
6104 前仆後繼 qiánpū-hòujì
6105 前哨 qiánshào
6106 前身 qiánshēn
6107 前世 qiánshì
6108 前天 qiántiān
6109 前衛 qiánwèi
6110 前沿 qiányán
6111 前夜 qiányè
6112 前肢 qiánzhī

6113 前奏 qiánzòu
6114 虔誠 qiánchéng
6115 錢包 qiánbāo
6116 錢幣 qiánbì
6117 錢財 qiáncái
6118 鉗工 qiángōng
6119 鉗子 qiánzi
6120 乾 qián
6121 乾坤 qiánkūn
6122 潛藏 qiáncáng
6123 潛伏 qiánfú
6124 潛入 qiánrù
6125 潛水 qiánshuǐ
6126 潛艇 qiántǐng
6127 潛移默化 qiányí-mòhuà
6128 黔 Qián
6129 淺薄 qiǎnbó
6130 淺海 qiǎnhǎi
6131 淺灘 qiǎntān
6132 淺顯 qiǎnxiǎn
6133 譴責 qiǎnzé
6134 欠缺 qiànquē
6135 縴 qiàn
6136 歉 qiàn
6137 歉收 qiànshōu
6138 歉意 qiànyì
6139 嗆 qiāng
6140 槍斃 qiāngbì
6141 槍彈 qiāngdàn
6142 槍殺 qiāngshā
6143 槍支 qiāngzhī
6144 腔調 qiāngdiào
6145 强渡 qiángdù
6146 强攻 qiánggōng
6147 强國 qiángguó
6148 强加 qiángjiā
6149 强健 qiángjiàn
6150 强勁 qiángjìng
6151 强力 qiánglì
6152 强盛 qiángshèng
6153 强行 qiángxíng
6154 强硬 qiángyìng
6155 强占 qiángzhàn
6156 强壯 qiángzhuàng
6157 墻根 qiánggēn
6158 墻角 qiángjiǎo
6159 墻頭 qiángtóu
6160 搶奪 qiǎngduó
6161 搶購 qiǎnggòu
6162 搶劫 qiǎngjié
6163 搶先 qiǎngxiān
6164 搶險 qiǎngxiǎn
6165 搶修 qiǎngxiū
6166 搶占 qiǎngzhàn
6167 强求 qiǎngqiú
6168 嗆 qiàng
6169 蹺 qiāo
6170 鍬 qiāo
6171 敲打 qiāo•dǎ
6172 喬 qiáo
6173 喬木 qiáomù
6174 僑胞 qiáobāo
6175 僑眷 qiáojuàn
6176 僑民 qiáomín
6177 僑務 qiáowù
6178 橋頭 qiáotóu
6179 翹 qiáo
6180 瞧見 qiáo•jiàn
6181 巧合 qiǎohé
6182 悄然 qiǎorán
6183 悄聲 qiǎoshēng
6184 俏 qiào
6185 俏皮 qiào•pí
6186 峭壁 qiàobì
6187 竅 qiào
6188 竅門 qiàomén
6189 翹 qiào
6190 撬 qiào
6191 鞘 qiào
6192 切除 qiēchú
6193 切磋 qiēcuō
6194 切點 qiēdiǎn
6195 切割 qiēgē
6196 切口 qiēkǒu
6197 切面 qiēmiàn
6198 切片 qiēpiàn
6199 切綫 qiēxiàn
6200 茄子 qiézi
6201 切合 qièhé
6202 切忌 qièjì
6203 切身 qièshēn
6204 妾 qiè
6205 怯 qiè
6206 怯懦 qiènuò
6207 竊 qiè
6208 竊取 qièqǔ
6209 愜意 qièyì
6210 欽差 qīnchāi
6211 欽佩 qīnpèi
6212 侵害 qīnhài
6213 侵吞 qīntūn
6214 侵襲 qīnxí
6215 親愛 qīn'ài
6216 親筆 qīnbǐ
6217 親近 qīnjìn
6218 親口 qīnkǒu
6219 親臨 qīnlín
6220 親昵 qīnnì
6221 親朋 qīnpéng
6222 親身 qīnshēn

6223 親生 qīnshēng
6224 親事 qīn•shì
6225 親手 qīnshǒu
6226 親王 qīnwáng
6227 親吻 qīnwěn
6228 親信 qīnxìn
6229 親緣 qīnyuán
6230 親子 qīnzǐ
6231 禽 qín
6232 禽獸 qínshòu
6233 勤奮 qínfèn
6234 勤儉 qínjiǎn
6235 勤快 qínkuai
6236 擒 qín
6237 噙 qín
6238 寢 qǐn
6239 寢室 qǐnshì
6240 沁 qìn
6241 青菜 qīngcài
6242 青草 qīngcǎo
6243 青翠 qīngcuì
6244 青稞 qīngkē
6245 青睞 qīnglài
6246 青霉素 qīngméisù
6247 青苔 qīngtái
6248 青天 qīngtiān
6249 青銅 qīngtóng
6250 青衣 qīngyī
6251 輕便 qīngbiàn
6252 輕而易舉 qīng'éryìjǔ
6253 輕浮 qīngfú
6254 輕快 qīngkuài
6255 輕描淡寫 qīngmiáo-dànxiě
6256 輕蔑 qīngmiè
6257 輕騎 qīngqí
6258 輕巧 qīng•qiǎo
6259 輕柔 qīngróu
6260 輕率 qīngshuài
6261 輕信 qīngxìn
6262 輕音樂 qīngyīnyuè
6263 輕盈 qīngyíng
6264 氫彈 qīngdàn
6265 傾倒 qīngdǎo
6266 傾倒 qīngdào
6267 傾角 qīngjiǎo
6268 傾訴 qīngsù
6269 傾吐 qīngtǔ
6270 傾銷 qīngxiāo
6271 傾瀉 qīngxiè
6272 傾心 qīngxīn
6273 傾注 qīngzhù
6274 卿 qīng
6275 清白 qīngbái
6276 清查 qīngchá
6277 清償 qīngcháng
6278 清澈 qīngchè
6279 清脆 qīngcuì
6280 清單 qīngdān
6281 清淡 qīngdàn
6282 清風 qīngfēng
6283 清高 qīnggāo
6284 清官 qīngguān
6285 清净 qīngjìng
6286 清靜 qīngjìng
6287 清冷 qīnglěng
6288 清涼 qīngliáng
6289 清明 qīngmíng
6290 清掃 qīngsǎo
6291 清瘦 qīngshòu
6292 清爽 qīngshuǎng
6293 清算 qīngsuàn
6294 清洗 qīngxǐ
6295 清閑 qīngxián
6296 清香 qīngxiāng
6297 清新 qīngxīn
6298 清秀 qīngxiù
6299 清早 qīngzǎo
6300 清真寺 qīngzhēnsì
6301 蜻蜓 qīngtíng
6302 情不自禁 qíngbùzìjīn
6303 情調 qíngdiào
6304 情懷 qínghuái
6305 情理 qínglǐ
6306 情侶 qínglǚ
6307 情人 qíngrén
6308 情勢 qíngshì
6309 情書 qíngshū
6310 情思 qíngsī
6311 情態 qíngtài
6312 情誼 qíngyì
6313 情意 qíngyì
6314 情欲 qíngyù
6315 情願 qíngyuàn
6316 晴 qíng
6317 晴空 qíngkōng
6318 晴朗 qínglǎng
6319 擎 qíng
6320 頃 qǐng
6321 頃刻 qǐngkè
6322 請假 qǐngjià
6323 請教 qǐngjiào
6324 請客 qǐngkè
6325 請願 qǐngyuàn
6326 慶 qìng
6327 慶賀 qìnghè
6328 慶幸 qìngxìng
6329 親家 qìngjia
6330 磬 qìng

6331 窮盡 qióngjìn
6332 窮苦 qióngkǔ
6333 窮困 qióngkùn
6334 瓊 qióng
6335 丘陵 qiūlíng
6336 邱 Qiū
6337 秋風 qiūfēng
6338 秋收 qiūshōu
6339 仇 Qiú
6340 囚 qiú
6341 囚犯 qiúfàn
6342 囚禁 qiújìn
6343 囚徒 qiútú
6344 求愛 qiú'ài
6345 求婚 qiúhūn
6346 求救 qiújiù
6347 求解 qiújiě
6348 求教 qiújiào
6349 求人 qiúrén
6350 求生 qiúshēng
6351 求實 qiúshí
6352 求學 qiúxué
6353 求援 qiúyuán
6354 求知 qiúzhī
6355 求助 qiúzhù
6356 球場 qiúchǎng
6357 球迷 qiúmí
6358 球面 qiúmiàn
6359 球賽 qiúsài
6360 球體 qiútǐ
6361 裘 qiú
6362 裘皮 qiúpí
6363 區劃 qūhuà
6364 區間 qūjiān
6365 曲解 qūjiě
6366 曲面 qūmiàn
6367 曲軸 qūzhóu
6368 驅車 qūchē
6369 驅除 qūchú
6370 驅趕 qūgǎn
6371 驅散 qūsàn
6372 驅使 qūshǐ
6373 屈 qū
6374 屈從 qūcóng
6375 屈辱 qūrǔ
6376 祛 qū
6377 蛆 qū
6378 軀 qū
6379 軀幹 qūgàn
6380 軀殼 qūqiào
6381 軀體 qūtǐ
6382 曲調 qǔdiào
6383 曲目 qǔmù
6384 曲牌 qǔpái
6385 曲藝 qǔyì
6386 曲子 qǔzi
6387 取材 qǔcái
6388 取締 qǔdì
6389 取經 qǔjīng
6390 取樂 qǔlè
6391 取暖 qǔnuǎn
6392 取捨 qǔshě
6393 取勝 qǔshèng
6394 取笑 qǔxiào
6395 取樣 qǔyàng
6396 取悅 qǔyuè
6397 去處 qù•chù
6398 去路 qùlù
6399 去向 qùxiàng
6400 趣 qù
6401 圈套 quāntào
6402 圈子 quānzi
6403 權貴 quánguì
6404 權衡 quánhéng
6405 權勢 quánshì
6406 權限 quánxiàn
6407 全集 quánjí
6408 全力 quánlì
6409 全貌 quánmào
6410 全能 quánnéng
6411 全盤 quánpán
6412 全權 quánquán
6413 全文 quánwén
6414 全綫 quánxiàn
6415 泉水 quánshuǐ
6416 泉源 quányuán
6417 拳擊 quánjī
6418 痊愈 quányù
6419 蜷 quán
6420 蜷縮 quánsuō
6421 犬 quǎn
6422 犬齒 quǎnchǐ
6423 勸導 quàndǎo
6424 勸告 quàngào
6425 勸解 quànjiě
6426 勸説 quànshuō
6427 勸慰 quànwèi
6428 勸阻 quànzǔ
6429 券 quàn
6430 缺德 quēdé
6431 缺憾 quēhàn
6432 缺口 quēkǒu
6433 缺損 quēsǔn
6434 瘸 qué
6435 雀 què
6436 確信 quèxìn
6437 確鑿 quèzáo(quèzuò)
6438 確證 quèzhèng
6439 闕 què
6440 裙 qún

6441 裙子 qúnzi
6442 群島 qúndǎo
6443 群居 qúnjū
6444 冉冉 rǎnrǎn
6445 染料 rǎnliào
6446 讓步 ràngbù
6447 讓位 ràngwèi
6448 饒 ráo
6449 饒恕 ráoshù
6450 擾 rǎo
6451 繞道 ràodào
6452 熱潮 rècháo
6453 熱忱 rèchén
6454 熱誠 rèchéng
6455 熱度 rèdù
6456 熱浪 rèlàng
6457 熱淚 rèlèi
6458 熱力 rèlì
6459 熱戀 rèliàn
6460 熱流 rèliú
6461 熱門 rèmén
6462 熱氣 rèqì
6463 熱切 rèqiè
6464 熱望 rèwàng
6465 熱血 rèxuè
6466 熱源 rèyuán
6467 人稱 rénchēng
6468 人次 réncì
6469 人道 réndào
6470 人丁 réndīng
6471 人和 rénhé
6472 人際 rénjì
6473 人迹 rénjì
6474 人流 rénliú
6475 人倫 rénlún
6476 人馬 rénmǎ
6477 人命 rénmìng
6478 人品 rénpǐn
6479 人情 rénqíng
6480 人權 rénquán
6481 人參 rénshēn
6482 人聲 rénshēng
6483 人世 rénshì
6484 人手 rénshǒu
6485 人文 rénwén
6486 人像 rénxiàng
6487 人行道 rénxíngdào
6488 人選 rénxuǎn
6489 人烟 rényān
6490 人中 rénzhōng
6491 人種 rénzhǒng
6492 仁慈 réncí
6493 仁義 rényì
6494 忍痛 rěntòng
6495 忍心 rěnxīn
6496 刃 rèn
6497 認錯 rèncuò
6498 認購 rèngòu
6499 認可 rènkě
6500 認同 rèntóng
6501 認罪 rènzuì
6502 任教 rènjiào
6503 任免 rènmiǎn
6504 任憑 rènpíng
6505 任期 rènqī
6506 任性 rènxìng
6507 任用 rènyòng
6508 任職 rènzhí
6509 韌 rèn
6510 韌帶 rèndài
6511 韌性 rènxìng
6512 妊娠 rènshēn
6513 日程 rìchéng
6514 日光 rìguāng
6515 日後 rìhòu
6516 日見 rìjiàn
6517 日漸 rìjiàn
6518 日曆 rìlì
6519 日食 rìshí
6520 日用 rìyòng
6521 榮 róng
6522 榮獲 rónghuò
6523 榮幸 róngxìng
6524 榮耀 róngyào
6525 絨 róng
6526 絨毛 róngmáo
6527 絨綫 róngxiàn
6528 容積 róngjī
6529 容貌 róngmào
6530 容忍 róngrěn
6531 容許 róngxǔ
6532 容顏 róngyán
6533 溶洞 róngdòng
6534 溶化 rónghuà
6535 溶血 róngxuè
6536 熔化 rónghuà
6537 融 róng
6538 融化 rónghuà
6539 融洽 róngqià
6540 融資 róngzī
6541 冗長 rǒngcháng
6542 柔 róu
6543 柔道 róudào
6544 柔美 róuměi
6545 柔情 róuqíng
6546 柔弱 róuruò
6547 柔順 róushùn
6548 蹂躪 róulìn
6549 肉食 ròushí
6550 肉眼 ròuyǎn
6551 肉質 ròuzhì

6552 如期 rúqī
6553 如實 rúshí
6554 如釋重負 rúshìzhòngfù
6555 如意 rúyì
6556 儒 rú
6557 儒學 rúxué
6558 蠕動 rúdòng
6559 汝 rǔ
6560 乳白 rǔbái
6561 乳房 rǔfáng
6562 乳牛 rǔniú
6563 乳汁 rǔzhī
6564 辱 rǔ
6565 入股 rùgǔ
6566 入境 rùjìng
6567 入口 rùkǒu
6568 入門 rùmén
6569 入迷 rùmí
6570 入睡 rùshuì
6571 入伍 rùwǔ
6572 入夜 rùyè
6573 入座 rùzuò
6574 褥子 rùzi
6575 軟骨 ruǎngǔ
6576 軟化 ruǎnhuà
6577 軟件 ruǎnjiàn
6578 軟禁 ruǎnjìn
6579 軟弱 ruǎnruò
6580 蕊 ruǐ
6581 鋭 ruì
6582 鋭角 ruìjiǎo
6583 鋭利 ruìlì
6584 瑞 ruì
6585 閏 rùn
6586 潤 rùn
6587 潤滑 rùnhuá
6588 若無其事 ruòwúqíshì
6589 弱小 ruòxiǎo
6590 仨 sā
6591 撒謊 sāhuǎng
6592 撒嬌 sājiāo
6593 撒手 sāshǒu
6594 灑脱 sǎ•tuō
6595 卅 sà
6596 腮 sāi
6597 塞子 sāizi
6598 賽場 sàichǎng
6599 賽跑 sàipǎo
6600 賽事 sàishì
6601 三角洲 sānjiǎozhōu
6602 三輪車 sānlúnchē
6603 散漫 sǎnmàn
6604 散場 sànchǎng
6605 散會 sànhuì
6606 散夥 sànhuǒ
6607 散落 sànluò
6608 散失 sànshī
6609 喪事 sāngshì
6610 喪葬 sāngzàng
6611 桑 sāng
6612 嗓 sǎng
6613 嗓門兒 sǎngménr
6614 嗓音 sǎngyīn
6615 喪氣 sàngqì
6616 搔 sāo
6617 騷 sāo
6618 騷動 sāodòng
6619 騷擾 sāorǎo
6620 繅 sāo
6621 臊 sāo
6622 掃除 sǎochú
6623 掃地 sǎodì
6624 掃盲 sǎománg
6625 掃描 sǎomiáo
6626 掃射 sǎoshè
6627 掃視 sǎoshì
6628 掃興 sǎoxìng
6629 掃帚 sàozhou
6630 臊 sào
6631 色調 sèdiào
6632 色光 sèguāng
6633 色盲 sèmáng
6634 色情 sèqíng
6635 色素 sèsù
6636 色澤 sèzé
6637 澀 sè
6638 瑟 sè
6639 森嚴 sēnyán
6640 僧尼 sēngní
6641 殺菌 shājūn
6642 殺戮 shālù
6643 殺傷 shāshāng
6644 杉木 shāmù
6645 沙丘 shāqiū
6646 沙土 shātǔ
6647 沙啞 shāyǎ
6648 沙子 shāzi
6649 紗布 shābù
6650 紗錠 shādìng
6651 剎 shā
6652 剎車 shāchē
6653 煞 shā
6654 傻瓜 shǎguā
6655 傻子 shǎzi
6656 煞 shà
6657 霎時 shàshí
6658 篩 shāi
6659 篩選 shāixuǎn
6660 山坳 shān'ào

6661 山茶 shānchá
6662 山川 shānchuān
6663 山村 shāncūn
6664 山歌 shāngē
6665 山溝 shāngōu
6666 山河 shānhé
6667 山洪 shānhóng
6668 山澗 shānjiàn
6669 山脚 shānjiǎo
6670 山梁 shānliáng
6671 山嶺 shānlǐng
6672 山麓 shānlù
6673 山巒 shānluán
6674 山門 shānmén
6675 山系 shānxì
6676 山崖 shānyá
6677 山羊 shānyáng
6678 山腰 shānyāo
6679 山野 shānyě
6680 山嶽 shānyuè
6681 山楂 shānzhā
6682 杉 shān
6683 衫 shān
6684 珊瑚 shānhú
6685 扇動 shāndòng
6686 煽動 shāndòng
6687 閃現 shǎnxiàn
6688 閃耀 shǎnyào
6689 陜 Shǎn
6690 扇貝 shànbèi
6691 扇子 shànzi
6692 善後 shànhòu
6693 善意 shànyì
6694 善戰 shànzhàn
6695 禪 shàn
6696 擅長 shàncháng
6697 擅自 shànzì
6698 膳 shàn
6699 膳食 shànshí
6700 贍養 shànyǎng
6701 傷疤 shāngbā
6702 傷感 shānggǎn
6703 傷寒 shānghán
6704 傷痕 shānghén
6705 傷勢 shāngshì
6706 傷亡 shāngwáng
6707 商場 shāngchǎng
6708 商船 shāngchuán
6709 商定 shāngdìng
6710 商販 shāngfàn
6711 商賈 shānggǔ
6712 商會 shānghuì
6713 商檢 shāngjiǎn
6714 商榷 shāngquè
6715 商談 shāngtán
6716 商討 shāngtǎo
6717 商務 shāngwù
6718 商議 shāngyì
6719 晌 shǎng
6720 晌午 shǎngwu
6721 賞賜 shǎngcì
6722 賞識 shǎngshí
6723 上報 shàngbào
6724 上臂 shàngbì
6725 上場 shàngchǎng
6726 上當 shàngdàng
6727 上等 shàngděng
6728 上吊 shàngdiào
6729 上風 shàngfēng
6730 上工 shànggōng
6731 上古 shànggǔ
6732 上好 shànghǎo
6733 上將 shàngjiàng
6734 上繳 shàngjiǎo
6735 上進 shàngjìn
6736 上列 shàngliè
6737 上流 shàngliú
6738 上路 shànglù
6739 上馬 shàngmǎ
6740 上門 shàngmén
6741 上品 shàngpǐn
6742 上任 shàngrèn
6743 上身 shàngshēn
6744 上書 shàngshū
6745 上司 shàngsi
6746 上臺 shàngtái
6747 上頭 shàngtou
6748 上行 shàngxíng
6749 上旬 shàngxún
6750 上演 shàngyǎn
6751 上陣 shàngzhèn
6752 上肢 shàngzhī
6753 上座 shàngzuò
6754 尚且 shàngqiě
6755 捎 shāo
6756 燒杯 shāobēi
6757 燒餅 shāobing
6758 燒毁 shāohuǐ
6759 燒火 shāohuǒ
6760 燒酒 shāojiǔ
6761 燒瓶 shāopíng
6762 燒傷 shāoshāng
6763 燒香 shāoxiāng
6764 勺 sháo
6765 勺子 sháozi
6766 少見 shǎojiàn
6767 少兒 shào'ér
6768 少婦 shàofù
6769 少將 shàojiàng
6770 哨 shào
6771 哨兵 shàobīng

6772 哨所 shàosuǒ
6773 哨子 shàozi
6774 奢侈 shēchǐ
6775 舌苔 shétāi
6776 捨棄 shěqì
6777 捨身 shěshēn
6778 設防 shèfáng
6779 社交 shèjiāo
6780 社論 shèlùn
6781 社區 shèqū
6782 社團 shètuán
6783 射程 shèchéng
6784 射箭 shèjiàn
6785 射門 shèmén
6786 射手 shèshǒu
6787 涉 shè
6788 涉外 shèwài
6789 涉足 shèzú
6790 赦 shè
6791 赦免 shèmiǎn
6792 攝取 shèqǔ
6793 攝食 shèshí
6794 攝製 shèzhì
6795 麝 shè
6796 申 shēn
6797 申報 shēnbào
6798 申明 shēnmíng
6799 申訴 shēnsù
6800 伸縮 shēnsuō
6801 伸展 shēnzhǎn
6802 伸張 shēnzhāng
6803 身長 shēncháng
6804 身段 shēnduàn
6805 身高 shēngāo
6806 身價 shēnjià
6807 身世 shēnshì
6808 呻吟 shēnyín
6809 紳士 shēnshì
6810 砷 shēn
6811 深奧 shēn'ào
6812 深層 shēncéng
6813 深海 shēnhǎi
6814 深淺 shēnqiǎn
6815 深切 shēnqiè
6816 深秋 shēnqiū
6817 深山 shēnshān
6818 深思 shēnsī
6819 深邃 shēnsuì
6820 深信 shēnxìn
6821 深淵 shēnyuān
6822 深造 shēnzào
6823 深重 shēnzhòng
6824 神采 shéncǎi
6825 神化 shénhuà
6826 神經病 shénjīngbìng
6827 神經質 shénjīngzhì
6828 神龕 shénkān
6829 神靈 shénlíng
6830 神明 shénmíng
6831 神速 shénsù
6832 神通 shéntōng
6833 神童 shéntóng
6834 神往 shénwǎng
6835 神仙 shén•xiān
6836 神像 shénxiàng
6837 神韻 shényùn
6838 神志 shénzhì
6839 神州 shénzhōu
6840 審 shěn
6841 審定 shěndìng
6842 審核 shěnhé
6843 審理 shěnlǐ
6844 審批 shěnpī
6845 審慎 shěnshèn
6846 審視 shěnshì
6847 審問 shěnwèn
6848 審訊 shěnxùn
6849 審議 shěnyì
6850 嬸子 shěnzi
6851 腎臟 shènzàng
6852 甚而 shèn'ér
6853 滲 shèn
6854 滲入 shènrù
6855 慎 shèn
6856 升華 shēnghuá
6857 升級 shēngjí
6858 升降 shēngjiàng
6859 升任 shēngrèn
6860 升騰 shēngténg
6861 升學 shēngxué
6862 生病 shēngbìng
6863 生發 shēngfā
6864 生根 shēnggēn
6865 生機 shēngjī
6866 生計 shēngjì
6867 生路 shēnglù
6868 生怕 shēngpà
6869 生平 shēngpíng
6870 生日 shēng•rì
6871 生疏 shēngshū
6872 生死 shēngsǐ
6873 生息 shēngxī
6874 生肖 shēngxiào
6875 生效 shēngxiào
6876 生性 shēngxìng
6877 生涯 shēngyá
6878 生硬 shēngyìng
6879 生字 shēngzì
6880 聲波 shēngbō
6881 聲部 shēngbù
6882 聲稱 shēngchēng

6883 聲帶 shēngdài
6884 聲浪 shēnglàng
6885 聲名 shēngmíng
6886 聲勢 shēngshì
6887 聲速 shēngsù
6888 聲望 shēngwàng
6889 聲息 shēngxī
6890 聲學 shēngxué
6891 聲言 shēngyán
6892 聲譽 shēngyù
6893 聲援 shēngyuán
6894 聲樂 shēngyuè
6895 笙 shēng
6896 繩索 shéngsuǒ
6897 省城 shěngchéng
6898 省份 shěngfèn
6899 省會 shěnghuì
6900 省略 shěnglüè
6901 省事 shěngshì
6902 聖誕節 Shèngdàn Jié
6903 聖地 shèngdì
6904 聖母 shèngmǔ
6905 聖人 shèngrén
6906 聖旨 shèngzhǐ
6907 勝地 shèngdì
6908 勝任 shèngrèn
6909 勝仗 shèngzhàng
6910 盛產 shèngchǎn
6911 盛大 shèngdà
6912 盛會 shènghuì
6913 盛開 shèngkāi
6914 盛況 shèngkuàng
6915 盛名 shèngmíng
6916 盛怒 shèngnù
6917 盛夏 shèngxià
6918 盛裝 shèngzhuāng
6919 尸 shī
6920 尸骨 shīgǔ
6921 尸首 shī·shǒu
6922 失常 shīcháng
6923 失傳 shīchuán
6924 失地 shīdì
6925 失火 shīhuǒ
6926 失控 shīkòng
6927 失禮 shīlǐ
6928 失利 shīlì
6929 失戀 shīliàn
6930 失靈 shīlíng
6931 失落 shīluò
6932 失眠 shīmián
6933 失明 shīmíng
6934 失散 shīsàn
6935 失神 shīshén
6936 失聲 shīshēng
6937 失實 shīshí
6938 失守 shīshǒu
6939 失陷 shīxiàn
6940 失效 shīxiào
6941 失血 shīxuè
6942 失意 shīyì
6943 失真 shīzhēn
6944 失職 shīzhí
6945 失重 shīzhòng
6946 失踪 shīzōng
6947 失足 shīzú
6948 師父 shīfu
6949 師母 shīmǔ
6950 師資 shīzī
6951 詩集 shījí
6952 詩句 shījù
6953 詩篇 shīpiān
6954 虱子 shīzi
6955 獅子 shīzi
6956 施放 shīfàng
6957 施加 shījiā
6958 施捨 shīshě
6959 施展 shīzhǎn
6960 施政 shīzhèng
6961 濕熱 shīrè
6962 十足 shízú
6963 什 shí
6964 石板 shíbǎn
6965 石雕 shídiāo
6966 石膏 shígāo
6967 石匠 shíjiang
6968 石刻 shíkè
6969 石窟 shíkū
6970 石料 shíliào
6971 石榴 shíliu
6972 石棉 shímián
6973 石墨 shímò
6974 石筍 shísǔn
6975 石英 shíyīng
6976 石子兒 shízǐr
6977 時分 shífèn
6978 時光 shíguāng
6979 時局 shíjú
6980 時區 shíqū
6981 時日 shírì
6982 時尚 shíshàng
6983 時事 shíshì
6984 時勢 shíshì
6985 時務 shíwù
6986 時效 shíxiào
6987 時興 shíxīng
6988 時針 shízhēn
6989 時鐘 shízhōng
6990 時裝 shízhuāng
6991 識破 shípò
6992 實測 shícè

6993 實地 shídì
6994 實話 shíhuà
6995 實惠 shíhuì
6996 實況 shíkuàng
6997 實情 shíqíng
6998 實權 shíquán
6999 實事 shíshì
7000 實數 shíshù
7001 實習 shíxí
7002 實效 shíxiào
7003 實心 shíxīn
7004 實業 shíyè
7005 實戰 shízhàn
7006 實證 shízhèng
7007 拾掇 shíduo
7008 食道 shídào
7009 食管 shíguǎn
7010 食糧 shíliáng
7011 食譜 shípǔ
7012 食物鏈 shíwùliàn
7013 食性 shíxìng
7014 食欲 shíyù
7015 食指 shízhǐ
7016 蝕 shí
7017 史册 shǐcè
7018 史籍 shǐjí
7019 史料 shǐliào
7020 史前 shǐqián
7021 史詩 shǐshī
7022 史實 shǐshí
7023 史書 shǐshū
7024 矢 shǐ
7025 使館 shǐguǎn
7026 使喚 shǐhuan
7027 使節 shǐjié
7028 使者 shǐzhě
7029 始祖 shǐzǔ
7030 駛 shǐ
7031 屎 shǐ
7032 士氣 shìqì
7033 士族 shìzú
7034 示弱 shìruò
7035 示意 shìyì
7036 示衆 shìzhòng
7037 世道 shìdào
7038 世故 shìgù
7039 世故 shìgu
7040 世家 shìjiā
7041 世間 shìjiān
7042 世面 shìmiàn
7043 世人 shìrén
7044 世事 shìshì
7045 世俗 shìsú
7046 世襲 shìxí
7047 仕 shì
7048 市價 shìjià
7049 市郊 shìjiāo
7050 市面 shìmiàn
7051 市鎮 shìzhèn
7052 市政 shìzhèng
7053 式樣 shìyàng
7054 事理 shìlǐ
7055 事態 shìtài
7056 事項 shìxiàng
7057 事宜 shìyí
7058 勢頭 shì•tóu
7059 侍 shì
7060 侍從 shìcóng
7061 侍奉 shìfèng
7062 侍候 shìhòu
7063 侍衛 shìwèi
7064 飾 shì
7065 試點 shìdiǎn
7066 試劑 shìjì
7067 試卷 shìjuàn
7068 試看 shìkàn
7069 試探 shìtàn
7070 試題 shìtí
7071 試問 shìwèn
7072 試想 shìxiǎng
7073 試行 shìxíng
7074 試用 shìyòng
7075 試紙 shìzhǐ
7076 視察 shìchá
7077 視角 shìjiǎo
7078 視力 shìlì
7079 視圖 shìtú
7080 視網膜 shìwǎngmó
7081 柿子 shìzi
7082 拭 shì
7083 適度 shìdù
7084 適量 shìliàng
7085 適時 shìshí
7086 適中 shìzhōng
7087 恃 shì
7088 逝 shì
7089 舐 shì
7090 嗜 shì
7091 嗜好 shìhào
7092 誓 shì
7093 誓言 shìyán
7094 噬 shì
7095 螫 shì
7096 收藏 shōucáng
7097 收場 shōuchǎng
7098 收成 shōucheng
7099 收發 shōufā
7100 收復 shōufù
7101 收割 shōugē
7102 收工 shōugōng
7103 收繳 shōujiǎo

7104 收看 shōukàn
7105 收斂 shōuliǎn
7106 收留 shōuliú
7107 收録 shōulù
7108 收買 shōumǎi
7109 收取 shōuqǔ
7110 收容 shōuróng
7111 收聽 shōutīng
7112 收效 shōuxiào
7113 收養 shōuyǎng
7114 手背 shǒubèi
7115 手册 shǒucè
7116 手稿 shǒugǎo
7117 手巾 shǒu•jīn
7118 手絹兒 shǒujuànr
7119 手銬 shǒukào
7120 手帕 shǒupà
7121 手軟 shǒuruǎn
7122 手套 shǒutào
7123 手腕 shǒuwàn
7124 手下 shǒuxià
7125 手心 shǒuxīn
7126 手藝 shǒuyì
7127 手杖 shǒuzhàng
7128 手足 shǒuzú
7129 守備 shǒubèi
7130 守法 shǒufǎ
7131 守候 shǒuhòu
7132 守護 shǒuhù
7133 守舊 shǒujiù
7134 守衛 shǒuwèi
7135 守則 shǒuzé
7136 首創 shǒuchuàng
7137 首府 shǒufǔ
7138 首届 shǒujiè
7139 首腦 shǒunǎo
7140 首飾 shǒushi
7141 首尾 shǒuwěi
7142 首席 shǒuxí
7143 首相 shǒuxiàng
7144 壽 shòu
7145 受挫 shòucuò
7146 受害 shòuhài
7147 受賄 shòuhuì
7148 受獎 shòujiǎng
7149 受戒 shòujiè
7150 受驚 shòujīng
7151 受苦 shòukǔ
7152 受累 shòulěi
7153 受累 shòulèi
7154 受理 shòulǐ
7155 受命 shòumìng
7156 受難 shòunàn
7157 受騙 shòupiàn
7158 受氣 shòuqì
7159 受熱 shòurè
7160 受訓 shòuxùn
7161 受益 shòuyì
7162 受災 shòuzāi
7163 受制 shòuzhì
7164 受阻 shòuzǔ
7165 受罪 shòuzuì
7166 授粉 shòufěn
7167 授課 shòukè
7168 授權 shòuquán
7169 授予 shòuyǔ
7170 售 shòu
7171 獸醫 shòuyī
7172 瘦弱 shòuruò
7173 瘦小 shòuxiǎo
7174 書法 shūfǎ
7175 書房 shūfáng
7176 書畫 shūhuà
7177 書架 shūjià
7178 書局 shūjú
7179 書卷 shūjuàn
7180 書刊 shūkān
7181 書目 shūmù
7182 書生 shūshēng
7183 書信 shūxìn
7184 書院 shūyuàn
7185 書桌 shūzhuō
7186 抒發 shūfā
7187 樞 shū
7188 樞紐 shūniǔ
7189 倏然 shūrán
7190 梳理 shūlǐ
7191 梳子 shūzi
7192 舒 shū
7193 舒暢 shūchàng
7194 舒坦 shūtan
7195 舒展 shūzhǎn
7196 舒張 shūzhāng
7197 疏導 shūdǎo
7198 疏忽 shūhu
7199 疏散 shūsàn
7200 疏鬆 shūsōng
7201 疏通 shūtōng
7202 疏遠 shūyuǎn
7203 孰 shú
7204 贖 shú
7205 贖罪 shúzuì
7206 熟人 shúrén
7207 熟睡 shúshuì
7208 熟知 shúzhī
7209 暑 shǔ
7210 暑假 shǔjià
7211 署 shǔ
7212 署名 shǔmíng
7213 蜀 shǔ
7214 曙光 shǔguāng

7215 述評 shùpíng
7216 述説 shùshuō
7217 樹叢 shùcóng
7218 樹冠 shùguān
7219 樹苗 shùmiáo
7220 樹脂 shùzhī
7221 竪立 shùlì
7222 恕 shù
7223 庶民 shùmín
7224 數額 shù'é
7225 數碼 shùmǎ
7226 刷新 shuāxīn
7227 衰 shuāi
7228 衰敗 shuāibài
7229 衰减 shuāijiǎn
7230 衰竭 shuāijié
7231 衰落 shuāiluò
7232 衰弱 shuāiruò
7233 衰退 shuāituì
7234 衰亡 shuāiwáng
7235 摔跤 shuāijiāo
7236 帥 shuài
7237 率先 shuàixiān
7238 栓 shuān
7239 涮 shuàn
7240 雙邊 shuāngbiān
7241 雙重 shuāngchóng
7242 雙親 shuāngqīn
7243 雙向 shuāngxiàng
7244 雙語 shuāngyǔ
7245 霜凍 shuāngdòng
7246 霜期 shuāngqī
7247 爽 shuǎng
7248 爽快 shuǎngkuai
7249 爽朗 shuǎnglǎng
7250 水泵 shuǐbèng
7251 水兵 shuǐbīng
7252 水波 shuǐbō
7253 水草 shuǐcǎo
7254 水産 shuǐchǎn
7255 水車 shuǐchē
7256 水花 shuǐhuā
7257 水火 shuǐhuǒ
7258 水晶 shuǐjīng
7259 水井 shuǐjǐng
7260 水力 shuǐlì
7261 水龍頭 shuǐlóngtóu
7262 水陸 shuǐlù
7263 水路 shuǐlù
7264 水鳥 shuǐniǎo
7265 水牛 shuǐniú
7266 水情 shuǐqíng
7267 水渠 shuǐqú
7268 水勢 shuǐshì
7269 水塔 shuǐtǎ
7270 水獺 shuǐtǎ
7271 水土 shuǐtǔ
7272 水系 shuǐxì
7273 水仙 shuǐxiān
7274 水鄉 shuǐxiāng
7275 水箱 shuǐxiāng
7276 水星 shuǐxīng
7277 水性 shuǐxìng
7278 水域 shuǐyù
7279 水運 shuǐyùn
7280 水灾 shuǐzāi
7281 水閘 shuǐzhá
7282 水質 shuǐzhì
7283 水腫 shuǐzhǒng
7284 水準 shuǐzhǔn
7285 税額 shuì'é
7286 税法 shuìfǎ
7287 税利 shuìlì
7288 税率 shuìlǜ
7289 税務 shuìwù
7290 睡夢 shuìmèng
7291 睡意 shuìyì
7292 吮 shǔn
7293 順便 shùnbiàn
7294 順從 shùncóng
7295 順風 shùnfēng
7296 順口 shùnkǒu
7297 順勢 shùnshì
7298 順心 shùnxīn
7299 順眼 shùnyǎn
7300 順應 shùnyìng
7301 舜 Shùn
7302 瞬時 shùnshí
7303 説唱 shuōchàng
7304 説穿 shuōchuān
7305 説謊 shuōhuǎng
7306 説教 shuōjiào
7307 説理 shuōlǐ
7308 説笑 shuōxiào
7309 碩大 shuòdà
7310 碩士 shuòshì
7311 司空見慣 sīkōng-jiànguàn
7312 絲綢 sīchóu
7313 絲絨 sīróng
7314 絲綫 sīxiàn
7315 私産 sīchǎn
7316 私法 sīfǎ
7317 私立 sīlì
7318 私利 sīlì
7319 私事 sīshì
7320 私塾 sīshú
7321 私下 sīxià
7322 私心 sīxīn
7323 私語 sīyǔ
7324 私自 sīzì

7325 思辨 sībiàn
7326 思忖 sīcǔn
7327 思量 sīliang
7328 思慮 sīlǜ
7329 思念 sīniàn
7330 思緒 sīxù
7331 斯文 sīwén
7332 厮殺 sīshā
7333 撕 sī
7334 撕毀 sīhuǐ
7335 嘶啞 sīyǎ
7336 死板 sǐbǎn
7337 死活 sǐhuó
7338 死寂 sǐjì
7339 死傷 sǐshāng
7340 死神 sǐshén
7341 死守 sǐshǒu
7342 四季 sìjì
7343 四散 sìsàn
7344 四時 sìshí
7345 四外 sìwài
7346 四圍 sìwéi
7347 寺廟 sìmiào
7348 似是而非 sìshì'érfēi
7349 伺機 sìjī
7350 祀 sì
7351 飼 sì
7352 俟 sì
7353 肆無忌憚 sìwújìdàn
7354 肆意 sìyì
7355 嗣 sì
7356 鬆動 sōngdòng
7357 鬆軟 sōngruǎn
7358 鬆散 sōngsǎn
7359 鬆手 sōngshǒu
7360 松鼠 sōngshǔ
7361 鬆懈 sōngxiè
7362 慫恿 sǒngyǒng
7363 聳 sǒng
7364 聳立 sǒnglì
7365 訟 sòng
7366 送別 sòngbié
7367 送禮 sònglǐ
7368 送氣 sòngqì
7369 送行 sòngxíng
7370 送葬 sòngzàng
7371 誦 sòng
7372 誦讀 sòngdú
7373 頌 sòng
7374 頌揚 sòngyáng
7375 搜 sōu
7376 搜捕 sōubǔ
7377 搜查 sōuchá
7378 搜刮 sōuguā
7379 搜羅 sōuluó
7380 搜索 sōusuǒ
7381 搜尋 sōuxún
7382 蘇醒 sūxǐng
7383 酥 sū
7384 俗話 súhuà
7385 俗名 súmíng
7386 俗人 súrén
7387 俗語 súyǔ
7388 訴 sù
7389 訴苦 sùkǔ
7390 訴説 sùshuō
7391 肅穆 sùmù
7392 肅清 sùqīng
7393 素來 sùlái
7394 素描 sùmiáo
7395 素養 sùyǎng
7396 速成 sùchéng
7397 速寫 sùxiě
7398 宿營 sùyíng
7399 粟 sù
7400 塑 sù
7401 塑像 sùxiàng
7402 溯 sù
7403 酸痛 suāntòng
7404 酸雨 suānyǔ
7405 酸棗 suānzǎo
7406 蒜 suàn
7407 算計 suànji
7408 算命 suànmìng
7409 算盤 suàn•pán
7410 算術 suànshù
7411 算賬 suànzhàng
7412 綏 suí
7413 隨處 suíchù
7414 隨從 suícóng
7415 隨軍 suíjūn
7416 隨身 suíshēn
7417 隨同 suítóng
7418 隨心所欲 suíxīnsuǒyù
7419 歲數 suìshu
7420 隧道 suìdào
7421 孫女 sūn•nǚ
7422 損 sǔn
7423 損壞 sǔnhuài
7424 筍 sǔn
7425 唆使 suōshǐ
7426 梭 suō
7427 蓑衣 suōyī
7428 縮減 suōjiǎn
7429 縮影 suōyǐng
7430 索取 suǒqǔ
7431 索性 suǒxìng
7432 瑣事 suǒshì

7433 瑣碎 suǒsuì
7434 鎖鏈 suǒliàn
7435 他鄉 tāxiāng
7436 塌 tā
7437 拓 tà
7438 榻 tà
7439 踏步 tàbù
7440 胎盤 tāipán
7441 胎生 tāishēng
7442 臺詞 táicí
7443 檯燈 táidēng
7444 臺階 táijiē
7445 臺子 táizi
7446 抬升 táishēng
7447 太后 tàihòu
7448 太監 tài•jiàn
7449 太子 tàizǐ
7450 汰 tài
7451 態勢 tàishì
7452 鈦 tài
7453 泰 tài
7454 泰山 tàishān
7455 坍塌 tāntā
7456 貪 tān
7457 貪婪 tānlán
7458 貪圖 tāntú
7459 貪污 tānwū
7460 攤販 tānfàn
7461 攤派 tānpài
7462 攤子 tānzi
7463 灘塗 tāntú
7464 癱瘓 tānhuàn
7465 壇 tán
7466 罎子 tánzi
7467 談天 tántiān
7468 談吐 tántǔ
7469 談心 tánxīn
7470 彈劾 tánhé
7471 彈力 tánlì
7472 彈跳 tántiào
7473 譚 Tán
7474 潭 tán
7475 坦白 tǎnbái
7476 坦然 tǎnrán
7477 坦率 tǎnshuài
7478 毯子 tǎnzi
7479 嘆氣 tànqì
7480 炭 tàn
7481 探究 tànjiū
7482 探親 tànqīn
7483 探求 tànqiú
7484 探視 tànshì
7485 探聽 tàntīng
7486 探頭 tàntóu
7487 探望 tànwàng
7488 探問 tànwèn
7489 探險 tànxiǎn
7490 探尋 tànxún
7491 探詢 tànxún
7492 堂皇 tánghuáng
7493 搪瓷 tángcí
7494 搪塞 tángsè
7495 糖果 tángguǒ
7496 糖尿病 tángniàobìng
7497 螳螂 tángláng
7498 倘使 tǎngshǐ
7499 淌 tǎng
7500 燙傷 tàngshāng
7501 濤 tāo
7502 絛蟲 tāochóng
7503 滔滔 tāotāo
7504 逃兵 táobīng
7505 逃竄 táocuàn
7506 逃荒 táohuāng
7507 逃命 táomìng
7508 逃難 táonàn
7509 逃脫 táotuō
7510 逃亡 táowáng
7511 逃學 táoxué
7512 桃李 táolǐ
7513 桃子 táozi
7514 陶瓷 táocí
7515 陶器 táoqì
7516 陶醉 táozuì
7517 淘 táo
7518 淘氣 táoqì
7519 討伐 tǎofá
7520 討飯 tǎofàn
7521 討好 tǎohǎo
7522 套用 tàoyòng
7523 特產 tèchǎn
7524 特長 tècháng
7525 特技 tèjì
7526 特例 tèlì
7527 特派 tèpài
7528 特區 tèqū
7529 特赦 tèshè
7530 特寫 tèxiě
7531 特許 tèxǔ
7532 特異 tèyì
7533 特約 tèyuē
7534 特製 tèzhì
7535 特質 tèzhì
7536 特種 tèzhǒng
7537 疼愛 téng'ài
7538 騰飛 téngfēi
7539 騰空 téngkōng
7540 滕 Téng
7541 藤蘿 téngluó
7542 剔除 tīchú
7543 梯 tī

7544 梯田 tītián
7545 梯形 tīxíng
7546 梯子 tīzi
7547 提案 tí'àn
7548 提拔 tí•bá
7549 提包 tíbāo
7550 提成 tíchéng
7551 提純 tíchún
7552 提綱 tígāng
7553 提貨 tíhuò
7554 提交 tíjiāo
7555 提留 tíliú
7556 提名 tímíng
7557 提琴 tíqín
7558 提請 tíqǐng
7559 提升 tíshēng
7560 提示 tíshì
7561 提問 tíwèn
7562 提携 tíxié
7563 提早 tízǎo
7564 啼 tí
7565 啼哭 tíkū
7566 啼笑皆非 tíxiào-jiēfēi
7567 題詞 tící
7568 蹄 tí
7569 蹄子 tízi
7570 體察 tǐchá
7571 體罰 tǐfá
7572 體格 tǐgé
7573 體檢 tǐjiǎn
7574 體諒 tǐ•liàng
7575 體面 tǐ•miàn
7576 體魄 tǐpò
7577 體態 tǐtài
7578 體貼 tǐtiē
7579 體味 tǐwèi
7580 體形 tǐxíng
7581 體型 tǐxíng
7582 體液 tǐyè
7583 體育場 tǐyùchǎng
7584 體育館 tǐyùguǎn
7585 體徵 tǐzhēng
7586 剃 tì
7587 剃頭 tìtóu
7588 替換 tì•huàn
7589 天邊 tiānbiān
7590 天窗 tiānchuāng
7591 天敵 tiāndí
7592 天賦 tiānfù
7593 天國 tiānguó
7594 天花 tiānhuā
7595 天花板 tiānhuābǎn
7596 天際 tiānjì
7597 天經地義 tiānjīng-dìyì
7598 天井 tiānjǐng
7599 天理 tiānlǐ
7600 天亮 tiānliàng
7601 天明 tiānmíng
7602 天命 tiānmìng
7603 天幕 tiānmù
7604 天平 tiānpíng
7605 天色 tiānsè
7606 天時 tiānshí
7607 天使 tiānshǐ
7608 天書 tiānshū
7609 天堂 tiāntáng
7610 天外 tiānwài
7611 天綫 tiānxiàn
7612 天象 tiānxiàng
7613 天性 tiānxìng
7614 天涯 tiānyá
7615 天災 tiānzāi
7616 天職 tiānzhí
7617 天資 tiānzī
7618 天子 tiānzǐ
7619 添置 tiānzhì
7620 田賦 tiánfù
7621 田埂 tiángěng
7622 田畝 tiánmǔ
7623 田鼠 tiánshǔ
7624 田園 tiányuán
7625 恬靜 tiánjìng
7626 甜菜 tiáncài
7627 甜美 tiánměi
7628 甜蜜 tiánmì
7629 填補 tiánbǔ
7630 填充 tiánchōng
7631 填空 tiánkòng
7632 填塞 tiánsè
7633 填寫 tiánxiě
7634 舔 tiǎn
7635 挑剔 tiāoti
7636 挑子 tiāozi
7637 條理 tiáolǐ
7638 條文 tiáowén
7639 條子 tiáozi
7640 調劑 tiáojì
7641 調價 tiáojià
7642 調控 tiáokòng
7643 調配 tiáopèi
7644 調皮 tiáopí
7645 調試 tiáoshì
7646 調停 tiáotíng
7647 調製 tiáozhì
7648 挑撥 tiǎobō
7649 挑釁 tiǎoxìn
7650 眺望 tiàowàng
7651 跳板 tiàobǎn
7652 跳高 tiàogāo

7653 跳水 tiàoshuǐ
7654 跳蚤 tiàozao
7655 貼近 tiējìn
7656 貼切 tiēqiè
7657 帖 tiě
7658 鐵道 tiědào
7659 鐵軌 tiěguǐ
7660 鐵匠 tiějiang
7661 鐵青 tiěqīng
7662 鐵絲 tiěsī
7663 鐵索 tiěsuǒ
7664 鐵蹄 tiětí
7665 鐵鍁 tiěxiān
7666 帖 tiè
7667 廳堂 tīngtáng
7668 聽從 tīngcóng
7669 聽候 tīnghòu
7670 聽講 tīngjiǎng
7671 聽課 tīngkè
7672 聽任 tīngrèn
7673 聽筒 tīngtǒng
7674 聽信 tīngxìn
7675 廷 tíng
7676 亭 tíng
7677 亭子 tíngzi
7678 庭審 tíngshěn
7679 庭院 tíngyuàn
7680 停辦 tíngbàn
7681 停泊 tíngbó
7682 停車 tíngchē
7683 停放 tíngfàng
7684 停刊 tíngkān
7685 停息 tíngxī
7686 停歇 tíngxiē
7687 停業 tíngyè
7688 停戰 tíngzhàn
7689 停滯 tíngzhì
7690 挺拔 tǐngbá
7691 挺進 tǐngjìn
7692 挺立 tǐnglì
7693 挺身 tǐngshēn
7694 艇 tǐng
7695 通報 tōngbào
7696 通暢 tōngchàng
7697 通車 tōngchē
7698 通稱 tōngchēng
7699 通達 tōngdá
7700 通風 tōngfēng
7701 通告 tōnggào
7702 通航 tōngháng
7703 通話 tōnghuà
7704 通婚 tōnghūn
7705 通貨 tōnghuò
7706 通令 tōnglìng
7707 通路 tōnglù
7708 通氣 tōngqì
7709 通融 tōng•róng
7710 通商 tōngshāng
7711 通俗 tōngsú
7712 通宵 tōngxiāo
7713 通曉 tōngxiǎo
7714 通行 tōngxíng
7715 通則 tōngzé
7716 同班 tóngbān
7717 同輩 tóngbèi
7718 同步 tóngbù
7719 同感 tónggǎn
7720 同居 tóngjū
7721 同齡 tónglíng
7722 同盟 tóngméng
7723 同名 tóngmíng
7724 同位素 tóngwèisù
7725 同鄉 tóngxiāng
7726 同心 tóngxīn
7727 同性 tóngxìng
7728 同姓 tóngxìng
7729 佟 Tóng
7730 銅板 tóngbǎn
7731 銅臭 tóngxiù
7732 銅錢 tóngqián
7733 童 tóng
7734 童工 tónggōng
7735 童心 tóngxīn
7736 童子 tóngzǐ
7737 瞳孔 tóngkǒng
7738 統稱 tǒngchēng
7739 統籌 tǒngchóu
7740 統購 tǒnggòu
7741 統領 tǒnglǐng
7742 統帥 tǒngshuài
7743 統率 tǒngshuài
7744 統轄 tǒngxiá
7745 統一體 tǒngyītǐ
7746 統制 tǒngzhì
7747 捅 tǒng
7748 痛斥 tòngchì
7749 痛楚 tòngchǔ
7750 痛恨 tònghèn
7751 痛覺 tòngjué
7752 痛哭 tòngkū
7753 痛心 tòngxīn
7754 偷懶 tōulǎn
7755 偷竊 tōuqiè
7756 偷襲 tōuxí
7757 頭等 tóuděng
7758 頭骨 tóugǔ
7759 頭號 tóuhào
7760 頭巾 tóujīn
7761 頭盔 tóukuī
7762 頭顱 tóulú
7763 頭目 tóumù

7764 頭疼 tóuténg
7765 頭痛 tóutòng
7766 頭銜 tóuxián
7767 頭緒 tóuxù
7768 頭子 tóuzi
7769 投案 tóu'àn
7770 投保 tóubǎo
7771 投奔 tóubèn
7772 投標 tóubiāo
7773 投遞 tóudì
7774 投放 tóufàng
7775 投考 tóukǎo
7776 投靠 tóukào
7777 投票 tóupiào
7778 投射 tóushè
7779 投身 tóushēn
7780 投訴 tóusù
7781 投影 tóuyǐng
7782 投擲 tóuzhì
7783 透徹 tòuchè
7784 透亮 tòu•liàng
7785 透氣 tòuqì
7786 透視 tòushì
7787 禿頂 tūdǐng
7788 突起 tūqǐ
7789 突圍 tūwéi
7790 突襲 tūxí
7791 圖表 túbiǎo
7792 圖解 tújiě
7793 圖景 tújǐng
7794 圖謀 túmóu
7795 圖片 túpiàn
7796 圖騰 túténg
7797 圖像 túxiàng
7798 圖樣 túyàng
7799 徒步 túbù
7800 徒弟 tú•dì
7801 徒工 túgōng
7802 徒然 túrán
7803 徒手 túshǒu
7804 徒刑 túxíng
7805 途 tú
7806 塗料 túliào
7807 塗抹 túmǒ
7808 屠 tú
7809 屠刀 túdāo
7810 屠宰 túzǎi
7811 土產 tǔchǎn
7812 土豆 tǔdòu
7813 土星 tǔxīng
7814 土語 tǔyǔ
7815 土質 tǔzhì
7816 土著 tǔzhù
7817 吐露 tǔlù
7818 吐血 tùxiě
7819 湍急 tuānjí
7820 團隊 tuánduì
7821 團夥 tuánhuǒ
7822 團聚 tuánjù
7823 團圓 tuányuán
7824 推遲 tuīchí
7825 推崇 tuīchóng
7826 推辭 tuīcí
7827 推導 tuīdǎo
7828 推倒 tuīdǎo
7829 推定 tuīdìng
7830 推斷 tuīduàn
7831 推舉 tuījǔ
7832 推力 tuīlì
7833 推敲 tuīqiāo
7834 推算 tuīsuàn
7835 推想 tuīxiǎng
7836 推卸 tuīxiè
7837 推選 tuīxuǎn
7838 推演 tuīyǎn
7839 推移 tuīyí
7840 頹廢 tuífèi
7841 頹然 tuírán
7842 頹喪 tuísàng
7843 腿脚 tuǐjiǎo
7844 退步 tuìbù
7845 退還 tuìhuán
7846 退回 tuìhuí
7847 退路 tuìlù
7848 退却 tuìquè
7849 退讓 tuìràng
7850 退守 tuìshǒu
7851 退縮 tuìsuō
7852 退位 tuìwèi
7853 退伍 tuìwǔ
7854 退學 tuìxué
7855 蜕 tuì
7856 蜕變 tuìbiàn
7857 蜕化 tuìhuà
7858 蜕皮 tuìpí
7859 褪 tuì
7860 吞 tūn
7861 吞并 tūnbìng
7862 吞没 tūnmò
7863 吞食 tūnshí
7864 吞噬 tūnshì
7865 吞吐 tūntǔ
7866 吞咽 tūnyàn
7867 屯 tún
7868 囤 tún
7869 囤積 túnjī
7870 臀 tún
7871 拖車 tuōchē
7872 拖累 tuōlěi
7873 拖欠 tuōqiàn
7874 拖鞋 tuōxié

7875	拖延	tuōyán
7876	托管	tuōguǎn
7877	托盤	tuōpán
7878	脱節	tuōjié
7879	脱口	tuōkǒu
7880	脱身	tuōshēn
7881	脱水	tuōshuǐ
7882	脱胎	tuōtāi
7883	脱險	tuōxiǎn
7884	脱銷	tuōxiāo
7885	馱	tuó
7886	陀螺	tuóluó
7887	駝	tuó
7888	駝背	tuóbèi
7889	妥	tuǒ
7890	妥當	tuǒdang
7891	妥善	tuǒshàn
7892	橢圓	tuǒyuán
7893	拓	tuò
7894	唾	tuò
7895	唾沫	tuòmo
7896	唾液	tuòyè
7897	挖苦	wāku
7898	挖潛	wāqián
7899	窪	wā
7900	窪地	wādì
7901	蛙	wā
7902	瓦解	wǎjiě
7903	瓦礫	wǎlì
7904	瓦斯	wǎsī
7905	襪	wà
7906	襪子	wàzi
7907	外幣	wàibì
7908	外賓	wàibīn
7909	外出	wàichū
7910	外感	wàigǎn
7911	外公	wàigōng
7912	外觀	wàiguān
7913	外海	wàihǎi
7914	外行	wàiháng
7915	外號	wàihào
7916	外籍	wàijí
7917	外加	wàijiā
7918	外流	wàiliú
7919	外露	wàilù
7920	外貌	wàimào
7921	外婆	wàipó
7922	外人	wàirén
7923	外傷	wàishāng
7924	外省	wàishěng
7925	外事	wàishì
7926	外套	wàitào
7927	外圍	wàiwéi
7928	外文	wàiwén
7929	外綫	wàixiàn
7930	外銷	wàixiāo
7931	外延	wàiyán
7932	外衣	wàiyī
7933	外因	wàiyīn
7934	外債	wàizhài
7935	外長	wàizhǎng
7936	外族	wàizú
7937	外祖父	wàizǔfù
7938	外祖母	wàizǔmǔ
7939	彎路	wānlù
7940	剜	wān
7941	灣	wān
7942	丸	wán
7943	完工	wángōng
7944	完好	wánhǎo
7945	完結	wánjié
7946	完滿	wánmǎn
7947	玩弄	wánnòng
7948	玩賞	wánshǎng
7949	玩耍	wánshuǎ
7950	玩味	wánwèi
7951	玩物	wánwù
7952	玩意兒	wányìr
7953	頑固	wángù
7954	頑皮	wánpí
7955	宛如	wǎnrú
7956	挽回	wǎnhuí
7957	挽救	wǎnjiù
7958	挽留	wǎnliú
7959	晚報	wǎnbào
7960	晚輩	wǎnbèi
7961	晚會	wǎnhuì
7962	晚婚	wǎnhūn
7963	晚年	wǎnnián
7964	晚霞	wǎnxiá
7965	惋惜	wǎnxī
7966	婉轉	wǎnzhuǎn
7967	皖	Wǎn
7968	萬惡	wàn'è
7969	萬國	wànguó
7970	萬能	wànnéng
7971	萬歲	wànsuì
7972	萬紫千紅	wànzǐ-qiānhóng
7973	腕	wàn
7974	蔓	wàn
7975	汪洋	wāngyáng
7976	亡靈	wánglíng
7977	王府	wángfǔ
7978	王宮	wánggōng
7979	王冠	wángguān
7980	王后	wánghòu
7981	王室	wángshì
7982	王位	wángwèi
7983	王子	wángzǐ
7984	網點	wǎngdiǎn

7985 網羅 wǎngluó
7986 網球 wǎngqiú
7987 枉 wǎng
7988 往常 wǎngcháng
7989 往返 wǎngfǎn
7990 往復 wǎngfù
7991 往年 wǎngnián
7992 往日 wǎngrì
7993 往事 wǎngshì
7994 往昔 wǎngxī
7995 妄 wàng
7996 妄圖 wàngtú
7997 妄想 wàngxiǎng
7998 忘恩負義 wàng'ēn-fùyì
7999 忘懷 wànghuái
8000 忘情 wàngqíng
8001 忘却 wàngquè
8002 忘我 wàngwǒ
8003 旺季 wàngjì
8004 危 wēi
8005 危及 wēijí
8006 危急 wēijí
8007 危難 wēinàn
8008 危亡 wēiwáng
8009 威 wēi
8010 威風 wēifēng
8011 威嚇 wēihè
8012 威望 wēiwàng
8013 威武 wēiwǔ
8014 威嚴 wēiyán
8015 微波 wēibō
8016 微風 wēifēng
8017 微機 wēijī
8018 微妙 wēimiào
8019 微細 wēixì
8020 微型 wēixíng
8021 巍峨 wēi'é
8022 韋 wéi
8023 爲害 wéihài
8024 違 wéi
8025 違犯 wéifàn
8026 違抗 wéikàng
8027 違心 wéixīn
8028 違約 wéiyuē
8029 違章 wéizhāng
8030 圍攻 wéigōng
8031 圍觀 wéiguān
8032 圍巾 wéijīn
8033 圍困 wéikùn
8034 圍棋 wéiqí
8035 圍墻 wéiqiáng
8036 圍裙 wéi•qún
8037 桅杆 wéigān
8038 帷幕 wéimù
8039 惟恐 wéikǒng
8040 惟一 wéiyī
8041 惟有 wéiyǒu
8042 維 wéi
8043 維繫 wéixì
8044 偉 wěi
8045 偉人 wěirén
8046 僞善 wěishàn
8047 僞造 wěizào
8048 僞裝 wěizhuāng
8049 葦 wěi
8050 尾聲 wěishēng
8051 尾隨 wěisuí
8052 緯綫 wěixiàn
8053 委 wěi
8054 委派 wěipài
8055 委任 wěirèn
8056 委婉 wěiwǎn
8057 萎 wěi
8058 萎縮 wěisuō
8059 衛兵 wèibīng
8060 衛隊 wèiduì
8061 衛士 wèishì
8062 未嘗 wèicháng
8063 未免 wèimiǎn
8064 未遂 wèisuì
8065 位能 wèinéng
8066 位子 wèizi
8067 味覺 wèijué
8068 畏 wèi
8069 畏懼 wèijù
8070 畏縮 wèisuō
8071 胃口 wèikǒu
8072 胃液 wèiyè
8073 謂語 wèiyǔ
8074 喂養 wèiyǎng
8075 蔚藍 wèilán
8076 慰藉 wèijiè
8077 慰勞 wèiláo
8078 慰問 wèiwèn
8079 温飽 wēnbǎo
8080 温差 wēnchā
8081 温存 wēncún
8082 温情 wēnqíng
8083 温泉 wēnquán
8084 温室 wēnshì
8085 温順 wēnshùn
8086 温馨 wēnxīn
8087 瘟 wēn
8088 瘟疫 wēnyì
8089 文本 wénběn
8090 文筆 wénbǐ
8091 文法 wénfǎ
8092 文風 wénfēng
8093 文官 wénguān
8094 文集 wénjí

8095 文教 wénjiào
8096 文静 wénjìng
8097 文具 wénjù
8098 文科 wénkē
8099 文盲 wénmáng
8100 文憑 wénpíng
8101 文書 wénshū
8102 文壇 wéntán
8103 文體 wéntǐ
8104 文武 wénwǔ
8105 文選 wénxuǎn
8106 文雅 wényǎ
8107 文言 wényán
8108 文娱 wényú
8109 紋理 wénlǐ
8110 紋飾 wénshì
8111 聞名 wénmíng
8112 蚊蟲 wénchóng
8113 蚊帳 wénzhàng
8114 吻合 wěnhé
8115 紊亂 wěnluàn
8116 穩步 wěnbù
8117 穩産 wěnchǎn
8118 穩當 wěndang
8119 穩固 wěngù
8120 穩健 wěnjiàn
8121 穩妥 wěntuǒ
8122 穩重 wěnzhòng
8123 問答 wèndá
8124 問號 wènhào
8125 問候 wènhòu
8126 問卷 wènjuàn
8127 翁 wēng
8128 瓮 wèng
8129 渦 wō
8130 渦流 wōliú
8131 窩頭 wōtóu
8132 蝸牛 wōniú
8133 卧床 wòchuáng
8134 烏 wū
8135 烏黑 wūhēi
8136 烏鴉 wūyā
8137 烏雲 wūyún
8138 烏賊 wūzéi
8139 污穢 wūhuì
8140 污衊 wūmiè
8141 污辱 wūrǔ
8142 污濁 wūzhuó
8143 巫 wū
8144 巫師 wūshī
8145 嗚咽 wūyè
8146 誣告 wūgào
8147 誣衊 wūmiè
8148 誣陷 wūxiàn
8149 屋脊 wūjǐ
8150 屋檐 wūyán
8151 無邊 wúbiān
8152 無常 wúcháng
8153 無償 wúcháng
8154 無恥 wúchǐ
8155 無端 wúduān
8156 無辜 wúgū
8157 無故 wúgù
8158 無盡 wújìn
8159 無賴 wúlài
8160 無理 wúlǐ
8161 無量 wúliàng
8162 無聊 wúliáo
8163 無奈 wúnài
8164 無能 wúnéng
8165 無視 wúshì
8166 無私 wúsī
8167 無損 wúsǔn
8168 無望 wúwàng
8169 無畏 wúwèi
8170 無謂 wúwèi
8171 無誤 wúwù
8172 無暇 wúxiá
8173 無心 wúxīn
8174 無須 wúxū
8175 無需 wúxū
8176 無遺 wúyí
8177 無益 wúyì
8178 無垠 wúyín
8179 無緣 wúyuán
8180 毋 wú
8181 梧桐 wútóng
8182 五穀 wǔgǔ
8183 五行 wǔxíng
8184 五臟 wǔzàng
8185 午 wǔ
8186 午餐 wǔcān
8187 午飯 wǔfàn
8188 午睡 wǔshuì
8189 午夜 wǔyè
8190 伍 wǔ
8191 武打 wǔdǎ
8192 武斷 wǔduàn
8193 武功 wǔgōng
8194 武生 wǔshēng
8195 武士 wǔshì
8196 武術 wǔshù
8197 武藝 wǔyì
8198 捂 wǔ
8199 舞弊 wǔbì
8200 舞步 wǔbù
8201 舞場 wǔchǎng
8202 舞動 wǔdòng
8203 舞會 wǔhuì
8204 舞女 wǔnǚ
8205 舞曲 wǔqǔ

8206 舞廳 wǔtīng
8207 舞姿 wǔzī
8208 務必 wùbì
8209 務農 wùnóng
8210 物產 wùchǎn
8211 物件 wùjiàn
8212 物象 wùxiàng
8213 悟 wù
8214 悟性 wùxìng
8215 晤 wù
8216 霧氣 wùqì
8217 夕 xī
8218 夕陽 xīyáng
8219 兮 xī
8220 西服 xīfú
8221 西紅柿 xīhóngshì
8222 西天 xītiān
8223 西醫 xīyī
8224 西域 xīyù
8225 西裝 xīzhuāng
8226 吸毒 xīdú
8227 吸盤 xīpán
8228 吸食 xīshí
8229 吸吮 xīshǔn
8230 希冀 xījì
8231 昔 xī
8232 昔日 xīrì
8233 析出 xīchū
8234 唏嘘 xīxū
8235 奚落 xīluò
8236 悉 xī
8237 惜 xī
8238 稀薄 xībó
8239 稀飯 xīfàn
8240 稀罕 xīhan
8241 稀奇 xīqí
8242 稀釋 xīshì
8243 稀疏 xīshū
8244 稀有 xīyǒu
8245 犀利 xīlì
8246 溪 xī
8247 溪流 xīliú
8248 蜥蜴 xīyì
8249 熄 xī
8250 熄燈 xīdēng
8251 膝 xī
8252 嬉戲 xīxì
8253 習氣 xíqì
8254 習題 xítí
8255 習作 xízuò
8256 席捲 xíjuǎn
8257 席位 xíwèi
8258 席子 xízi
8259 襲 xí
8260 洗滌 xǐdí
8261 洗禮 xǐlǐ
8262 洗刷 xǐshuā
8263 銑 xǐ
8264 喜好 xǐhào
8265 喜慶 xǐqìng
8266 喜鵲 xǐ•què
8267 喜人 xǐrén
8268 喜事 xǐshì
8269 喜訊 xǐxùn
8270 戲弄 xìnòng
8271 戲臺 xìtái
8272 戲謔 xìxuè
8273 戲院 xìyuàn
8274 細胞核 xìbāohé
8275 細密 xìmì
8276 細膩 xìnì
8277 細弱 xìruò
8278 細碎 xìsuì
8279 細微 xìwēi
8280 細則 xìzé
8281 瞎子 xiāzi
8282 匣 xiá
8283 匣子 xiázi
8284 峽 xiá
8285 峽谷 xiágǔ
8286 狹長 xiácháng
8287 狹小 xiáxiǎo
8288 遐想 xiáxiǎng
8289 轄 xiá
8290 轄區 xiáqū
8291 霞 xiá
8292 下巴 xiàba
8293 下筆 xiàbǐ
8294 下等 xiàděng
8295 下跌 xiàdiē
8296 下海 xiàhǎi
8297 下課 xiàkè
8298 下流 xiàliú
8299 下馬 xiàmǎ
8300 下手 xiàshǒu
8301 下臺 xiàtái
8302 下文 xiàwén
8303 下行 xiàxíng
8304 下野 xiàyě
8305 下肢 xiàzhī
8306 嚇唬 xiàhu
8307 嚇人 xiàrén
8308 夏令 xiàlìng
8309 仙鶴 xiānhè
8310 仙境 xiānjìng
8311 仙女 xiānnǚ
8312 仙人 xiānrén
8313 先輩 xiānbèi
8314 先導 xiāndǎo
8315 先鋒 xiānfēng
8316 先例 xiānlì

8317 先驅 xiānqū
8318 先人 xiānrén
8319 先行 xiānxíng
8320 先知 xiānzhī
8321 纖 xiān
8322 纖毛 xiānmáo
8323 纖細 xiānxì
8324 掀 xiān
8325 鮮紅 xiānhóng
8326 鮮美 xiānměi
8327 鮮嫩 xiānnèn
8328 閑話 xiánhuà
8329 閑人 xiánrén
8330 閑散 xiánsǎn
8331 閑談 xiántán
8332 閑暇 xiánxiá
8333 閑置 xiánzhì
8334 賢 xián
8335 鹹菜 xiáncài
8336 涎 xián
8337 嫻熟 xiánshú
8338 銜接 xiánjiē
8339 舷窗 xiánchuāng
8340 嫌棄 xiánqì
8341 嫌疑 xiányí
8342 顯赫 xiǎnhè
8343 顯明 xiǎnmíng
8344 顯眼 xiǎnyǎn
8345 險惡 xiǎn'è
8346 險峻 xiǎnjùn
8347 險情 xiǎnqíng
8348 險要 xiǎnyào
8349 現成 xiànchéng
8350 現貨 xiànhuò
8351 現款 xiànkuǎn
8352 現任 xiànrèn
8353 現役 xiànyì
8354 限定 xiàndìng
8355 限額 xiàn'é
8356 限期 xiànqī
8357 憲兵 xiànbīng
8358 憲章 xiànzhāng
8359 憲政 xiànzhèng
8360 陷害 xiànhài
8361 陷阱 xiànjǐng
8362 陷落 xiànluò
8363 餡兒 xiànr
8364 霰 xiàn
8365 鄉間 xiāngjiān
8366 鄉里 xiānglǐ
8367 鄉親 xiāngqīn
8368 鄉土 xiāngtǔ
8369 鄉音 xiāngyīn
8370 鄉鎮 xiāngzhèn
8371 相稱 xiāngchèn
8372 相持 xiāngchí
8373 相處 xiāngchǔ
8374 相傳 xiāngchuán
8375 相得益彰 xiāngdé-yìzhāng
8376 相仿 xiāngfǎng
8377 相逢 xiāngféng
8378 相符 xiāngfú
8379 相干 xiānggān
8380 相隔 xiānggé
8381 相間 xiāngjiàn
8382 相距 xiāngjù
8383 相識 xiāngshí
8384 相思 xiāngsī
8385 相宜 xiāngyí
8386 相約 xiāngyuē
8387 香火 xiānghuǒ
8388 香蕉 xiāngjiāo
8389 香料 xiāngliào
8390 香爐 xiānglú
8391 香水 xiāngshuǐ
8392 香甜 xiāngtián
8393 廂 xiāng
8394 廂房 xiāngfáng
8395 湘 Xiāng
8396 鑲 xiāng
8397 鑲嵌 xiāngqiàn
8398 詳 xiáng
8399 詳盡 xiángjìn
8400 詳情 xiángqíng
8401 祥 xiáng
8402 翔 xiáng
8403 享福 xiǎngfú
8404 享樂 xiǎnglè
8405 享用 xiǎngyòng
8406 響動 xiǎngdòng
8407 響亮 xiǎngliàng
8408 餉 xiǎng
8409 想必 xiǎngbì
8410 想見 xiǎngjiàn
8411 想來 xiǎnglái
8412 想念 xiǎngniàn
8413 嚮導 xiàngdǎo
8414 嚮日葵 xiàngrìkuí
8415 嚮陽 xiàngyáng
8416 項鏈 xiàngliàn
8417 巷 xiàng
8418 相機 xiàngjī
8419 相貌 xiàngmào
8420 相片 xiàngpiàn
8421 相聲 xiàngsheng
8422 象棋 xiàngqí
8423 象形 xiàngxíng
8424 象牙 xiàngyá
8425 像樣 xiàngyàng
8426 肖 Xiāo

8427 逍遥 xiāoyáo
8428 消沉 xiāochén
8429 消防 xiāofáng
8430 消磨 xiāomó
8431 消遣 xiāoqiǎn
8432 消融 xiāoróng
8433 消散 xiāosàn
8434 消逝 xiāoshì
8435 消瘦 xiāoshòu
8436 消退 xiāotuì
8437 消長 xiāozhǎng
8438 蕭 xiāo
8439 蕭條 xiāotiáo
8440 硝 xiāo
8441 硝烟 xiāoyān
8442 銷毁 xiāohuǐ
8443 銷路 xiāolù
8444 簫 xiāo
8445 瀟 xiāo
8446 瀟灑 xiāosǎ
8447 囂張 xiāozhāng
8448 小便 xiǎobiàn
8449 小菜 xiǎocài
8450 小腸 xiǎocháng
8451 小車 xiǎochē
8452 小吃 xiǎochī
8453 小丑 xiǎochǒu
8454 小調 xiǎodiào
8455 小販 xiǎofàn
8456 小褂 xiǎoguà
8457 小鬼 xiǎoguǐ
8458 小節 xiǎojié
8459 小結 xiǎojié
8460 小看 xiǎokàn
8461 小米 xiǎomǐ
8462 小腦 xiǎonǎo
8463 小品 xiǎopǐn
8464 小氣 xiǎoqi
8465 小巧 xiǎoqiǎo
8466 小區 xiǎoqū
8467 小人 xiǎorén
8468 小生 xiǎoshēng
8469 小數 xiǎoshù
8470 小偷 xiǎotōu
8471 小腿 xiǎotuǐ
8472 小雪 xiǎoxuě
8473 小夜曲 xiǎoyèqǔ
8474 曉 xiǎo
8475 孝 xiào
8476 孝敬 xiàojìng
8477 孝順 xiàoshùn
8478 孝子 xiàozǐ
8479 肖 xiào
8480 肖像 xiàoxiàng
8481 校風 xiàofēng
8482 校舍 xiàoshè
8483 校園 xiàoyuán
8484 哮喘 xiàochuǎn
8485 笑臉 xiàoliǎn
8486 笑語 xiàoyǔ
8487 效法 xiàofǎ
8488 效勞 xiàoláo
8489 效能 xiàonéng
8490 效驗 xiàoyàn
8491 效用 xiàoyòng
8492 效忠 xiàozhōng
8493 嘯 xiào
8494 楔 xiē
8495 歇脚 xiējiǎo
8496 協 xié
8497 協和 xiéhé
8498 協力 xiélì
8499 協約 xiéyuē
8500 協奏曲 xiézòuqǔ
8501 邪惡 xié'è
8502 邪路 xiélù
8503 邪氣 xiéqì
8504 脅 xié
8505 脅迫 xiépò
8506 挾 xié
8507 偕 xié
8508 斜面 xiémiàn
8509 斜坡 xiépō
8510 諧調 xiétiáo
8511 携 xié
8512 携手 xiéshǒu
8513 寫法 xiěfǎ
8514 寫生 xiěshēng
8515 寫實 xiěshí
8516 寫意 xiěyì
8517 寫照 xiězhào
8518 寫字檯 xiězìtái
8519 泄漏 xièlòu
8520 泄露 xièlòu
8521 泄氣 xièqì
8522 瀉 xiè
8523 卸 xiè
8524 屑 xiè
8525 械 xiè
8526 械鬥 xièdòu
8527 褻瀆 xièdú
8528 謝絶 xièjué
8529 心愛 xīn'ài
8530 心病 xīnbìng
8531 心不在焉 xīnbùzàiyān
8532 心腸 xīncháng
8533 心得 xīndé
8534 心地 xīndì
8535 心煩 xīnfán
8536 心房 xīnfáng

8537 心肝 xīngān
8538 心慌 xīnhuāng
8539 心急 xīnjí
8540 心計 xīnjì
8541 心悸 xīnjì
8542 心境 xīnjìng
8543 心坎 xīnkǎn
8544 心口 xīnkǒu
8545 心曠神怡 xīnkuàng-shényí
8546 心力 xīnlì
8547 心律 xīnlǜ
8548 心率 xīnlǜ
8549 心切 xīnqiè
8550 心神 xīnshén
8551 心聲 xīnshēng
8552 心室 xīnshì
8553 心酸 xīnsuān
8554 心態 xīntài
8555 心疼 xīnténg
8556 心田 xīntián
8557 心跳 xīntiào
8558 心弦 xīnxián
8559 心胸 xīnxiōng
8560 心虛 xīnxū
8561 心緒 xīnxù
8562 心眼兒 xīnyǎnr
8563 心意 xīnyì
8564 心願 xīnyuàn
8565 芯 xīn
8566 辛 xīn
8567 辛辣 xīnlà
8568 辛勞 xīnláo
8569 辛酸 xīnsuān
8570 欣然 xīnrán
8571 欣慰 xīnwèi
8572 欣喜 xīnxǐ
8573 新潮 xīncháo
8574 新房 xīnfáng
8575 新婚 xīnhūn
8576 新近 xīnjìn
8577 新居 xīnjū
8578 新郎 xīnláng
8579 新年 xīnnián
8580 新詩 xīnshī
8581 新書 xīnshū
8582 新星 xīnxīng
8583 新秀 xīnxiù
8584 新學 xīnxué
8585 新意 xīnyì
8586 新月 xīnyuè
8587 薪 xīn
8588 薪金 xīnjīn
8589 薪水 xīn•shuǐ
8590 信步 xìnbù
8591 信風 xìnfēng
8592 信封 xìnfēng
8593 信奉 xìnfèng
8594 信服 xìnfú
8595 信函 xìnhán
8596 信件 xìnjiàn
8597 信賴 xìnlài
8598 信使 xìnshǐ
8599 信條 xìntiáo
8600 信託 xìntuō
8601 信譽 xìnyù
8602 信紙 xìnzhǐ
8603 興辦 xīngbàn
8604 興盛 xīngshèng
8605 興衰 xīngshuāi
8606 興亡 xīngwáng
8607 興旺 xīngwàng
8608 興修 xīngxiū
8609 星辰 xīngchén
8610 星光 xīngguāng
8611 星空 xīngkōng
8612 星體 xīngtǐ
8613 星座 xīngzuò
8614 猩猩 xīngxing
8615 腥 xīng
8616 刑場 xíngchǎng
8617 刑期 xíngqī
8618 刑偵 xíngzhēn
8619 邢 Xíng
8620 行車 xíngchē
8621 行程 xíngchéng
8622 行船 xíngchuán
8623 行將 xíngjiāng
8624 行進 xíngjìn
8625 行徑 xíngjìng
8626 行禮 xínglǐ
8627 行文 xíngwén
8628 行銷 xíngxiāo
8629 行凶 xíngxiōng
8630 行醫 xíngyī
8631 行裝 xíngzhuāng
8632 形容詞 xíngróngcí
8633 型號 xínghào
8634 醒目 xǐngmù
8635 醒悟 xǐngwù
8636 興高采烈 xìnggāo-cǎiliè
8637 興致 xìngzhì
8638 杏兒 xìngr
8639 杏仁 xìngrén
8640 幸 xìng
8641 幸存 xìngcún
8642 幸而 xìng'ér
8643 幸好 xìnghǎo
8644 幸虧 xìngkuī
8645 幸免 xìngmiǎn

8646 幸運 xìngyùn
8647 性愛 xìng'ài
8648 性病 xìngbìng
8649 性急 xìngjí
8650 性命 xìngmìng
8651 性子 xìngzi
8652 姓氏 xìngshì
8653 凶殘 xiōngcán
8654 凶惡 xiōng'è
8655 凶犯 xiōngfàn
8656 凶狠 xiōnghěn
8657 凶猛 xiōngměng
8658 凶手 xiōngshǒu
8659 匈奴 Xiōngnú
8660 洶涌 xiōngyǒng
8661 胸骨 xiōnggǔ
8662 胸懷 xiōnghuái
8663 胸襟 xiōngjīn
8664 胸口 xiōngkǒu
8665 胸腔 xiōngqiāng
8666 胸膛 xiōngtáng
8667 胸有成竹 xiōngyǒuchéngzhú
8668 雄辯 xióngbiàn
8669 雄厚 xiónghòu
8670 雄渾 xiónghún
8671 雄蕊 xióngruǐ
8672 雄心 xióngxīn
8673 雄性 xióngxìng
8674 雄壯 xióngzhuàng
8675 雄姿 xióngzī
8676 熊猫 xióngmāo
8677 休 xiū
8678 休假 xiūjià
8679 休想 xiūxiǎng
8680 休養 xiūyǎng
8681 休整 xiūzhěng
8682 休止 xiūzhǐ
8683 修補 xiūbǔ
8684 修長 xiūcháng
8685 修訂 xiūdìng
8686 修好 xiūhǎo
8687 修剪 xiūjiǎn
8688 修配 xiūpèi
8689 修繕 xiūshàn
8690 修飾 xiūshì
8691 修行 xiū•xíng
8692 修整 xiūzhěng
8693 修築 xiūzhù
8694 羞 xiū
8695 羞恥 xiūchǐ
8696 羞愧 xiūkuì
8697 羞怯 xiūqiè
8698 羞辱 xiūrǔ
8699 羞澀 xiūsè
8700 朽 xiǔ
8701 秀 xiù
8702 秀才 xiùcai
8703 秀麗 xiùlì
8704 秀美 xiùměi
8705 秀氣 xiùqi
8706 袖口 xiùkǒu
8707 袖珍 xiùzhēn
8708 袖子 xiùzi
8709 綉花 xiùhuā
8710 銹 xiù
8711 嗅覺 xiùjué
8712 戌 xū
8713 須要 xūyào
8714 須臾 xūyú
8715 須知 xūzhī
8716 虚構 xūgòu
8717 虚幻 xūhuàn
8718 虚假 xūjiǎ
8719 虚擬 xūnǐ
8720 虚弱 xūruò
8721 虚實 xūshí
8722 虚妄 xūwàng
8723 虚僞 xūwěi
8724 虚無 xūwú
8725 虚綫 xūxiàn
8726 虚心 xūxīn
8727 噓 xū
8728 許久 xǔjiǔ
8729 許諾 xǔnuò
8730 許願 xǔyuàn
8731 旭日 xùrì
8732 序列 xùliè
8733 序幕 xùmù
8734 序曲 xùqǔ
8735 序數 xùshù
8736 序言 xùyán
8737 叙 xù
8738 叙事 xùshì
8739 叙説 xùshuō
8740 畜牧 xùmù
8741 緒 xù
8742 續 xù
8743 絮 xù
8744 蓄 xù
8745 蓄電池 xùdiànchí
8746 蓄積 xùjī
8747 蓄意 xùyì
8748 宣 xuān
8749 宣稱 xuānchēng
8750 宣讀 xuāndú
8751 宣講 xuānjiǎng
8752 宣誓 xuānshì
8753 宣泄 xuānxiè
8754 宣戰 xuānzhàn
8755 喧嘩 xuānhuá

8756 喧鬧 xuānnào
8757 喧嚷 xuānrǎng
8758 喧囂 xuānxiāo
8759 玄 xuán
8760 懸浮 xuánfú
8761 懸空 xuánkōng
8762 懸念 xuánniàn
8763 懸殊 xuánshū
8764 懸崖 xuányá
8765 旋即 xuánjí
8766 旋渦 xuánwō
8767 選集 xuǎnjí
8768 選民 xuǎnmín
8769 選派 xuǎnpài
8770 選票 xuǎnpiào
8771 選取 xuǎnqǔ
8772 選送 xuǎnsòng
8773 選種 xuǎnzhǒng
8774 癬 xuǎn
8775 炫耀 xuànyào
8776 絢麗 xuànlì
8777 眩暈 xuànyùn
8778 旋風 xuànfēng
8779 渲染 xuànrǎn
8780 削價 xuējià
8781 削減 xuējiǎn
8782 靴 xuē
8783 靴子 xuēzi
8784 薛 Xuē
8785 穴位 xuéwèi
8786 學報 xuébào
8787 學費 xuéfèi
8788 學風 xuéfēng
8789 學府 xuéfǔ
8790 學界 xuéjiè
8791 學歷 xuélì
8792 學齡 xuélíng
8793 學年 xuénián
8794 學期 xuéqī
8795 學識 xuéshí
8796 學士 xuéshì
8797 學位 xuéwèi
8798 學業 xuéyè
8799 學制 xuézhì
8800 雪茄 xuějiā
8801 雪亮 xuěliàng
8802 雪片 xuěpiàn
8803 雪山 xuěshān
8804 雪綫 xuěxiàn
8805 雪原 xuěyuán
8806 血汗 xuèhàn
8807 血紅 xuèhóng
8808 血迹 xuèjì
8809 血漿 xuèjiāng
8810 血泪 xuèlèi
8811 血脉 xuèmài
8812 血泊 xuèpō
8813 血氣 xuèqì
8814 血親 xuèqīn
8815 血清 xuèqīng
8816 血肉 xuèròu
8817 血色 xuèsè
8818 血糖 xuètáng
8819 血統 xuètǒng
8820 血腥 xuèxīng
8821 血型 xuèxíng
8822 血壓 xuèyā
8823 血緣 xuèyuán
8824 勛章 xūnzhāng
8825 熏 xūn
8826 熏陶 xūntáo
8827 薰 xūn
8828 旬 xún
8829 尋常 xúncháng
8830 尋根 xúngēn
8831 尋覓 xúnmì
8832 巡 xún
8833 巡迴 xúnhuí
8834 巡警 xúnjǐng
8835 巡邏 xúnluó
8836 巡視 xúnshì
8837 循 xún
8838 訓斥 xùnchì
8839 訓話 xùnhuà
8840 訊 xùn
8841 訊號 xùnhào
8842 汛 xùn
8843 汛期 xùnqī
8844 迅 xùn
8845 迅猛 xùnměng
8846 馴 xùn
8847 馴服 xùnfú
8848 馴化 xùnhuà
8849 馴鹿 xùnlù
8850 馴養 xùnyǎng
8851 遜 xùn
8852 遜色 xùnsè
8853 丫頭 yātou
8854 壓倒 yādǎo
8855 壓低 yādī
8856 壓榨 yāzhà
8857 押送 yāsòng
8858 押韵 yāyùn
8859 鴨子 yāzi
8860 牙膏 yágāo
8861 牙關 yáguān
8862 牙刷 yáshuā
8863 牙齦 yáyín
8864 蚜蟲 yáchóng
8865 崖 yá
8866 衙門 yámen

8867 啞 yǎ
8868 啞巴 yǎba
8869 啞劇 yǎjù
8870 雅 yǎ
8871 雅致 yǎzhì
8872 軋 yà
8873 亞軍 yàjūn
8874 亞麻 yàmá
8875 亞熱帶 yàrèdài
8876 咽喉 yānhóu
8877 殷紅 yānhóng
8878 胭脂 yānzhi
8879 烟草 yāncǎo
8880 烟塵 yānchén
8881 烟袋 yāndài
8882 烟斗 yāndǒu
8883 烟花 yānhuā
8884 烟灰 yānhuī
8885 烟火 yānhuǒ
8886 烟幕 yānmù
8887 烟筒 yāntong
8888 烟霧 yānwù
8889 烟葉 yānyè
8890 焉 yān
8891 淹 yān
8892 淹没 yānmò
8893 腌 yān
8894 湮没 yānmò
8895 燕 Yān
8896 延 yán
8897 延遲 yánchí
8898 延緩 yánhuǎn
8899 延期 yánqī
8900 延誤 yánwù
8901 嚴懲 yánchéng
8902 嚴冬 yándōng
8903 嚴謹 yánjǐn
8904 嚴禁 yánjìn
8905 嚴酷 yánkù
8906 嚴守 yánshǒu
8907 嚴正 yánzhèng
8908 言傳 yánchuán
8909 言辭 yáncí
8910 言談 yántán
8911 岩層 yáncéng
8912 岩洞 yándòng
8913 岩漿 yánjiāng
8914 炎熱 yánrè
8915 炎症 yánzhèng
8916 沿路 yánlù
8917 沿途 yántú
8918 沿襲 yánxí
8919 沿綫 yánxiàn
8920 沿用 yányòng
8921 研讀 yándú
8922 研究員 yánjiūyuán
8923 研討 yántǎo
8924 鹽場 yánchǎng
8925 鹽分 yánfèn
8926 鹽田 yántián
8927 閻 Yán
8928 筵席 yánxí
8929 顔 yán
8930 顔料 yánliào
8931 顔面 yánmiàn
8932 檐 yán
8933 儼然 yǎnrán
8934 衍 yǎn
8935 掩 yǎn
8936 掩蔽 yǎnbì
8937 掩埋 yǎnmái
8938 掩飾 yǎnshì
8939 掩映 yǎnyìng
8940 眼底 yǎndǐ
8941 眼紅 yǎnhóng
8942 眼花 yǎnhuā
8943 眼瞼 yǎnjiǎn
8944 眼見 yǎnjiàn
8945 眼角 yǎnjiǎo
8946 眼界 yǎnjiè
8947 眼眶 yǎnkuàng
8948 眼力 yǎnlì
8949 眼簾 yǎnlián
8950 眼皮 yǎnpí
8951 眼球 yǎnqiú
8952 眼圈 yǎnquān
8953 眼色 yǎnsè
8954 眼窩 yǎnwō
8955 演技 yǎnjì
8956 演進 yǎnjìn
8957 演示 yǎnshì
8958 演算 yǎnsuàn
8959 演習 yǎnxí
8960 演戲 yǎnxì
8961 演義 yǎnyì
8962 厭煩 yànfán
8963 厭倦 yànjuàn
8964 厭世 yànshì
8965 硯 yàn
8966 艷 yàn
8967 艷麗 yànlì
8968 宴 yàn
8969 宴席 yànxí
8970 驗收 yànshōu
8971 諺語 yànyǔ
8972 堰 yàn
8973 雁 yàn
8974 焰 yàn
8975 燕 yàn
8976 燕麥 yànmài
8977 燕子 yànzi

8978 央求 yāngqiú
8979 秧歌 yāngge
8980 秧苗 yāngmiáo
8981 秧田 yāngtián
8982 揚弃 yángqì
8983 揚言 yángyán
8984 羊羔 yánggāo
8985 陽曆 yánglì
8986 陽臺 yángtái
8987 陽性 yángxìng
8988 楊柳 yángliǔ
8989 楊梅 yángméi
8990 佯 yáng
8991 洋葱 yángcōng
8992 洋流 yángliú
8993 洋溢 yángyì
8994 仰慕 yǎngmù
8995 仰望 yǎngwàng
8996 養病 yǎngbìng
8997 養護 yǎnghù
8998 養活 yǎnghuo
8999 養老 yǎnglǎo
9000 養生 yǎngshēng
9001 養育 yǎngyù
9002 癢 yǎng
9003 樣板 yàngbǎn
9004 漾 yàng
9005 夭折 yāozhé
9006 吆喝 yāohe
9007 妖 yāo
9008 妖怪 yāo•guài
9009 妖精 yāojing
9010 要挾 yāoxié
9011 腰帶 yāodài
9012 腰身 yāoshēn
9013 邀 yāo
9014 堯 Yáo
9015 姚 Yáo
9016 窑 yáo
9017 窑洞 yáodòng
9018 謡言 yáoyán
9019 摇擺 yáobǎi
9020 摇動 yáodòng
9021 摇籃 yáolán
9022 摇曳 yáoyè
9023 徭役 yáoyì
9024 遥控 yáokòng
9025 遥望 yáowàng
9026 瑶 yáo
9027 舀 yǎo
9028 窈窕 yǎotiǎo
9029 藥材 yàocái
9030 藥店 yàodiàn
9031 藥方 yàofāng
9032 藥劑 yàojì
9033 藥水 yàoshuǐ
9034 要道 yàodào
9035 要地 yàodì
9036 要點 yàodiǎn
9037 要害 yàohài
9038 要好 yàohǎo
9039 要件 yàojiàn
9040 要領 yàolǐng
9041 要命 yàomìng
9042 要人 yàorén
9043 要職 yàozhí
9044 耀 yào
9045 耀眼 yàoyǎn
9046 掖 yē
9047 椰子 yēzi
9048 噎 yē
9049 冶 yě
9050 野菜 yěcài
9051 野地 yědì
9052 野心 yěxīn
9053 野性 yěxìng
9054 業績 yèjì
9055 業已 yèyǐ
9056 業主 yèzhǔ
9057 葉柄 yèbǐng
9058 葉緑素 yèlǜsù
9059 葉脉 yèmài
9060 曳 yè
9061 夜班 yèbān
9062 夜空 yèkōng
9063 夜幕 yèmù
9064 夜色 yèsè
9065 夜市 yèshì
9066 夜校 yèxiào
9067 掖 yè
9068 液化 yèhuà
9069 液晶 yèjīng
9070 腋 yè
9071 一籌莫展 yīchóu-mòzhǎn
9072 一點兒 yīdiǎnr
9073 一帆風順 yīfān-fēngshùn
9074 一概 yīgài
9075 一舉 yījǔ
9076 一流 yīliú
9077 一目瞭然 yīmù-liǎorán
9078 一瞥 yīpiē
9079 一氣 yīqì
9080 一瞬 yīshùn
9081 一絲不苟 yīsī-bùgǒu
9082 伊 yī
9083 衣襟 yījīn
9084 衣料 yīliào

9085 衣衫 yīshān
9086 衣食 yīshí
9087 衣物 yīwù
9088 衣着 yīzhuó
9089 醫師 yīshī
9090 醫務 yīwù
9091 醫治 yīzhì
9092 依存 yīcún
9093 依戀 yīliàn
9094 依托 yītuō
9095 依偎 yīwēi
9096 依稀 yīxī
9097 依仗 yīzhàng
9098 儀表 yíbiǎo
9099 夷 yí
9100 宜人 yírén
9101 貽誤 yíwù
9102 姨 yí
9103 姨媽 yímā
9104 胰島素 yídǎosù
9105 胰腺 yíxiàn
9106 移交 yíjiāo
9107 移居 yíjū
9108 遺存 yícún
9109 遺風 yífēng
9110 遺迹 yíjì
9111 遺漏 yílòu
9112 遺弃 yíqì
9113 遺失 yíshī
9114 遺體 yítǐ
9115 遺忘 yíwàng
9116 遺物 yíwù
9117 遺像 yíxiàng
9118 遺言 yíyán
9119 疑慮 yílǜ
9120 疑難 yínán
9121 疑團 yítuán
9122 疑心 yíxīn
9123 已然 yǐrán
9124 已往 yǐwǎng
9125 倚靠 yǐkào
9126 義氣 yì•qì
9127 藝人 yìrén
9128 憶 yì
9129 議案 yì'àn
9130 議程 yìchéng
9131 議定 yìdìng
9132 議價 yìjià
9133 議决 yìjué
9134 議題 yìtí
9135 屹立 yìlì
9136 异彩 yìcǎi
9137 异端 yìduān
9138 异國 yìguó
9139 异化 yìhuà
9140 异己 yìjǐ
9141 异體 yìtǐ
9142 异同 yìtóng
9143 异物 yìwù
9144 异鄉 yìxiāng
9145 异性 yìxìng
9146 异樣 yìyàng
9147 异議 yìyì
9148 异族 yìzú
9149 抑 yì
9150 抑或 yìhuò
9151 抑揚頓挫 yìyáng-dùncuò
9152 抑鬱 yìyù
9153 邑 yì
9154 役使 yìshǐ
9155 譯本 yìběn
9156 譯文 yìwén
9157 驛站 yìzhàn
9158 疫 yì
9159 疫苗 yìmiáo
9160 益蟲 yìchóng
9161 益處 yì•chù
9162 逸 yì
9163 翌日 yìrì
9164 意會 yìhuì
9165 意料 yìliào
9166 意念 yìniàn
9167 意想 yìxiǎng
9168 意向 yìxiàng
9169 意願 yìyuàn
9170 意藴 yìyùn
9171 意旨 yìzhǐ
9172 溢 yì
9173 毅力 yìlì
9174 熠熠 yìyì
9175 臆造 yìzào
9176 因襲 yīnxí
9177 陰暗 yīn'àn
9178 陰沉 yīnchén
9179 陰極 yīnjí
9180 陰間 yīnjiān
9181 陰冷 yīnlěng
9182 陰曆 yīnlì
9183 陰凉 yīnliáng
9184 陰霾 yīnmái
9185 陰森 yīnsēn
9186 陰險 yīnxiǎn
9187 陰性 yīnxìng
9188 陰雨 yīnyǔ
9189 陰鬱 yīnyù
9190 陰雲 yīnyún
9191 音標 yīnbiāo
9192 音程 yīnchéng
9193 音符 yīnfú
9194 音高 yīngāo

9195	音量	yīnliàng
9196	音律	yīnlǜ
9197	音色	yīnsè
9198	音訊	yīnxùn
9199	音譯	yīnyì
9200	音韵	yīnyùn
9201	姻緣	yīnyuán
9202	殷	yīn
9203	殷切	yīnqiè
9204	殷勤	yīnqín
9205	吟	yín
9206	銀河	yínhé
9207	銀幕	yínmù
9208	銀杏	yínxìng
9209	銀元	yínyuán
9210	銀子	yínzi
9211	淫	yín
9212	淫穢	yínhuì
9213	寅	yín
9214	尹	yǐn
9215	引發	yǐnfā
9216	引路	yǐnlù
9217	引擎	yǐnqíng
9218	引申	yǐnshēn
9219	引水	yǐnshuǐ
9220	引文	yǐnwén
9221	引誘	yǐnyòu
9222	引證	yǐnzhèng
9223	飲料	yǐnliào
9224	飲水	yǐnshuǐ
9225	隱患	yǐnhuàn
9226	隱居	yǐnjū
9227	隱瞞	yǐnmán
9228	隱秘	yǐnmì
9229	隱没	yǐnmò
9230	隱士	yǐnshì
9231	隱約	yǐnyuē
9232	癮	yǐn
9233	印發	yìnfā
9234	印花	yìnhuā
9235	印記	yìnjì
9236	印染	yìnrǎn
9237	印行	yìnxíng
9238	印章	yìnzhāng
9239	印證	yìnzhèng
9240	蔭庇	yìnbì
9241	應屆	yīngjiè
9242	應允	yīngyǔn
9243	英鎊	yīngbàng
9244	英俊	yīngjùn
9245	英明	yīngmíng
9246	英武	yīngwǔ
9247	嬰	yīng
9248	櫻花	yīnghuā
9249	櫻桃	yīng·táo
9250	鸚鵡	yīngwǔ
9251	膺	yīng
9252	迎風	yíngfēng
9253	迎合	yínghé
9254	迎面	yíngmiàn
9255	迎親	yíngqīn
9256	迎頭	yíngtóu
9257	迎戰	yíngzhàn
9258	熒光	yíngguāng
9259	熒屏	yíngpíng
9260	盈	yíng
9261	盈虧	yíngkuī
9262	盈餘	yíngyú
9263	螢	yíng
9264	營地	yíngdì
9265	營房	yíngfáng
9266	營救	yíngjiù
9267	營壘	yínglěi
9268	營造	yíngzào
9269	縈繞	yíngrào
9270	蠅	yíng
9271	贏	yíng
9272	贏利	yínglì
9273	影射	yǐngshè
9274	影像	yǐngxiàng
9275	影院	yǐngyuàn
9276	應變	yìngbiàn
9277	應酬	yìngchou
9278	應對	yìngduì
9279	應急	yìngjí
9280	應考	yìngkǎo
9281	應邀	yìngyāo
9282	應戰	yìngzhàn
9283	應徵	yìngzhēng
9284	映照	yìngzhào
9285	硬幣	yìngbì
9286	硬度	yìngdù
9287	硬化	yìnghuà
9288	硬件	yìngjiàn
9289	硬性	yìngxìng
9290	擁抱	yōngbào
9291	擁戴	yōngdài
9292	癰	yōng
9293	庸俗	yōngsú
9294	壅	yōng
9295	臃腫	yōngzhǒng
9296	永別	yǒngbié
9297	永生	yǒngshēng
9298	甬道	yǒngdào
9299	咏	yǒng
9300	咏嘆調	yǒngtàndiào
9301	泳	yǒng
9302	勇	yǒng
9303	勇猛	yǒngměng
9304	勇士	yǒngshì
9305	蛹	yǒng

9306 踴躍 yǒngyuè
9307 用場 yòngchǎng
9308 用法 yòngfǎ
9309 用工 yònggōng
9310 用功 yònggōng
9311 用勁 yòngjìn
9312 用具 yòngjù
9313 用心 yòngxīn
9314 用意 yòngyì
9315 佣金 yòngjīn
9316 優待 yōudài
9317 優厚 yōuhòu
9318 優化 yōuhuà
9319 優生 yōushēng
9320 優勝 yōushèng
9321 優雅 yōuyǎ
9322 優异 yōuyì
9323 憂 yōu
9324 憂愁 yōuchóu
9325 憂慮 yōulǜ
9326 憂傷 yōushāng
9327 幽暗 yōu'àn
9328 幽静 yōujìng
9329 幽靈 yōulíng
9330 幽深 yōushēn
9331 幽雅 yōuyǎ
9332 悠長 yōucháng
9333 悠然 yōurán
9334 悠閑 yōuxián
9335 悠揚 yōuyáng
9336 由來 yóulái
9337 由衷 yóuzhōng
9338 郵 yóu
9339 郵電 yóudiàn
9340 郵寄 yóujì
9341 郵件 yóujiàn
9342 郵局 yóujú
9343 郵政 yóuzhèng
9344 猶疑 yóuyí
9345 油菜 yóucài
9346 油茶 yóuchá
9347 油井 yóujǐng
9348 油輪 yóulún
9349 油門 yóumén
9350 油墨 yóumò
9351 油膩 yóunì
9352 油漆 yóuqī
9353 油條 yóutiáo
9354 油污 yóuwū
9355 油脂 yóuzhī
9356 游蕩 yóudàng
9357 游記 yóujì
9358 游客 yóukè
9359 游覽 yóulǎn
9360 游樂 yóulè
9361 游離 yóulí
9362 游歷 yóulì
9363 游牧 yóumù
9364 游人 yóurén
9365 游玩 yóuwán
9366 游藝 yóuyì
9367 游子 yóuzǐ
9368 友愛 yǒu'ài
9369 友邦 yǒubāng
9370 友情 yǒuqíng
9371 有償 yǒucháng
9372 有待 yǒudài
9373 有的放矢 yǒudì-fàngshǐ
9374 有理 yǒulǐ
9375 有心 yǒuxīn
9376 有形 yǒuxíng
9377 有幸 yǒuxìng
9378 有餘 yǒuyú
9379 酉 yǒu
9380 黝黑 yǒuhēi
9381 右面 yòu•miàn
9382 右傾 yòuqīng
9383 右翼 yòuyì
9384 幼兒園 yòu'éryuán
9385 幼體 yòutǐ
9386 幼小 yòuxiǎo
9387 幼稚 yòuzhì
9388 佑 yòu
9389 柚子 yòuzi
9390 誘 yòu
9391 誘發 yòufā
9392 誘惑 yòuhuò
9393 誘因 yòuyīn
9394 釉 yòu
9395 迂 yū
9396 迂迴 yūhuí
9397 淤 yū
9398 淤積 yūjī
9399 淤泥 yūní
9400 餘額 yú'é
9401 餘糧 yúliáng
9402 餘年 yúnián
9403 魚雷 yúléi
9404 魚鱗 yúlín
9405 魚苗 yúmiáo
9406 俞 Yú
9407 漁場 yúchǎng
9408 漁船 yúchuán
9409 漁村 yúcūn
9410 漁夫 yúfū
9411 漁民 yúmín
9412 漁網 yúwǎng
9413 隅 yú
9414 逾 yú
9415 逾期 yúqī

9416 逾越　yúyuè
9417 愉悦　yúyuè
9418 榆　yú
9419 虞　yú
9420 愚　yú
9421 愚蠢　yúchǔn
9422 愚昧　yúmèi
9423 愚弄　yúnòng
9424 與日俱增
yǔrìjùzēng
9425 宇航　yǔháng
9426 羽毛球 yǔmáoqiú
9427 羽絨　yǔróng
9428 雨點兒 yǔdiǎnr
9429 雨季　yǔjì
9430 雨量　yǔliàng
9431 雨傘　yǔsǎn
9432 雨衣　yǔyī
9433 禹　Yǔ
9434 語詞　yǔcí
9435 語調　yǔdiào
9436 語彙　yǔhuì
9437 語録　yǔlù
9438 語重心長
yǔzhòng-xīncháng
9439 與會　yùhuì
9440 鬱　yù
9441 鬱悶　yùmèn
9442 育才　yùcái
9443 育苗　yùmiáo
9444 獄　yù
9445 浴　yù
9446 浴場　yùchǎng
9447 浴池　yùchí
9448 浴室　yùshì
9449 預感　yùgǎn
9450 預見　yùjiàn
9451 預示　yùshì
9452 預想　yùxiǎng
9453 預約　yùyuē
9454 預兆　yùzhào
9455 預知　yùzhī
9456 欲念　yùniàn
9457 諭　yù
9458 遇難　yùnàn
9459 喻　yù
9460 御　yù
9461 寓　yù
9462 寓所　yùsuǒ
9463 寓言　yùyán
9464 寓意　yùyì
9465 寓於　yùyú
9466 愈合　yùhé
9467 愈加　yùjiā
9468 愈益　yùyì
9469 譽　yù
9470 豫　yù
9471 鴛鴦　yuān•yāng
9472 冤　yuān
9473 冤案　yuān'àn
9474 冤枉　yuānwang
9475 淵　yuān
9476 淵博　yuānbó
9477 淵源　yuānyuán
9478 元寶　yuánbǎo
9479 元旦　Yuándàn
9480 元件　yuánjiàn
9481 元老　yuánlǎo
9482 元氣　yuánqì
9483 元首　yuánshǒu
9484 元帥　yuánshuài
9485 元宵　yuánxiāo
9486 元音　yuányīn
9487 元月　yuányuè
9488 園地　yuándì
9489 園丁　yuándīng
9490 園林　yuánlín
9491 園藝　yuányì
9492 員工　yuángōng
9493 垣　yuán
9494 原本　yuánběn
9495 原稿　yuángǎo
9496 原告　yuángào
9497 原籍　yuánjí
9498 原價　yuánjià
9499 原煤　yuánméi
9500 原文　yuánwén
9501 原形　yuánxíng
9502 原型　yuánxíng
9503 原樣　yuányàng
9504 原野　yuányě
9505 原意　yuányì
9506 原油　yuányóu
9507 原著　yuánzhù
9508 原狀　yuánzhuàng
9509 原作　yuánzuò
9510 圓場　yuánchǎng
9511 圓滿　yuánmǎn
9512 圓圈　yuánquān
9513 圓潤　yuánrùn
9514 圓舞曲 yuánwǔqǔ
9515 圓周　yuánzhōu
9516 圓柱　yuánzhù
9517 圓錐　yuánzhuī
9518 圓桌　yuánzhuō
9519 援　yuán
9520 援兵　yuánbīng
9521 緣由　yuányóu
9522 猿　yuán
9523 猿猴　yuánhóu
9524 猿人　yuánrén

9525 源流 yuánliú
9526 源頭 yuántóu
9527 遠程 yuǎnchéng
9528 遠大 yuǎndà
9529 遠古 yuǎngǔ
9530 遠航 yuǎnháng
9531 遠見 yuǎnjiàn
9532 遠近 yuǎnjìn
9533 遠景 yuǎnjǐng
9534 遠洋 yuǎnyáng
9535 遠征 yuǎnzhēng
9536 苑 yuàn
9537 怨恨 yuànhèn
9538 怨氣 yuànqì
9539 怨言 yuànyán
9540 院落 yuànluò
9541 院士 yuànshì
9542 約定 yuēdìng
9543 約法 yuēfǎ
9544 約會 yuēhuì
9545 月餅 yuèbing
9546 月季 yuè•jì
9547 月刊 yuèkān
9548 月色 yuèsè
9549 月食 yuèshí
9550 月夜 yuèyè
9551 樂譜 yuèpǔ
9552 樂師 yuèshī
9553 樂團 yuètuán
9554 樂音 yuèyīn
9555 樂章 yuèzhāng
9556 岳 yuè
9557 岳父 yuèfù
9558 岳母 yuèmǔ
9559 閱 yuè
9560 閱兵 yuèbīng
9561 閱歷 yuèlì
9562 悦 yuè
9563 悦耳 yuè'ěr
9564 越發 yuèfā
9565 越軌 yuèguǐ
9566 暈 yūn
9567 雲彩 yúncai
9568 雲層 yúncéng
9569 雲端 yúnduān
9570 雲朵 yúnduǒ
9571 雲海 yúnhǎi
9572 雲集 yúnjí
9573 雲霧 yúnwù
9574 雲游 yúnyóu
9575 勻稱 yún•chèn
9576 允 yǔn
9577 隕石 yǔnshí
9578 孕 yùn
9579 孕婦 yùnfù
9580 孕育 yùnyù
9581 運籌 yùnchóu
9582 運費 yùnfèi
9583 運河 yùnhé
9584 運氣 yùnqi
9585 運送 yùnsòng
9586 運銷 yùnxiāo
9587 運載 yùnzài
9588 運作 yùnzuò
9589 暈 yùn
9590 醞釀 yùnniàng
9591 韵律 yùnlǜ
9592 韵味 yùnwèi
9593 蘊 yùn
9594 蘊含 yùnhán
9595 蘊涵 yùnhán
9596 咂 zā
9597 雜費 záfèi
9598 雜技 zájì
9599 雜居 zájū
9600 雜劇 zájù
9601 雜糧 záliáng
9602 雜亂 záluàn
9603 雜事 záshì
9604 雜文 záwén
9605 雜音 záyīn
9606 灾 zāi
9607 灾害 zāihài
9608 灾荒 zāihuāng
9609 灾禍 zāihuò
9610 灾民 zāimín
9611 灾情 zāiqíng
9612 哉 zāi
9613 栽植 zāizhí
9614 栽種 zāizhòng
9615 宰 zǎi
9616 宰割 zǎigē
9617 宰相 zǎixiàng
9618 崽 zǎi
9619 再度 zàidù
9620 再會 zàihuì
9621 再婚 zàihūn
9622 再造 zàizào
9623 在行 zàiháng
9624 在乎 zàihu
9625 在世 zàishì
9626 在望 zàiwàng
9627 在位 zàiwèi
9628 在意 zàiyì
9629 在職 zàizhí
9630 在座 zàizuò
9631 載體 zàitǐ
9632 載重 zàizhòng
9633 攢 zǎn
9634 暫且 zànqiě
9635 暫行 zànxíng

9636 贊 zàn
9637 贊歌 zàngē
9638 贊賞 zànshǎng
9639 贊頌 zànsòng
9640 贊同 zàntóng
9641 贊許 zànxǔ
9642 贊譽 zànyù
9643 贊助 zànzhù
9644 臟腑 zàngfǔ
9645 葬禮 zànglǐ
9646 葬身 zàngshēn
9647 葬送 zàngsòng
9648 遭殃 zāoyāng
9649 糟糕 zāogāo
9650 糟粕 zāopò
9651 糟蹋 zāo•tà
9652 鑿 záo
9653 早春 zǎochūn
9654 早稻 zǎodào
9655 早點 zǎodiǎn
9656 早飯 zǎofàn
9657 早婚 zǎohūn
9658 早年 zǎonián
9659 早熟 zǎoshú
9660 早晚 zǎowǎn
9661 早先 zǎoxiān
9662 棗 zǎo
9663 澡 zǎo
9664 造反 zàofǎn
9665 造福 zàofú
9666 造價 zàojià
9667 造句 zàojù
9668 造謠 zàoyáo
9669 造詣 zàoyì
9670 噪 zào
9671 噪聲 zàoshēng
9672 噪音 zàoyīn
9673 燥 zào
9674 躁 zào
9675 責備 zébèi
9676 責成 zéchéng
9677 責怪 zéguài
9678 責令 zélìng
9679 責罵 zémà
9680 責難 zénàn
9681 責問 zéwèn
9682 擇 zé
9683 擇優 zéyōu
9684 澤 zé
9685 嘖嘖 zézé
9686 仄 zè
9687 增補 zēngbǔ
9688 增設 zēngshè
9689 增生 zēngshēng
9690 增收 zēngshōu
9691 增援 zēngyuán
9692 增值 zēngzhí
9693 憎 zēng
9694 憎恨 zēnghèn
9695 憎惡 zēngwù
9696 贈 zèng
9697 贈送 zèngsòng
9698 扎根 zhāgēn
9699 扎實 zhāshi
9700 渣滓 zhā•zǐ
9701 軋 zhá
9702 閘 zhá
9703 閘門 zhámén
9704 鍘 zhá
9705 眨巴 zhǎba
9706 眨眼 zhǎyǎn
9707 乍 zhà
9708 詐 zhà
9709 詐騙 zhàpiàn
9710 柵欄 zhàlan
9711 炸藥 zhàyào
9712 蚱蜢 zhàměng
9713 榨 zhà
9714 榨取 zhàqǔ
9715 齋 zhāi
9716 摘除 zhāichú
9717 宅 zhái
9718 宅子 zháizi
9719 擇菜 zháicài
9720 債權 zhàiquán
9721 債券 zhàiquàn
9722 寨子 zhàizi
9723 占卜 zhānbǔ
9724 沾染 zhānrǎn
9725 氈 zhān
9726 粘連 zhānlián
9727 瞻 zhan
9728 瞻仰 zhānyǎng
9729 斬 zhǎn
9730 展翅 zhǎnchì
9731 展望 zhǎnwàng
9732 展銷 zhǎnxiāo
9733 輾轉 zhǎnzhuǎn
9734 戰敗 zhànbài
9735 戰備 zhànbèi
9736 戰地 zhàndì
9737 戰犯 zhànfàn
9738 戰俘 zhànfú
9739 戰功 zhàngōng
9740 戰壕 zhànháo
9741 戰火 zhànhuǒ
9742 戰績 zhànjì
9743 戰局 zhànjú
9744 戰栗 zhànlì
9745 戰亂 zhànluàn
9746 戰區 zhànqū

9747 戰事 zhànshì
9748 站崗 zhàngǎng
9749 站立 zhànlì
9750 站臺 zhàntái
9751 蘸 zhàn
9752 張羅 zhāngluo
9753 張貼 zhāngtiē
9754 張望 zhāngwàng
9755 章法 zhāngfǎ
9756 章節 zhāngjié
9757 樟腦 zhāngnǎo
9758 長輩 zhǎngbèi
9759 長老 zhǎnglǎo
9760 長相 zhǎngxiàng
9761 長者 zhǎngzhě
9762 漲潮 zhǎngcháo
9763 掌舵 zhǎngduò
9764 掌管 zhǎngguǎn
9765 掌權 zhǎngquán
9766 掌心 zhǎngxīn
9767 丈量 zhàngliáng
9768 丈人 zhàngren
9769 杖 zhàng
9770 帳子 zhàngzi
9771 賬本 zhàngběn
9772 賬房 zhàngfáng
9773 賬目 zhàngmù
9774 障 zhàng
9775 招標 zhāobiāo
9776 招考 zhāokǎo
9777 招徠 zhāolái
9778 招募 zhāomù
9779 招牌 zhāopai
9780 招聘 zhāopìn
9781 招收 zhāoshōu
9782 招手 zhāoshǒu
9783 招致 zhāozhì
9784 昭 zhāo
9785 朝氣 zhāoqì
9786 朝夕 zhāoxī
9787 朝霞 zhāoxiá
9788 朝陽 zhāoyáng
9789 着火 zháohuǒ
9790 着迷 zháomí
9791 爪 zhǎo
9792 爪牙 zhǎoyá
9793 找尋 zhǎoxún
9794 沼氣 zhǎoqì
9795 沼澤 zhǎozé
9796 召 zhào
9797 召喚 zhàohuàn
9798 召見 zhàojiàn
9799 兆 zhào
9800 詔 zhào
9801 詔書 zhàoshū
9802 照搬 zhàobān
9803 照辦 zhàobàn
9804 照常 zhàocháng
9805 照管 zhàoguǎn
9806 照會 zhàohuì
9807 照舊 zhàojiù
9808 照看 zhàokàn
9809 照料 zhàoliào
9810 照應 zhào•yìng
9811 罩 zhào
9812 肇事 zhàoshì
9813 折騰 zhēteng
9814 遮蔽 zhēbì
9815 遮擋 zhēdǎng
9816 遮蓋 zhēgài
9817 遮掩 zhēyǎn
9818 摺疊 zhédié
9819 折光 zhéguāng
9820 折合 zhéhé
9821 折舊 zhéjiù
9822 折扣 zhékòu
9823 折算 zhésuàn
9824 折中 zhézhōng
9825 哲 zhé
9826 哲理 zhélǐ
9827 哲人 zhérén
9828 轍 zhé
9829 褶 zhě
9830 褶皺 zhězhòu
9831 浙 Zhè
9832 蔗 zhè
9833 蔗糖 zhètáng
9834 貞 zhēn
9835 貞操 zhēncāo
9836 針頭 zhēntóu
9837 偵破 zhēnpò
9838 偵探 zhēntàn
9839 珍 zhēn
9840 珍寶 zhēnbǎo
9841 珍藏 zhēncáng
9842 珍品 zhēnpǐn
9843 珍視 zhēnshì
9844 珍惜 zhēnxī
9845 珍稀 zhēnxī
9846 珍重 zhēnzhòng
9847 真迹 zhēnjì
9848 真菌 zhēnjūn
9849 真皮 zhēnpí
9850 真切 zhēnqiè
9851 真情 zhēnqíng
9852 真絲 zhēnsī
9853 真相 zhēnxiàng
9854 真心 zhēnxīn
9855 真知 zhēnzhī
9856 真摯 zhēnzhì
9857 砧 zhēn

9858 斟 zhēn
9859 斟酌 zhēnzhuó
9860 臻 zhēn
9861 診 zhěn
9862 診所 zhěnsuǒ
9863 診治 zhěnzhì
9864 枕 zhěn
9865 陣容 zhènróng
9866 陣勢 zhèn•shì
9867 陣亡 zhènwáng
9868 陣綫 zhènxiàn
9869 陣營 zhènyíng
9870 振作 zhènzuò
9871 朕 zhèn
9872 震顫 zhènchàn
9873 震蕩 zhèndàng
9874 震耳欲聾 zhèn'ěryùlóng
9875 震撼 zhènhàn
9876 鎮定 zhèndìng
9877 鎮静 zhènjìng
9878 鎮守 zhènshǒu
9879 正月 zhēngyuè
9880 争辯 zhēngbiàn
9881 争吵 zhēngchǎo
9882 争鬥 zhēngdòu
9883 争端 zhēngduān
9884 争光 zhēngguāng
9885 争鳴 zhēngmíng
9886 争氣 zhēngqì
9887 争議 zhēngyì
9888 争執 zhēngzhí
9889 徵購 zhēnggòu
9890 徵集 zhēngjí
9891 征途 zhēngtú
9892 徵文 zhēngwén
9893 徵詢 zhēngxún
9894 徵兆 zhēngzhào
9895 癥結 zhēngjié
9896 蒸餾 zhēngliú
9897 蒸餾水 zhēngliúshuǐ
9898 蒸汽 zhēngqì
9899 蒸騰 zhēngténg
9900 拯救 zhěngjiù
9901 整編 zhěngbiān
9902 整風 zhěngfēng
9903 整潔 zhěngjié
9904 整數 zhěngshù
9905 整形 zhěngxíng
9906 整修 zhěngxiū
9907 整治 zhěngzhì
9908 正比 zhèngbǐ
9909 正比例 zhèngbǐlì
9910 正步 zhèngbù
9911 正道 zhèngdào
9912 正軌 zhèngguǐ
9913 正極 zhèngjí
9914 正門 zhèngmén
9915 正派 zhèngpài
9916 正氣 zhèngqì
9917 正巧 zhèngqiǎo
9918 正視 zhèngshì
9919 正統 zhèngtǒng
9920 正文 zhèngwén
9921 正午 zhèngwǔ
9922 正直 zhèngzhí
9923 正中 zhèngzhōng
9924 正宗 zhèngzōng
9925 證件 zhèngjiàn
9926 證券 zhèngquàn
9927 證人 zhèng•rén
9928 鄭重 zhèngzhòng
9929 政變 zhèngbiàn
9930 政法 zhèngfǎ
9931 政界 zhèngjiè
9932 政局 zhèngjú
9933 政客 zhèngkè
9934 政論 zhènglùn
9935 政事 zhèngshì
9936 政體 zhèngtǐ
9937 政務 zhèngwù
9938 支架 zhījià
9939 支流 zhīliú
9940 支票 zhīpiào
9941 支取 zhīqǔ
9942 支柱 zhīzhù
9943 隻身 zhīshēn
9944 汁液 zhīyè
9945 芝麻 zhīma
9946 知己 zhījǐ
9947 知了 zhīliǎo
9948 知名 zhīmíng
9949 知情 zhīqíng
9950 知曉 zhīxiǎo
9951 知心 zhīxīn
9952 知音 zhīyīn
9953 肢體 zhītǐ
9954 織物 zhīwù
9955 脂 zhī
9956 脂粉 zhīfěn
9957 執 zhí
9958 執筆 zhíbǐ
9959 執法 zhífǎ
9960 執教 zhíjiào
9961 執拗 zhíniù
9962 執勤 zhíqín
9963 執意 zhíyì
9964 執照 zhízhào
9965 執政 zhízhèng
9966 執着 zhízhuó
9967 直播 zhíbō

9968 直腸 zhícháng
9969 直達 zhídá
9970 直屬 zhíshǔ
9971 直率 zhíshuài
9972 直爽 zhíshuǎng
9973 侄 zhí
9974 侄女 zhí•nǚ
9975 侄子 zhízi
9976 值勤 zhíqín
9977 值日 zhírì
9978 職稱 zhíchēng
9979 職位 zhíwèi
9980 植被 zhíbèi
9981 止步 zhǐbù
9982 祇管 zhǐguǎn
9983 祇消 zhǐxiāo
9984 旨 zhǐ
9985 旨意 zhǐyì
9986 址 zhǐ
9987 紙板 zhǐbǎn
9988 紙幣 zhǐbì
9989 紙漿 zhǐjiāng
9990 紙烟 zhǐyān
9991 紙張 zhǐzhāng
9992 指點 zhǐdiǎn
9993 指甲 zhǐjia(zhījia)
9994 指控 zhǐkòng
9995 指南 zhǐnán
9996 指南針 zhǐnánzhēn
9997 指派 zhǐpài
9998 指使 zhǐshǐ
9999 指頭 zhǐ•tou(zhí•tou)
10000 指望 zhǐwàng
10001 指紋 zhǐwén
10002 指引 zhǐyǐn
10003 指摘 zhǐzhāi
10004 指針 zhǐzhēn
10005 趾 zhǐ
10006 至多 zhìduō
10007 至上 zhìshàng
10008 志氣 zhì•qì
10009 志趣 zhìqù
10010 志向 zhìxiàng
10011 志願 zhìyuàn
10012 志願軍 zhìyuànjūn
10013 幟 zhì
10014 製備 zhìbèi
10015 制裁 zhìcái
10016 制服 zhìfú
10017 製劑 zhìjì
10018 製圖 zhìtú
10019 質地 zhìdì
10020 質樸 zhìpǔ
10021 質問 zhìwèn
10022 炙 zhì
10023 治水 zhìshuǐ
10024 治學 zhìxué
10025 桎梏 zhìgù
10026 致敬 zhìjìng
10027 緻密 zhìmì
10028 致命 zhìmìng
10029 致死 zhìsǐ
10030 致意 zhìyì
10031 擲 zhì
10032 窒息 zhìxī
10033 智育 zhìyù
10034 滯留 zhìliú
10035 滯銷 zhìxiāo
10036 置換 zhìhuàn
10037 置身 zhìshēn
10038 稚 zhì
10039 稚嫩 zhìnèn
10040 稚氣 zhìqì
10041 中層 zhōngcéng
10042 中級 zhōngjí
10043 中間人 zhōngjiānrén
10044 中介 zhōngjiè
10045 中立 zhōnglì
10046 中秋 zhōngqiū
10047 中途 zhōngtú
10048 中文 zhōngwén
10049 中西 zhōngxī
10050 中綫 zhōngxiàn
10051 中藥 zhōngyào
10052 中庸 zhōngyōng
10053 中用 zhōngyòng
10054 中游 zhōngyóu
10055 中止 zhōngzhǐ
10056 中轉 zhōngzhuǎn
10057 忠 zhōng
10058 忠厚 zhōnghòu
10059 忠於 zhōngyú
10060 忠貞 zhōngzhēn
10061 終點 zhōngdiǎn
10062 終端 zhōngduān
10063 終歸 zhōngguī
10064 終極 zhōngjí
10065 終結 zhōngjié
10066 終了 zhōngliǎo
10067 終日 zhōngrì
10068 終生 zhōngshēng
10069 終止 zhōngzhǐ
10070 盅 zhōng
10071 鐘錶 zhōngbiǎo
10072 鐘點 zhōngdiǎn
10073 衷心 zhōngxīn
10074 腫脹 zhǒngzhàng
10075 種姓 zhǒngxìng
10076 冢 zhǒng
10077 中風 zhòngfēng

10078 中肯 zhòngkěn
10079 中意 zhòngyì
10080 仲 zhòng
10081 仲裁 zhòngcái
10082 衆生 zhòngshēng
10083 種地 zhòngdì
10084 種田 zhòngtián
10085 重兵 zhòngbīng
10086 重擔 zhòngdàn
10087 重金 zhòngjīn
10088 重任 zhòngrèn
10089 重傷 zhòngshāng
10090 重心 zhòngxīn
10091 重型 zhòngxíng
10092 重音 zhòngyīn
10093 重用 zhòngyòng
10094 舟 zhōu
10095 周報 zhōubào
10096 周到 zhōu•dào
10097 周而復始 zhōu'érfùshǐ
10098 周刊 zhōukān
10099 周末 zhōumò
10100 周身 zhōushēn
10101 周歲 zhōusuì
10102 周旋 zhōuxuán
10103 周延 zhōuyán
10104 周折 zhōuzhé
10105 洲 zhōu
10106 粥 zhōu
10107 軸綫 zhóuxiàn
10108 肘 zhǒu
10109 咒 zhòu
10110 咒駡 zhòumà
10111 晝 zhòu
10112 皺紋 zhòuwén
10113 驟 zhòu
10114 驟然 zhòurán
10115 誅 zhū
10116 珠寶 zhūbǎo
10117 珠子 zhūzi
10118 株連 zhūlián
10119 諸侯 zhūhóu
10120 諸如此類 zhūrúcǐlèi
10121 諸位 zhūwèi
10122 蛛網 zhūwǎng
10123 竹竿 zhúgān
10124 竹筍 zhúsǔn
10125 竹子 zhúzi
10126 燭 zhú
10127 主辦 zhǔbàn
10128 主次 zhǔcì
10129 主峰 zhǔfēng
10130 主幹 zhǔgàn
10131 主根 zhǔgēn
10132 主攻 zhǔgōng
10133 主顧 zhǔgù
10134 主機 zhǔjī
10135 主見 zhǔjiàn
10136 主將 zhǔjiàng
10137 主角 zhǔjué
10138 主考 zhǔkǎo
10139 主流 zhǔliú
10140 主人翁 zhǔrénwēng
10141 主食 zhǔshí
10142 主事 zhǔshì
10143 主綫 zhǔxiàn
10144 主演 zhǔyǎn
10145 主宰 zhǔzǎi
10146 主旨 zhǔzhǐ
10147 主子 zhǔzi
10148 拄 zhǔ
10149 囑 zhǔ
10150 囑托 zhǔtuō
10151 矚目 zhǔmù
10152 佇立 zhùlì
10153 助教 zhùjiào
10154 助理 zhùlǐ
10155 助長 zhùzhǎng
10156 住處 zhù•chù
10157 住户 zhùhù
10158 住家 zhùjiā
10159 住宿 zhùsù
10160 住所 zhùsuǒ
10161 住院 zhùyuàn
10162 住址 zhùzhǐ
10163 貯 zhù
10164 貯備 zhùbèi
10165 注册 zhùcè
10166 注定 zhùdìng
10167 注解 zhùjiě
10168 注目 zhùmù
10169 注射器 zhùshèqì
10170 注釋 zhùshì
10171 注銷 zhùxiāo
10172 注音 zhùyīn
10173 駐地 zhùdì
10174 駐防 zhùfáng
10175 駐軍 zhùjūn
10176 駐守 zhùshǒu
10177 駐扎 zhùzhā
10178 柱子 zhùzi
10179 祝福 zhùfú
10180 祝願 zhùyuàn
10181 著稱 zhùchēng
10182 著述 zhùshù
10183 著者 zhùzhě
10184 蛀 zhù
10185 鑄 zhù
10186 鑄造 zhùzào
10187 抓獲 zhuāhuò

10188	爪	zhuǎ
10189	爪子	zhuǎzi
10190	拽	zhuài
10191	專長	zhuāncháng
10192	專車	zhuānchē
10193	專程	zhuānchéng
10194	專斷	zhuānduàn
10195	專橫	zhuānhèng
10196	專科	zhuānkē
10197	專款	zhuānkuǎn
10198	專欄	zhuānlán
10199	專賣	zhuānmài
10200	專區	zhuānqū
10201	專人	zhuānrén
10202	專心	zhuānxīn
10203	專一	zhuānyī
10204	專員	zhuānyuán
10205	專職	zhuānzhí
10206	專注	zhuānzhù
10207	專著	zhuānzhù
10208	磚頭	zhuāntóu
10209	轉播	zhuǎnbō
10210	轉産	zhuǎnchǎn
10211	轉達	zhuǎndá
10212	轉告	zhuǎngào
10213	轉機	zhuǎnjī
10214	轉嫁	zhuǎnjià
10215	轉交	zhuǎnjiāo
10216	轉臉	zhuǎnliǎn
10217	轉念	zhuǎnniàn
10218	轉讓	zhuǎnràng
10219	轉手	zhuǎnshǒu
10220	轉瞬	zhuǎnshùn
10221	轉彎	zhuǎnwān
10222	轉眼	zhuǎnyǎn
10223	轉業	zhuǎnyè
10224	轉運	zhuǎnyùn
10225	轉戰	zhuǎnzhàn
10226	轉折	zhuǎnzhé
10227	傳記	zhuànjì
10228	轉速	zhuànsù
10229	轉悠	zhuànyou
10230	轉軸	zhuànzhóu
10231	撰	zhuàn
10232	撰寫	zhuànxiě
10233	篆	zhuàn
10234	篆刻	zhuànkè
10235	妝	zhuāng
10236	莊園	zhuāngyuán
10237	莊重	zhuāngzhòng
10238	莊子	zhuāngzi
10239	裝扮	zhuāngbàn
10240	裝點	zhuāngdiǎn
10241	裝潢	zhuānghuáng
10242	裝配	zhuāngpèi
10243	裝束	zhuāngshù
10244	裝卸	zhuāngxiè
10245	裝修	zhuāngxiū
10246	裝運	zhuāngyùn
10247	裝載	zhuāngzài
10248	壯丁	zhuàngdīng
10249	壯觀	zhuàngguān
10250	壯舉	zhuàngjǔ
10251	壯麗	zhuànglì
10252	壯烈	zhuàngliè
10253	壯年	zhuàngnián
10254	壯實	zhuàngshi
10255	壯士	zhuàngshì
10256	壯志	zhuàngzhì
10257	狀語	zhuàngyǔ
10258	狀元	zhuàngyuan
10259	撞擊	zhuàngjī
10260	追捕	zhuībǔ
10261	追查	zhuīchá
10262	追悼	zhuīdào
10263	追肥	zhuīféi
10264	追趕	zhuīgǎn
10265	追擊	zhuījī
10266	追加	zhuījiā
10267	追溯	zhuīsù
10268	追隨	zhuīsuí
10269	追問	zhuīwèn
10270	追尋	zhuīxún
10271	追憶	zhuīyì
10272	追踪	zhuīzōng
10273	椎	zhuī
10274	錐	zhuī
10275	錐子	zhuīzi
10276	墜	zhuì
10277	墜落	zhuìluò
10278	綴	zhuì
10279	贅	zhuì
10280	贅述	zhuìshù
10281	準繩	zhǔnshéng
10282	準時	zhǔnshí
10283	准許	zhǔnxǔ
10284	拙	zhuō
10285	捉拿	zhuōná
10286	灼	zhuó
10287	灼熱	zhuórè
10288	茁壯	zhuózhuàng
10289	卓	zhuó
10290	卓著	zhuózhù
10291	濁	zhuó
10292	酌	zhuó
10293	啄	zhuó
10294	着力	zhuólì
10295	着陸	zhuólù
10296	着落	zhuóluò
10297	着實	zhuóshí
10298	着想	zhuóxiǎng

10299 着眼 zhuóyǎn
10300 着意 zhuóyì
10301 姿 zī
10302 兹 zī
10303 資財 zīcái
10304 資方 zīfāng
10305 資歷 zīlì
10306 資助 zīzhù
10307 滋 zī
10308 滋補 zībǔ
10309 滋潤 zīrùn
10310 滋生 zīshēng
10311 滋養 zīyǎng
10312 滋長 zīzhǎng
10313 籽 zǐ
10314 紫菜 zǐcài
10315 紫外綫 zǐwàixiàn
10316 自卑 zìbēi
10317 自大 zìdà
10318 自得 zìdé
10319 自費 zìfèi
10320 自封 zìfēng
10321 自負 zìfù
10322 自給 zìjǐ
10323 自家 zìjiā
10324 自盡 zìjìn
10325 自救 zìjiù
10326 自居 zìjū
10327 自來水 zìláishuǐ
10328 自理 zìlǐ
10329 自立 zìlì
10330 自流 zìliú
10331 自律 zìlǜ
10332 自滿 zìmǎn
10333 自强 zìqiáng
10334 自如 zìrú
10335 自始至終 zìshǐ-zhìzhōng
10336 自首 zìshǒu
10337 自述 zìshù
10338 自私 zìsī
10339 自修 zìxiū
10340 自學 zìxué
10341 自以爲是 zìyǐwéishì
10342 自製 zìzhì
10343 自重 zìzhòng
10344 自傳 zìzhuàn
10345 自尊 zìzūn
10346 字典 zìdiǎn
10347 字號 zìhao
10348 字畫 zìhuà
10349 字迹 zìjì
10350 字句 zìjù
10351 字體 zìtǐ
10352 字條 zìtiáo
10353 字形 zìxíng
10354 字義 zìyì
10355 字音 zìyīn
10356 漬 zì
10357 宗法 zōngfǎ
10358 宗派 zōngpài
10359 宗室 zōngshì
10360 棕 zōng
10361 棕櫚 zōnglǘ
10362 棕色 zōngsè
10363 踪 zōng
10364 踪迹 zōngjì
10365 踪影 zōngyǐng
10366 鬃 zōng
10367 總稱 zǒngchēng
10368 總得 zǒngděi
10369 總隊 zǒngduì
10370 總共 zǒnggòng
10371 總管 zǒngguǎn
10372 總歸 zǒngguī
10373 總計 zǒngjì
10374 總務 zǒngwù
10375 縱横 zònghéng
10376 縱然 zòngrán
10377 縱容 zòngróng
10378 縱身 zòngshēn
10379 縱深 zòngshēn
10380 縱使 zòngshǐ
10381 縱向 zòngxiàng
10382 粽子 zòngzi
10383 走動 zǒudòng
10384 走訪 zǒufǎng
10385 走私 zǒusī
10386 奏鳴曲 zòumíngqǔ
10387 奏效 zòuxiào
10388 奏章 zòuzhāng
10389 揍 zòu
10390 租借 zūjiè
10391 租金 zūjīn
10392 租賃 zūlìn
10393 租用 zūyòng
10394 足迹 zújì
10395 足見 zújiàn
10396 卒 zú
10397 詛咒 zǔzhòu
10398 阻擋 zǔdǎng
10399 阻隔 zǔgé
10400 阻擊 zǔjī
10401 阻攔 zǔlán
10402 阻撓 zǔnáo
10403 阻塞 zǔsè
10404 組建 zǔjiàn
10405 組裝 zǔzhuāng
10406 祖傳 zǔchuán
10407 鑽探 zuāntàn
10408 鑽石 zuànshí

10409 鑽頭 zuàntóu
10410 攥 zuàn
10411 嘴臉 zuǐliǎn
10412 罪過 zuìguò
10413 罪名 zuìmíng
10414 罪孽 zuìniè
10415 罪人 zuìrén
10416 罪證 zuìzhèng
10417 罪狀 zuìzhuàng
10418 醉人 zuìrén
10419 醉心 zuìxīn
10420 尊稱 zūnchēng
10421 尊貴 zūnguì
10422 遵 zūn
10423 遵從 zūncóng
10424 遵照 zūnzhào
10425 作坊 zuōfang
10426 左面 zuǒ•miàn
10427 左傾 zuǒqīng
10428 左翼 zuǒyì
10429 佐 zuǒ
10430 撮 zuǒ
10431 作案 zuò'àn
10432 作對 zuòduì
10433 作惡 zuò'è
10434 作怪 zuòguài
10435 作價 zuòjià
10436 作客 zuòkè
10437 作祟 zuòsuì
10438 作文 zuòwén
10439 坐落 zuòluò
10440 坐鎮 zuòzhèn
10441 座艙 zuòcāng
10442 座談 zuòtán
10443 做工 zuògōng
10444 做功 zuògōng
10445 做人 zuòrén
10446 做聲 zuòshēng
10447 做戲 zuòxì
10448 做主 zuòzhǔ

附:[表一][表二]用字統計*

説　明

1. 本表根據《普通話水平測試用普通話詞語表》統計編制。

2. 本表按漢語拼音字母順序排列,共含 3795 個漢字,其中常用字 3321 個,常用字之外的通用字 471 個(以 * 標注),通用字之外的 3 個(以 # 標注)。

3. 本表中"次數"指該字在《普通話水平測試用普通話詞語表》中出現的總次數(多音字合并統計)。

序號	漢字	次數	序號	漢字	次數	序號	漢字	次數
1	阿	3	19	暗	13	37	叭	1
2	哀	8	20	黯*	2	38	扒	2
3	埃	1	21	昂	7	39	吧	1
4	挨	2	22	盎*	1	40	芭	2
5	皚*	2	23	凹	2	41	疤	4
6	癌	1	24	坳*	1	42	笆	1
7	矮	2	25	遨*	1	43	拔	9
8	藹	1	26	熬	3	44	跋	1
9	艾	2	27	翱*	1	45	把	12
10	愛	28	28	鳌*	1	46	靶	2
11	隘	1	29	拗	3	47	壩	2
12	礙	5	30	襖	1	48	爸	3
13	安	31	31	傲	5	49	罷	6
14	氨	2	32	奥	5	50	霸	7
15	庵	1	33	澳	1	51	掰	1
16	岸	8	34	懊	3	52	白	42
17	按	8	35	八	5	53	百	13
18	案	25	36	巴	9	54	柏	2

* 此表轉爲繁體字時没有另作統計,因此與[表一][表二]的用字情況和出現次數會有一些出入。僅供參考。

序號	漢字	次數	序號	漢字	次數	序號	漢字	次數
55	擺	7	94	堡	5	133	畢	5
56	敗	12	95	報	41	134	閉	8
57	拜	6	96	抱	8	135	庇	3
58	扳	1	97	豹	2	136	陛*	1
59	班	13	98	鮑*	1	137	斃	3
60	般	3	99	暴	18	138	婢*	1
61	頒	2	100	爆	6	139	敝*	1
62	斑	6	101	卑	6	140	痹	2
63	搬	6	102	杯	4	141	辟	5
64	板	23	103	悲	13	142	弊	5
65	版	7	104	碑	4	143	碧	3
66	辦	25	105	北	11	144	蔽	5
67	半	16	106	貝	4	145	壁	7
68	伴	10	107	狽	1	146	避	8
69	扮	4	108	備	26	147	臂	6
70	拌	2	109	背	20	148	璧	1
71	絆	2	110	鋇*	1	149	邊	33
72	瓣	2	111	倍	5	150	編	17
73	邦	3	112	被	7	151	鞭	5
74	幫	8	113	憊	1	152	貶	5
75	梆	2	114	輩	8	153	扁	2
76	綁	2	115	奔	13	154	匾	1
77	榜	3	116	本	47	155	便	17
78	膀	7	117	苯*	1	156	變	41
79	蚌	1	118	笨	4	157	遍	5
80	傍	2	119	崩	2	158	辨	6
81	棒	5	120	繃	4	159	辯	13
82	謗	1	121	泵	2	160	辮	2
83	磅	2	122	迸*	2	161	標	25
84	鎊*	1	123	蹦	1	162	膘	1
85	包	27	124	逼	5	163	表	31
86	孢*	1	125	鼻	9	164	憋	1
87	苞	1	126	匕	1	165	鱉	1
88	胞	5	127	比	25	166	別	31
89	褒	1	128	彼	4	167	癟	2
90	雹	2	129	筆	20	168	賓	8
91	寶	14	130	鄙	4	169	濱	2
92	飽	5	131	幣	9	170	瀕	2
93	保	28	132	必	14	171	擯*	1

序號	漢字	次數	序號	漢字	次數	序號	漢字	次數
172	鬢	1	211	步	28	250	測	17
173	冰	13	212	怖	1	251	策	9
174	兵	29	213	部	20	252	層	20
175	丙	1	214	埠	1	253	蹭	1
176	柄	3	215	簿	1	254	叉	4
177	餅	5	216	擦	4	255	杈	2
178	稟	1	217	猜	4	256	插	10
179	并	15	218	才	13	257	查	21
180	病	38	219	材	15	258	茬	1
181	摒*	1	220	財	18	259	茶	11
182	撥	5	221	裁	14	260	察	14
183	波	24	222	采	18	261	岔	2
184	玻	1	223	彩	15	262	詫*	2
185	剝	6	224	睬	2	263	差	23
186	缽*	1	225	踩	1	264	拆	5
187	菠	2	226	菜	20	265	柴	5
188	播	9	227	蔡*	1	266	摻	1
189	伯	6	228	參	22	267	攙	2
190	駁	7	229	餐	8	268	禪*	3
191	帛*	1	230	殘	15	269	饞	1
192	泊	6	231	蠶	4	270	纏	4
193	勃	1	232	慚	1	271	蟬	1
194	鉑*	1	233	慘	9	272	潺*	2
195	舶	1	234	燦	1	273	蟾*	1
196	脖	3	235	璨*	1	274	產	44
197	博	10	236	倉	5	275	鏟	2
198	搏	5	237	滄	1	276	闡	4
199	箔*	1	238	蒼	8	277	懺*	1
200	膊	2	239	艙	4	278	顫	6
201	薄	10	240	藏	17	279	昌	1
202	礴#	1	241	操	12	280	娼*	1
203	跛	1	242	糙	1	281	猖	2
204	簸	2	243	曹	1	282	長	60
205	卜	4	244	嘈*	1	283	腸	8
206	補	18	245	槽	1	284	嘗	6
207	哺	2	246	草	28	285	償	9
208	捕	9	247	册	5	286	常	28
209	不	116	248	側	5	287	廠	8
210	布	25	249	厠	1	288	場	52

序號	漢字	次數	序號	漢字	次數	序號	漢字	次數
289	敞	3	328	乘	9	367	籌	10
290	悵*	2	329	懲	8	368	酬	2
291	暢	9	330	程	31	369	躊*	1
292	倡	4	331	澄	4	370	醜	4
293	唱	10	332	橙	1	371	臭	5
294	抄	3	333	逞	2	372	出	79
295	鈔	2	334	騁*	1	373	初	18
296	超	15	335	秤	1	374	芻*	1
297	巢	4	336	吃	10	375	除	26
298	朝	14	337	嗤	1	376	厨	3
299	嘲	3	338	痴	2	377	鋤	2
300	潮	16	339	池	6	378	蜍*	1
301	吵	5	340	馳	7	379	雛	2
302	炒	1	341	遲	7	380	櫥	2
303	車	42	342	持	16	381	躇*	1
304	扯	2	343	匙	1	382	礎	1
305	徹	4	344	尺	6	383	儲	7
306	掣*	1	345	侈	1	384	楚	4
307	撤	8	346	齒	7	385	處	31
308	澈	2	347	恥	4	386	搐*	1
309	抻*	1	348	斥	8	387	觸	16
310	塵	7	349	赤	6	388	矗	1
311	臣	4	350	熾*	2	389	揣	3
312	忱	1	351	翅	3	390	啜*	1
313	沉	23	352	啻*	1	391	踹*	1
314	辰	3	353	充	18	392	川	5
315	陳	9	354	冲	16	393	穿	15
316	晨	6	355	舂*	1	394	傳	35
317	闖	1	356	憧*	1	395	船	20
318	襯	5	357	蟲	16	396	喘	5
319	稱	27	358	崇	5	397	串	2
320	趁	4	359	寵	3	398	瘡	3
321	撑	3	360	抽	13	399	窗	9
322	丞*	2	361	仇	8	400	床	12
323	成	54	362	惆*	1	401	創	22
324	呈	2	363	綢	4	402	吹	7
325	承	13	364	疇	1	403	炊	1
326	誠	11	365	愁	5	404	垂	6
327	城	13	366	稠	2	405	陲*	1

序號	漢字	次數	序號	漢字	次數	序號	漢字	次數
406	捶	1	445	璀*	1	484	單	26
407	槌*	1	446	脆	4	485	擔	15
408	錘	3	447	啐*	1	486	耽	2
409	春	15	448	淬*	1	487	膽	10
410	純	9	449	萃*	3	488	疸*	1
411	唇	2	450	瘁*	1	489	撣	1
412	淳	1	451	粹	2	490	旦	5
413	醇	2	452	翠	5	491	但	3
414	蠢	3	453	村	11	492	誕	4
415	戳	2	454	皴*	1	493	彈	19
416	綽	1	455	存	25	494	憚*	1
417	詞	20	456	忖*	1	495	淡	13
418	祠	2	457	寸	3	496	蛋	5
419	瓷	5	458	搓	1	497	氮	3
420	慈	6	459	磋*	2	498	當	52
421	辭	8	460	撮	2	499	襠	1
422	磁	14	461	挫	6	500	擋	4
423	雌	4	462	措	2	501	黨	13
424	此	16	463	銼	1	502	蕩	10
425	次	17	464	錯	11	503	檔	4
426	刺	13	465	耷*	1	504	刀	10
427	賜	4	466	搭	4	505	叨	1
428	匆	1	467	達	14	506	導	33
429	囪	1	468	答	11	507	島	6
430	葱	2	469	瘩	1	508	倒	24
431	聰	2	470	打	42	509	搗	4
432	從	25	471	大	132	510	禱	2
433	叢	7	472	呆	6	511	蹈	2
434	凑	6	473	歹	2	512	到	15
435	粗	15	474	代	27	513	悼	3
436	促	11	475	帶	28	514	盗	5
437	醋	1	476	待	17	515	道	53
438	簇	2	477	怠	2	516	稻	6
439	躥*	1	478	玳*	1	517	得	41
440	竄	2	479	貸	4	518	德	7
441	篡	2	480	袋	6	519	的	5
442	崔	1	481	逮	3	520	燈	15
443	催	5	482	戴	5	521	登	13
444	摧	3	483	丹	3	522	蹬	1

序號	漢字	次數	序號	漢字	次數	序號	漢字	次數
523	等	24	562	叼	1	601	豆	10
524	鄧	1	563	貂*	1	602	逗	3
525	凳	3	564	碉	1	603	痘	1
526	瞪	3	565	雕	6	604	竇*	1
527	低	22	566	吊	4	605	嘟*	1
528	堤	2	567	釣	3	606	督	6
529	滴	3	568	調	43	607	毒	19
530	迪*	1	569	掉	5	608	讀	13
531	敵	11	570	爹	1	609	瀆*	1
532	滌	2	571	跌	3	610	犢*	2
533	笛	4	572	迭*	1	611	獨	20
534	嫡	1	573	諜	1	612	篤*	1
535	詆*	1	574	叠	3	613	堵	3
536	底	11	575	碟	2	614	賭	4
537	抵	11	576	蝶	2	615	睹	2
538	地	107	577	丁	5	616	妒	2
539	弟	9	578	叮	3	617	杜	3
540	帝	7	579	盯	1	618	肚	3
541	遞	5	580	釘	3	619	度	50
542	第	3	581	頂	8	620	渡	6
543	諦*	1	582	鼎	2	621	鍍	2
544	締	4	583	訂	11	622	端	16
545	蒂	2	584	定	65	623	短	16
546	掂	1	585	錠	2	624	段	10
547	滇*	1	586	丢	5	625	斷	24
548	顛	4	587	東	15	626	緞	3
549	巔*	1	588	冬	10	627	煅*	1
550	典	14	589	董	4	628	鍛	2
551	點	45	590	懂	3	629	堆	4
552	碘	1	591	動	101	630	隊	22
553	電	73	592	凍	7	631	對	43
554	佃	1	593	棟	1	632	兑	3
555	店	9	594	洞	12	633	噸	1
556	墊	3	595	都	7	634	敦	1
557	惦	2	596	兜	1	635	墩	1
558	澱	2	597	斗	12	636	蹲	1
559	奠	3	598	抖	5	637	盹	1
560	殿	5	599	陡	4	638	囤	3
561	刁	2	600	蚪	1	639	沌*	1

序號	漢字	次數	序號	漢字	次數	序號	漢字	次數
640	炖*	1	679	伐	6	718	誹	1
641	盾	3	680	罰	7	719	翡*	1
642	鈍	1	681	閥	2	720	吠	1
643	頓	8	682	筏	2	721	廢	17
644	多	21	683	法	75	722	沸	4
645	奪	8	684	帆	5	723	肺	5
646	掇*	1	685	番	3	724	費	21
647	踱	1	686	翻	9	725	分	69
648	朵	4	687	藩*	1	726	紛	6
649	垛	2	688	凡	8	727	芬	1
650	躲	4	689	礬	1	728	氛	2
651	剁*	1	690	煩	7	729	酚*	1
652	墮	2	691	繁	17	730	墳	4
653	舵	2	692	反	34	731	焚	3
654	惰	2	693	返	6	732	粉	16
655	跺	2	694	犯	12	733	份	9
656	俄	1	695	泛	3	734	奮	11
657	峨*	1	696	飯	16	735	憤	8
658	鵝	4	697	範	11	736	糞	2
659	蛾	1	698	販	7	737	豐	10
660	額	19	699	梵*	1	738	風	74
661	厄*	1	700	方	46	739	楓	1
662	扼	3	701	坊	3	740	封	8
663	惡	26	702	芳	2	741	瘋	4
664	餓	2	703	防	27	742	峰	6
665	鄂*	1	704	妨	3	743	烽*	1
666	愕	2	705	房	27	744	鋒	7
667	萼*	2	706	肪	1	745	蜂	7
668	遏	2	707	仿	7	746	馮	1
669	腭*	1	708	訪	7	747	逢	3
670	恩	5	709	紡	3	748	縫	8
671	兒	65	710	放	47	749	諷	4
672	而	22	711	飛	25	750	鳳	2
673	爾	3	712	妃*	2	751	奉	7
674	耳	13	713	非	14	752	佛	9
675	餌	2	714	啡	1	753	否	6
676	二	3	715	緋*	1	754	夫	14
677	發	98	716	肥	17	755	膚	4
678	乏	8	717	匪	4	756	孵	2

序號	漢字	次數	序號	漢字	次數	序號	漢字	次數
757	敷	2	796	覆	4	835	戈	1
758	弗*	1	797	該	2	836	疙	1
759	伏	9	798	改	27	837	哥	4
760	扶	9	799	丐	1	838	胳	1
761	芙	1	800	鈣	1	839	鴿	1
762	拂	3	801	蓋	6	840	割	9
763	服	24	802	溉	1	841	擱	3
764	俘	4	803	概	10	842	歌	20
765	氟*	1	804	干	34	843	閣	5
766	浮	12	805	甘	8	844	革	7
767	匐*	1	806	杆	8	845	格	22
768	符	6	807	肝	3	846	葛	2
769	袱	1	808	坩*	1	847	蛤	1
770	幅	3	809	柑	2	848	隔	11
771	福	8	810	竿	3	849	膈*	1
772	輻	2	811	秆	2	850	骼*	1
773	撫	8	812	趕	10	851	個	8
774	甫	1	813	敢	4	852	各	3
775	府	6	814	感	35	853	給	7
776	斧	2	815	橄	1	854	根	17
777	俯	5	816	擀*	1	855	跟	7
778	脯	1	817	贛*	1	856	亘*	1
779	輔	3	818	剛	8	857	更	10
780	腑*	1	819	崗	4	858	庚*	1
781	腐	8	820	綱	5	859	耕	7
782	父	9	821	肛	1	860	羹	1
783	付	7	822	缸	2	861	哽*	1
784	婦	11	823	鋼	9	862	埂	2
785	負	19	824	港	5	863	耿	1
786	附	14	825	杠	3	864	梗	1
787	咐	1	826	羔	4	865	工	72
788	復	33	827	高	55	866	弓	2
789	赴	3	828	膏	5	867	公	64
790	副	10	829	篙	1	868	功	24
791	傅	1	830	糕	4	869	攻	16
792	富	13	831	搞	1	870	供	11
793	賦	5	832	稿	7	871	宮	9
794	縛	2	833	鎬	1	872	恭	3
795	腹	6	834	告	25	873	躬	3

序號	漢字	次數
874	龔*	1
875	鞏	1
876	汞	1
877	拱	3
878	共	16
879	貢	3
880	勾	6
881	溝	7
882	鈎	3
883	篝*	1
884	狗	3
885	苟	2
886	構	11
887	購	12
888	垢	1
889	够	4
890	估	7
891	姑	6
892	孤	8
893	菇	1
894	辜	2
895	古	20
896	谷	11
897	股	9
898	骨	23
899	鼓	9
900	固	17
901	故	19
902	顧	18
903	梏*	1
904	雇	7
905	錮*	1
906	瓜	8
907	刮	2
908	寡	3
909	卦	2
910	挂	7
911	褂	4
912	乖	1

序號	漢字	次數
913	拐	4
914	怪	11
915	關	29
916	觀	29
917	官	23
918	冠	8
919	館	12
920	管	28
921	貫	6
922	慣	6
923	灌	8
924	罐	3
925	光	56
926	胱*	1
927	廣	14
928	獷*	1
929	逛	1
930	歸	17
931	龜	3
932	規	18
933	皈*	1
934	閨	1
935	硅	1
936	瑰	2
937	軌	6
938	詭	2
939	鬼	9
940	櫃	3
941	貴	18
942	桂	4
943	跪	1
944	滚	4
945	棍	5
946	堝*	1
947	郭	1
948	鍋	4
949	國	57
950	果	25
951	裹	2

序號	漢字	次數
952	過	42
953	哈	2
954	孩	2
955	海	50
956	駭	2
957	害	26
958	氦*	1
959	蚶*	1
960	酣	1
961	憨	2
962	鼾*	1
963	含	11
964	函	5
965	涵	4
966	寒	19
967	韓	1
968	罕	3
969	喊	4
970	漢	10
971	汗	7
972	旱	6
973	悍	1
974	捍	1
975	焊	3
976	憾	3
977	撼	1
978	杭	1
979	航	17
980	毫	2
981	豪	7
982	嚎	2
983	壕	3
984	好	44
985	郝*	1
986	號	28
987	浩	2
988	耗	5
989	呵	2
990	喝	4

序號	漢字	次數
1225	剪	7
1226	檢	13
1227	瞼*	1
1228	簡	17
1229	鹼	1
1230	見	40
1231	件	20
1232	建	21
1233	劍	2
1234	薦	2
1235	賤	2
1236	健	12
1237	澗	2
1238	艦	4
1239	漸	7
1240	諫*	1
1241	毽*	1
1242	濺	2
1243	腱*	2
1244	踐	2
1245	鑒	5
1246	鍵	2
1247	檻*	1
1248	箭	4
1249	江	4
1250	薑	1
1251	將	17
1252	漿	6
1253	僵	4
1254	繮	2
1255	疆	3
1256	講	18
1257	獎	13
1258	槳	2
1259	蔣	1
1260	匠	5
1261	降	13
1262	絳*	1
1263	醬	2
1264	犟*	1
1265	交	43
1266	郊	7
1267	嬌	4
1268	澆	2
1269	驕	1
1270	膠	4
1271	椒	2
1272	焦	8
1273	跤*	2
1274	蕉	2
1275	礁	2
1276	角	25
1277	狡	1
1278	絞	1
1279	餃	1
1280	皎*	1
1281	矯	5
1282	脚	17
1283	攪	4
1284	剿	3
1285	繳	5
1286	叫	12
1287	轎	4
1288	較	5
1289	教	53
1290	窖	3
1291	酵	2
1292	階	7
1293	皆	2
1294	接	30
1295	秸	2
1296	揭	6
1297	街	6
1298	節	30
1299	劫	4
1300	杰	2
1301	潔	10
1302	結	40
1303	捷	4
1304	睫*	1
1305	截	10
1306	竭	4
1307	她	2
1308	姐	6
1309	解	41
1310	介	8
1311	戒	8
1312	屆	5
1313	界	18
1314	誡	2
1315	借	12
1316	藉*	1
1317	巾	6
1318	今	11
1319	斤	1
1320	金	34
1321	津	3
1322	矜*	1
1323	筋	4
1324	襟	3
1325	僅	2
1326	緊	14
1327	謹	4
1328	錦	4
1329	盡	18
1330	勁	14
1331	近	26
1332	進	45
1333	晋	3
1334	浸	5
1335	燼*	1
1336	禁	15
1337	靳*	1
1338	噤*	1
1339	京	5
1340	經	37
1341	莖	1

序號	漢字	次數	序號	漢字	次數	序號	漢字	次數
1342	荆	2	1381	拘	5	1420	掘	5
1343	驚	24	1382	駒	1	1421	厥*	1
1344	晶	7	1383	鞠	2	1422	獗*	1
1345	睛	3	1384	局	18	1423	蕨*	1
1346	精	34	1385	桔*	1	1424	爵	3
1347	鯨	1	1386	菊	2	1425	嚼	3
1348	井	6	1387	橘	2	1426	攫*	2
1349	阱	1	1388	咀*	1	1427	軍	44
1350	頸	4	1389	沮	1	1428	君	6
1351	景	19	1390	舉	21	1429	均	6
1352	憬*	1	1391	矩	3	1430	鈞	2
1353	警	16	1392	句	8	1431	菌	7
1354	浄	9	1393	巨	7	1432	俊	4
1355	徑	11	1394	拒	3	1433	郡*	1
1356	脛*	1	1395	具	16	1434	峻	4
1357	競	6	1396	炬	1	1435	駿	1
1358	竟	4	1397	俱	3	1436	竣	1
1359	敬	14	1398	劇	25	1437	咖	1
1360	境	21	1399	懼	4	1438	卡	6
1361	静	21	1400	據	15	1439	開	66
1362	鏡	12	1401	距	6	1440	揩	1
1363	炯*	2	1402	鋸	2	1441	凱	2
1364	窘	2	1403	聚	13	1442	慨	5
1365	糾	6	1404	踞*	2	1443	楷	1
1366	究	10	1405	遽*	1	1444	刊	12
1367	揪	1	1406	捐	5	1445	勘	3
1368	九	1	1407	鵑	1	1446	龕*	1
1369	久	10	1408	卷	10	1447	堪	3
1370	灸	2	1409	倦	3	1448	坎	3
1371	韭	1	1410	絹	2	1449	砍	2
1372	酒	12	1411	眷	3	1450	看	29
1373	舊	12	1412	撅*	1	1451	瞰*	2
1374	臼	1	1413	决	22	1452	康	3
1375	疚	1	1414	訣	5	1453	慷	1
1376	厩*	1	1415	抉*	1	1454	糠	1
1377	救	22	1416	絶	15	1455	扛	1
1378	就	18	1417	覺	22	1456	亢*	3
1379	舅	3	1418	倔	2	1457	抗	15
1380	居	22	1419	崛*	1	1458	炕	1

序號	漢字	次數
1459	考	23
1460	烤	2
1461	銬	1
1462	靠	9
1463	坷	1
1464	苛	2
1465	柯*	1
1466	科	22
1467	棵	1
1468	稞*	1
1469	顆	2
1470	瞌*	1
1471	磕	2
1472	蝌	1
1473	殼	6
1474	咳	2
1475	可	30
1476	渴	4
1477	克	8
1478	刻	19
1479	客	25
1480	恪*	1
1481	課	16
1482	肯	4
1483	墾	4
1484	懇	3
1485	啃	1
1486	吭	1
1487	坑	4
1488	鏗*	1
1489	空	45
1490	孔	9
1491	恐	10
1492	控	8
1493	摳	1
1494	口	57
1495	叩*	2
1496	扣	7
1497	寇	2
1498	枯	6
1499	哭	5
1500	窟	3
1501	苦	30
1502	庫	8
1503	褲	5
1504	酷	8
1505	誇	5
1506	垮	3
1507	挎	2
1508	跨	3
1509	塊	3
1510	快	23
1511	膾*	1
1512	筷	1
1513	寬	12
1514	款	16
1515	筐	2
1516	狂	11
1517	況	10
1518	曠	5
1519	礦	14
1520	框	5
1521	眶	2
1522	虧	7
1523	盔	3
1524	窺	3
1525	奎*	1
1526	葵	2
1527	魁	1
1528	傀	1
1529	匱*	1
1530	愧	3
1531	潰	4
1532	饋*	1
1533	坤	2
1534	昆	2
1535	捆	1
1536	困	9
1537	擴	7
1538	括	5
1539	闊	6
1540	廓	2
1541	拉	6
1542	喇	2
1543	臘	3
1544	蠟	2
1545	辣	4
1546	來	44
1547	徠*	1
1548	睞*	1
1549	賴	4
1550	癩	1
1551	蘭	4
1552	攔	5
1553	欄	4
1554	婪*	1
1555	藍	3
1556	瀾	1
1557	斕*	1
1558	籃	4
1559	覽	5
1560	攬	2
1561	纜	2
1562	欖	1
1563	懶	6
1564	爛	8
1565	濫	3
1566	郎	3
1567	狼	3
1568	廊	3
1569	琅	1
1570	螂*	1
1571	朗	6
1572	浪	12
1573	撈	3
1574	勞	23
1575	牢	8

序號	漢字	次數
1576	老	38
1577	姥	2
1578	潦	1
1579	澇	1
1580	烙	2
1581	樂	33
1582	勒	5
1583	雷	11
1584	鐳*	1
1585	壘	4
1586	蕾	2
1587	儡	1
1588	肋	2
1589	泪	9
1590	類	14
1591	累	13
1592	擂	2
1593	稜	3
1594	冷	26
1595	愣*	2
1596	厘	1
1597	梨	2
1598	狸	1
1599	離	24
1600	犁	1
1601	漓	2
1602	璃	2
1603	黎	1
1604	籬	1
1605	禮	22
1606	李	3
1607	裏	14
1608	理	62
1609	鋰*	1
1610	鯉	1
1611	力	88
1612	歷	23
1613	厲	4
1614	立	42
1615	吏	2
1616	麗	9
1617	利	37
1618	勵	4
1619	瀝	1
1620	例	20
1621	隸	3
1622	俐	1
1623	荔	1
1624	栗	3
1625	礫	2
1626	笠*	1
1627	粒	4
1628	蠣*	1
1629	痢	1
1630	靂	1
1631	倆	2
1632	連	27
1633	簾	5
1634	憐	3
1635	漣*	1
1636	蓮	3
1637	聯	19
1638	廉	4
1639	鐮	2
1640	斂	2
1641	臉	14
1642	練	13
1643	煉	6
1644	戀	10
1645	鏈	5
1646	良	12
1647	涼	13
1648	梁	5
1649	糧	9
1650	粱	1
1651	踉*	1
1652	兩	10
1653	亮	14
1654	諒	3
1655	輛	2
1656	晾	1
1657	量	46
1658	遼	2
1659	療	7
1660	聊	3
1661	僚	1
1662	廖*	1
1663	嘹	1
1664	撩	2
1665	繚	1
1666	燎	2
1667	瞭	15
1668	料	30
1669	撂*	1
1670	瞭	1
1671	咧	1
1672	列	17
1673	劣	7
1674	烈	15
1675	獵	10
1676	裂	11
1677	鄰	7
1678	林	16
1679	臨	15
1680	淋	5
1681	琳	1
1682	嶙*	1
1683	霖*	1
1684	磷	3
1685	鱗	3
1686	吝	1
1687	賃	1
1688	躪	1
1689	拎*	1
1690	伶	2
1691	靈	18
1692	嶺	3

序號	漢字	次數	序號	漢字	次數	序號	漢字	次數
1693	玲	1	1732	樓	10	1771	巒	3
1694	凌	5	1733	摟	2	1772	卵	6
1695	鈴	4	1734	簍	1	1773	亂	19
1696	陵	4	1735	陋	3	1774	掠	2
1697	綾*	1	1736	漏	5	1775	略	14
1698	羚*	1	1737	露	18	1776	掄	1
1699	翎	1	1738	盧	1	1777	倫	2
1700	聆*	1	1739	蘆	2	1778	淪	2
1701	菱	1	1740	爐	7	1779	綸*	1
1702	零	9	1741	顱	2	1780	輪	19
1703	齡	6	1742	鹵	3	1781	論	35
1704	領	32	1743	虜	2	1782	捋*	2
1705	令	15	1744	擄*	1	1783	羅	8
1706	另	3	1745	魯	3	1784	蘿	4
1707	溜	3	1746	陸	12	1785	邏	2
1708	劉	1	1747	録	15	1786	鑼	2
1709	瀏*	1	1748	賂	1	1787	籮	2
1710	流	73	1749	鹿	3	1788	騾	1
1711	留	23	1750	禄*	1	1789	螺	5
1712	琉	1	1751	濾	2	1790	裸	4
1713	硫	3	1752	碌	1	1791	洛	1
1714	餾	2	1753	路	44	1792	絡	6
1715	榴	2	1754	戮*	1	1793	駱	1
1716	瘤	2	1755	麓*	2	1794	落	41
1717	柳	3	1756	驢	2	1795	摞*	1
1718	綹*	1	1757	櫚*	1	1796	媽	5
1719	六	1	1758	呂	1	1797	麻	14
1720	蹓*	2	1759	侶	3	1798	蟆	1
1721	咯*	1	1760	旅	10	1799	馬	19
1722	龍	11	1761	鋁	1	1800	瑪	1
1723	嚨	1	1762	屢	3	1801	碼	7
1724	瓏*	1	1763	縷	1	1802	螞	1
1725	籠	8	1764	履	3	1803	罵	4
1726	聾	3	1765	律	15	1804	嘛*	1
1727	隆	2	1766	慮	7	1805	埋	7
1728	窿	1	1767	率	22	1806	霾*	1
1729	隴*	1	1768	緑	12	1807	買	5
1730	壟	2	1769	氯	2	1808	邁	5
1731	攏	3	1770	孿*	1	1809	麥	6

序號	漢字	次數
1810	賣	14
1811	脉	12
1812	蠻	4
1813	饅	1
1814	瞞	2
1815	鰻*	1
1816	滿	22
1817	蟎*	1
1818	曼	1
1819	謾*	1
1820	幔	1
1821	慢	7
1822	漫	10
1823	蔓	3
1824	忙	12
1825	芒	2
1826	盲	9
1827	茫	4
1828	莽	1
1829	蟒*	1
1830	貓	3
1831	毛	24
1832	矛	3
1833	茅	3
1834	錨	1
1835	髦*	1
1836	卯*	1
1837	鉚	1
1838	茂	3
1839	冒	8
1840	貿	5
1841	袤*	1
1842	帽	3
1843	瑁*	1
1844	貌	11
1845	麼	6
1846	没	17
1847	枚	1
1848	玫	1
1849	眉	9
1850	莓*	1
1851	梅	5
1852	媒	3
1853	煤	5
1854	酶*	1
1855	霉	6
1856	每	2
1857	美	34
1858	鎂*	1
1859	妹	5
1860	昧	4
1861	媚	2
1862	寐*	1
1863	魅*	1
1864	門	41
1865	悶	8
1866	們	8
1867	氓	1
1868	萌	5
1869	盟	4
1870	猛	7
1871	蒙	9
1872	錳	1
1873	蜢*	1
1874	孟	1
1875	夢	9
1876	彌	4
1877	迷	18
1878	獼*	1
1879	謎	1
1880	糜	1
1881	靡	1
1882	米	7
1883	眯	2
1884	泌	1
1885	覓	2
1886	秘	9
1887	密	21
1888	冪*	1
1889	謐*	1
1890	蜜	6
1891	眠	6
1892	綿	6
1893	棉	7
1894	免	17
1895	勉	3
1896	娩	1
1897	緬	1
1898	面	70
1899	苗	13
1900	描	9
1901	瞄	2
1902	秒	6
1903	渺	3
1904	藐	1
1905	妙	8
1906	廟	4
1907	滅	12
1908	蔑	4
1909	篾*	1
1910	民	48
1911	皿	2
1912	抿*	1
1913	泯*	1
1914	閩	1
1915	憫	1
1916	敏	6
1917	名	55
1918	明	46
1919	鳴	9
1920	冥*	1
1921	銘	2
1922	命	28
1923	謬	4
1924	摸	4
1925	摹	3
1926	模	13

序號	漢字	次數
2161	蒲	2
2162	樸	7
2163	圃	3
2164	浦	1
2165	普	10
2166	譜	6
2167	瀑	2
2168	七	1
2169	沏*	1
2170	妻	2
2171	凄	5
2172	栖	2
2173	戚	2
2174	期	38
2175	欺	7
2176	漆	4
2177	齊	8
2178	其	14
2179	奇	16
2180	歧	4
2181	祈	3
2182	崎	1
2183	畦	1
2184	騎	3
2185	棋	5
2186	旗	9
2187	鰭	1
2188	乞	3
2189	企	3
2190	豈	1
2191	啓	9
2192	起	41
2193	綺*	1
2194	氣	103
2195	迄	2
2196	弃	10
2197	汽	10
2198	泣	4
2199	契	4
2200	砌	2
2201	器	25
2202	掐	1
2203	恰	6
2204	洽	4
2205	千	9
2206	扦*	1
2207	遷	7
2208	牽	7
2209	鉛	2
2210	謙	2
2211	簽	10
2212	前	48
2213	虔*	1
2214	錢	10
2215	鉗	2
2216	乾	2
2217	潛	10
2218	黔	1
2219	淺	7
2220	遣	4
2221	譴	1
2222	欠	3
2223	嵌	2
2224	歉	5
2225	嗆	2
2226	槍	10
2227	蹌*	1
2228	腔	8
2229	鏘*	1
2230	强	35
2231	墻	7
2232	搶	9
2233	悄	4
2234	蹺	1
2235	敲	3
2236	鍬	1
2237	喬	2
2238	僑	6
2239	橋	4
2240	瞧	2
2241	巧	12
2242	俏	4
2243	峭	2
2244	竅	4
2245	翹	2
2246	撬	1
2247	鞘*	1
2248	切	28
2249	茄	3
2250	且	8
2251	妾*	1
2252	怯	4
2253	竊	4
2254	愜*	1
2255	親	36
2256	侵	11
2257	欽	2
2258	秦	1
2259	琴	5
2260	禽	4
2261	勤	10
2262	噙*	1
2263	擒	1
2264	寢	2
2265	沁*	1
2266	青	18
2267	氫	3
2268	輕	24
2269	傾	15
2270	卿	1
2271	清	39
2272	蜻	1
2273	情	68
2274	晴	3
2275	擎	2
2276	頃	2
2277	請	12

序號	漢字	次數	序號	漢字	次數	序號	漢字	次數
2278	慶	7	2317	瘸	1	2356	熔	3
2279	磬*	1	2318	却	4	2357	融	9
2280	窮	8	2319	雀	3	2358	冗	1
2281	穹*	1	2320	確	15	2359	柔	10
2282	瓊	1	2321	闋*	1	2360	揉	2
2283	丘	2	2322	鵲	1	2361	蹂	1
2284	邱*	1	2323	榷*	1	2362	肉	10
2285	秋	9	2324	裙	4	2363	如	24
2286	鰍*	1	2325	群	9	2364	儒	3
2287	囚	4	2326	然	69	2365	蠕	1
2288	求	35	2327	燃	5	2366	汝*	1
2289	酋*	1	2328	冉*	2	2367	乳	6
2290	球	24	2329	染	11	2368	辱	6
2291	裘*	2	2330	嚷	3	2369	入	26
2292	區	25	2331	壤	2	2370	褥	2
2293	曲	27	2332	讓	7	2371	軟	9
2294	嶇	1	2333	饒	3	2372	蕊	4
2295	驅	8	2334	擾	8	2373	鋭	6
2296	屈	6	2335	繞	7	2374	瑞	1
2297	祛*	1	2336	惹	1	2375	閏	1
2298	蛆	1	2337	熱	43	2376	潤	8
2299	軀	5	2338	人	161	2377	若	6
2300	趨	4	2339	仁	4	2378	弱	16
2301	渠	4	2340	忍	8	2379	仨*	1
2302	取	42	2341	刃	1	2380	撒	5
2303	娶	1	2342	認	16	2381	灑	4
2304	去	16	2343	任	31	2382	卅*	1
2305	趣	10	2344	紉	1	2383	薩	1
2306	圈	10	2345	妊*	1	2384	塞	11
2307	全	23	2346	韌	4	2385	腮	1
2308	權	32	2347	飪*	1	2386	鰓*	1
2309	泉	6	2348	扔	1	2387	賽	12
2310	拳	4	2349	仍	3	2388	三	5
2311	痊	1	2350	日	46	2389	傘	2
2312	蜷*	2	2351	絨	6	2390	散	30
2313	犬	4	2352	榮	7	2391	桑	3
2314	勸	8	2353	容	26	2392	嗓	4
2315	券	4	2354	溶	7	2393	喪	7
2316	缺	13	2355	蓉	1	2394	搔	1

355	掃帚	sàozhou	387	事情	shìqing
356	沙子	shāzi	388	柿子	shìzi
357	傻子	shǎzi	389	收成	shōucheng
358	扇子	shànzi	390	收拾	shōushi
359	商量	shāngliang	391	首飾	shǒushi
360	晌午	shǎngwu	392	叔叔	shūshu
361	上司	shàngsi	393	梳子	shūzi
362	上頭	shàngtou	394	舒服	shūfu
363	燒餅	shāobing	395	舒坦	shūtan
364	勺子	sháozi	396	疏忽	shūhu
365	少爺	shàoye	397	爽快	shuǎngkuai
366	哨子	shàozi	398	思量	sīliang
367	舌頭	shétou	399	算計	suànji
368	身子	shēnzi	400	歲數	suìshu
369	什麽	shénme	401	孫子	sūnzi
370	嬸子	shěnzi	402	他們	tāmen
371	生意	shēngyi	403	它們	tāmen
372	牲口	shēngkou	404	她們	tāmen
373	繩子	shéngzi	405	臺子	táizi
374	師父	shīfu	406	太太	tàitai
375	師傅	shīfu	407	攤子	tānzi
376	虱子	shīzi	408	罎子	tánzi
377	獅子	shīzi	409	毯子	tǎnzi
378	石匠	shíjiang	410	桃子	táozi
379	石榴	shíliu	411	特務	tèwu
380	石頭	shítou	412	梯子	tīzi
381	時候	shíhou	413	蹄子	tízi
382	實在	shízai	414	挑剔	tiāoti
383	拾掇	shíduo	415	挑子	tiāozi
384	使喚	shǐhuan	416	條子	tiáozi
385	世故	shìgu	417	跳蚤	tiàozao
386	似的	shìde	418	鐵匠	tiějiang

419	亭子	tíngzi
420	頭髮	tóufa
421	頭子	tóuzi
422	兔子	tùzi
423	妥當	tuǒdang
424	唾沫	tuòmo
425	挖苦	wāku
426	娃娃	wáwa
427	襪子	wàzi
428	晚上	wǎnshang
429	尾巴	wěiba
430	委屈	wěiqu
431	爲了	wèile
432	位置	wèizhi
433	位子	wèizi
434	蚊子	wénzi
435	穩當	wěndang
436	我們	wǒmen
437	屋子	wūzi
438	稀罕	xīhan
439	席子	xízi
440	媳婦	xífu
441	喜歡	xǐhuan
442	瞎子	xiāzi
443	匣子	xiázi
444	下巴	xiàba
445	嚇唬	xiàhu
446	先生	xiānsheng
447	鄉下	xiāngxia
448	箱子	xiāngzi
449	相聲	xiàngsheng
450	消息	xiāoxi
451	小夥子	xiǎohuǒzi
452	小氣	xiǎoqi
453	小子	xiǎozi
454	笑話	xiàohua
455	謝謝	xièxie
456	心思	xīnsi
457	星星	xīngxing
458	猩猩	xīngxing
459	行李	xíngli
460	性子	xìngzi
461	兄弟	xiōngdi
462	休息	xiūxi
463	秀才	xiùcai
464	秀氣	xiùqi
465	袖子	xiùzi
466	靴子	xuēzi
467	學生	xuésheng
468	學問	xuéwen
469	丫頭	yātou
470	鴨子	yāzi
471	衙門	yámen
472	啞巴	yǎba
473	胭脂	yānzhi
474	烟筒	yāntong
475	眼睛	yǎnjing
476	燕子	yànzi
477	秧歌	yāngge
478	養活	yǎnghuo
479	樣子	yàngzi
480	吆喝	yāohe
481	妖精	yāojing
482	鑰匙	yàoshi
483	椰子	yēzi

第三部分

普通話水平測試用
普通話與方言詞語對照表

説　　明

1. 本表供普通話水平測試第三項——選擇、判斷測試使用。

2. 本表共收條目 945 條，按漢語拼音字母順序排列。

3. 本表根據測試需要，僅列與普通話同義异形的方言詞語，與普通話同形异義的詞語（如厦門話的"大官"義同普通話的"公公"）不予收列。

4. 條目的注音，參見《普通話水平測試用普通話詞語表》的相關説明。

	普通話		上海	厦門	廣州	南昌	長沙	梅州
53	不安	bù'ān	心勿定/勿安定/過意勿去	唔安穩	唔安			唔定
54	不必	bùbì	用勿着/勿要	唔免	唔使			唔使
55	不便	bùbiàn	勿方便/勿便當	無利便	唔方便			唔方便
56	不曾	bùcéng	嘸没/勿曾	唔八	唔曾		冇	唔田
57	不錯	bùcuò	勿錯	無唊	唔錯			唔差
58	不但	bùdàn	勿但	唔若	唔單衹			唔單净/唔單止
59	不當	bùdàng	勿當	無着	唔妥			唔當/唔啱
60	不得了	bù déliǎo	勿得了		唔得了		下不得地	唔得了
61	不得已	bùdéyǐ	嘸没辦法					唔得已
62	不等	bùděng	勿等/勿一樣	無堵好	唔等			唔一樣
63	不定	bùdìng	勿曉得	無定着	講唔定		講不定	講唔定/話唔定
64	不斷	bùduàn	勿斷	無停				麽斷/麽停
65	不對	bùduì	勿對/勿對頭/勿好	唔着	唔啱			唔着
66	不服	bùfú	勿服	唔服	唔服			唔服
67	不敢當	bù gǎndāng	勿敢當	當膾起	唔敢當			唔敢當
68	不够	bùgòu	勿够	無够	唔够			唔够
69	不顧	bùgù	勿管/勿顧	無顧	唔顧			唔顧
70	不管	bùguǎn	勿管	無管	唔管			唔管
71	不光	bùguāng	勿光/勿光光/勿單	唔止	唔單衹			唔單净/唔單止
72	不過	bùguò	勿過	不二過				
73	不好意思	bù hǎoyì•sī	勿好意思/意勿過	歹神氣	唔好意思			唔好意思
74	不合	bùhé	勿符合	無合	唔啱			唔合/唔啱
75	不及	bùjí	勿及/比勿上	無遘	唔及			唔當/當唔得
76	不解	bùjiě	勿懂	膾曉得	唔明			想唔解/想唔通
77	不禁	bùjīn	熬勿牢	膾擋得	忍唔住			忍唔住
78	不僅	bùjǐn	勿僅/勿僅僅/勿單單	唔若	唔净衹			唔僅僅/唔單止
79	不久	bùjiǔ	嘸没多少辰光	無久	有幾耐		冇好久	唔久/麽幾久

	普通話		上海	厦門	廣州	南昌	長沙	梅州
80	不覺	bùjué	勿知勿覺		唔經唔覺	不警不覺		唔知唔覺
81	不堪	bùkān	吃勿消	獪堪得				頂唔得
82	不可	bùkě	勿可以/勿可	獪使得	唔可以			唔做得
83	不良	bùliáng	勿良/勿好	無好				唔好
84	不料	bùliào	嘸没想到	無想着	估唔到		冇想到	想唔倒/麼想倒
85	不論	bùlùn	勿論/勿管	唔是	唔論			唔論
86	不滿	bùmǎn	勿滿意	唔願	唔滿			唔滿/唔滿意
87	不免	bùmiǎn	免勿了	定着				定着
88	不怕	bùpà	勿怕	唔驚	唔怕			唔怕
89	不平	bùpíng	勿公平	無公平	唔公平			唔公平
90	不然	bùrán	勿然	若無				唔係咹欸(個話)
91	不容	bùróng	勿可以/勿好	獪容得				唔做得
92	不如	bùrú	勿如					唔當/比唔上
93	不少	bùshǎo	勿少	獪少	唔少			唔少
94	不時	bùshí	時勿時		耐唔耐/久不久		時刻子	久不久
95	不停	bùtíng	勿停	無停				麼停
96	不同	bùtóng	勿一樣	無同	唔同			唔同
97	不想	bùxiǎng	嘸没想到	無想	唔想			麼想倒
98	不像話	bù xiànghuà	勿像閑話	無親像款	唔似樣		不莊相	唔像話
99	不行	bùxíng	勿可以	獪使得	唔得			唔做得/唔得
100	不幸	bùxìng		衰/歹運				唔好彩
101	不許	bùxǔ	勿許	唔准	唔准			唔准/唔做得
102	不要	bùyào	勿要	唔挃	唔要			唔愛/唔好
103	不要緊	bù yàojǐn	勿要緊	獪要緊	唔要緊			麼脉個緊要/麼脉個相干
104	不宜	bùyí	勿可以/勿好	無好				唔做得/唔得
105	不用	bùyòng	用勿着	唔免	唔使			唔使
106	不怎麼様	bù zěnmeyàng	勿哪能	知知其事			不算麼子/并不何裏	麼太過
107	不止	bùzhǐ	勿罷	無停	唔止			唔止

	普通話		上海	厦門	廣州	南昌	長沙	梅州
164	凑巧	còuqiǎo		碰嘟巧	撞啱	撞巧		啱啱/啱啱好
165	翠緑	cuìlǜ	滴滴緑/碧碧緑			吉緑		浸青
166	村子	cūnzi		鄉社				村敎
167	搓	cuō		挲				挼
168	打敗	dǎbài	打敗脱	拍敗	打輸			
169	打架	dǎjià	打相打	相拍	打交			打交敎
170	打量	dǎliang	當仔	相				睍
171	打擾	dǎrǎo	驚吵	攪吵	滚攪			攪噪
172	大便	dàbiàn	屙	放屎	屙屎	屙屎	屙屎	屙屎
173	大哥	dàgē	大阿哥/阿哥	大兄		大老兄		
174	大夥兒	dàhuǒr		大家儂				大齊家/大家人
175	大姐	dàjiě	大阿姐/阿姐	大姊				大姊
176	大媽	dàmā		阿婆	阿婆		伯媽	伯姆
177	大拇指	dà•mǔzhǐ	大節頭/大手節頭	大縛母	手指公		大指腦/大指拇	手指公
178	大娘	dàniáng		阿婆	阿婆		伯媽	伯姆
179	大人	dàrén		大儂			大人子	
180	大嬸兒	dàshěnr		阿婶	阿嬸			叔姆/叔姆敎
181	大事	dàshì	大事體	大事志				
182	大叔	dàshū	爺叔	阿叔	阿叔			阿叔
183	大雁	dàyàn	雁鵝			雁鵝	雁鵝/雁子	雁鵝
184	大衣	dàyī			褸			大褸
185	袋子	dàizi	袋袋	袋仔				袋敎
186	擔子	dànzi		擔頭				擔敎
187	膽量	dǎnliàng		膽頭				膽水
188	膽子	dǎnzi		膽頭				膽水
189	但是	dànshì		唔句	但係			但係
190	當初	dāngchū		當初時	初時		開初/開先	
191	當今	dāngjīn		現主時			如至今	今下

	普通話		上海	厦門	廣州	南昌	長沙	梅州
192	當中	dāngzhōng	當中横裏	裏中	入便	中中間間		
193	刀子	dāozi		刀仔	刀仔			刀欸
194	倒閉	dǎobì	倒脱	倒去	執笠			
195	倒霉	dǎoméi	觸霉頭	衰	衰		背時	遇倒鬼/行衰運/衰
196	到處	dàochù	各到各處	四界/逐位		看哪裏	四路裏	奈欸都/認滚
197	燈泡兒	dēngpàor		電珠		燈泡子	泡子	電燈膽
198	凳子	dèngzi		椅條/椅頭/椅团	凳仔			凳欸
199	低劣	dīliè	推扳	差氣				差門
200	笛子	dízi		品簫				簫欸
201	底下	dǐ•xià	下底頭	下底		㞗下		
202	地板	dìbǎn		塗骹地				地泥
203	地下	dìxià	地浪嚮/地浪	塗骹底		地下裏		地泥下背/地泥底下
204	弟弟	dìdi	阿弟	小弟仔	細佬			老弟欸
205	顛倒	diāndǎo	丁倒	倒吊	倒轉頭			痢翻/痢痢翻
206	點頭	diǎntóu					頷腦殼	頷頭
207	電池	diànchí		電塗		電油	電藥	電泥
208	掉	diào	落脱/漏脱					跌撇
209	跌	diē	掼				蹉	
210	釘子	dīngzi	洋釘					釘欸
211	頂端	dǐngduān	最高個地方				頂高頭	頂高
212	丢	diū	落脱/厾	唔見	唔見			跌撇
213	丢人	diūrén	坍招勢		丢架	跌臉	丢格/失格	出六
214	東邊	dōng•biān				東背		東片爿
215	東西	dōngxi	物事		嘢			
216	冬瓜	dōngguā		冬瓜瓠				猪欸冬瓜
217	動手	dòngshǒu		起手	啷手			起手
218	洞	dòng			窿		洞子/洞眼	窿欸
219	兜兒	dōur	袋袋	袋仔				袋欸

	普通話		上海	厦門	廣州	南昌	長沙	梅州
276	剛剛	gānggāng			啱啱	將將	剛合/嚴剛	啱啱
277	高低	gāodī	清頭	懸下				
278	高粱	gāoliang		番黍		蘆粟		高粱粟
279	告訴	gàosu			話畀		告興	話分……知
280	疙瘩	gēda		粒仔				勃敆
281	哥哥	gēge	阿哥	阿兄				阿哥
282	胳膊	gēbo	臂把/手臂把	手肚		胳古裹	手把子	
283	鴿子	gēzi				鴿裹		月鴿敆
284	隔壁	gébì	隔壁頭		隔籬	間壁		
285	各自	gèzì	各人自家	古儂古				各人自家
286	跟隨	gēnsuí			跟住	跟倒		騰等/跟等
287	跟頭	gēntou	跟斗	車奶	跟斗	跟斗裹		跟斗/勁斗
288	更	gèng	因加	固恰			更經	又過
289	更加	gèngjiā		擱卡			更發/更經	又過
290	工具	gōngjù	傢生	傢私頭				傢生
291	公公	gōnggong			家公		家爺	家官/阿公
292	共	gòng	亨孛冷打		冚唪呤			撈秋/撈總/撈等
293	共計	gòngjì			合埋	佮攏	勞總/勞共	撈秋/撈總/撈等
294	鈎子	gōuzi	扎鈎/搭鈎					鈎敆
295	姑姑	gūgu		阿姑	姑姐		姑子	阿姑
296	姑娘	gūniang	囡兒	查某囝仔		女崽子	妹子	細妹敆/妹敆人
297	故意	gùyì	特爲	刁故意	特登/專登	特事	罷是	斷故意
298	顧不得	gù·bù·dé	顧勿得	獪顧得	顧唔得			顧唔得/唔顧得
299	顧客	gùkè	買客			買東西個		買東西個
300	拐彎	guǎiwān		斡彎			蹀彎	
301	怪不得	guàibude	怪勿得	獪怪得	怪唔得			怪唔得/唔怪得
302	光棍兒	guānggùnr			寡佬		光褲帶	
303	閨女	guīnü	囡兒	查某囝			妹子	妹敆人/妹敆

	普通話		上海	廈門	廣州	南昌	長沙	梅州
304	櫃子	guìzi		厨仔				櫃欸
305	鍋	guō	鑊子	鼎	鑊			鑊頭/鑊欸
306	果樹	guǒshù		果子樹				果欸樹
307	過後	guòhòu	後首來	了後				
308	過去	guò·qù	老早子	往擺				往擺
309	過失	guòshī		唔着	錯失			唔着
310	還是	háishi		阿是	重係			閑係
311	孩子	háizi	小囡	囝仔	細佬哥	細鬼	細伢子	細人欸
312	害羞	hàixiū		驚見笑	怕醜	着羞	怕醜	
313	漢子	hànzi	男個	大夫儂		男個		男欸人
314	毫不	háobù	一眼也勿	總無	一啲都唔			一滴也唔
315	好多	hǎoduō	交關	好儕				异多
316	好好兒	hǎohāor	好好叫		好哋哋	好好裏	好生	好的的欸
317	好久	hǎojiǔ	交關辰光	野久	好耐			异久
318	好看	hǎokàn			好睇			异en看
319	好玩兒	hǎowánr	好孛相	好七跎				异好搞
320	好像	hǎoxiàng	像煞	親像				
321	好些	hǎoxiē	交關	誠儕				异多
322	好樣的	hǎoyàngde			好嘢慨	要得		
323	好在	hǎozài	好得/虧煞	該哉				好得
324	喝	hē	呷	啉				
325	合夥	héhuǒ	佮夥	鬥夥		佮夥	扯夥/交夥/鬥夥	合本欸
326	黑人	hēirén		烏儂		黑人裏		
327	黑夜	hēiyè	夜裏嚮	冥時	夜晚黑		夜間子	夜晡頭/暗晡頭
328	恨不得	hènbude	恨勿得	苦唔	恨唔得			
329	喉嚨	hóu·lóng	胡嚨	嚨喉				喉連
330	猴子	hóuzi	猢猻	老猴	馬騮			猴哥
331	後背	hòubèi		巴脊				背囊

	普通話		上海	厦門	廣州	南昌	長沙	梅州
332	後悔	hòuhuǐ		退悔			失悔	
333	胡同兒	hútòngr	弄堂	巷仔		巷子	巷子	巷欸
334	鬍子	húzi	鬍蘇/牙蘇	喙鬚	卷鬚			鬚菇
335	蝴蝶	húdié		尾頁		葉飛子	蝴蝶子	
336	花生	huāshēng	長生果	塗豆		瓜生		番豆
337	懷孕	huáiyùn	拖身體	帶腹肚	有身已	駄肚	懷肚/擁肚/駄肚	攢大肚
338	還	huán			畀返			分轉
339	緩緩	huǎnhuǎn	慢慢叫	慢慢仔	慢慢仔/緩緩仔	緩緩子	慢慢子	鬧鬧欸
340	黄昏	huánghūn	夜快頭/夜快/黄昏頭	暗頭	挨晚	挨夜邊子	斷黑/煞黑/晚邊子	臨夜/臨暗/臨斷夜/臨暗晡
341	黄金	huángjīn		金仔				金欸
342	蝗蟲	huángchóng		草蜢	草蜢	蚱螞/蠅蟲		草蜢欸
343	灰塵	huīchén	埲塵	塗粉				塵灰
344	迴避	huíbì		走閃				閃阿開/閃走
345	回來	huí•lái		倒來	返嚟	來歸	轉來	轉來
346	回去	huí•qù		倒去	返去		轉去	轉去
347	回頭	huítóu		越頭	返轉頭		斢頭	傲轉頭
348	火柴	huǒchái	自來火	火擦/火拭		洋火	洋火	自來火
349	夥伴	huǒbàn	淘伴			伴當		同陣個/共陣個
350	幾乎	jīhū	幾幾乎/差一眼			差滴子		差滴
351	飢餓	jī'è		枵餓				肚飢
352	嫉妒	jídù		怨妒	妬忌			
353	給予	jǐyǔ	撥伊	護伊	畀			
354	脊梁	jǐliang	背脊骨	巴脊骨		背脊骨	背脊骨	腰骨
355	傢畜	jiāchù		精牲		頭牲		頭牲
356	傢伙	jiāhuo	傢生	傢私	架鑵			
357	傢具	jiā•jù		房内	傢俬			傢俬

	普通話		上海	厦門	廣州	南昌	長沙	梅州
358	家人	jiārén		家裏儂	屋企人	屋裏人	屋裏人	家肚欸個人
359	假若	jiǎruò		若卜	若果/若然			假設使
360	堅實	jiānshí		橫實			硬扎	硬程/主固
361	堅硬	jiānyìng		橫			硬扎	
362	監獄	jiānyù	牢監		監倉			
363	剪刀	jiǎndāo		鉸剪	鉸剪	剪裏		
364	漸漸	jiànjiàn	慢慢叫	慢慢仔		慢慢子		慢慢欸
365	將要	jiāngyào		得卜	就嚟			就愛
366	交談	jiāotán			傾偈	談駄	打講	
367	焦急	jiāojí			喉急	着草		掐急
368	嚼	jiáo		哺	噍			噍
369	角落	jiǎoluò	角落頭	角頭	角落頭	角下裏	角彎	角頭/角落頭
370	脚印	jiǎoyìn		骹印		脚迹		脚迹
371	叫做	jiàozuò		號做			喊做	喊做
372	轎車	jiàochē		小包車		包車子		細汽車
373	結實	jiē•shi	結足/扎致/硬扎	勇壯	實净		硬扎	硬程/主固
374	接連	jiēlián	連牢/連了	連世				接等/跟等
375	潔白	jiébái	雪雪白	白脱				碰白
376	姐姐	jiějie	阿姐	大姊	家姐			阿姊
377	今天	jīntiān	今朝子	今旦日			今日子/今朝子	今晡日
378	金魚	jīnyú	金睛魚			金魚子		金魚欸
379	儘快	jǐnkuài		儘緊	快快脆脆			撞快
380	進來	jìn•lái		入來	入嚟			入來
381	近來	jìnlái	辯喰	者久	呢牌			得人驚
382	經常	jīngcháng	常椿	常時				貼常/長時
383	驚人	jīngrén	嚇煞人	驚儂				
384	精子	jīngzǐ		韶		卵熊	卵漿	

	普通話		上海	廈門	廣州	南昌	長沙	梅州
385	警察	jǐngchá		馬達仔/馬達仔的	差佬			差哥伯
386	静悄悄	jìngqiāoqiāo	静静叫	静参参	静因因			
387	鏡子	jìngzi				鏡裏		鏡敆
388	就是説	jiùshìshuō			就係話	就是話		就係講
389	舅舅	jiùjiu	娘舅	阿舅		母舅		阿舅
390	舅母	jiùmu		阿妗	妗母			舅姆
391	橘子	júzi		柑仔				柑敆/橘敆
392	咀嚼	jǔjué		哺	噍	噍		噍
393	據説	jùshuō	據説講/聽説講	據講		聽倒話		
394	鋸	jù		鋸仔				鋸敆
395	决不	juébù	决勿/絶對勿	定着唔				定着唔/嗾敆也唔
396	均匀	jūnyún	牽均	褿			匀净	匀
397	菌	jūn				菇裏	菌子	菌敆
398	開水	kāishuǐ		滚水/滚湯	滚水			滚水
399	開玩笑	kāi wánxiào		滚笑	講笑		逗勒/逗仭子	講笑
400	看	kàn			睇			睞
401	看不起	kàn•bù qǐ	看勿起	看唔起	睇唔起			看唔起
402	看見	kàn•jiàn			睇見			看倒
403	看樣子	kànyàngzi		看款	睇樣			看樣敆
404	看作	kànzuò	看成功		睇做			
405	可愛	kě'ài	好孛相	好疼			逗人愛	得人惜
406	可口	kěkǒu	上口	醒喙	好味			
407	可巧	kěqiǎo		嘟仔	碰啱		剛合	啱啱
408	可是	kěshì		唔久	但係			但係
409	可惡	kěwù	觸氣					得人惱
410	可以	kěyǐ		會使得			要得	做得
411	渴	kě		喙燋	頸渴			喙燋

普通話		上海	厦門	廣州	南昌	長沙	梅州
412 客人	kè•rén		儂客		人客	人客	人客
413 恐怕	kǒngpà	恐防	驚了			怕莫	驚怕
414 空隙	kòngxì		隙	罅			罅欸
415 口袋	kǒudai	袋袋	袋仔			牛	袋欸/鴨嫲袋
416 跨	kuà		伐	躐			跁
417 筷子	kuàizi		箸				筷隻
418 垃圾	lājī		糞掃	攋掻	屑裏	屑子	攋瀝
419 喇叭	lǎba		洋號				叭哈
420 來不及	lái •bù jí	來勿及	艙赴	嚟唔切			來唔察
421 來得及	láide jí		會赴				來得察
422 來年	láinián	開年	下年	出年	下年子		出年
423 籃子	lánzi	籃頭	籃仔				籃欸
424 浪費	làngfèi		仄脫	嘥			瀼撇欸
425 老闆	lǎobǎn		頭家	老細			
426 老大媽	lǎodàmā	老阿婆	老阿婆	亞婆		娭毑	老阿婆
427 老大爺	lǎodà•yé	老阿爹	老阿公	亞伯		爹爹	老阿公/老阿伯
428 老漢	lǎohàn		老夥仔			老倌子	老阿公/老阿伯
429 老人家	lǎo•rén•jiā		老儂	伯爺公			
430 老鼠	lǎo•shǔ	老蟲	烏鼠		老蟲	老鼠子/高客子	
431 老太太	lǎotàitai		老阿婆	伯爺婆		娭毑/婆婆子	老阿婆
432 老頭子	lǎotóuzi		老阿伯	伯爺公		老倌子	老貨
433 泪水	lèishuǐ	眼泪水	目屎			眼泪水	目汁
434 累	lèi			瘡			瘀
435 梨	lí	生梨	梨仔		梨裏	梨子	梨欸
436 黎明	límíng	清早晨	天光早	天蒙光	天光邊子	一黑早	臨天光
437 籬笆	líba	槍籬笆	笊籬				
438 裏邊	lǐ•biān	裏嚮頭/裏嚮	裏爿	入便/裏便			底背/肚欸/底肚欸
439 裏面	lǐ•miàn	裏嚮頭/裏嚮		入便			底背/肚欸/知肚欸

	普通話		上海	厦門	廣州	南昌	長沙	梅州
495	蘑菇	mógu		菇		菇菇裹	菌子	菇欸/菌欸
496	模樣	múyàng		樣相			樣範	樣欸
497	母親	mǔ•qīn				姆媽	姆媽/娘老子	阿姆/阿嬤
498	木材	mùcái		柴料				樹欸
499	木匠	mùjiang		木師	鬥木佬			整房桶個
500	哪	nǎ	何裏	底落				奈
501	哪個	nǎge	何裏個	倒蜀其	邊個			奈個
502	哪裏	nǎ•lǐ	何裏/啥地方	底落	邊處/邊度			奈欸
503	哪兒	nǎr	何裏/啥地方	底落	邊度		哪塊子	奈欸
504	哪些	nǎxiē	何裏點/何裏眼	倒蜀仔	邊啲			奈兜
505	那	nà	哀個/伊個	許個	吓			
506	那邊	nà•biān	哀面/哀搭/伊面	許爿	便	許邊		個邊
507	那個	nàge	哀個/伊個	許其	吓個	許個		
508	那裏	nà•lǐ	哀面搭/哀面/伊面	許搭	吓處	許裏		個欸
509	那麼	nàme	哀能/哀能介/格末	許呢	咁	許		咹/咹欸/個咹欸
510	那兒	nàr	哀面搭/哀面	許位	吓度	許裏	那塊子	個欸
511	那時	nàshí	哀個辰光	許時	吓陣時			個時
512	那些	nàxiē	哀點/哀眼	許其	吓啲	許些		個兜
513	那樣	nàyàng	哀能/哀能介/能介	許款	咁樣	許樣		咹樣/個咹樣/個咹樣欸
514	納悶兒	nàmènr	想勿通	唔得決				想唔講/想唔通
515	奶奶	nǎinai		咹媽	阿嫲/嫲嫲		娭毑	阿婆
516	男人	nánrén	男個	大夫儂	男仔	男個	男人家	男欸人/男子人
517	南邊	nánbian		南爿	南便	南背		南片爿
518	難過	nánguò		艱苦心			過不得	
519	難堪	nánkān	吃勿消	否勢				
520	難看	nánkàn		否看	醜怪/惡睇			
521	惱火	nǎohuǒ	光火		激氣			火滾/火着
522	腦袋	nǎodai		頭殼	頭殼	腦殼	腦殼	頭拿

	普通話		上海	厦門	廣州	南昌	長沙	梅州
523	腦子	nǎozi		頭殼			腦殼	腦屎
524	鬧着玩兒	nàozhe wánr	吵孛相	滚笑			逗勒	搞得欸個
525	内心	nèixīn	心裏嚮	裏心				心肚欸
526	能幹	nénggàn	來三	㔾㢓	𠹌			叻
527	能够	nénggòu	會得	會通				
528	泥土	nítǔ	爛污泥	塗				
529	你	nǐ	儂	汝		爾		
530	你們	nǐmen	倷	恁	你哋	爾人	𠼡	你等人
531	紐扣	niǔkòu	紐子	紐仔				扣欸
532	農民	nóngmín		作塍儂	耕田佬		作田的	耕田蛇
533	女兒	nǚ'ér	囡兒	查某囝			妹子	妹欸
534	女人	nǚrén	女個	查某儂			堂客們/堂客	婦人家
535	女性	nǚxìng	女個	查某儂		女個		女個
536	女婿	nǚxu		囝婿		郎	郎崽子/郎	婿郎
537	女子	nǚzǐ	女個	查某	女仔	女個		女子人/女欸人
538	暖	nuǎn	暖熱	燒羅			熱和	燒暖
539	暖和	nuǎnhuo	暖熱	燒羅		熱沸	熱和	燒暖
540	偶爾	ǒu'ěr	難扳	有時仔	間中			
541	拍照	pāizhào		熻相	影相			影相
542	牌子	páizi		目頭	嘜頭			牌欸
543	旁邊	pángbiān	邊浪	邊仔/邊頭	側邊		邊頭/側邊	側角
544	胖子	pàngzi		阿肥	肥佬			肥古佬
545	抛弃	pāoqì	掼/丟	獻索	掉咗			丟撇
546	泡沫	pàomò				泡泡子	泡子	
547	碰釘子	pèng dīngzi			撞板			撞板/碰釘欸
548	疲倦	píjuàn		瘄	瘡			瘃
549	屁股	pìgu		尻川	屎忽/囉柚			屎朏
550	片刻	piànkè	一歇歇	一步仔久	一陣間			一下欸

普通話		上海	廈門	廣州	南昌	長沙	梅州
606 腮	sāi	蛤腮	喙頓		臉都裏	腮巴子	喙角
607 塞	sāi		窒		箏	築	
608 散步	sànbù		行踱		蕩下子/蕩路		
609 桑樹	sāngshù		桑材		香公子樹		桑欸樹
610 嗓子	sǎngzi	胡嚨	嚨喉				喉連
611 喪失	sàngshī	嘸没	無去	冇咗			麼撇
612 嫂子	sǎozi	阿嫂	兄嫂				阿嫂
613 殺害	shāhài	殺脱	刣死				
614 沙土	shātǔ	沙泥地	塗沙				
615 沙子	shāzi					沙婆/沙婆子	細砂欸
616 傻子	shǎzi	戇大	戇的	傻佬		哈寶/癡呆子	戇古
617 篩子	shāizi			仔	篩裏		篩欸
618 山谷	shāngǔ		山空			山冲裏	山坑
619 閃	shǎn	豁閃					暖
620 閃電	shǎndiàn	豁閃	薛那		現霍	扯閃	火蛇欸
621 扇子	shànzi		夏扇		扇裏		扇欸
622 商標	shāngbiāo		目頭	嘜			牌欸
623 商店	shāngdiàn		店頭	鋪頭			店欸
624 商人	shāngrén	做生意個	生理儂	生意佬/商家佬			做生理個
625 上邊	shàng•biān	高頭	頂面/面頂	上便		高頭	上背
626 上空	shàngkōng	天浪	頭殼頂				頭頂巷
627 上面	shàng•miàn		頂面	上便		高頭	上背
628 上述	shàngshù	上面講個					上背講個
629 上午	shàngwǔ	上半日	頂晝	上晝	上晝/上間裏	上晝	上晝
630 勺子	sháozi		勺仔				勺欸/勺嫲
631 少量	shǎoliàng	一眼眼	淪薄	些少			少少欸
632 少年	shàonián		囝仔頭	細佬仔	崽裏子	伢子	細人欸
633 少女	shàonǚ		查某囝仔	細佬女	女崽子	妹子	細妹欸

普通話		上海	廈門	廣州	南昌	長沙	梅州
634 舌頭	shétou		舌仔	脷		舌子	舌嫲
635 蛇	shé					臭溜子	蛇哥
636 捨不得	shě •bù •dé	捨勿得	艙捨得	唔捨得			唔辦得/唔捨得/捨唔得
637 攝影	shèyǐng		熻像	影相			影相
638 身材	shēncái	碼子	生做		身架子	身材子	
639 深夜	shēnyè		半暝後			半夜間子	
640 什麼	shénme	啥/啥物事	啥麽	乜嘢	什裏	麽子	脉個
641 嬸子	shěnzi	嬸媽	阿妐	阿嬸			叔姆/叔姆欸
642 生病	shēngbìng	生毛病	破病	唔舒服/病咗			
643 生怕	shēngpà	常怕/恐防	驚	驚住			驚怕
644 生氣	shēngqì			發嬲	着氣	發氣	哏/發哏
645 生前	shēngqián	活辣海個辰光	在生				
646 牲畜	shēngchù	衆牲	牲牲				頭牲
647 牲口	shēngkou	衆牲	牲牲/精牲		頭牲		頭牲
648 繩子	shéngzi		索仔			索子	索欸
649 剩餘	shèngyú		有伸	剩落			剩下
650 尸體	shītǐ		身尸				死佬
651 失掉	shīdiào	嘸没	無去	失咗	落巴		失撇/麽撇
652 失去	shīqù		無去				失撇/麽撇
653 施肥	shīféi		落肥		下肥/敍肥		淋肥
654 時常	shícháng	常椿	常時			練常/打常/扯常	長時/貼常
655 時而	shí'ér	一歇	有時仔	有陣時			一時時
656 時髦	shímáo	臺型	行時				行時
657 食堂	shítáng			膳堂	吃個		飯堂
658 使勁	shǐjìn	用力氣		落力	攢勁	攢勁	昇扎/落力
659 式樣	shìyàng			花臣			樣欸
660 事情	shìqing	事體	事際			路子徑	
661 是否	shìfǒu	是勿是	是唔是	係唔係		是啵	係唔係

	普通話		上海	廈門	廣州	南昌	長沙	梅州
716	通紅	tōnghóng	血血紅/通通紅	紅貢貢		掀紅		瞅紅/紅豺豺
717	同伴	tóngbàn	淘伴		拍擋	伴當		同陣個/共陣個
718	同年	tóngnián		平歲	細個時		老同/老庚	
719	同屋	tóngwū	一個房間個	同房間				共屋/共間
720	童年	tóngnián	小辰光	細漢時		細大子	細時候	細時候
721	頭髮	tóufa		頭毛		頭翻		頭拿毛
722	頭腦	tóunǎo	頭腦子					腦屎
723	徒弟	tú•dì		師仔			徒弟伢子	
724	土豆	tǔdòu	洋山芋	番仔番薯	薯仔		洋芋頭	荷蘭薯
725	兔子	tùzi		兔仔				兔欸
726	唾沫	tuòmo	饞唾水	嘁				口瀨
727	推	tuī		嘟	㩳			
728	腿	tuǐ		骹腿	髀		腿把子	
729	脱落	tuōluò	褪脱/落脱			脱巴/落巴	掉咖噠	脱撇欸/摔撇欸
730	娃娃	wáwa	小囡	嬰仔	細蚊仔	細人子/細伢子	細伢子	細人欸/細膩欸
731	歪	wāi					捩	敧
732	外邊	wài•biān		外口/外爿	外便	外備		外背
733	外衣	wàiyī	罩衫	外衫		罩面褂子	罩褂子	面衫
734	外祖父	wàizǔfù		外家公		丫公		外阿公
735	外祖母	wàizǔmǔ		外家媽		丫婆		外阿婆
736	豌豆	wāndòu	小寒豆			官豆子	麥豌子/川豆子	雪豆/麥豆
737	玩	wán	孛相	七桃		音業		嬲
738	玩具	wánjù	孛相干	七桃物				
739	玩笑	wánxiào		滚笑			逗勒/逗仉子	搞得欸個
740	晚飯	wǎnfàn	夜飯	暗頓	夜晚飯	夜飯	夜飯	
741	晚上	wǎnshang	夜裏廂/夜到頭/夜到	下昏	晚黑		夜間子	夜晡/夜晡頭/暗晡/暗晡頭
742	往常	wǎngcháng		往常時	往時			平常時/往擺

普通話		上海	厦門	廣州	南昌	長沙	梅州
743 忘	wàng		獪記				添忘
744 忘記	wàngjì		獪記得	唔記得	丢巴		添忘
745 微小	wēixiǎo		微末	微細			微細
746 圍巾	wéijīn		領巾	頸巾	圍領		頸圍
747 爲何	wèihé	爲啥	爲怎樣	爲乜嘢/點解	爲什裏	爲麼子	做脉個
748 爲了	wèile			爲咗		爲噠	
749 未必	wèibì	勿一定/勿板定	無定着				唔一定
750 未曾	wèicéng	嘸没/勿曾		唔曾	還冒	冇	唔田
751 温暖	wēnnuǎn	暖熱	燒嘐		熱沸	熱和	燒暖
752 蚊子	wénzi		蠓仔		蚊裏	夜蚊子	蚊欸
753 吻	wěn					打啵	斟喙
754 我們	wǒmen	阿拉	阮	我哋	我個裏		𠊎等人/𠊎兜人
755 烏鴉	wūyā	老鴉			老鴉	老哇子	勞鴉
756 無可奈何	wúkě-nàihé		無奈何			冇得法	麼辦法
757 無數	wúshù	數勿清/嘸没底	無千帶萬				
758 午飯	wǔfàn		日晝頓	晏晝飯			晝
759 勿	wù	勿要	唔通	咪			唔好
760 霧	wù	霧露			濛		濛沙
761 西紅柿	xīhóngshì		臭柿仔				番茄欸
762 西面	xī•miàn		西爿	西便	西背		西片爿
763 吸烟	xīyān	吃香烟	食熏	食烟	吃烟	吃烟	食烟
764 熄滅	xīmiè	隱脱/滅脱	熄去	熄咗			烏撇
765 膝蓋	xīgài	脚饅頭	骹頭塢	膝頭哥	虱頭	膝頭骨/髂膝骨	膝頭
766 媳婦	xífu	新婦	新婦	心抱	新婦	媳婦妹子	心舅
767 洗澡	xǐzǎo	汏浴	洗身軀	冲凉			洗身
768 喜鵲	xǐquè				丫鵲	喜鵲子	阿鵲欸
769 細小	xìxiǎo		幼細	幼細			异細
770 蝦	xiā				蝦裏	蝦公子	蝦公

	普通話		上海	廈門	廣州	南昌	長沙	梅州
827	厭惡	yànwù	惹氣/觸氣	𢜤			厭眼	
828	陽光	yángguāng		日頭花		日頭		日頭
829	樣子	yàngzi		樣相			樣範	樣欸
830	要不	yàobù		若無	唔啱			唔係就
831	要好	yàohǎo				佮得	合事	
832	要麼	yàome		若無	一係			唔係就/唔係
833	要命	yàomìng		卜死	命			愛死
834	要是	yàoshi		卜是	若然			如果係
835	耀眼	yàoyǎn		晟目				煋眼
836	爺爺	yéye	老爹	晐公	阿公	爹爹	爹爹	阿公
837	也許	yěxǔ	說勿定	無定着				
838	葉子	yèzi		箬		葉裏		葉欸
839	夜間	yèjiān	夜裏𢇁/夜到頭/夜到	暝時	夜晚黑		夜間子	夜晡/夜晡頭/夜肚欸
840	夜裏	yè•lǐ	夜裏𢇁/夜到頭/夜到	暝時	夜晚黑		夜間子/夜裏	夜晡/夜晡頭/夜肚欸
841	夜晚	yèwǎn	夜裏𢇁/夜到頭	下昏時	晚頭黑		夜間子	夜晡/夜晡頭/暗晡/暗晡頭
842	一輩子	yībèizi		一世儂	一世人			一生人
843	一邊	yībiān	一旁邊	蜀面/蜀邊				
844	一點兒	yīdiǎnr	一眼眼	蜀點仔	一啲多	一滴子	一點咖子/一滴咖子	一滴欸
845	一定	yīdìng		定着	一於		定是	定着
846	一度	yīdù	有段辰光	有蜀站				
847	一共	yīgòng	共總/一總				𠝹共/𠝹總	撈秋/撈撈秋秋/撈總
848	一貫	yīguàn		透底				一溜來/一溜欸
849	一會兒	yīhuìr	一歇/一歇歇/等一歇	一步仔	一陣間		一下下子	一下欸
850	一旁	yīpáng	一旁邊	蜀邊				
851	一生	yīshēng		蜀世儂				一生人
852	一下兒	yīxiàr	一記頭	蜀下				一下欸

	普通話		上海	厦門	廣州	南昌	長沙	梅州
853	一向	yīxiàng		落底	不溜		一路來	一溜來/一溜欸
854	一些	yīxiē	一眼	滄薄仔	一啲			啲
855	衣裳	yīshang		衫褲	衫			衫褲
856	依舊	yījiù	原舊	照原			原至	閑係
857	依然	yīrán	原舊	照原			原至	閑係
858	遺失	yíshī	落脱	拍唔見	唔見		跌咖噠	唔見撇欸/跌撇欸
859	已經	yǐjīng		往經	經已			既經
860	以往	yǐwǎng	老早子	往擺	舊陣時			往擺
861	飲水	yǐnshuǐ	吃個水					食個水
862	嬰兒	yīng'ér	小毛頭	嬰仔	蘇蝦仔	冒牙子	毛它/毛毛它	啊伢欸
863	鷹	yīng		覓鷂			鷹婆子	鷂婆
864	影子	yǐngzi		儂影		影裏		影欸
865	擁擠	yōngjǐ		扴	擠擁			擠擁/挟
866	用不着	yòng ·bùzháo	用勿着	唔免	唔使			唔使
867	猶如	yóurú	賽過	親像	猶之乎			
868	有點兒	yǒudiǎnr	有一眼	有滄薄	有啲多	有滴子	有點咖子	有滴
869	有時	yǒushí	有辰光	有時竣	有陣時			
870	有些	yǒuxiē	有一眼	有滄薄	有啲			有兜
871	又	yòu	夷	閣再				
872	右邊	yòu·biān		右爿	右便			右片爿
873	幼兒	yòu'ér	小小囡	幼囝/細囝	細佬哥	細人子	毛伢子	細人欸/細膩欸
874	玉米	yùmǐ	珍珠米		包粟/粟米	金豆	包谷	包粟
875	浴室	yùshì		洗身間	冲凉房			浴堂
876	遇見	yù·jiàn		堵着			碰噠	碰倒/遇倒
877	元宵	yuánxiāo	湯團	上元		圓子	元宵它	正月半
878	月初	yuèchū	月頭	月頭		月初頭子		月頭
879	匀	yún	扯牽勻/扯扯勻	偏鋪/禮	勻存			
880	運氣	yùnqi	運道	字運			氣運	

普通話			上海	廈門	廣州	南昌	長沙	梅州
881	砸	zá	敲脱	損				
882	在	zài	辣辣	伫	喺			嗨
883	在家	zàijiā	辣屋裏	伫厝裏	喺屋企			嗨屋家
884	咱	zán	阿拉		我哋			偓等人/偓兜人
885	咱們	zánmen	阿拉		我哋	我人		偓等人/偓兜人
886	髒	zāng		流鬆		腌臢		漚糟
887	糟糕	zāogāo	推扳	露灾	弊傢伙		拐場/凹𦶜	壞欸
888	早晨	zǎochen	早上頭/早上響	天光早	朝頭早	早間裏		朝晨/朝晨頭
889	早飯	zǎofàn		早頓	朝早飯			
890	早上	zǎoshang	早上頭/早浪響		朝早	早間裏		朝晨/朝晨頭
891	早晚	zǎowǎn	早上夜到/早晏	早晏		早晏		朝暗
892	賊	zéi	賊骨頭				賊老倌/賊牯子	賊欸/賊古
893	怎麼	zěnme	哪能介				何是/何解	㖸欸
894	怎麼樣	zěnmeyàng	哪能介		點樣	聾樣	何是	㖸欸/㖸般/㖸般樣
895	怎樣	zěnyàng	哪能樣子		點樣	聾樣	何是	㖸欸/㖸般/㖸般樣
896	眨	zhǎ		䀹				㬹
897	站	zhàn		徛	企	徛	徛	企
898	丈夫	zhàngfu	男個	翁/丈夫儂	老公	老公	老倌子	
899	着凉	zháoliáng	着冷	寒去	冷親	冷倒		冷倒欸
900	照片	zhàopiàn		像頭		相片子		
901	照相	zhàoxiàng		翕相	影相			映相
902	照相機	zhàoxiàngjī			影相機			映相機
903	這	zhè	迭個			個	咯	吤
904	這兒	zhèr	個搭/迭搭塊/迭搭	即搭	呢處	個裏	咯裏	吤欸/吤個時候
905	這邊	zhè•biān	個面/迭面	即爿	呢便	個邊	咯邊	吤片爿
906	這個	zhège	迭個/個個	即個	呢	個只	咯隻	吤隻/吤個
907	這裏	zhè•lǐ	個搭/迭搭塊	即搭	呢處	個裏	咯裏	吤欸
908	這麼	zhème	介/個能	者呢	咁	個樣	咯	咹/咹樣/咹欸

普通話		上海	厦門	廣州	南昌	長沙	梅州
909 這些	zhèxiē	個點/個眼/迭點/迭眼	又者	呢啲	個些	咯些	吖兜
910 這様	zhèyàng	個能/個能様子/迭能/迭能様子	即款/安呢	咁様	個様	咯様	咹欸/吖咹欸/咹様/吖咹様/咹様欸/吖咹様欸
911 針灸	zhēnjiǔ	打金針			扎乾針		
912 争吵	zhēngchǎo	相争	相諍	争拗			拗事
913 整個	zhěnggè		歸兩個	成個			完個
914 整潔	zhěngjié		清氣相			索利	又齊整又零利
915 整天	zhěngtiān	一日到夜	歸兩日		一日到夜	整天子	
916 正好	zhènghǎo		拄仔好	啱好			啱啱好
917 正巧	zhèngqiǎo		拄仔好	啱交		正滿/恰合	啱啱好
918 正在	zhèngzài	剛剛辣辣/剛剛辣海	在咧	啱喺度			等欸
919 芝麻	zhīma		油蒜				麻欸
920 知道	zhī•dào		知影	知			知得
921 蜘蛛	zhīzhū	結蛛			决蛛子	蜘蛛子	蝲蝪
922 侄子	zhízi	阿侄	孫仔			侄兒子	侄欸
923 指甲	zhǐjia	指掐/節掐	掌甲		指生	指甲子	
924 指頭	zhǐtou	手節頭/節頭官	掌頭仔		指頭子	指腦子/指拇子	
925 至此	zhìcǐ	到個搭/到個個辰光/個能	遘者				到吖欸/到吖個時候/到吖種地步
926 至今	zhìjīn	到難	遘今				到今
927 中途	zhōngtú	半當中/中浪	半路頂			半路裏	
928 中午	zhōngwǔ	中浪嚮/中浪/中浪頭	日晝/日卜晝	晏晝	當晝		當晝/晝邊
929 終身	zhōngshēn		終死				一生人
930 竹子	zhúzi	竹頭			竹裏		竹欸
931 磚	zhuān	碌磚	磚仔				磚欸
932 子女	zǐnǚ	兒子囡兒	囝兒	仔女			
933 子孫	zǐsūn		囝孫	仔孫			

	普通話		上海	廈門	廣州	南昌	長沙	梅州
934	自己	zìjǐ	自家	家自/家己		自揀	自家	自家
935	自行	zìxíng		家自				自家
936	自行車	zìxíngchē	脚踏車	骹踏車	單車	脚踏車	單車/綫車	脚車/單車
937	足球	zúqiú		骹球		脚球		
938	祖父	zǔfù		咹公	阿爺	爹爹	爹爹	阿公
939	祖母	zǔmǔ		咹媽	阿嫲		娭毑	阿婆
940	嘴巴	zuǐba		喙		嘴筒		喙角
941	嘴唇	zuǐchún	嘴唇皮	喙唇		嘴舷子	嘴唇子/嘴巴皮子	喙唇
942	昨天	zuótiān	昨日子	昨昏	琴日		昨日子	秋晡日
943	左邊	zuǒ•biān		細爿/倒手爿	左便			左片爿
944	做客	zuòkè	做人客	做儂客				去食酒/去人家個欸
945	做夢	zuòmèng		眠夢		連夢	走瀏陽/走混路子	發夢

第四部分

普通話水平測試用
普通話與方言常見語法差异對照表

説　明

1．本材料供普通話水平測試第三項——選擇判斷測試使用。

2．內容大致按詞法和句法分類排列，詞法在前，句法在後。量詞、名詞搭配表附列在最後。

3．本材料各語法類别下所列若干組句子，僅爲舉例性質，遠非普通話與方言語法差异的全部，而且同一格式的句子（或詞語）儘量不多舉，測試命題時可按同格式替换、類推。

4．所列句子采用單一的選擇題型，答案一般是普通話説法（題號右上角標注*）放在前邊，方言説法（題號後標"方"）放在後邊，命題時排列順序可隨機變動。

5．a≠b* ，表示當 a b 兩句表達的意思不同時，兩句都是普通話的説法。a=b 方，表示 a b 兩句表達的意思相同時，b 句是方言説法。

二 這

普通話中，指示代詞“這”用來指代人和事物，表示“近指”，與“那”（遠指）相對。在一些方言裹常常没有“這”。

a. 這支筆是誰的？
b. 支筆是誰的？

（選對 a* b 方）

a. 這朵花真好看。
b. 朵花真好看。

（選對 a* b 方 ）

a. 這本書是我的。
b. 本書是我的。

（選對 a* b 方）

三 數 量

福建等一些方言的稱數法與普通話説法不大一樣，有的方言區的人説普通話往往在數量上加以替代或省略：

a. 他今年二十一歲。
b. 他今年二一歲。

（選對 a* b 方）

a. 我有一百一十八塊錢。
b. 我有百一八塊錢。

（選對 a* b 方）

a. 這大米有一千三百公斤。
b. 這大米有千三公斤。

（選對 a* b 方）

a. 這座山有一千九百五十米高。
b. 這座山有千九五米高。
c. 這座山有一千九五米高。

（選對 a* b c 方）

a. 距離考試還有一個多月。
b. 距離考試還有月把天/月把日。

（選對 a* b 方）

a. 我們寫作業用了一個半小時。
b. 我們寫作業用了一點半鐘。
c. 我們寫作業用了點半鐘。

（選對 a* b c 方）

a. 他審閱了二百一十三個方案。
b. 他審閱了二百十三個方案。

（選對 a* b 方）

四　二與兩

在普通話裏，“兩”一般衹作基數詞，“二”除了作基數詞，還可以作序數詞，但在一般量詞如“層”的前面，“二”衹能作序數詞，“二層樓”是第二層樓的意思。“二”與“兩”都作基數詞的時候，意思是一樣的，但是根據普通話的習慣，用法也有許多不同。一些方言的習慣説法也與普通話不一樣。

a. 二比二（競賽比分）。
b. 兩比兩。

（選對 a* b 方）

a. 二比五。
b. 兩比五。

（選對 a* b 方）

a. 他大約要兩三個月纔能回來。

c. 你走得不？走得。

（選對 a* a=b 方 c 方）

a. 這條褲子你能穿。

b. 這條褲子你會穿。

c. 這條褲子你穿得。

（選對 a* a=b 方 c 方）

a. 開了刀，他笑都不能笑。

b. 開了刀，他笑都笑不得。

（選對 a* b 方）

a. 他傷好了，能走路了。

b. 他傷没好，不能走路。

c. 他傷好了，會走路了。

d. 他傷没好，不會走路。

（選對 a* a=c 方 b=d 方）

a. 可以看，不可以摸。

b. 會看得，不會摸得。

（選對 a* b 方）

a. 路太滑，我不能開快車。

b. 路太滑，我不敢開快車。

（選擇 a≠b* a=b 方）

a. 他能聽得懂。

b. 他會聽得來。

c. 他聽會來。

d. 他能聽得知。

e. 他曉得聽。

（選對 a* b c d e 方）

八　來、去

“來”“去”在普通話句子中都有兩種功能：一個是實意動詞，一個是意義虛化，在動詞後衹表示一種趨向；但“來”“去”所表示的趨向相反。在一些方言區中常常在“去”之前衍生出一個“來”字。有的動詞後的“去”又説成“來”。閩南話中“來去”還有“將要”的意思，表示一種意向，指現在正開始行動。

a. 我正要吃飯去。
b. 我正要去吃飯。
c. 我來去吃飯。

（選對 a* b* c 方）

a. 我告訴他。
b. 我去告訴他。
c. 我來去告訴他。

（選對 a* b* c 方）

a. 咱們逛街去。
b. 咱們去逛街。
c. 咱們來去行街。

（選對 a* b* c 方）

a. 我們去問他。
b. 我們來問他。
c. 我們問他去。
d. 我們去問他來。

（選對 a≠b* “趨向不同”c* a＝b 方 d 方）

a. 我們一起去看電影好嗎？
b. 我們一起來去看電影好嗎？

（選對 a* b 方）

九 起 來

普通話裏趨向動詞“起來”常放在動詞或形容詞之後，表示動作或狀態的開始，格式有“動詞＋起＋賓語＋來”，有時也可以説成“賓語＋動詞＋起來”。有些方言把“起來”放在賓語之後。

十一　程度副詞

普通話裏"很、太、非常"等程度副詞可以直接放在動詞、形容詞之前表示動作、性狀的程度,不能直接放在動詞、形容詞之後。有些方言(如四川話)裏却常把"很"直接放在動詞、形容詞之後表示程度。有些方言雖然程度副詞也可直接放在動詞、形容詞之前,但所用的是不同於普通話的方言副詞,如"好、好好、忒、過、老、异"等。

a. 菜太老了,不能吃了。
b. 菜老很囉,吃不得囉。

(選對 a* b 方)

a. 這花兒多好看啊!
b. 這花兒好好看啊!

(選對 a* b 方)

a. 這天真藍啊!
b. 這天好好藍啊!

(選對 a* b 方)

a. 冬天北方非常冷。
b. 冬天北方過冷。
c. 冬天北方老冷。
d. 冬天北方异冷。

(選對 a* b c d 方)

a. 我太緊張了。
b. 我過緊張了。
c. 我忒緊張了。
d. 我太過緊張了。

(選對 a* b c d 方)

a. 他非常可愛。
b. 他好好可愛。

c. 他上可愛。

（選對 a* b c 方）

a. 這朵花真香。
b. 這朵花幾香啊。
c. 這朵花老香。

（選對 a* b c 方）

a. 這菜太鹹。
b. 這菜齁鹹。
c. 這菜傷鹹。
d. 這菜鹹傷了。
e. 這菜老鹹。

（選對 a* b c d e 方）

十二　範圍副詞

範圍副詞"都""全"在普通話中表意基本相同，在"都/全 + 動詞 + 補語"的格式中，表示"全部"。一些方言表示該意義往往用"動 + 動 + 補語"的格式。

a. 你們都出去。
b. 你們全出去。
c. 你們全都出去。
d. 你們出出去。

（選對 a* b* c* d 方）

a. 都收起來。
b. 收收起來。

（選對 a* b 方）

十三　否定副詞"不"

普通話裹表示否定的副詞"不"，在福建等一些方言中常常說成"没、没有"。

b. 别盡他跑了。

c. 别被他跑了。

（選對 a* b c 方）

十五　介詞：從、在、到、向、往

“從”在普通話裏是表示動作起始點的介詞，常帶賓語構成介詞短語作狀語。福建常把“從”説成“對”“走”等。山西地區説成“朝”“趕”“迎”“假”“跟”“以”“拿”“到”等。

普通話裏常用介詞“在、到”構成介詞短語作謂語動詞的狀語或補語表示處所。有些方言區把“在、到”説成“咧、擢、擱”等，有的乾脆省略掉介詞，讓謂語動詞與後面的處所名詞直接組合。

表示方向的介詞“往”山西地區説成“去”。“向”福建地區説成“給”。

a. 從杭州出發。

b. 對杭州出發。

c. 起杭州出發。

（選對 a* b c 方）

a. 從這兒離開。

b. 走這兒離開。

c. 起這兒離開。

（選對 a* b c 方）

a. 我從太原來。

b. 我朝太原來。

c. 我趕太原來。

d. 我迎太原來。

e. 我假太原來。

f. 我以太原來。

g. 我拿太原來。

（選對 a* b c d e f g 方）

a. 麵包掉在地上了。

b. 麵包掉咧地上了。

c. 麵包掉搿地上了。

（選對 a* b c 方）

a. 把花放到窗臺上吧。

b. 把花放咧窗臺上吧。

c. 把花放搿窗臺上吧。

（選對 a* b c 方）

a. 你把錢放在桌子上吧！

b. 你把錢放桌子吧！

c. 你把錢穩兒桌子上吧！

（選對 a* b c 方）

a. 在黑板上寫字。

b. 擱黑板上寫字。

c. 跟黑板上寫字。

（選對 a* b c 方）

a. 你往東走，我往西走。

b. 你去東走，我去西走。

（選對 a* b 方）

a. 向老師借書。

b. 給老師借書。

（選擇 a≠b* a＝b 方）

十六　動態助詞：着、了、過

普通話裏表示動態的助詞主要有“着、了、過”三個，附着在動詞或形容詞之後表示動詞、形容詞的某種語法意義。動態助詞“着”用在動詞、形容詞後面，主要表示動作在進行或狀態在持續，有時表示動作進行後的存在狀態。“了”主要表示動作行爲的完成。四川、湖北等地常把“着”或“了”説成“得有”，把“着”説成“倒”“起”等 。四川話還可以在動詞後面帶“起在”“倒起”等，表示普通話裏“着”的意思。福建方言區有些地方還把“了”説成“掉”。有的方言裏把“着”放在賓語之後。

a. 我來過福州。

b. 我有來過福州。

c. 福州我有來。

（選對 a* b c 方）

a. 老師爲此表揚過我。

b. 老師爲此有表揚過我。

（選對 a* b 方）

a. 爸爸早年做過苦力。

b. 爸爸早年有做過苦力。

（選對 a* b 方）

a. 聽説瑪利亞到過長城。

b. 聽説瑪利亞有到過長城。

（選對 a* b 方）

十七　結構助詞：的、地

普通話裏的結構助詞“的、地”，在有些方言裏説成“葛、子”。另外，在測試中有的人普通話發音很好，但往往在某些助詞上露出方言詞來。比如吴方言有一個用在句末的助詞“葛”，出現頻率很高，它大體相當於普通話的“的”，人們在説普通話時，常常會不自覺地把它變爲“的”。例如：“很好的。”“他會來的。”這似乎没什麽問題，因爲有時普通話裏也這麽説，但有時這種表達相對而言在交際中不够規範。

a. 這是你的字典。

b. 這是你葛字典。

（選對 a* b 方）

a. 我們慢慢地走。

b. 我們慢慢子走。

（選對 a* b 方）

a. 慢慢地吃。

b. 慢慢兒吃。

c. 慢慢子吃。

（選對 a* b* c 方）

十八　語氣詞

普通話裏語氣詞用在句尾，表示種種語氣，依據所表示的語氣不同分爲陳述語氣、疑問語氣、祈使語氣和感嘆語氣。普通話裏表陳述語氣的“嘛”，湖北話中經常用“吵”“着”“子”等；表陳述語氣的“呢”，内蒙古等地用“的嘞”。疑問語氣詞“吧”，内蒙古方言中常用“哇”。有時不需要句末語氣詞，有的地方却加上語氣詞“的”。有時應該用語氣詞“了”，有的地方却用了“的”。

a. 先坐下，你别慌嘛。
b. 先坐下，你别慌吵。
c. 先坐下，你不慌着。

（選對 a* b c 方）

a. 你忙什麽呀？
b. 你忙什麽子？

（選對 a* b 方）

a. 姐姐看孩子呢。
b. 姐姐看孩子的嘞。
c. 姐姐看孩子的哩。

（選對 a* b c 方）

a. 這是上次看的電影吧？
b. 這是上次看的電影哇？

（選對 a* b 方）

十九　前　綴

在普通話中没有前綴的地方，晋方言區一些地方會加上前綴。

a. 屋裏熱不熱？
b. 屋裏熱啵？

（選對 a* b 方 ）

a. 行不行？
b. 中啊吧？
c. 中啊不？

（選對 a* b c 方）

a. 你有没有錢？
b. 你有錢啊吧？
c. 你有錢啊不？

（選對 a* b c 方）

a. 那東西重不重？
b. 那東西重咧不？
c. 那東西重啊不？
d. 那東西重咧不咧？

（選對 a* b c d 方）

二十一　會不會、能不能、有没有

普通話裏用來表示疑問的句式“會不會”，在四川等一些方言區中用“（動）得來（動）不來”“（動）得來不”（表有没有能力做某事）或“得不得（動）”（表可能）這樣的句式。普通話回答是在動詞前面加“會、不會”來表示，而四川等方言一般用“（動）得來”或“（動）不來”（表有没有能力做某事），或者用“不得（動）、不得會（動）”（表可能）。但像“合得來、合不來；談得來、談不來”等是一些方言和普通話裏都有的説法，表達的意思也一樣。普通話裏表許可或可能的疑問句式“能不能（動）”“能（動）不能（動）”，在有些方言裏用“（動）得不”來表示，回答一般用“（動）得”表示肯定或許可，用“（動）不得”表示否定或不許可。普通話中“有没有”的意思，有的方言區用“得不得”來表示。

a. 這種舞你會不會跳？
b. 你會跳這種舞嗎？

c．這種舞你會跳不會跳？

d．這種舞你跳得來跳不來？

e．你跳得來這起舞不？

f．這種舞你跳得來不？

（選對 a* b* c* d e f 方）

a．我們不會説謊。

b．我們説不來謊。

（選對 a* b 方）

a．我不喜歡聞烟味兒。

b．我聞不來烟味兒。

（選對 a* b 方）

a．他不吃辣椒。

b．他吃不來辣椒。

（選對 a* b 方）

a．——他會不會不理我？
　——不會，他不會。

b．——他得不得不理我？
　——不得，他不得。

（選對 a* b 方）

a．——他會不會來？
　——他不會來。

b．——他得不得來？
　——他不得來。

（選對 a* b 方）

a．他不會强迫我們走。

b．他不得會强迫我們走。

（選對 a* b 方）

a．——他行不行？
　——不行，真的不行。

b．——他得不得行？

b. 我找過幾次他。

（選擇 a≠b* 其中 b 强調了“他”，a＝b 方）

二十四　雙賓語

普通話裏有些作謂語的動詞後面帶兩個賓語：一個指人，稱間接賓語；一個指事物，稱直接賓語。間接賓語緊跟在動詞之後，離動詞最近，也稱近賓語。直接賓語一般位於間接賓語之後，也稱遠賓語。但在有些方言如閩、吴方言裏，許多地方常把遠賓語放在句首或動詞之前，有時還會引起句子結構和其他句子成分位置的變化，比較特别。

a. 我給他三斤蘋果。

b. 我給三斤蘋果他。

c. 我蘋果給他三斤。

d. 我給三斤蘋果給他。

e. 我蘋果三斤給他。

（選對 a* b c d e 方）

a. 送我一件衣服。

b. 送一件衣服我。

c. 送一件衣服給我。

d. 衣服一件送我。

e. 衣服送一件給我。

（選對 a* c* b d e 方）

二十五　狀＋動/形

普通話裏，副詞與動詞、形容詞組合時，副詞放在被修飾、限制詞語前作狀語，而有些方言（如廣東、廣西、上海、福建一些地方）則把它們放在被修飾、限制詞語後作補語。

a. 别客氣，你先走（去、洗、説、看、睡、吃）。

b. 别客氣，你走（去、洗、説、看、睡、吃）先。

c. 别客氣，你走（去、洗、説、看、睡、吃）頭先。

d. 别客氣，你走（去、洗、説、看、睡、吃）在先。

（選對 a* b c d 方）

a. 注意，少喝點酒對身體有好處。

b. 注意，喝少點酒對身體有好處。

（選對 a* b 方）

a. 上海快到了。

b. 上海到快了。

（選對 a* b 方）

a. 汽車快來了。

b. 汽車來快了。

（選對 a* b 方）

a. 他快吃完飯了。

b. 他飯吃好快了。

（選對 a* b 方）

a. 你再吃一碗。

b. 你吃一碗添。

（選對 a* b 方 ）

a. 他們還没掃乾净。

b. 他們掃還没乾净。

（選對 a* b 方）

a. 這朵花兒很紅。

b. 這朵花兒紅極。

c. 這朵花紅得極。

（選對 a* b c 方）

二十六　狀＋動＋補

在普通話裏這種句式中的狀語多爲“多”或“少”，補語一般都是數量補語。在廣西等

二十九　補　語

普通話裏表示可能或不可能的動補結構“動＋得/不＋了”，其中補語“了(liǎo)”在一些方言裏説成“倒”或“脱”，有時也説成“起”。普通話裏用趨向動詞“上”“下”充當的補語，在四川方言中常用“起”。有些動補結構在吴方言和江淮方言中常常重複動詞，然後加補語。

a. 你們來得了來不了？
b. 你們來得倒來不倒？

（選對 a* b 方）

a. 我們走不了啦。
b. 我們走不倒囉。

（選對 a* b 方）

a. 這件事現在還定不了。
b. 這個事情現在還定不倒。

（選對 a* b 方）

a. 妹妹衹吃得了半碗飯。
b. 妹妹衹吃得倒半碗飯。

（選對 a* b 方）

a. 没有準備，我發不了言。
b. 没有準備，我發不起言。

（選對 a* b 方）

a. 我們拿不走。
b. 我們拿不起。

（選對 a* b 方）

a. 快把你的東西弄走。
b. 快把你的東西弄起走。

（選對 a* b 方）

a. 這稿子明天寫得完嗎？

b. 這稿子明天寫得起嗎?

c. 這稿子明天寫不完。

d. 這稿子明天寫得完。

e. 這稿子明天寫不起。

f. 這稿子明天寫得起。

（選對 a* c* d*　b e f 方）

a. 你躲得了和尚躲不了廟。

b. 你躲得脱和尚躲不脱廟。

（選對 a*　b 方）

a. 你站好。

b. 你站站好。

（選對 a*　b 方）

a. 我一定要弄清楚。

b. 我一定要弄弄清楚。

（選對 a*　b 方）

三十　比較句

普通話裏表示比較的句式中有一類是用“比”字構成的,其基本格式爲“甲+比+乙+比較語”。廣西等地有些方言不用“比”字,常用“過”字,其格式爲“甲+比較語+過+乙”,或者不用“比、過”一類介詞,格式爲“甲+動詞/形容詞+乙”。青島、烟臺、威海、濰坊、淄博、新泰等有些地區常用的結構爲“甲+形容詞+起+乙”。而利津一帶比較句常見的格式爲“甲+比較語+的+乙”。

有些方言區,如濟南、泰安、臨沂等地,比較句式與普通話相當,但常用“伴”“給”“跟”等代替介詞“比”,引進比較對象。還有些方言用“趕、跟、評、品、的”等引進比較對象。

普通話裏表示比較的句式中還有一類是用動詞“不如”構成的,格式爲“甲不如乙+比較語”。有些方言區,如山東菏澤、青州、臨朐等地,把“不如”説成“不跟”。

a. 牛比猪大很多。

b. 他不得比你差。

c. 差，他就不得來。

d. 他不會差過你。

（選對 a* bcd 方）

三十一 “把”字句

“把＋賓語＋謂語＋補語”這種“把”字句是普通話裏一種很常用的句型。它用介詞“把”將謂語動詞後的受事賓語提到動詞之前，表示對一種事物或現象的處置，謂語動詞後常帶趨向補語或處所補語。但有些方言區（如山東西部）常常把代詞賓語放在動詞之後或複合趨向動詞（如出來、起來）之間。

a. 我們把他抓起來。

b. 我們抓他起來。

（選對 a* b 方）

a. 我把他拉上去。

b. 我拉他上去。

c. 我拉上他去。

（選對 a* b* c 方）

a. 我把他推到地上。

b. 我推他地下。

（選對 a* b 方）

a. 他把我關在門外了。

b. 他關我門外了。

（選對 a* b 方）

三十二 并列關係複句和關聯詞語

複句是由兩個或兩個以上意義相關的分句組成的較複雜的句子。複句裏各個分句之間都有一定的關係,這種關係常常通過一定的關聯詞語來表示。幾個分句分別説明或描寫幾件事情、幾種情况或同一事物的幾個方面,分句間的關係是并舉的或者是對舉的,這就是并列關係。普通話常用的關聯詞是"也""又""還""既……又……""一邊兒……一邊兒……""一方面……一方面……"等 。有些方言則不同。

a. 咱們一邊吃飯,一邊説話。
b. 咱趕着吃飯,趕着説話。
c. 咱們一抹兒吃飯,一抹兒説話。

(選對 a* b c 方)

a. 一邊看電視,一邊打毛衣。
b. 一不嘞看電視,一不嘞打毛衣。
c. 一不地瞧電視,一不地打毛衣。

(選對 a* b c 方)

三十三　取捨關係複句和關聯詞語

選擇關係複句裏有一類取捨複句,兩個分句表示不同的事物,説話者已經決定選取其中一種,捨弃另一種,常用的關聯詞有"與其……不如……""寧可……也不……"等。有些方言使用不同的手段表達這種取捨關係。

a. 寧肯我去,也不能叫你去。
b. 能我去,也不能叫你去。
c. 就算我去,也不能叫你去。
d. 就是我去,也不能叫你去。
e. 情願我去,也不能叫你去。

(選對 a* b c d e 方)

三十四　假設關係複句和關聯詞語

假設關係複句是指,一個分句假設一種情况,另一分句説明假設的情况實現了就會有怎樣的結果，常用“如果（假如、要是）……就……”等關聯詞語來表明這種關係。山東烟臺、威海、榮成、牟平、龍口、蓬萊、長島等地還有一種很獨特的説法：“不着……就……”。它表達的含義比較複雜，相當於普通話的“如果不是因爲……就……”。

a. 如果不是因爲姐姐扶着我，我就跌倒在那兒了。
b. 不着姐姐扶着我，我就磕兒那去了。

（選對 a* b 方）

a. 如果不是因爲你，媽媽就不來了。
b. 不着你，媽媽就不來了。

（選對 a* b 方）

a. 如果不是因爲你碰它，盤子能打碎嗎？
b. 不着你碰它，盤子能打了嗎？

（選對 a* b 方）

附：普通話水平測試用普通話常見量詞、名詞搭配表

説 明

本表以量詞爲條目，共選收常見量詞45條。可與表中所列多個量詞搭配的名詞，以互見形式出現。

1. 把 bǎ 菜刀、剪刀、寶劍(口)、鏟子、鐵鍬、尺子、掃帚、椅子、鎖、鑰匙
傘(頂)、茶壺、扇子、提琴、手槍(支)

2. 本 běn 書(部、套)、著作(部)、字典(部)、雜志(份)、賬

3. 部 bù 書(本、套)、著作(本)、字典(本)
電影(場)、電視劇、交響樂(場)
電話機、攝像機(架、臺)
汽車(輛、臺)

4. 場 cháng 雨、雪、冰雹、大風
病、大戰、官司

5. 場 chǎng 電影(部)、演出(臺)、話劇(臺)、雜技(臺)、節目(臺、套)、交響樂(部)、比賽(節、項)、考試(門)

6. 道 dào 河(條)、瀑布(條)
山(座)、山脉(條)、閃電、傷痕(條)
門(扇)、墻(面)
命令(項、條)、試題(份、套)、菜(份)

7. 滴　dī　水、血、油、汗水、眼泪

8. 頂　dǐng　傘(把)、轎子、帽子、蚊帳、帳篷

9. 對　duì　夫妻、舞伴、耳朵(雙、隻)、眼睛(雙、隻)、翅膀(雙、隻)、球拍(副、隻)、沙發(套)、枕頭、電池(節)

10. 朵　duǒ　花、雲(片)、蘑菇

11. 份　fèn　菜(道)、午餐、報紙(張)、雜志(本)、文件、禮物(件)、工作(項)、事(件)、試題(道、套)

12. 幅　fú　布(塊、匹)、被面、彩旗(面)、圖畫(張)、相片(張)

13. 副　fù　對聯、手套(雙、隻)、眼鏡、球拍(對、隻)
臉(張)、撲克牌(張)、圍棋、擔架

14. 個　gè　人、孩子
盤子、瓶子
梨、桃兒、橘子、蘋果、西瓜、土豆、西紅柿
鷄蛋、餃子、饅頭
玩具、皮球
太陽、月亮、白天、上午
國家、社會、故事

15. 根　gēn　草(棵)、葱(棵)、藕(節)、甘蔗(節)
鬍鬚、頭髮、羽毛
冰棍兒、黄瓜(條)、香蕉、油條、竹竿
針、火柴、蠟燭(支)、香(支、盤)、筷子(雙、支)、電綫、繩子(條)、項鏈(條)、辮子(條)

16. 家　jiā　人家、親戚(門)

工廠（座）、公司、飯店、商店、醫院（所）、銀行（所）

17. 架	jià	飛機、鋼琴（臺）、攝像機（部、臺）、鼓（面）
18. 間	jiān	房子（所、套、座）、屋子、卧室、倉庫
19. 件	jiàn	禮物（份）、行李、傢具（套） 大衣、襯衣、毛衣、衣服（套）、西裝（套） 工作（項）、公文、事（份）
20. 節	jié	甘蔗（根）、藕（根）、電池（對）、車厢、課（門）、比賽（場、項）
21. 棵	kē	樹、草（根）、葱（根）、白菜
22. 顆	kē	種子（粒）、珍珠（粒）、寶石（粒）、糖（塊）、星星、衛星 牙齒（粒）、心臟 子彈（粒）、炸彈 圖釘、圖章
23. 口	kǒu	人、猪（頭） 大鍋、大缸、大鐘（座）、井、寶劍（把）
24. 塊	kuài	糖（顆）、橡皮、石頭、磚、肥皂（條）、手錶（隻） 肉（片）、蛋糕、大餅（張）、布（幅、匹）、綢緞（匹）、手絹（條）、地（片） 石碑（座）
25. 粒	lì	米、種子（顆）、珍珠（顆）、寶石（顆）、牙齒（顆）、子彈（顆）
26. 輛	liàng	汽車（部、臺）、自行車、摩托車、三輪車
27. 門	mén	課（節）、課程、技術（項）、考試（場） 親戚（家）、婚姻

第五部分

普通話水平測試用朗讀作品

説　　明

1.60篇朗讀作品供普通話水平測試第四項——朗讀短文測試使用。爲適應測試需要,必要時對原作品做了部分更動。

2.朗讀作品的順序,按篇名的漢語拼音字母順序排列。

3.每篇作品采用漢字和漢語拼音對照的方式編排。

4.每篇作品在第400個音節後用“//”標注。

5.爲適應朗讀的需要,作品中的數字一律采用漢字的書寫方式書寫,如:“1998年”,寫作“一九九八年”,“23%”,寫作“百分之二十三”。

6.加注的漢語拼音原則依據《漢語拼音正詞法基本規則》拼寫。

7.注音一般衹標本調,不標變調。

8.作品中的必讀輕聲音節,拼音不標調號。一般輕讀,間或重讀的音節,拼音加注調號,并在拼音前加圓點提示,如:“因爲”,拼音寫作“yīn•wèi”,“差不多”,拼音寫作“chà•bù duō”。

9.作品中的兒化音節分兩種情況。一是書面上加“兒”,拼音時在基本形式後加r,如:“小孩兒”,拼音寫作“xiǎoháir”;第二是書面上没有加“兒”,但口語裏一般兒化的音節,拼音時也在基本形式後加r,如:“胡同”,拼音寫作“hútòngr”。

作品1號

那是力争上游的一種樹,筆直的幹,筆直的枝。它的幹呢,通常是丈把高,像是加以人工似的,一丈以内,絶無旁枝;它所有的丫枝呢,一律向上,而且緊緊靠攏,也像是加以人工似的,成爲一束,絶無横斜逸出;它的寬大的葉子也是片片向上,幾乎没有斜生的,更不用説倒垂了;它的皮,光滑而有銀色的暈圈,微微泛出淡青色。這是雖在北方的風雪的壓迫下却保持着倔强挺立的一種樹!哪怕衹有碗來粗細罷,它却努力向上發展,高到丈許,兩丈,參天聳立,不折不撓,對抗着西北風。

這就是白楊樹,西北極普通的一種樹,然而决不是平凡的樹!

它没有婆娑的姿態,没有屈曲盤旋的虬枝,也許你要説它不美麗,——如果美是專指"婆娑"或"横斜逸出"之類而言,那麽,白楊樹算不得樹中的好女子;但是它却是偉岸,正直,樸質,嚴肅,也不缺乏温和,更不用提它的堅强不屈與挺拔,它是樹中的偉丈夫!當你在積雪初融的高原上走過,看見平坦的大地上傲然挺立這麽一株或一排白楊樹,難道你就衹覺得樹衹是樹,難道你就不想到它的樸質,嚴肅,堅强不屈,至少也象徵了北方的農民;難道你竟一點兒也不聯想到,在敵後的廣大//土地上,到處有堅强不屈,就像這白楊樹一樣傲然挺立的守衛他們家鄉的哨兵!難道你又不更遠一點想到這樣枝枝葉葉靠緊團結,力求上進的白楊樹,宛然象徵了今天在華北平原縱横决蕩用血寫出新中國歷史的那種精神和意志。

節選自茅盾《白楊禮贊》

Zuòpǐn 1 Hào

Nà shì lìzhēng shàngyóu de yī zhǒng shù, bǐzhí de gàn, bǐzhí de zhī. Tā de gàn ne, tōngcháng shì zhàng bǎ gāo, xiàngshì jiāyǐ réngōng shìde, yī zhàng yǐnèi , juéwú pángzhī; tā suǒyǒu de yāzhī ne, yīlǜ xiàngshàng, érqiě jǐnjǐn kàolǒng, yě xiàngshì jiāyǐ réngōng shìde, chéngwéi yī shù, juéwú héng xié yì chū; tā de kuāndà de yèzi yě shì piànpiàn xiàngshàng, jīhū méi•yǒu xié shēng de, gèng bùyòng shuō dàochuí le; tā de pí, guānghuá ér yǒu yínsè de yùnquān, wēiwēi fànchū dànqīngsè. Zhè shì suī zài běifāng de fēngxuě de yāpò xià què bǎochízhe juéjiàng tǐnglì de yī zhǒng shù! Nǎpà zhǐyǒu wǎn lái cūxì ba, tā què nǔlì xiàngshàng fāzhǎn, gāo dào zhàng xǔ, liǎng zhàng,cāntiān sǒnglì,bùzhé-bùnáo, duìkàngzhe xīběifēng.

Zhè jiùshì báiyángshù, xīběi jí pǔtōng de yī zhǒng shù, rán'ér jué bù shì píngfán de shù!

Tā méi•yǒu pósuō de zītài,méi•yǒu qūqū pánxuán de qiúzhī, yěxǔ nǐ yào shuō tā bù měilì, ——rúguǒ měi shì zhuān zhǐ " pósuō " huò "héng xié yì chū" zhīlèi ér yán, nàme, báiyángshù suàn •bù •dé shù zhōng de hǎo nǚzǐ; dànshì tā què shì wěi'àn, zhèngzhí, pǔzhì, yánsù, yě bù quēfá wēnhé, gèng bùyòng tí tā de jiānqiáng bùqū yǔ tǐngbá, tā shì shù zhōng de wěizhàngfū! Dāng nǐ zài jīxuě chū róng de gāoyuán •shàng zǒuguò, kàn•jiàn píngtǎn de dàdì •shàng àorán tǐnglì zhème yī zhū huò yī pái báiyángshù, nándào nǐ jiù zhǐ jué•dé shù zhǐshì shù, nándào nǐ jiù bù xiǎngdào tā de pǔzhì, yánsù, jiānqiáng bùqū, zhìshǎo yě xiàngzhēngle běifāng de nóngmín; nándào nǐ jìng yīdiǎnr yě bù liánxiǎng dào, zài díhòu de guǎngdà //tǔdì •shàng, dàochù yǒu jiānqiáng bùqū, jiù xiàng zhè báiyángshù yīyàng àorán tǐnglì de shǒuwèi tāmen jiāxiāng de shàobīng! Nándào nǐ yòu bù gèng yuǎn yīdiǎnr xiǎngdào zhèyàng zhīzhī-yèyè kàojǐn tuánjié, lìqiú shàngjìn de báiyángshù, wǎnrán xiàngzhēngle jīntiān zài Huáběi Píngyuán zònghéng juédàng yòng xuè xiěchū xīn Zhōngguó lìshǐ de nà zhǒng jīngshén hé yìzhì.

Jiéxuǎn zì Máo Dùn《Báiyáng Lǐzàn》

作品 2 號

兩個同齡的年輕人同時受雇於一家店鋪，并且拿同樣的薪水。

可是一段時間後，叫阿諾德的那個小夥子青雲直上，而那個叫布魯諾的小夥子却仍在原地踏步。布魯諾很不滿意老闆的不公正待遇。終於有一天他到老闆那兒發牢騷了。老闆一邊耐心地聽着他的抱怨，一邊在心裏盤算着怎樣向他解釋清楚他和阿諾德之間的差别。

“布魯諾先生，”老闆開口説話了，“您現在到集市上去一下，看看今天早上有什麽賣的。”

布魯諾從集市上回來向老闆彙報説，今早集市上衹有一個農民拉了一車土豆在賣。

“有多少？”老闆問。

布魯諾趕快戴上帽子又跑到集上，然後回來告訴老闆一共四十袋土豆。

“價格是多少？”

布魯諾又第三次跑到集上問來了價格。

“好吧，”老闆對他説，“現在請您坐到這把椅子上一句話也不要説，看看阿諾德怎麽説。”

阿諾德很快就從集市上回來了。向老闆彙報説到現在爲止衹有一個農民在賣土豆，一共四十口袋，價格是多少多少；土豆質量很不錯，他帶回來一個讓老闆看看。這個農民一個鐘頭以後還會弄來幾箱西紅柿，據他看價格非常公道。昨天他們鋪子的西紅柿賣得很快，庫存已經不//多了。他想這麽便宜的西紅柿，老闆肯定會要進一些的，所以他不僅帶回了一個西紅柿做樣品，而且把那個農民也帶來了，他現在正在外面等回話呢。

此時老闆轉向了布魯諾，説：“現在您肯定知道爲什麽阿諾德的薪水比您高了吧！”

節選自張健鵬、胡足青主編《故事時代》中《差别》

Zuòpǐn 2 Hào

Liǎng gè tónglíng de niánqīngrén tóngshí shòugù yú yī jiā diànpù, bìngqiě ná tóngyàng de xīn•shuǐ.

Kěshì yī duàn shíjiān hòu, jiào Ānuòdé de nàge xiǎohuǒzi qīngyún zhíshàng, ér nàge jiào Bùlǔnuò de xiǎohuǒzi què réng zài yuándì tàbù. Bùlǔnuò hěn bù mǎnyì lǎobǎn de bù gōngzhèng dàiyù. Zhōngyú yǒu yī tiān tā dào lǎobǎn nàr fā láo•sāo le. Lǎobǎn yībiān nàixīn de tīngzhe tā de bào•yuàn, yībiān zài xīn•lǐ pánsuanzhe zěnyàng xiàng tā jiěshì qīngchu tā hé Ānuòdé zhījiān de chābié.

"Bùlǔnuò xiānsheng," Lǎobǎn kāikǒu shuōhuà le,"Nín xiànzài dào jíshì •shàng qù yīxià, kànkan jīntiān zǎoshang yǒu shénme mài de."

Bùlǔnuò cóng jíshì •shàng huí•lái xiàng lǎobǎn huìbào shuō, jīnzǎo jíshì •shàng zhǐyǒu yī gè nóngmín lāle yī chē tǔdòu zài mài.

" Yǒu duō•shǎo?" Lǎobǎn wèn.

Bùlǔnuò gǎnkuài dài•shàng màozi yòu pǎodào jí•shàng, ránhòu huí•lái gàosu lǎobǎn yīgòng sìshí dài tǔdòu.

" Jiàgé shì duō•shǎo?"

Bùlǔnuò yòu dì-sān cì pǎodào jí•shàng wènláile jiàgé.

"Hǎo ba," Lǎobǎn duì tā shuō," Xiànzài qǐng nín zuòdào zhè bǎ yǐzi•shàng yī jù huà yě bùyào shuō, kànkan Ānuòdé zěnme shuō."

Ānuòdé hěn kuài jiù cóng jíshì •shàng huí•lái le. Xiàng lǎobǎn huìbào shuō dào xiànzài wéizhǐ zhǐyǒu yī gè nóngmín zài mài tǔdòu, yīgòng sìshí kǒudai, jiàgé shì duō•shǎo duō•shǎo; tǔdòu zhìliàng hěn bùcuò, tā dài huí•lái yī gè ràng lǎobǎn kànkan. Zhège nóngmín yī gè zhōngtóu yǐhòu hái huì nònglái jǐ xiāng xīhóngshì, jù tā kàn jiàgé fēicháng gōng•dào. Zuótiān tāmen pùzi de xīhóngshì mài de hěn kuài, kùcún yǐ•jīng bù// duō le. Tā xiǎng zhème piányi de xīhóngshì, lǎobǎn kěndìng huì yào jìn yīxiē de, suǒyǐ tā bùjǐn dàihuíle yī gè xīhóngshì zuò yàngpǐn, érqiě bǎ nàge nóngmín yě dài•lái le, tā xiànzài zhèngzài wài•miàn děng huíhuà ne.

Cǐshí lǎobǎn zhuǎnxiàngle Bùlǔnuò, shuō: " Xiànzài nín kěndìng zhī•dào wèishénme Ānuòdé de xīn•shuǐ bǐ nín gāo le ba!"

Jiéxuǎn zì Zhāng Jiànpéng、Hú Zúqīng
zhǔbiān《Gùshi Shídài》zhōng《Chābié》

作品3號

我常常遺憾我家門前那塊醜石：它黑黝黝地卧在那裏，牛似的模樣；誰也不知道是什麽時候留在這裏的，誰也不去理會它。衹是麥收時節，門前攤了麥子，奶奶總是說：這塊醜石，多占地面呀，抽空把它搬走吧。

它不像漢白玉那樣的細膩，可以刻字雕花，也不像大青石那樣的光滑，可以供來浣紗捶布。它静静地卧在那裏，院邊的槐陰没有庇覆它，花兒也不再在它身邊生長。荒草便繁衍出來，枝蔓上下，慢慢地，它竟銹上了緑苔、黑斑。我們這些做孩子的，也討厭起它來，曾合夥要搬走它，但力氣又不足；雖時時咒罵它，嫌弃它，也無可奈何，衹好任它留在那裏了。

終有一日，村子裏來了一個天文學家。他在我家門前路過，突然發現了這塊石頭，眼光立即就拉直了。他再没有離開，就住了下來；以後又來了好些人，都説這是一塊隕石，從天上落下來已經有二三百年了，是一件了不起的東西。不久便來了車，小心翼翼地將它運走了。

這使我們都很驚奇，這又怪又醜的石頭，原來是天上的啊！它補過天，在天上發過熱、閃過光，我們的先祖或許仰望過它，它給了他們光明、向往、憧憬；而它落下來了，在污土裏，荒草裏，一躺就//是幾百年了！

我感到自己的無知，也感到了醜石的偉大，我甚至怨恨它這麽多年竟會默默地忍受着這一切！而我又立即深深地感到它那種不屈於誤解、寂寞的生存的偉大。

節選自賈平凹《醜石》

Zuòpǐn 3 Hào

Wǒ chángcháng yíhàn wǒ jiā mén qián nà kuài chǒu shí：Tā hēiyǒuyǒu* de wò zài nà•lǐ，niú shìde múyàng；shéi yě bù zhī•dào shì shénme shíhou liú zài zhè•lǐ de，shéi yě bù qù lǐhuì tā. Zhǐshì màishōu shíjié，mén qián tānle màizi，nǎinai zǒngshì shuō：Zhè kuài chǒu shí，duō zhàn dìmiàn ya，chōukòng bǎ tā bānzǒu ba.

Tā bù xiàng hànbáiyù nàyàng de xìnì，kěyǐ kèzì diāohuā，yě bù xiàng dà qīngshí nàyàng de guānghuá，kěyǐ gōng lái huànshā chuíbù. Tā jìngjìng de wò zài nà•lǐ，yuàn biān de huáiyīn méi•yǒu bìfù tā，huā'•ér yě bùzài zài tā shēnbiān shēngzhǎng. Huāngcǎo biàn fányǎn chū•lái，zhīmàn shàngxià，mànmàn de，tā jìng xiùshàngle lǜtái、hēibān. Wǒmen zhèxiē zuò háizi de，yě tǎoyàn •qǐ tā •lái，céng héhuǒ yào bānzǒu tā，dàn lìqi yòu bùzú；suī shíshí zhòumà tā，xiánqì tā，yě wúkě-nàihé，zhǐhǎo rèn tā liú zài nà•lǐ le.

Zhōng yǒu yī rì，cūnzi •lǐ láile yī gè tiānwénxuéjiā. Tā zài wǒ jiā mén qián lùguò，tūrán fāxiànle zhè kuài shítou，yǎnguāng lìjí jiù lāzhí le. Tā zài méi•yǒu líkāi，jiù zhùle xià•lái；yǐhòu yòu láile hǎoxiē rén，dōu shuō zhè shì yī kuài yǔnshí，cóng tiān•shàng luò xià•lái yǐ•jīng yǒu èr-sānbǎi nián le，shì yī jiàn liǎo•bùqǐ de dōngxi . Bùjiǔ biàn láile chē，xiǎoxīn-yìyì de jiāng tā yùnzǒu le.

Zhè shǐ wǒmen dōu hěn jīngqí，zhè yòu guài yòu chǒu de shítou，yuánlái shì tiān-•shàng de a! Tā bǔguo tiān，zài tiān•shàng fāguo rè、shǎnguo guāng，wǒmen de xiānzǔ huòxǔ yǎngwàngguo tā，tā gěile tāmen guāngmíng、xiàngwǎng、chōngjǐng；ér tā luò xià•lái le，zài wūtǔ •lǐ，huāngcǎo •lǐ，yī tǎng jiù// shì jǐbǎi nián le!

Wǒ gǎndào zìjǐ de wúzhī，yě gǎndàole chǒu shí de wěidà，wǒ shènzhì yuànhèn tā zhème duō nián jìng huì mòmò de rěnshòuzhe zhè yīqiè! Ér wǒ yòu lìjí shēnshēn de gǎndào tā nà zhǒng bùqū yú wùjiě、jìmò de shēngcún de wěidà.

Jiéxuǎn zì Jiǎ Píngwā《Chǒu Shí》

---

* 口語一般讀 hēiyōuyōu。

作品 4 號

在達瑞八歲的時候，有一天他想去看電影。因爲没有錢，他想是向爸媽要錢，還是自己掙錢。最後他選擇了後者。他自己調製了一種汽水，向過路的行人出售。可那時正是寒冷的冬天，没有人買，衹有兩個人例外——他的爸爸和媽媽。

他偶然有一個和非常成功的商人談話的機會。當他對商人講述了自己的"破産史"後，商人給了他兩個重要的建議：一是嘗試爲别人解决一個難題；二是把精力集中在你知道的、你會的和你擁有的東西上。

這兩個建議很關鍵。因爲對於一個八歲的孩子而言，他不會做的事情很多。於是他穿過大街小巷，不停地思考：人們會有什麽難題，他又如何利用這個機會？

一天，吃早飯時父親讓達瑞去取報紙。美國的送報員總是把報紙從花園籬笆的一個特製的管子裏塞進來。假如你想穿着睡衣舒舒服服地吃早飯和看報紙，就必須離開温暖的房間，冒着寒風，到花園去取。雖然路短，但十分麻煩。

當達瑞爲父親取報紙的時候，一個主意誕生了。當天他就按響鄰居的門鈴，對他們説，每個月衹需付給他一美元，他就每天早上把報紙塞到他們的房門底下。大多數人都同意了，很快他有//了七十多個顧客。一個月後，當他拿到自己賺的錢時，覺得自己簡直是飛上了天。

很快他又有了新的機會，他讓他的顧客每天把垃圾袋放在門前，然後由他早上運到垃圾桶裏，每個月加一美元。之後他還想出了許多孩子賺錢的辦法，并把它集結成書，書名爲《兒童掙錢的二百五十個主意》。爲此，達瑞十二歲時就成了暢銷書作家，十五歲有了自己的談話節目，十七歲就擁有了幾百萬美元。

節選自[德]博多·舍費爾《達瑞的故事》，劉志明譯

Zuòpǐn 4 Hào

Zài Dáruì bā suì de shíhou, yǒu yī tiān tā xiǎng qù kàn diànyǐng. Yīn•wèi méi•yǒu qián, tā xiǎng shì xiàng bà mā yào qián, háishì zìjǐ zhèngqián. Zuìhòu tā xuǎnzéle hòuzhě. Tā zìjǐ tiáozhìle yī zhǒng qìshuǐr, xiàng guòlù de xíngrén chūshòu. Kě nàshí zhèngshì hánlěng de dōngtiān, méi•yǒu rén mǎi, zhǐyǒu liǎng gè rén lìwài——tā de bàba hé māma.

Tā ǒurán yǒu yī gè hé fēicháng chénggōng de shāngrén tánhuà de jī•huì. Dāng tā duì shāngrén jiǎngshùle zìjǐ de"pòchǎnshǐ" hòu, shāngrén gěile tā liǎng gè zhòngyào de jiànyì: yī shì chángshì wèi bié•rén jiějué yī gè nántí; èr shì bǎ jīnglì jízhōng zài nǐ zhī•dào de、nǐ huì de hé nǐ yōngyǒu de dōngxi •shàng.

Zhè liǎng gè jiànyì hěn guānjiàn. Yīn•wèi duìyú yī gè bā suì de háizi ér yán, tā bù huì zuò de shìqing hěn duō. Yúshì tā chuānguo dàjiē xiǎoxiàng, bùtíng de sīkǎo: rénmen huì yǒu shénme nántí, tā yòu rúhé lìyòng zhège jī•huì?

Yī tiān, chī zǎofàn shí fù•qīn ràng Dáruì qù qǔ bàozhǐ. Měiguó de sòngbàoyuán zǒngshì bǎ bàozhǐ cóng huāyuán líba de yī gè tèzhì de guǎnzi •lǐ sāi jìn•lái. Jiǎrú nǐ xiǎng chuānzhe shuìyī shūshū-fúfú(1) de chī zǎofàn hé kàn bàozhǐ, jiù bìxū líkāi wēnnuǎn de fángjiān, màozhe hánfēng, dào huāyuán qù qǔ. Suīrán lù duǎn, dàn shífēn máfan.

Dāng Dáruì wèi fù•qīn qǔ bàozhǐ de shíhou, yī gè zhǔyi dànshēng le. Dàngtiān tā jiù ànxiǎng lín•jū de ménlíng, duì tāmen shuō, měi gè yuè zhǐ xū fùgěi tā yī měiyuán, tā jiù měitiān zǎoshang bǎ bàozhǐ sāidào tāmen de fángmén dǐ•xià. Dàduōshù rén dōu tóngyì le, hěn kuài tā yǒu//le qīshí duō gè gùkè. Yī gè yuè hòu, dāng tā nádào zìjǐ zhuàn de qián shí, jué•dé zìjǐ jiǎnzhí shì fēi•shàngle tiān.

Hěn kuài tā yòu yǒule xīn de jī•huì, tā ràng tā de gùkè měitiān bǎ lājīdài fàng zài mén qián, ránhòu yóu tā zǎoshang yùndào lājītǒng•lǐ, měi gè yuè jiā yī měiyuán. Zhīhòu tā hái xiǎngchūle xǔduō háizi zhuànqián de bànfǎ, bìng bǎ tā jíjié chéng shū, shūmíng wéi《Értóng Zhèngqián de Èrbǎi Wǔshí gè Zhǔyi(2)》. Wèicǐ, Dáruì shí'èr suì shí jiù chéngle chàngxiāoshū zuòjiā, shíwǔ suì yǒule zìjǐ de tánhuà jiémù, shíqī suì jiù yōngyǒule jǐ bǎiwàn měiyuán.

Jiéxuǎn zì [Dé] Bóduō Shěfèi'ěr《Dáruì de Gùshi》, Liú Zhìmíng yì

(1) 口語一般讀 shūshu-fūfū。

(2) 口語一般讀 zhúyi。

作品 5 號

這是入冬以來，膠東半島上第一場雪。

雪紛紛揚揚，下得很大。開始還伴着一陣兒小雨，不久就衹見大片大片的雪花，從彤雲密布的天空中飄落下來。地面上一會兒就白了。冬天的山村，到了夜裏就萬籟俱寂，衹聽得雪花簌簌地不斷往下落，樹木的枯枝被雪壓斷了，偶爾咯吱一聲響。

大雪整整下了一夜。今天早晨，天放晴了，太陽出來了。推開門一看，嗬！好大的雪啊！山川、河流、樹木、房屋，全都罩上了一層厚厚的雪，萬里江山，變成了粉妝玉砌的世界。落光了葉子的柳樹上挂滿了毛茸茸亮晶晶的銀條兒；而那些冬夏常青的松樹和柏樹上，則挂滿了蓬鬆鬆沉甸甸的雪球兒。一陣風吹來，樹枝輕輕地摇晃，美麗的銀條兒和雪球兒簌簌地落下來，玉屑似的雪末兒隨風飄揚，映着清晨的陽光，顯出一道道五光十色的彩虹。

大街上的積雪足有一尺多深，人踩上去，脚底下發出咯吱咯吱的響聲。一群群孩子在雪地裏堆雪人，擲雪球兒。那歡樂的叫喊聲，把樹枝上的雪都震落下來了。

俗話説，"瑞雪兆豐年"。這個話有充分的科學根據，并不是一句迷信的成語。寒冬大雪，可以凍死一部分越冬的害蟲；融化了的水滲進土層深處，又能供應//莊稼生長的需要。我相信這一場十分及時的大雪，一定會促進明年春季作物，尤其是小麥的豐收。有經驗的老農把雪比做是"麥子的棉被"。冬天"棉被"蓋得越厚，明春麥子就長得越好，所以又有這樣一句諺語："冬天麥蓋三層被，來年枕着饅頭睡"。

我想，這就是人們爲什麽把及時的大雪稱爲"瑞雪"的道理吧。

節選自峻青《第一場雪》

Zuòpǐn 5 Hào

Zhè shì rùdōng yǐlái, Jiāodōng Bàndǎo •shàng dì-yī cháng xuě.

Xuě fēnfēn-yángyáng, xià de hěn dà. Kāishǐ hái bànzhe yīzhènr xiǎoyǔ, bùjiǔ jiù zhǐ jiàn dàpiàn dàpiàn de xuěhuā, cóng tóngyún-mìbù de tiānkōng zhōng piāoluò xià•lái. Dìmiàn •shàng yīhuìr jiù bái le. Dōngtiān de shāncūn, dàole yè•lǐ jiù wànlài-jùjì, zhǐ tīng de xuěhuā sùsù de bùduàn wǎngxià luò, shùmù de kūzhī bèi xuě yāduàn le, ǒu'ěr gēzhī yī shēng xiǎng.

Dàxuě zhěngzhěng xiàle yī yè. Jīntiān zǎo•chén, tiān fàngqíng le, tài•yáng chū•lái le. Tuīkāi mén yī kàn, hē! Hǎo dà de xuě a! Shānchuān、héliú、shùmù、fángwū, quán dōu zhào•shàngle yī céng hòuhòu de xuě, wànlǐ jiāngshān, biànchéngle fěnzhuāng-yùqì de shìjiè. Luòguāngle yèzi de liǔshù •shàng guàmǎnle máoróngróng liàngjīngjīng de yíntiáor; ér nàxiē dōng-xià chángqīng de sōngshù hé bǎishù •shàng, zé guàmǎnle péngsōngsōng chéndiàndiàn de xuěqiúr. Yī zhèn fēng chuīlái, shùzhī qīngqīng de yáo•huàng, měilì de yíntiáor hé xuěqiúr sùsù de luò xià•lái, yùxiè shìde xuěmòr suí fēng piāoyáng, yìngzhe qīngchén de yángguāng, xiǎnchū yī dàodào wǔguāng-shísè de cǎihóng.

Dàjiē •shàng de jīxuě zú yǒu yī chǐ duō shēn, rén cǎi shàng•qù, jiǎo dǐ•xià fāchū gēzhī gēzhī de xiǎngshēng. Yī qúnqún háizi zài xuědì •lǐ duī xuěrén, zhì xuěqiúr. Nà huānlè de jiàohǎnshēng, bǎ shùzhī•shàng de xuě dōu zhènluò xià•lái le.

Súhuà shuō,"Ruìxuě zhào fēngnián". Zhège huà yǒu chōngfèn de kēxué gēnjù, bìng bù shì yī jù míxìn de chéngyǔ. Hándōng dàxuě, kěyǐ dòngsǐ yī bùfen yuèdōng de hàichóng; rónghuàle de shuǐ shènjìn tǔcéng shēnchù, yòu néng gōngyìng // zhuāngjia shēngzhǎng de xūyào. Wǒ xiāngxìn zhè yī cháng shífēn jíshí de dàxuě, yīdìng huì cùjìn míngnián chūnjì zuòwù, yóuqí shì xiǎomài de fēngshōu. Yǒu jīngyàn de lǎonóng bǎ xuě bǐzuò shì "màizi de miánbèi". Dōngtiān "miánbèi" gài de yuè hòu, míngchūn màizi jiù zhǎng de yuè hǎo, suǒyǐ yòu yǒu zhèyàng yī jù yànyǔ: "Dōngtiān mài gài sān céng bèi, láinián zhěnzhe mántou shuì".

Wǒ xiǎng, zhè jiùshì rénmen wèishénme bǎ jíshí de dàxuě chēngwéi "ruìxuě" de dào•lǐ ba.

Jiéxuǎn zì Jùn Qīng《Dì-yī Cháng Xuě》

作品 6 號

我常想讀書人是世間幸福人，因爲他除了擁有現實的世界之外，還擁有另一個更爲浩瀚也更爲豐富的世界。現實的世界是人人都有的，而後一個世界却爲讀書人所獨有。由此我想，那些失去或不能閱讀的人是多麽的不幸，他們的喪失是不可補償的。世間有諸多的不平等，財富的不平等，權力的不平等，而閱讀能力的擁有或喪失却體現爲精神的不平等。

一個人的一生，祇能經歷自己擁有的那一份欣悦，那一份苦難，也許再加上他親自聞知的那一些關於自身以外的經歷和經驗。然而，人們通過閱讀，却能進入不同時空的諸多他人的世界。這樣，具有閱讀能力的人，無形間獲得了超越有限生命的無限可能性。閱讀不僅使他多識了草木蟲魚之名，而且可以上溯遠古下及未來，飽覽存在的與非存在的奇風异俗。

更爲重要的是，讀書加惠於人們的不僅是知識的增廣，而且還在於精神的感化與陶冶。人們從讀書學做人，從那些往哲先賢以及當代才俊的著述中學得他們的人格。人們從《論語》中學得智慧的思考，從《史記》中學得嚴肅的歷史精神，從《正氣歌》中學得人格的剛烈，從馬克思學得人世//的激情，從魯迅學得批判精神，從托爾斯泰學得道德的執著。歌德的詩句刻寫着睿智的人生，拜倫的詩句呼喚着奮鬥的熱情。一個讀書人，一個有機會擁有超乎個人生命體驗的幸運人。

節選自謝冕《讀書人是幸福人》

Zuòpǐn 6 Hào

Wǒ cháng xiǎng dúshūrén shì shìjiān xìngfú rén, yīn•wèi tā chúle yōngyǒu xiànshí de shìjiè zhīwài, hái yōngyǒu lìng yī gè gèng wéi hàohàn yě gèng wéi fēngfù de shìjiè. Xiànshí de shìjiè shì rénrén dōu yǒu de, ér hòu yī gè shìjiè què wéi dúshūrén suǒ dúyǒu. Yóu cǐ wǒ xiǎng, nàxiē shīqù huò bùnéng yuèdú de rén shì duōme de bùxìng, tāmen de sàngshī shì bùkě bǔcháng de. Shìjiān yǒu zhūduō de bù píngděng, cáifù de bù píngděng, quánlì de bù píngděng, ér yuèdú nénglì de yōngyǒu huò sàngshī què tǐxiàn wéi jīngshén de bù píngděng.

Yī gè rén de yīshēng, zhǐnéng jīnglì zìjǐ yōngyǒu de nà yī fèn xīnyuè, nà yī fèn kǔnàn, yěxǔ zài jiā•shàng tā qīnzì wén zhī de nà yīxiē guānyú zìshēn yǐwài de jīnglì hé jīngyàn. Rán'ér, rénmen tōngguò yuèdú, què néng jìnrù bùtóng shíkōng de zhūduō tārén de shìjiè. Zhèyàng, jùyǒu yuèdú nénglì de rén, wúxíng jiān huòdéle chāoyuè yǒuxiàn shēngmìng de wúxiàn kěnéngxìng. Yuèdú bùjǐn shǐ tā duō shíle cǎo-mù-chóng-yú zhī míng, érqiě kěyǐ shàngsù yuǎngǔ xià jí wèilái, bǎolǎn cúnzài de yǔ fēicúnzài de qífēng-yìsú.

Gèng wéi zhòngyào de shì, dúshū jiāhuì yú rénmen de bùjǐn shì zhīshi de zēngguǎng, érqiě hái zàiyú jīngshén de gǎnhuà yǔ táoyě. Rénmen cóng dúshū xué zuò rén, cóng nàxiē wǎngzhé xiānxián yǐjí dāngdài cáijùn de zhùshù zhōng xuédé tāmen de réngé. Rénmen cóng《Lúnyǔ》zhōng xuédé zhìhuì de sīkǎo, cóng《Shǐjì》zhōng xuédé yánsù de lìshǐ jīngshén, cóng《Zhèngqìgē》zhōng xuédé réngé de gāngliè, cóng Mǎkèsī xuédé rénshì// de jīqíng, cóng Lǔ Xùn xuédé pīpàn jīngshén, cóng Tuō'ěrsītài xuédé dàodé de zhízhuó. Gēdé de shījù kèxiězhe ruìzhì de rénshēng, Bàilún de shījù hūhuànzhe fèndòu de rèqíng. Yī gè dúshūrén, yī gè yǒu jī•huì yōngyǒu chāohū gèrén shēngmìng tǐyàn de xìngyùn rén.

Jiéxuǎn zì Xiè Miǎn《Dúshūrén Shì Xìngfú Rén》

作品 7 號

一天，爸爸下班回到家已經很晚了，他很累也有點兒煩，他發現五歲的兒子靠在門旁正等着他。

“爸，我可以問您一個問題嗎？”

“什麼問題？”“爸，您一小時可以賺多少錢？”“這與你無關，你爲什麼問這個問題？”父親生氣地説。

“我衹是想知道，請告訴我，您一小時賺多少錢？”小孩兒哀求道。“假如你一定要知道的話，我一小時賺二十美金。”

“哦，”小孩兒低下了頭，接着又説，“爸，可以借我十美金嗎？”父親發怒了：“如果你衹是要借錢去買毫無意義的玩具的話，給我回到你的房間睡覺去。好好想想爲什麼你會那麼自私。我每天辛苦工作，没時間和你玩兒小孩子的游戲。”

小孩兒默默地回到自己的房間關上門。

父親坐下來還在生氣。後來，他平静下來了。心想他可能對孩子太凶了——或許孩子真的很想買什麼東西，再説他平時很少要過錢。

父親走進孩子的房間：“你睡了嗎？”“爸，還没有，我還醒着。”孩子回答。

“我剛才可能對你太凶了，”父親説，“我不應該發那麼大的火兒——這是你要的十美金。”“爸，謝謝您。”孩子高興地從枕頭下拿出一些被弄皺的鈔票，慢慢地數着。

“爲什麼你已經有錢了還要？”父親不解地問。

“因爲原來不够，但現在凑够了。”孩子回答：“爸，我現在有//二十美金了，我可以向您買一個小時的時間嗎？明天請早一點兒回家——我想和您一起吃晚餐。”

節選自唐繼柳編譯《二十美金的價值》

Zuòpǐn 7 Hào

Yī tiān, bàba xiàbān huídào jiā yǐ•jīng hěn wǎn le, tā hěn lèi yě yǒu diǎnr fán, tā fāxiàn wǔ suì de érzi kào zài mén páng zhèng děngzhe tā.

"Bà, wǒ kěyǐ wèn nín yī gè wèntí ma?"

"Shénme wèntí?" "Bà, nín yī xiǎoshí kěyǐ zhuàn duō•shǎo qián?" "Zhè yǔ nǐ wúguān, nǐ wèishénme wèn zhège wèntí?" Fù•qīn shēngqì de shuō.

"Wǒ zhǐshì xiǎng zhī•dào, qǐng gàosu wǒ, nín yī xiǎoshí zhuàn duō•shǎo qián?" Xiǎoháir āiqiú dào. "Jiǎrú nǐ yīdìng yào zhī•dào de huà, wǒ yī xiǎoshí zhuàn èrshí měijīn."

"Ò," Xiǎoháir dīxiàle tóu, jiēzhe yòu shuō, "Bà, kěyǐ jiè wǒ shí měijīn ma?" Fù•qīn fānù le: "Rúguǒ nǐ zhǐshì yào jiè qián qù mǎi háowú yìyì de wánjù de huà, gěi wǒ huídào nǐ de fángjiān shuìjiào •qù. Hǎohǎo xiǎngxiang wèishénme nǐ huì nàme zìsī. Wǒ měitiān xīnkǔ gōngzuò, méi shíjiān hé nǐ wánr xiǎoháizi de yóuxì."

Xiǎoháir mòmò de huídào zìjǐ de fángjiān guān•shàng mén.

Fù•qīn zuò xià•lái hái zài shēngqì. Hòulái, tā píngjìng xià•lái le. Xīnxiǎng tā kěnéng duì háizi tài xiōng le—— huòxǔ háizi zhēnde hěn xiǎng mǎi shénme dōngxi, zài shuō tā píngshí hěn shǎo yàoguo qián.

Fù•qīn zǒujìn háizi de fángjiān: "Nǐ shuìle ma?" "Bà, hái méi•yǒu, wǒ hái xǐngzhe." Háizi huídá.

"Wǒ gāngcái kěnéng duì nǐ tài xiōng le," Fù•qīn shuō, "Wǒ bù yīnggāi fā nàme dà de huǒr——zhè shì nǐ yào de shí měijīn." "Bà, xièxie nín." Háizi gāoxìng de cóng zhěntou •xià náchū yīxiē bèi nòngzhòu de chāopiào, mànmàn de shǔzhe.

"Wèishénme nǐ yǐ•jīng yǒu qián le hái yào?" Fù•qīn bùjiě de wèn.

"Yīn•wèi yuánlái bùgòu, dàn xiànzài còugòu le." Háizi huídá: "Bà, wǒ xiànzài yǒu// èrshí měijīn le, wǒ kěyǐ xiàng nín mǎi yī gè xiǎoshí de shíjiān ma? Míngtiān qǐng zǎo yīdiǎnr huíjiā——wǒ xiǎng hé nín yīqǐ chī wǎncān."

Jiéxuǎn zì Táng Jìliǔ biānyì《Èrshí Měijīn de Jiàzhí》

作品 8 號

我愛月夜，但我也愛星天。從前在家鄉七八月的夜晚在庭院裏納凉的時候，我最愛看天上密密麻麻的繁星。望着星天，我就會忘記一切，仿佛回到了母親的懷裏似的。

三年前在南京我住的地方有一道後門，每晚我打開後門，便看見一個静寂的夜。下面是一片菜園，上面是星群密布的藍天。星光在我們的肉眼裏雖然微小，然而它使我們覺得光明無處不在。那時候我正在讀一些天文學的書，也認得一些星星，好像它們就是我的朋友，它們常常在和我談話一樣。

如今在海上，每晚和繁星相對，我把它們認得很熟了。我躺在艙面上，仰望天空。深藍色的天空裏懸着無數半明半昧的星。船在動，星也在動，它們是這樣低，真是摇摇欲墜呢！漸漸地我的眼睛模糊了，我好像看見無數螢火蟲在我的周圍飛舞。海上的夜是柔和的，是静寂的，是夢幻的。我望着許多認識的星，我仿佛看見它們在對我眨眼，我仿佛聽見它們在小聲説話。這時我忘記了一切。在星的懷抱中我微笑着，我沉睡着。我覺得自己是一個小孩子，現在睡在母親的懷裏了。

有一夜，那個在哥倫波上船的英國人指給我看天上的巨人。他用手指着：//那四顆明亮的星是頭，下面的幾顆是身子，這幾顆是手，那幾顆是腿和脚，還有三顆星算是腰帶。經他這一番指點，我果然看清楚了那個天上的巨人。看，那個巨人還在跑呢！

節選自巴金《繁星》

Zuòpǐn 8 Hào

Wǒ ài yuèyè, dàn wǒ yě ài xīngtiān. Cóngqián zài jiāxiāng qī-bāyuè de yèwǎn zài tíngyuàn •lǐ nàliáng de shíhou, wǒ zuì ài kàn tiān•shàng mìmì-mámá de fánxīng. Wàngzhe xīngtiān, wǒ jiù huì wàngjì yīqiè, fǎngfú huídàole mǔ•qīn de huái •lǐ shìde.

Sān nián qián zài Nánjīng wǒ zhù de dìfang yǒu yī dào hòumén, měi wǎn wǒ dǎkāi hòumén, biàn kàn•jiàn yī gè jìngjì de yè. Xià•miàn shì yī piàn càiyuán, shàng•miàn shì xīngqún mìbù de lántiān. Xīngguāng zài wǒmen de ròuyǎn •lǐ suīrán wēixiǎo, rán'ér tā shǐ wǒmen jué • dé guāngmíng wúchù-bùzài. Nà shíhou wǒ zhèngzài dú yīxiē tiānwénxué de shū, yě rènde yīxiē xīngxing, hǎoxiàng tāmen jiùshì wǒ de péngyou, tāmen chángcháng zài hé wǒ tánhuà yīyàng.

Rújīn zài hǎi•shàng, měi wǎn hé fánxīng xiāngduì, wǒ bǎ tāmen rènde hěn shú le. Wǒ tǎng zài cāngmiàn •shàng, yǎngwàng tiānkōng. Shēnlánsè de tiānkōng •lǐ xuánzhe wúshù bànmíng-bànmèi de xīng. Chuán zài dòng, xīng yě zài dòng, tāmen shì zhèyàng dī, zhēn shì yáoyáo-yùzhuì ne! Jiànjiàn de wǒ de yǎnjing móhu le, wǒ hǎoxiàng kàn•jiàn wúshù yínghuǒchóng zài wǒ de zhōuwéi fēiwǔ. Hǎi•shàng de yè shì róuhé de, shì jìngjì de, shì mènghuàn de. Wǒ wàngzhe xǔduō rènshi de xīng, wǒ fǎngfú kàn•jiàn tāmen zài duì wǒ zhǎyǎn, wǒ fǎngfú tīng•jiàn tāmen zài xiǎoshēng shuōhuà. Zhèshí wǒ wàngjìle yīqiè. Zài xīng de huáibào zhōng wǒ wēixiàozhe, wǒ chénshuìzhe. Wǒ jué•dé zìjǐ shì yī gè xiǎoháizi, xiànzài shuì zài mǔ•qīn de huái•lǐ le.

Yǒu yī yè, nàge zài Gēlúnbō shàng chuán de Yīngguórén zhǐ gěi wǒ kàn tiān•shàng de jùrén. Tā yòng shǒu zhǐzhe: // Nà sì kē míngliàng de xīng shì tóu, xià•miàn de jǐ kē shì shēnzi, zhè jǐ kē shì shǒu, nà jǐ kē shì tuǐ hé jiǎo, háiyǒu sān kē xīng suànshì yāodài. Jīng tā zhè yīfān zhǐdiǎn, wǒ guǒrán kàn qīngchule nàge tiān•shàng de jùrén. Kàn, nàge jùrén hái zài pǎo ne!

Jiéxuǎn zì Bā Jīn《Fánxīng》

作品 10 號

爸不懂得怎樣表達愛,使我們一家人融洽相處的是我媽。他衹是每天上班下班,而媽則把我們做過的錯事開列清單,然後由他來責罵我們。

有一次我偷了一塊糖果,他要我把它送回去,告訴賣糖的説是我偷來的,説我願意替他拆箱卸貨作爲賠償。但媽媽却明白我衹是個孩子。

我在運動場打鞦韆跌斷了腿,在前往醫院途中一直抱着我的,是我媽。爸把汽車停在急診室門口,他們叫他駛開,説那空位是留給緊急車輛停放的。爸聽了便叫嚷道:"你以爲這是什麽車? 旅游車?"

在我生日會上,爸總是顯得有些不大相稱。他衹是忙於吹氣球,布置餐桌,做雜務。把插着蠟燭的蛋糕推過來讓我吹的,是我媽。

我翻閲照相册時,人們總是問:"你爸爸是什麽樣子的?"天曉得!他老是忙着替别人拍照。媽和我笑容可掬地一起拍的照片,多得不可勝數。

我記得媽有一次叫他教我騎自行車。我叫他别放手,但他却説是應該放手的時候了。我摔倒之後,媽跑過來扶我,爸却揮手要她走開。我當時生氣極了,决心要給他點兒顔色看。於是我馬上爬上自行車,而且自己騎給他看。他衹是微笑。

我念大學時,所有的家信都是媽寫的。他//除了寄支票外,還寄過一封短柬給我,説因爲我不在草坪上踢足球了,所以他的草坪長得很美。

每次我打電話回家,他似乎都想跟我説話,但結果總是説:"我叫你媽來接。"

我結婚時,掉眼泪的是我媽。他衹是大聲擤了一下鼻子,便走出房間。

我從小到大都聽他説:"你到哪裏去? 什麽時候回家? 汽車有没有汽油? 不,不准去。"爸完全不知道怎樣表達愛。除非……

會不會是他已經表達了,而我却未能察覺?

節選自[美]艾爾瑪·邦貝克《父親的愛》

Zuòpǐn 10 Hào

Bà bù dǒng•dé zěnyàng biǎodá ài,shǐ wǒmen yī jiā rén róngqià xiāngchǔ de shì wǒ mā. Tā zhǐshì měi tiān shàngbān xiàbān,ér mā zé bǎ wǒmen zuòguo de cuòshì kāiliè qīngdān, ránhòu yóu tā lái zémà wǒmen.

Yǒu yī cì wǒ tōule yī kuài tángguǒ,tā yào wǒ bǎ tā sòng huí•qù, gàosu mài táng de shuō shì wǒ tōu•lái de, shuō wǒ yuàn•yì tì tā chāi xiāng xiè huò zuòwéi péicháng. Dàn māma què míngbai wǒ zhǐshì gè háizi.

Wǒ zài yùndòngchǎng dǎ qiūqiān diēduànle tuǐ, zài qiánwǎng yīyuàn túzhōng yīzhí bàozhe wǒ de, shì wǒ mā. Bà bǎ qìchē tíng zài jízhěnshì ménkǒu, tāmen jiào tā shǐkāi, shuō nà kòngwèi shì liúgěi jǐnjí chēliàng tíngfàng de. Bà tīngle biàn jiàorǎng dào:“Nǐ yǐwéi zhè shì shénme chē? Lǚyóuchē?”

Zài wǒ shēngrì huì•shàng, bà zǒngshì xiǎn•dé yǒuxiē bùdà xiāngchèn. Tā zhǐshì máng yú chuī qìqiú, bùzhì cānzhuō, zuò záwù. Bǎ chāzhe làzhú de dàngāo tuī guò•lái ràng wǒ chuī de,shì wǒ mā.

Wǒ fānyuè zhàoxiàngcè shí, rénmen zǒngshì wèn:“Nǐ bàba shì shénme yàngzi de?” Tiān xiǎo•dé! Tā lǎoshì mángzhe tì bié•rén pāizhào. Mā hé wǒ xiàoróng-kějū de yīqǐ pāi de zhàopiàn,duō de bùkě-shèngshǔ.

Wǒ jì•dé mā yǒu yī cì jiào tā jiāo wǒ qí zìxíngchē. Wǒ jiào tā bié fàngshǒu,dàn tā què shuō shì yīnggāi fàngshǒu de shíhou le. Wǒ shuāidǎo zhīhòu, mā pǎo guò•lái fú wǒ, bà què huīshǒu yào tā zǒukāi. Wǒ dāngshí shēngqì jí le, juéxīn yào gěi tā diǎnr yánsè kàn. Yúshì wǒ mǎshàng pá•shàng zìxíngchē,érqiě zìjǐ qí gěi tā kàn. Tā zhǐshì wēixiào.

Wǒ niàn dàxué shí, suǒyǒu de jiāxìn dōu shì mā xiě de. Tā// chúle jì zhīpiào wài,hái jìguo yī fēng duǎn jiǎn gěi wǒ,shuō yīn•wèi wǒ bù zài cǎopíng •shàng tī zúqiú le, suǒyǐ tā de cǎopíng zhǎng de hěn měi.

Měi cì wǒ dǎ diànhuà huíjiā, tā sìhū dōu xiǎng gēn wǒ shuōhuà, dàn jiéguǒ zǒngshì shuō:“Wǒ jiào nǐ mā lái jiē.”

Wǒ jiéhūn shí,diào yǎnlèi de shì wǒ mā. Tā zhǐshì dàshēng xǐngle yīxià bízi,biàn zǒuchū fángjiān.

Wǒ cóng xiǎo dào dà dōu tīng tā shuō:“ Nǐ dào nǎ•lǐ qù?Shénme shíhou huíjiā? Qìchē yǒu méi•yǒu qìyóu? Bù, bù zhǔn qù. ”Bà wánquán bù zhī•dào zěnyàng biǎodá ài. Chúfēi……

Huì bù huì shì tā yǐ•jīng biǎodá le, ér wǒ què wèi néng chájué?

Jiéxuǎn zì [Měi] Ài'ěrmǎ Bāngbèikè《Fù•qīn de Ài》

作品 12 號

夕陽落山不久，西方的天空，還燃燒着一片橘紅色的晚霞。大海，也被這霞光染成了紅色，而且比天空的景色更要壯觀。因爲它是活動的，每當一排排波浪涌起的時候，那映照在浪峰上的霞光，又紅又亮，簡直就像一片片霍霍燃燒着的火焰，閃爍着，消失了。而後面的一排，又閃爍着，滚動着，涌了過來。

天空的霞光漸漸地淡下去了，深紅的顔色變成了緋紅，緋紅又變爲淺紅。最後，當這一切紅光都消失了的時候，那突然顯得高而遠了的天空，則呈現出一片肅穆的神色。最早出現的啓明星，在這藍色的天幕上閃爍起來了。它是那麼大，那麼亮，整個廣漠的天幕上衹有它在那裏放射着令人注目的光輝，活像一盞懸挂在高空的明燈。

夜色加濃，蒼空中的"明燈"越來越多了。而城市各處的真的燈火也次第亮了起來，尤其是圍繞在海港周圍山坡上的那一片燈光，從半空倒映在烏藍的海面上，隨着波浪，晃動着，閃爍着，像一串流動着的珍珠，和那一片片密布在蒼穹裏的星斗互相輝映，煞是好看。

在這幽美的夜色中，我踏着軟綿綿的沙灘，沿着海邊，慢慢地向前走去。海水，輕輕地撫摸着細軟的沙灘，發出温柔的//刷刷聲。晚來的海風，清新而又凉爽。我的心裏，有着説不出的興奮和愉快。

夜風輕飄飄地吹拂着，空氣中飄蕩着一種大海和田禾相混合的香味兒，柔軟的沙灘上還殘留着白天太陽炙曬的餘温。那些在各個工作崗位上勞動了一天的人們，三三兩兩地來到這軟綿綿的沙灘上，他們浴着凉爽的海風，望着那綴滿了星星的夜空，盡情地説笑，盡情地休憩。

節選自峻青《海濱仲夏夜》

Zuòpǐn 12 Hào

Xīyáng luòshān bùjiǔ, xīfāng de tiānkōng, hái ránshāozhe yī piàn júhóngsè de wǎnxiá. Dàhǎi, yě bèi zhè xiáguāng rǎnchéngle hóngsè, érqiě bǐ tiānkōng de jǐngsè gèng yào zhuàngguān. Yīn•wèi tā shì huó•dòng de, měidāng yīpáipái bōlàng yǒngqǐ de shíhou, nà yìngzhào zài làngfēng •shàng de xiáguāng, yòu hóng yòu liàng, jiǎnzhí jiù xiàng yīpiànpiàn huòhuò ránshāozhe de huǒyàn, shǎnshuò zhe, xiāoshī le. Ér hòu•miàn de yī pái, yòu shǎnshuòzhe, gǔndòngzhe, yǒngle guò•lái.

Tiānkōng de xiáguāng jiànjiàn de dàn xià•qù le, shēnhóng de yánsè biànchéngle fēihóng, fēihóng yòu biànwéi qiǎnhóng. Zuìhòu, dāng zhè yīqiè hóngguāng dōu xiāoshīle de shíhou, nà tūrán xiǎn•dé gāo ér yuǎn le de tiānkōng, zé chéngxiàn chū yī piàn sùmù de shénsè. Zuì zǎo chūxiàn de qǐmíngxīng, zài zhè lánsè de tiānmù •shàng shǎnshuò qǐ•lái le. Tā shì nàme dà, nàme liàng, zhěnggè guǎngmò de tiānmù •shàng zhǐyǒu tā zài nà•lǐ fàngshèzhe lìng rén zhùmù de guānghuī, huóxiàng yī zhǎn xuánguà zài gāokōng de míngdēng.

Yèsè jiā nóng, cāngkōng zhong de "míngdēng" yuèláiyuè duō le. Ér chéngshì gè chù de zhēn de dēnghuǒ yě cìdì liàngle qǐ•lái, yóuqí shì wéirào zài hǎigǎng zhōuwéi shānpō •shàng de nà yī piàn dēngguāng, cóng bànkōng dàoyìng zài wūlán de hǎimiàn •shàng, suízhe bōlàng, huàngdòngzhe, shǎnshuòzhe, xiàng yī chuàn liúdòngzhe de zhēnzhū, hé nà yīpiànpiàn mìbù zài cāngqióng •lǐ de xīngdǒu hùxiāng huīyìng, shà shì hǎokàn.

Zài zhè yōuměi de yèsè zhōng, wǒ tàzhe ruǎnmiánmián de shātān, yánzhe hǎibiān, mànmàn de xiàngqián zǒu•qù. Hǎishuǐ, qīngqīng de fǔmōzhe xìruǎn de shātān, fāchū wēnróu de // shuāshuā shēng. Wǎnlái de hǎifēng, qīngxīn ér yòu liángshuǎng. Wǒ de xīn•lǐ, yǒuzhe shuō•bùchū de xīngfèn hé yúkuài.

Yèfēng qīngpiāopiāo de chuīfúzhe, kōngqì zhōng piāodàngzhe yī zhǒng dàhǎi hé tiánhé xiāng hùnhé de xiāngwèir, róuruǎn de shātān •shàng hái cánliúzhe bái•tiān tài•yáng zhìshài de yúwēn. Nàxiē zài gè gè gōngzuò gǎngwèi •shàng láodòngle yī tiān de rénmen, sānsān-liǎngliǎng de láidào zhè ruǎnmiánmián de shātān •shàng, tāmen yùzhe liángshuǎng de hǎifēng, wàngzhe nà zhuìmǎnle xīngxing de yèkōng, jìnqíng de shuōxiào, jìnqíng de xiūqì.

Jiéxuǎn zì Jùn Qīng《Hǎibīn Zhòngxià Yè》

作品 14 號

讀小學的時候，我的外祖母去世了。外祖母生前最疼愛我，我無法排除自己的憂傷，每天在學校的操場上一圈兒又一圈兒地跑着，跑得累倒在地上，撲在草坪上痛哭。

那哀痛的日子，斷斷續續地持續了很久，爸爸媽媽也不知道如何安慰我。他們知道與其騙我説外祖母睡着了，還不如對我説實話：外祖母永遠不會回來了。

“什麽是永遠不會回來呢？”我問着。

“所有時間裏的事物，都永遠不會回來。你的昨天過去，它就永遠變成昨天，你不能再回到昨天。爸爸以前也和你一樣小，現在也不能回到你這麽小的童年了；有一天你會長大，你會像外祖母一樣老；有一天你度過了你的時間，就永遠不會回來了。”爸爸説。

爸爸等於給我一個謎語，這謎語比課本上的“日曆挂在墻壁，一天撕去一頁，使我心裏着急”和“一寸光陰一寸金，寸金難買寸光陰”還讓我感到可怕；也比作文本上的“光陰似箭，日月如梭”更讓我覺得有一種説不出的滋味。

時間過得那麽飛快，使我的小心眼兒裏不衹是着急，還有悲傷。有一天我放學回家，看到太陽快落山了，就下决心説：“我要比太陽更快地回家。”我狂奔回去，站在庭院前喘氣的時候，看到太陽//還露着半邊臉，我高興地跳躍起來，那一天我跑贏了太陽。以後我就時常做那樣的游戲，有時和太陽賽跑，有時和西北風比快，有時一個暑假纔能做完的作業，我十天就做完了；那時我三年級，常常把哥哥五年級的作業拿來做。每一次比賽勝過時間，我就快樂得不知道怎麽形容。

如果將來我有什麽要教給我的孩子，我會告訴他：假若你一直和時間比賽，你就可以成功！

節選自（臺灣）林清玄《和時間賽跑》

Zuòpǐn 14 Hào

Dú xiǎoxué de shíhou, wǒ de wàizǔmǔ qùshì le. Wàizǔmǔ shēngqián zuì téng'ài wǒ, wǒ wúfǎ páichú zìjǐ de yōushāng, měi tiān zài xuéxiào de cāochǎng •shàng yī quānr yòu yī quānr de pǎozhe, pǎo de lèidǎo zài dì•shàng, pū zài cǎopíng •shàng tòngkū.

Nà āitòng de rìzi, duànduàn-xùxù de chíxùle hěn jiǔ, bàba māma yě bù zhī•dào rúhé ānwèi wǒ. Tāmen zhī•dào yǔqí piàn wǒ shuō wàizǔmǔ shuìzháole, hái bùrú duì wǒ shuō shíhuà: Wàizǔmǔ yǒngyuǎn bù huì huí•lái le.

"Shénme shì yǒngyuǎn bù huì huí•lái ne?" Wǒ wènzhe.

"Suǒyǒu shíjiān •lǐ de shìwù, dōu yǒngyuǎn bù huì huí•lái. Nǐ de zuótiān guò•qù, tā jiù yǒngyuǎn biànchéng zuótiān, nǐ bùnéng zài huídào zuótiān. Bàba yǐqián yě hé nǐ yīyàng xiǎo, xiànzài yě bùnéng huídào nǐ zhème xiǎo de tóngnián le; yǒu yī tiān nǐ huì zhǎngdà, nǐ huì xiàng wàizǔmǔ yīyàng lǎo; yǒu yī tiān nǐ dùguòle nǐ de shíjiān, jiù yǒngyuǎn bù huì huí•lái le." Bàba shuō.

Bàba děngyú gěi wǒ yī gè míyǔ, zhè míyǔ bǐ kèběn •shàng de "Rìlì guà zài qiángbì, yī tiān sī•qù yī yè, shǐ wǒ xīn•lǐ zháojí" hé "Yī cùn guāngyīn yī cùn jīn, cùn jīn nán mǎi cùn guāngyīn" hái ràng wǒ gǎndào kěpà; yě bǐ zuòwénběn •shàng de "Guāngyīn sì jiàn, rìyuè rú suō" gèng ràng wǒ jué•dé yǒu yī zhǒng shuō•bùchū de zīwèi.

Shíjiān guò de nàme fēikuài, shǐ wǒ de xiǎo xīnyǎnr •lǐ bù zhǐshì zháojí, háiyǒu bēishāng. Yǒu yī tiān wǒ fàngxué huíjiā, kàndào tài•yáng kuài luòshān le, jiù xià juéxīn shuō: "Wǒ yào bǐ tài•yáng gèng kuài de huíjiā." Wǒ kuángbēn huí•qù, zhàn zài tíngyuàn qián chuǎnqì de shíhou, kàndào tài•yáng// hái lòuzhe bànbiān liǎn, wǒ gāoxìng de tiàoyuè qǐ•lái, nà yī tiān wǒ pǎoyíngle tài•yáng. Yǐhòu wǒ jiù shícháng zuò nàyàng de yóuxì, yǒushí hé tài•yáng sàipǎo, yǒushí hé xīběifēng bǐ kuài, yǒushí yī gè shǔjià cái néng zuòwán de zuòyè, wǒ shí tiān jiù zuòwán le; nà shí wǒ sān niánjí, chángcháng bǎ gēge wǔ niánjí de zuòyè ná•lái zuò. Měi yī cì bǐsài shèngguo shíjiān, wǒ jiù kuàilè de bù zhī•dào zěnme xíngróng.

Rúguǒ jiānglái wǒ yǒu shénme yào jiāogěi wǒ de háizi, wǒ huì gàosu tā: Jiǎruò nǐ yīzhí hé shíjiān bǐsài, nǐ jiù kěyǐ chénggōng!

Jiéxuǎn zì (Táiwān) Lín Qīngxuán《Hé Shíjiān Sàipǎo》

作品 16 號

很久以前，在一個漆黑的秋天的夜晚，我泛舟在西伯利亞一條陰森森的河上。船到一個轉彎處，衹見前面黑黢黢的山峰下面一星火光驀地一閃。

火光又明又亮，好像就在眼前……

"好啦，謝天謝地！"我高興地説，"馬上就到過夜的地方啦！"

船夫扭頭朝身後的火光望了一眼，又不以爲然地划起槳來。

"遠着呢！"

我不相信他的話，因爲火光冲破朦朧的夜色，明明在那兒閃爍。不過船夫是對的，事實上，火光的確還遠着呢。

這些黑夜的火光的特點是：驅散黑暗，閃閃發亮，近在眼前，令人神往。乍一看，再划幾下就到了……其實却還遠着呢！……

我們在漆黑如墨的河上又划了很久。一個個峽谷和懸崖，迎面駛來，又向後移去，仿佛消失在茫茫的遠方，而火光却依然停在前頭，閃閃發亮，令人神往——依然是這麼近，又依然是那麼遠……

現在，無論是這條被懸崖峭壁的陰影籠罩的漆黑的河流，還是那一星明亮的火光，都經常浮現在我的腦際，在這以前和在這以後，曾有許多火光，似乎近在咫尺，不止使我一人心馳神往。可是生活之河却仍然在那陰森森的兩岸之間流着，而火光也依舊非常遥遠。因此，必須加勁划槳……

然而，火光啊……畢竟……畢竟就//在前頭！……

節選自［俄］柯羅連科《火光》，張鐵夫譯

Zuòpǐn 16 Hào

Hěn jiǔ yǐqián, zài yī gè qīhēi de qiūtiān de yèwǎn, wǒ fàn zhōu zài Xībólìyà yī tiáo yīnsēnsēn de hé •shàng. Chuán dào yī gè zhuǎnwān chù, zhǐ jiàn qián•miàn hēiqūqū de shānfēng xià•miàn yī xīng huǒguāng mò•dì yī shǎn.

Huǒguāng yòu míng yòu liàng, hǎoxiàng jiù zài yǎnqián……

"Hǎo la , xiètiān-xièdì!" Wǒ gāoxìng de shuō, " Mǎshàng jiù dào guòyè de dìfang la!"

Chuánfū niǔtóu cháo shēnhòu de huǒguāng wàng le yī yǎn, yòu bùyǐwéirán de huá•qǐ jiǎng•lái.

"Yuǎnzhe ne!"

Wǒ bù xiāngxìn tā de huà, yīn • wèi huǒguāng chōngpò ménglóng de yèsè, míngmíng zài nàr shǎnshuò. Bùguò chuánfū shì duì de, shìshí •shàng, huǒguāng díquè hái yuǎnzhe ne.

Zhèxiē hēiyè de huǒguāng de tèdiǎn shì: Qūsàn hēi'àn, shǎnshǎn fāliàng, jìn zài yǎnqián, lìng rén shénwǎng. Zhà yī kàn, zài huá jǐ xià jiù dào le…… Qíshí què hái yuǎnzhe ne! ……

Wǒmen zài qīhēi rú mò de hé •shàng yòu huále hěn jiǔ. Yīgègè xiágǔ hé xuányá, yíngmiàn shǐ•lái, yòu xiàng hòu yí•qù, fǎngfú xiāoshī zài mángmáng de yuǎnfāng, ér huǒguāng què yīrán tíng zài qiántou, shǎnshǎn fāliàng, lìng rén shénwǎng—yīrán shì zhème jìn, yòu yīrán shì nàme yuǎn ……

Xiànzài, wúlùn shì zhè tiáo bèi xuányá-qiàobì de yīnyǐng lǒngzhào de qīhēi de héliú, háishì nà yī xīng míngliàng de huǒguāng, dōu jīngcháng fúxiàn zài wǒ de nǎojì, zài zhè yǐqián hé zài zhè yǐhòu, céng yǒu xǔduō huǒguāng, sìhū jìn zài zhǐchǐ, bùzhǐ shì wǒ yī rén xīnchí-shénwǎng. Kěshì shēnghuó zhī hé què réngrán zài nà yīnsēnsēn de liǎng'àn zhījiān liúzhe, ér huǒguāng yě yījiù fēicháng yáoyuǎn. Yīncǐ, bìxū jiājìn huá jiǎng ……

Rán'ér,huǒguāng a…… bìjìng …… bìjìng jiù// zài qiántou! ……

Jiéxuǎn zì [É] Kēluóliánkē《Huǒguāng》, Zhāng Tiěfū yì

作品 18 號

純樸的家鄉村邊有一條河，曲曲彎彎，河中架一彎石橋，弓樣的小橋橫跨兩岸。

每天，不管是鷄鳴曉月，日麗中天，還是月華瀉地，小橋都印下串串足迹，灑落串串汗珠。那是鄉親爲了追求多棱的希望，兑現美好的遐想。彎彎小橋，不時蕩過輕吟低唱，不時露出舒心的笑容。

因而，我稚小的心靈，曾將心聲獻給小橋：你是一彎銀色的新月，給人間普照光輝；你是一把閃亮的鐮刀，割刈着歡笑的花果；你是一根晃悠悠的扁擔，挑起了彩色的明天！哦，小橋走進我的夢中。

我在飄泊他鄉的歲月，心中總湧動着故鄉的河水，夢中總看到弓樣的小橋。當我訪南疆探北國，眼簾闖進座座雄偉的長橋時，我的夢變得豐滿了，增添了赤橙黄緑青藍紫。

三十多年過去，我帶着滿頭霜花回到故鄉，第一緊要的便是去看望小橋。

啊！小橋呢？它躲起來了？河中一道長虹，浴着朝霞熠熠閃光。哦，雄渾的大橋敞開胸懷，汽車的呼嘯、摩托的笛音、自行車的叮鈴，合奏着進行交響樂；南來的鋼筋、花布，北往的柑橙、家禽，繪出交流歡悦圖……

啊！蜕變的橋，傳遞了家鄉進步的消息，透露了家鄉富裕的聲音。時代的春風，美好的追求，我驀地記起兒時唱∥給小橋的歌，哦，明艷艷的太陽照耀了，芳香甜蜜的花果捧來了，五彩斑斕的歲月拉開了！

我心中湧動的河水，激蕩起甜美的浪花。我仰望一碧藍天，心底輕聲呼喊：家鄉的橋啊，我夢中的橋！

節選自鄭瑩《家鄉的橋》

Zuòpǐn 18 Hào

Chúnpǔ de jiāxiāng cūnbiān yǒu yī tiáo hé, qūqū-wānwān, hé zhōng jià yī wān shíqiáo, gōng yàng de xiǎoqiáo héngkuà liǎng'àn.

Měi tiān, bùguǎn shì jī míng xiǎo yuè, rì lì zhōng tiān, háishì yuèhuá xiè dì, xiǎoqiáo dōu yìnxià chuànchuàn zújì, sǎluò chuànchuàn hànzhū. Nà shì xiāngqīn wèile zhuīqiú duōléng de xīwàng, duìxiàn měihǎo de xiáxiǎng. Wānwān xiǎoqiáo, bùshí dàngguò qīngyín-dīchàng, bùshí lùchū shūxīn de xiàoróng.

Yīn'ér, wǒ zhìxiǎo de xīnlíng, céng jiāng xīnshēng xiàngěi xiǎoqiáo: Nǐ shì yī wān yínsè de xīnyuè, gěi rénjiān pǔzhào guānghuī; nǐ shì yī bǎ shǎnliàng de liándāo, gēyìzhe huānxiào de huāguǒ; nǐ shì yī gēn huàngyōuyōu de biǎndan, tiāoqǐle cǎisè de míngtiān! Ò, xiǎoqiáo zǒujìn wǒ de mèng zhōng.

Wǒ zài piāobó tāxiāng de suìyuè, xīnzhōng zǒng yǒngdòngzhe gùxiāng de héshuǐ, mèng zhōng zǒng kàndào gōng yàng de xiǎoqiáo. Dāng wǒ fǎng nánjiāng tàn běiguó, yǎnlián chuǎngjìn zuòzuò xióngwěi de chángqiáo shí, wǒ de mèng biàn de fēngmǎn le, zēngtiānle chì-chéng huáng-lǜ-qīng-lán-zǐ.

Sānshí duō nián guò•qù, wǒ dàizhe mǎntóu shuānghuā huídào gùxiāng, dì-yī jǐnyào de biànshì qù kànwàng xiǎoqiáo.

À! Xiǎoqiáo ne? Tā duǒ qǐ•lái le? Hé zhōng yī dào chánghóng, yùzhe zhāoxiá yìyì shǎnguāng. Ò, xiónghún de dàqiáo chǎngkāi xiōnghuái, qìchē de hūxiào, mótuō de díyīn、zìxíngchē de dīnglíng, hézòuzhe jìnxíng jiāoxiǎngyuè; nán lái de gāngjīn、huābù, běi wǎng de gān chéng、jiāqín, huìchū jiāoliú huānyuètú……

À! Tuìbiàn de qiáo, chuándìle jiāxiāng jìnbù de xiāoxi, tòulùle jiāxiāng fùyù de shēngyīn. Shídài de chūnfēng, měihǎo de zhuīqiú, wǒ mòdì jìqǐ érshí chàng // gěi xiǎoqiáo de gē, ò, míngyànyàn de tài•yáng zhàoyào le, fāngxiāng tiánmì de huāguǒ pěnglái le, wǔcǎi bānlán de suì yuè lākāi le!

Wǒ xīnzhōng yǒngdòng de héshuǐ, jīdàng qǐ tiánměi de lànghuā. Wǒ yǎngwàng yī bì lántiān, xīndǐ qīngshēng hūhǎn: Jiāxiāng de qiáo a, wǒ mèng zhōng de qiáo!

Jiéxuǎn zì Zhèng Yíng《Jiāxiāng de Qiáo》

作品 20 號

自從傳言有人在薩文河畔散步時無意發現了金子後，這裏便常有來自四面八方的淘金者。他們都想成爲富翁，於是尋遍了整個河床，還在河床上挖出很多大坑，希望藉助它們找到更多的金子。的確，有一些人找到了，但另外一些人因爲一無所得而祇好掃興歸去。

也有不甘心落空的，便駐扎在這裏，繼續尋找。彼得·弗雷特就是其中一員。他在河床附近買了一塊没人要的土地，一個人默默地工作。他爲了找金子，已把所有的錢都押在這塊土地上。他埋頭苦幹了幾個月，直到土地全變成了坑坑窪窪，他失望了——他翻遍了整塊土地，但連一丁點兒金子都没看見。

六個月後，他連買麵包的錢都没有了。於是他準備離開這兒到别處去謀生。

就在他即將離去的前一個晚上，天下起了傾盆大雨，并且一下就是三天三夜。雨終於停了，彼得走出小木屋，發現眼前的土地看上去好像和以前不一樣：坑坑窪窪已被大水冲刷平整，鬆軟的土地上長出一層緑茸茸的小草。

“這裏没找到金子，”彼得忽有所悟地説，“但這土地很肥沃，我可以用來種花，并且拿到鎮上去賣給那些富人，他們一定會買些花裝扮他們華麗的客廳。//如果真是這樣的話，那麽我一定會賺許多錢，有朝一日我也會成爲富人……”

於是他留了下來。彼得花了不少精力培育花苗，不久田地裏長滿了美麗嬌艷的各色鮮花。

五年以後，彼得終於實現了他的夢想——成了一個富翁。“我是唯一的一個找到真金的人！”他時常不無驕傲地告訴别人，“别人在這兒找不到金子後便遠遠地離開，而我的‘金子’是在這塊土地裏，祇有誠實的人用勤勞纔能采集到。”

節選自陶猛譯《金子》

Zuòpǐn 20 Hào

Zìcóng chuányán yǒu rén zài Sàwén hépàn sànbù shí wúyì fāxiànle jīnzi hòu, zhè•lǐ biàn cháng yǒu láizì sìmiàn-bāfāng de táojīnzhě. Tāmen dōu xiǎng chéngwéi fùwēng, yúshì xúnbiànle zhěnggè héchuáng, hái zài héchuáng •shàng wāchū hěn duō dàkēng, xīwàng jièzhù tāmen zhǎodào gèng duō de jīnzi. Díquè, yǒu yīxiē rén zhǎodào le, dàn lìngwài yīxiē rén yīn•wèi yīwú-suǒdé ér zhǐhǎo sǎoxìng guīqù.

Yě yǒu bù gānxīn luòkōng de, biàn zhùzhā zài zhè•lǐ, jìxù xúnzhǎo. Bǐdé Fúléitè jiùshì qízhōng yī yuán. Tā zài héchuáng fùjìn mǎile yī kuài méi rén yào de tǔdì, yī gè rén mòmò de gōngzuò. Tā wèile zhǎo jīnzi, yǐ bǎ suǒyǒu de qián dōu yā zài zhè kuài tǔdì •shàng. Tā máitóu-kǔgànle jǐ gè yuè, zhídào tǔdì quán biànchéngle kēngkeng-wāwā, tā shīwàng le——tā fānbiànle zhěng kuài tǔdì, dàn lián yīdīngdiǎnr jīnzi dōu méi kàn•jiàn.

Liù gè yuè hòu, tā lián mǎi miànbāo de qián dōu méi•yǒu le. Yúshì tā zhǔnbèi líkāi zhèr dào biéchù qù móushēng.

Jiù zài tā jíjiāng líqù de qián yī gè wǎnshang, tiān xiàqǐle qīngpén-dàyǔ, bìngqiě yīxià jiùshì sān tiān sān yè. Yǔ zhōngyú tíng le, Bǐdé zǒuchū xiǎo mùwū, fāxiàn yǎnqián de tǔdì kàn shàng•qù hǎoxiàng hé yǐqián bù yīyàng: Kēngkeng-wāwā yǐ bèi dàshuǐ chōngshuā píngzhěng, sōngruǎn de tǔdì •shàng zhǎngchū yī céng lǜróngróng de xiǎocǎo.

“Zhè•lǐ méi zhǎodào jīnzi,” Bǐdé hū yǒu suǒ wù de shuō, “ Dàn zhè tǔdì hěn féiwò, wǒ kěyǐ yònglái zhòng huā, bìngqiě nádào zhèn •shàng qù màigěi nàxiē fùrén, tāmen yīdìng huì mǎi xiē huā zhuāngbàn tāmen huálì de kètīng. // Rúguǒ zhēn shì zhèyàng de huà, nàme wǒ yīdìng huì zhuàn xǔduō qián, yǒuzhāo-yīrì wǒ yě huì chéngwéi fùrén……”

Yúshì tā liúle xià•lái. Bǐdé huāle bù shǎo jīnglì péiyù huāmiáo, bùjiǔ tiándì •lǐ zhǎngmǎnle měilì jiāoyàn de gè sè xiānhuā.

Wǔ nián yǐhòu, Bǐdé zhōngyú shíxiànle tā de mèngxiǎng——chéngle yī gè fùwēng. “Wǒ shì wéiyī de yī gè zhǎodào zhēnjīn de rén!” Tā shícháng bùwú jiāo’ào de gàosu bié•rén, “Bié•rén zài zhèr zhǎo•bùdào jīnzi hòu biàn yuǎnyuǎn de líkāi, ér wǒ de ‘jīnzi’ shì zài zhè kuài tǔdì •lǐ, zhǐyǒu chéng•shí de rén yòng qínláo cáinéng cǎijí dào.”

Jiéxuǎn zì Táo Měng yì《Jīnzi》

作品 22 號

没有一片緑葉，没有一縷炊烟，没有一粒泥土，没有一絲花香，衹有水的世界，雲的海洋。

一陣颱風襲過，一隻孤單的小鳥無家可歸，落到被捲到洋裏的木板上，乘流而下，姍姍而來，近了，近了！……

忽然，小鳥張開翅膀，在人們頭頂盤旋了幾圈兒，"噗啦"一聲落到了船上。許是累了？還是發現了"新大陸"？水手攆它它不走，抓它，它乖乖地落在掌心。可愛的小鳥和善良的水手結成了朋友。

瞧，它多美麗，嬌巧的小嘴，啄理着緑色的羽毛，鴨子樣的扁脚，呈現出春草的鵝黄。水手們把它帶到艙裏，給它"搭鋪"，讓它在船上安家落户，每天，把分到的一塑料筒淡水匀給它喝，把從祖國帶來的鮮美的魚肉分給它吃，天長日久，小鳥和水手的感情日趨篤厚。清晨，當第一束陽光射進舷窗時，它便敞開美麗的歌喉，唱啊唱，嚶嚶有韵，宛如春水淙淙。人類給它以生命，它毫不慳吝地把自己的藝術青春奉獻給了哺育它的人。可能都是這樣？藝術家們的青春衹會獻給尊敬他們的人。

小鳥給遠航生活蒙上了一層浪漫色調。返航時，人們愛不釋手，戀戀不捨地想把它帶到异鄉。可小鳥憔悴了，給水，不喝！喂肉，不吃！油亮的羽毛失去了光澤。是啊，我//們有自己的祖國，小鳥也有它的歸宿，人和動物都是一樣啊，哪兒也不如故鄉好！

慈愛的水手們決定放開它，讓它回到大海的摇籃去，回到藍色的故鄉去。離别前，這個大自然的朋友與水手們留影紀念。它站在許多人的頭上，肩上，掌上，胳膊上，與喂養過它的人們，一起融進那藍色的畫面……

節選自王文杰《可愛的小鳥》

Zuòpǐn 22 Hào

Méi•yǒu yī piàn lǜyè, méi•yǒu yī lǚ chuīyān, méi•yǒu yī lì nítǔ, méi•yǒu yī sī huāxiāng, zhǐyǒu shuǐ de shìjiè, yún de hǎiyáng.

Yī zhèn táifēng xíguò, yī zhī gūdān de xiǎoniǎo wújiā-kěguī, luòdào bèi juǎndào yáng•lǐ de mùbǎn •shàng, chéng liú ér xià, shānshān ér lái, jìn le, jìn le! ……

Hūrán, xiǎoniǎo zhāngkāi chìbǎng, zài rénmen tóudǐng pánxuánle jǐ quānr, "pūlā" yī shēng luòdàole chuán•shàng. Xǔ shì lèi le? Háishì fāxiànle "xīn dàlù"? Shuǐshǒu niǎn tā tā bù zǒu, zhuā tā, tā guāiguāi de luò zài zhǎngxīn. Kě'ài de xiǎoniǎo hé shànliáng de shuǐshǒu jiéchéngle péngyou.

Qiáo, tā duō měilì, jiāoqiǎo de xiǎozuǐ, zhuólǐzhe lǜsè de yǔmáo, yāzi yàng de biǎnjiǎo, chéngxiàn chū chūncǎo de éhuáng. Shuǐshǒumen bǎ tā dàidào cāng •lǐ, gěi tā "dā pù", ràng tā zài chuán•shàng ānjiā-luòhù, měi tiān, bǎ fēndào de yī sùliàotǒng dànshuǐ yúngěi tā hē, bǎ cóng zǔguó dài•lái de xiānměi de yúròu fēngěi tā chī, tiāncháng-rìjiǔ, xiǎoniǎo hé shuǐshǒu de gǎnqíng rìqū dǔhòu. Qīngchén, dāng dì-yī shù yángguāng shèjìn xiánchuāng shí, tā biàn chǎngkāi měilì de gēhóu, chàng a chàng, yīngyīng-yǒuyùn, wǎnrú chūnshuǐ cóngcóng. Rénlèi gěi tā yī shēngmìng, tā háobù qiānlìn de bǎ zìjǐ de yìshù qīngchūn fèngxiàn gěile bǔyù tā de rén. Kěnéng dōu shì zhèyàng? Yìshùjiāmen de qīngchūn zhǐ huì xiàngěi zūnjìng tāmen de rén.

Xiǎoniǎo gěi yuǎnháng shēnghuó méng•shàngle yī céng làngmàn sèdiào. Fǎnháng shí, rénmen àibùshìshǒu, liànliàn-bùshě de xiǎng bǎ tā dàidào yìxiāng. Kě xiǎoniǎo qiáocuì le, gěi shuǐ, bù hē! Wèi ròu, bù chī! Yóuliàng de yǔmáo shīqùle guāngzé. Shì a, wǒ// men yǒu zìjǐ de zǔguó, xiǎoniǎo yě yǒu tā de guīsù, rén hé dòngwù dōu shì yīyàng a, nǎr yě bùrú gùxiāng hǎo!

Cí'ài de shuǐshǒumen juédìng fàngkāi tā, ràng tā huídào dàhǎi de yáolán •qù, huídào lánsè de gùxiāng •qù. Líbié qián, zhège dàzìrán de péngyou yǔ shuǐshǒumen liúyǐng jìniàn. Tā zhàn zài xǔduō rén de tóu •shàng, jiān •shàng, zhǎng •shàng, gēbo •shàng, yǔ wèiyǎngguo tā de rénmen, yīqǐ róngjìn nà lánsè de huàmiàn……

Jiéxuǎn zì Wáng Wénjié《Kě'ài de Xiǎoniǎo》

作品 24 號

十年，在歷史上不過是一瞬間。衹要稍加注意，人們就會發現：在這一瞬間裏，各種事物都悄悄經歷了自己的千變萬化。

這次重新訪日，我處處感到親切和熟悉，也在許多方面發覺了日本的變化。就拿奈良的一個角落來説吧，我重游了爲之感受很深的唐招提寺，在寺内各處匆匆走了一遍，庭院依舊，但意想不到還看到了一些新的東西。其中之一，就是近幾年從中國移植來的"友誼之蓮"。

在存放鑒真遺像的那個院子裏，幾株中國蓮昂然挺立，翠緑的寬大荷葉正迎風而舞，顯得十分愉快。開花的季節已過，荷花朵朵已變爲蓮蓬纍纍。蓮子的顏色正在由青轉紫，看來已經成熟了。

我禁不住想："因"已轉化爲"果"。

中國的蓮花開在日本，日本的櫻花開在中國，這不是偶然。我希望這樣一種盛況延續不衰。可能有人不欣賞花，但决不會有人欣賞落在自己面前的炮彈。

在這些日子裏，我看到了不少多年不見的老朋友，又結識了一些新朋友。大家喜歡涉及的話題之一，就是古長安和古奈良。那還用得着問嗎，朋友們緬懷過去，正是矚望未來。矚目於未來的人們必將獲得未來。

我不例外，也希望一個美好的未來。

爲//了中日人民之間的友誼，我將不浪費今後生命的每一瞬間。

節選自嚴文井《蓮花和櫻花》

Zuòpǐn 24 Hào

Shí nián, zài lìshǐ •shàng bùguò shì yī shùnjiān. Zhǐyào shāo jiā zhùyì, rénmen jiù huì fāxiàn: Zài zhè yī shùnjiān •lǐ, gè zhǒng shìwù dōu qiāoqiāo jīnglìle zìjǐ de qiānbiàn-wànhuà.

Zhè cì chóngxīn fǎng Rì, wǒ chùchù gǎndào qīnqiè hé shú•xī, yě zài xǔduō fāngmiàn fājuéle Rìběn de biànhuà. Jiù ná Nàiliáng de yī gè jiǎoluò lái shuō ba, wǒ chóngyóule wèi zhī gǎnshòu hěn shēn de Táng Zhāotísì, zài sìnèi gè chù cōngcōng zǒule yī biàn, tíngyuàn yījiù, dàn yìxiǎngbùdào hái kàndàole yīxiē xīn de dōngxi. Qízhōng zhīyī, jiùshì jìn jǐ nián cóng Zhōngguó yízhí lái de "yǒuyì zhī lián".

Zài cúnfàng Jiànzhēn yíxiàng de nàge yuànzi •lǐ, jǐ zhū Zhōngguó lián ángrán tǐnglì, cuìlǜ de kuāndà héyè zhèng yíngfēng ér wǔ, xiǎn•dé shífēn yúkuài. Kāihuā de jìjié yī guò, héhuā duǒduǒ yī biànwéi liánpeng léiléi. Liánzǐ de yánsè zhèngzài yóu qīng zhuǎn zǐ, kàn•lái yǐ•jīng chéngshú le.

Wǒ jīn•bùzhù xiǎng: "Yīn" yǐ zhuǎnhuà wéi "guǒ".

Zhōngguó de liánhuā kāi zài Rìběn, Rìběn de yīnghuā kāi zài Zhōngguó, zhè bù shì ǒurán. Wǒ xīwàng zhèyàng yī zhǒng shèngkuàng yánxù bù shuāi. Kěnéng yǒu rén bù xīnshǎng huā, dàn jué bùhuì yǒu rén xīnshǎng luò zài zìjǐ miànqián de pàodàn.

Zài zhèxiē rìzi •lǐ, wǒ kàndàole bùshǎo duō nián bù jiàn de lǎopéngyou, yòu jiéshíle yīxiē xīn péngyou. Dàjiā xǐhuan shèjí de huàtí zhīyī, jiùshì gǔ Cháng'ān hé gǔ Nàiliáng. Nà hái yòngdezháo wèn ma, péngyoumen miǎnhuái guòqù, zhèngshì zhǔwàng wèilái. Zhǔmù yú wèilái de rénmen bìjiāng huòdé wèilái.

Wǒ bù lìwài, yě xīwàng yī gè měihǎo de wèilái.

Wèi// le Zhōng-Rì rénmín zhījiān de yǒuyì, wǒ jiāng bù làngfèi jīnhòu shēngmìng de měi yī shùnjiān.

Jiéxuǎn zì Yán Wénjǐng《Liánhuā hé Yīnghuā》

作品 26 號

我們家的後園有半畝空地,母親説:"讓它荒着怪可惜的,你們那麼愛吃花生,就開闢出來種花生吧。"我們姐弟幾個都很高興,買種,翻地,播種,澆水,没過幾個月,居然收穫了。

母親説:"今晚我們過一個收穫節,請你們父親也來嘗嘗我們的新花生,好不好?"我們都説好。母親把花生做成了好幾樣食品,還吩咐就在後園的茅亭裏過這個節。

晚上天色不太好,可是父親也來了,實在很難得。

父親説:"你們愛吃花生嗎?"

我們争着答應:"愛!"

"誰能把花生的好處説出來?"

姐姐説:"花生的味美。"

哥哥説:"花生可以榨油。"

我説:"花生的價錢便宜,誰都可以買來吃,都喜歡吃。這就是它的好處。"

父親説:"花生的好處很多,有一樣最可貴:它的果實埋在地裏,不像桃子、石榴、蘋果那樣,把鮮紅嫩緑的果實高高地挂在枝頭上,使人一見就生愛慕之心。你們看它矮矮地長在地上,等到成熟了,也不能立刻分辨出來它有没有果實,必須挖出來纔知道。"

我們都説是,母親也點點頭。

父親接下去説:"所以你們要像花生,它雖然不好看,可是很有用,不是外表好看而没有實用的東西。"

我説:"那麼,人要做有用的人,不要做衹講體面,而對别人没有好處的人了。" //

父親説:"對。這是我對你們的希望。"

我們談到夜深纔散。花生做的食品都吃完了,父親的話却深深地印在我的心上。

節選自許地山《落花生》

Zuòpǐn 26 Hào

Wǒmen jiā de hòuyuán yǒu bàn mǔ kòngdì, mǔ•qīn shuō: "Ràng tā huāngzhe guài kěxī de, nǐmen nàme ài chī huāshēng, jiù kāipì chū•lái zhòng huāshēng ba." Wǒmen jiě-dì jǐ gè dōu hěn gāoxìng, mǎizhǒng, fāndì, bōzhǒng, jiāoshuǐ, méi guò jǐ gè yuè, jūrán shōuhuò le.

Mǔ•qīn shuō: "Jīnwǎn wǒmen guò yī gè shōuhuòjié, qǐng nǐmen fù•qīn yě lái chángchang wǒmen de xīn huāshēng, hǎo•bù hǎo?" Wǒmen dōu shuō hǎo. Mǔ•qīn bǎ huāshēng zuòchéngle hǎo jǐ yàng shípǐn, hái fēn•fù jiù zài hòuyuán de máotíng •lǐ guò zhège jié.

Wǎnshang tiānsè bù tài hǎo, kěshì fù•qīn yě lái le, shízài hěn nándé.

Fù•qīn shuō: "Nǐmen ài chī huāshēng ma?"

Wǒmen zhēngzhe dāying: "Ài!"

"Shéi néng bǎ huāshēng de hǎo•chù shuō chū•lái?"

Jiějie shuō: "Huāshēng de wèir měi."

Gēge shuō: "Huāshēng kěyǐ zhàyóu."

Wǒ shuō: "Huāshēng de jià•qián piányi, shéi dōu kěyǐ mǎi•lái chī, dōu xǐhuan chī. Zhè jiùshì tā de hǎo•chù."

Fù•qīn shuō: "Huāshēng de hǎo•chù hěn duō, yǒu yī yàng zuì kěguì: Tā de guǒshí mái zài dì•lǐ, bù xiàng táozi、shíliu、píngguǒ nàyàng, bǎ xiānhóng nènlǜ de guǒshí gāogāo de guà zài zhītóu •shàng, shǐ rén yī jiàn jiù shēng àimù zhī xīn. Nǐmen kàn tā ǎi'ǎi de zhǎng zài dì•shàng, děngdào chéngshú le, yě bùnéng lìkè fēnbiàn chū•lái tā yǒu méi•yǒu guǒshí, bìxū wā chū•lái cái zhī•dào."

Wǒmen dōu shuō shì, mǔ•qīn yě diǎndiǎn tóu.

Fù•qīn jiē xià•qù shuō: "Suǒyǐ nǐmen yào xiàng huāshēng, tā suīrán bù hǎokàn, kěshì hěn yǒuyòng, bù shì wàibiǎo hǎokàn ér méi•yǒu shíyòng de dōngxi."

Wǒ shuō: "Nàme, rén yào zuò yǒuyòng de rén, bùyào zuò zhǐ jiǎng tǐ•miàn, ér duì bié•rén méi•yǒu hǎo•chù de rén le." //

Fù•qīn shuō: "Duì. Zhè shì wǒ duì nǐmen de xīwàng."

Wǒmen tándào yè shēn cái sàn. Huāshēng zuò de shípǐn dōu chīwán le, fù•qīn de huà què shēnshēn de yìn zài wǒ de xīn•shàng.

Jiéxuǎn zì Xǔ Dìshān《Luòhuāshēng》

作品 28 號

那年我六歲。離我家僅一箭之遥的小山坡旁,有一個早已被廢弃的采石場,雙親從來不准我去那兒,其實那兒風景十分迷人。

一個夏季的下午,我隨着一群小夥伴偷偷上那兒去了。就在我們穿越了一條孤寂的小路後,他們却把我一個人留在原地,然後奔向"更危險的地帶"了。

等他們走後,我驚慌失措地發現,再也找不到要回家的那條孤寂的小道了。像隻無頭的蒼蠅,我到處亂鑽,衣褲上挂滿了芒刺。太陽已經落山,而此時此刻,家裏一定開始吃晚餐了,雙親正盼着我回家……想着想着,我不由得背靠着一棵樹,傷心地嗚嗚大哭起來……

突然,不遠處傳來了聲聲柳笛。我像找到了救星,急忙循聲走去。一條小道邊的樹樁上坐着一位吹笛人,手裏還正削着什麽。走近細看,他不就是被大家稱爲"鄉巴佬兒"的卡廷嗎?

"你好,小傢伙兒,"卡廷説,"看天氣多美,你是出來散步的吧?"

我怯生生地點點頭,答道:"我要回家了。"

"請耐心等上幾分鐘,"卡廷説,"瞧,我正在削一支柳笛,差不多就要做好了,完工後就送給你吧!"

卡廷邊削邊不時把尚未成形的柳笛放在嘴裏試吹一下。没過多久,一支柳笛便遞到我手中。我倆在一陣陣清脆悦耳的笛音//中,踏上了歸途……

當時,我心中衹充滿感激,而今天,當我自已也成了祖父時,却突然領悟到他用心之良苦!那天當他聽到我的哭聲時,便判定我一定迷了路,但他并不想在孩子面前扮演"救星"的角色,於是吹響柳笛以便讓我能發現他,并跟着他走出困境!就這樣,卡廷先生以鄉下人的純樸,保護了一個小男孩兒强烈的自尊。

節選自唐若水譯《迷途笛音》

Zuòpǐn 28 Hào

Nà nián wǒ liù suì. Lí wǒ jiā jǐn yī jiàn zhī yáo de xiǎo shānpō páng, yǒu yī gè zǎo yǐ bèi fèiqì de cǎishíchǎng, shuāngqīn cónglái bùzhǔn wǒ qù nàr, qíshí nàr fēngjǐng shífēn mírén.

Yī gè xiàjì de xiàwǔ, wǒ suízhe yī qún xiǎohuǒbànr tōutōu shàng nàr qù le. Jiù zài wǒmen chuānyuèle yī tiáo gūjì de xiǎolù hòu, tāmen què bǎ wǒ yī gè rén liú zài yuán dì, ránhòu bēnxiàng “gèng wēixiǎn de dìdài” le.

Děng tāmen zǒuhòu, wǒ jīnghuāng-shīcuò de fāxiàn, zài yě zhǎo•bùdào yào huíjiā de nà tiáo gūjì de xiǎodào le. Xiàng zhī wú tóu de cāngying, wǒ dàochù luàn zuān, yīkù •shàng guàmǎnle mángcì. Tài•yáng yǐ•jīng luòshān, ér cǐshí cǐkè, jiā•lǐ yīdìng kāishǐ chī wǎncān le, shuāngqīn zhèng pànzhe wǒ huíjiā …… Xiǎngzhe xiǎngzhe, wǒ bùyóude bèi kàozhe yī kē shù, shāngxīn de wūwū dàkū qǐ•lái……

Tūrán, bù yuǎn chù chuán•láile shēngshēng liǔdí. Wǒ xiàng zhǎodàole jiùxīng, jímáng xúnshēng zǒuqù. Yī tiáo xiǎodào biān de shùzhuāng •shàng zuòzhe yī wèi chuīdí rén, shǒu•lǐ hái zhèng xiāozhe shénme. Zǒujìn xì kàn, tā bù jiùshì bèi dàjiā chēngwéi “xiāngbalǎor” de Kǎtíng ma?

“Nǐ hǎo, xiǎojiāhuor,” Kǎtíng shuō, “Kàn tiānqì duō měi, nǐ shì chū•lái sànbù de ba?”

Wǒ qièshēngshēng de diǎndiǎn tóu, dádào:“ Wǒ yào huíjiā le.”

“Qǐng nàixīn děng•shàng jǐ fēnzhōng,” Kǎtíng shuō, “Qiáo, wǒ zhèngzài xiāo yī zhī liǔdí, chà•bùduō jiù yào zuòhǎo le, wángōng hòu jiù sònggěi nǐ ba!”

Kǎtíng biān xiāo biān bùshí bǎ shàng wèi chéngxíng de liǔdí fàng zài zuǐ •lǐ shìchuī yīxià. Méi guò duōjiǔ, yī zhī liǔdí biàn dìdào wǒ shǒu zhōng. Wǒ liǎ zài yī zhènzhèn qīngcuì yuè'ěr de díyīn// zhōng, tà•shàngle guītú……

Dāngshí, wǒ xīnzhōng zhǐ chōngmǎn gǎn•jī, ér jīntiān, dāng wǒ zìjǐ yě chéngle zǔfù shí, què tūrán lǐngwù dào tā yòngxīn zhī liángkǔ! Nà tiān dāng tā tīngdào wǒ de kūshēng shí, biàn pàndìng wǒ yīdìng míle lù, dàn tā bìng bù xiǎng zài háizi miànqián bànyǎn “jiùxīng” de juésè, yúshì chuīxiǎng liǔdí yǐbiàn ràng wǒ néng fāxiàn tā, bìng gēnzhe tā zǒuchū kùnjìng! Jiù zhèyàng, Kǎtíng xiānsheng yǐ xiāngxiarén de chúnpǔ, bǎohùle yī gè xiǎonánháir qiángliè de zìzūn.

Jiéxuǎn zì Táng Ruòshuǐ yì《Mítú Díyīn》

作品 30 號

其實你在很久以前并不喜歡牡丹,因爲它總被人作爲富貴膜拜。後來你目睹了一次牡丹的落花,你相信所有的人都會爲之感動:一陣清風徐來,嬌艷鮮嫩的盛期牡丹忽然整朵整朵地墜落,鋪撒一地絢麗的花瓣。那花瓣落地時依然鮮艷奪目,如同一隻奉上祭壇的大鳥脱落的羽毛,低吟着壯烈的悲歌離去。

牡丹没有花謝花敗之時,要麼爍於枝頭,要麼歸於泥土,它跨越萎頓和衰老,由青春而死亡,由美麗而消遁。它雖美却不吝惜生命,即使告別也要展示給人最後一次的驚心動魄。

所以在這陰冷的四月裏,奇迹不會發生。任憑游人掃興和詛咒,牡丹依然安之若素。它不苟且、不俯就、不妥協、不媚俗,甘願自己冷落自己。它遵循自己的花期自己的規律,它有權利爲自己選擇每年一度的盛大節日。它爲什麼不拒絶寒冷?

天南海北的看花人,依然絡繹不絶地涌入洛陽城。人們不會因牡丹的拒絶而拒絶它的美。如果它再被貶謫十次,也許它就會繁衍出十個洛陽牡丹城。

於是你在無言的遺憾中感悟到,富貴與高貴衹是一字之差。同人一樣,花兒也是有靈性的,更有品位之高低。品位這東西爲氣爲魂爲//筋骨爲神韵,衹可意會。你嘆服牡丹卓尔不群之姿,方知品位是多麼容易被世人忽略或是漠視的美。

節選自張抗抗《牡丹的拒絶》

Zuòpǐn 30 Hào

Qíshí nǐ zài hěn jiǔ yǐqián bìng bù xǐhuan mǔ•dān, yīn•wèi tā zǒng bèi rén zuòwéi fùguì móbài. Hòulái nǐ mùdǔle yī cì mǔ•dān de luòhuā, nǐ xiāngxìn suǒyǒu de rén dōu huì wéi zhī gǎndòng: Yī zhèn qīngfēng xúlái, jiāoyàn xiānnèn de shèngqī mǔ•dān hūrán zhěng duǒ zhěng duǒ de zhuìluò, pūsǎ yīdì xuànlì de huābàn. Nà huābàn luòdì shí yīrán xiānyàn duómù, rútóng yī zhī fèng•shàng jìtán de dàniǎo tuōluò de yǔmáo, dīyínzhe zhuàngliè de bēigē líqù.

Mǔ•dān méi•yǒu huāxiè-huābài zhī shí, yàome shuòyú zhītóu, yàome guīyú nítǔ, tā kuàyuè wěidùn hé shuāilǎo, yóu qīngchūn ér sǐwáng, yóu měilì ér xiāodùn. Tā suī měi què bù lìnxī shēngmìng, jíshǐ gàobié yě yào zhǎnshì gěi rén zuìhòu yī cì de jīngxīn-dòngpò.

Suǒyǐ zài zhè yīnlěng de sìyuè •lǐ, qíjì bù huì fāshēng. Rènpíng yóurén sǎoxìng hé zǔzhòu, mǔ•dān yīrán ānzhī-ruòsù. Tā bù gǒuqiě、bù fǔjiù、bù tuǒxié、bù mèisú, gānyuàn zìjǐ lěngluò zìjǐ. Tā zūnxún zìjǐ de huāqī zìjǐ de guīlǜ, tā yǒu quánlì wèi zìjǐ xuǎnzé měinián yī dù de shèngdà jiérì. Tā wèishénme bù jùjué hánlěng?

Tiānnán-hǎiběi de kàn huā rén, yīrán luòyì-bùjué de yǒngrù Luòyáng Chéng. Rénmen bù huì yīn mǔ•dān de jùjué ér jùjué tā de měi. Rúguǒ tā zài bèi biǎnzhé shí cì, yěxǔ tā jiùhuì fányǎn chū shí gè Luòyáng mǔ•dān chéng.

Yúshì nǐ zài wúyán de yíhàn zhōng gǎnwù dào, fùguì yǔ gāoguì zhǐshì yī zì zhī chā. Tóng rén yīyàng, huā'ér yě shì yǒu língxìng de, gèng yǒu pǐnwèi zhī gāodī. Pǐnwèi zhè dōngxi wéi qì wéi hún wéi// jīngǔ wéi shényùn, zhǐ kě yìhuì. Nǐ tànfú mǔ•dān zhuó'ěr-bùqún zhī zī, fāng zhī pǐnwèi shì duōme róng•yì bèi shìrén hūlüè huò shì mòshì de měi.

Jiéxuǎn zì Zhāng Kàngkàng《Mǔ•dān de Jùjué》

作品 32 號

朋友即將遠行。

暮春時節,又邀了幾位朋友在家小聚。雖然都是極熟的朋友,却是終年難得一見,偶爾電話裏相遇,也無非是幾句尋常話。一鍋小米稀飯,一碟大頭菜,一盤自家釀製的泡菜,一隻巷口買回的烤鴨,簡簡單單,不像請客,倒像家人團聚。

其實,友情也好,愛情也好,久而久之都會轉化爲親情。

説也奇怪,和新朋友會談文學、談哲學、談人生道理等等,和老朋友却衹話家常,柴米油鹽,細細碎碎,種種瑣事。很多時候,心靈的契合已經不需要太多的言語來表達。

朋友新燙了個頭,不敢回家見母親,恐怕驚駭了老人家,却歡天喜地來見我們,老朋友頗能以一種趣味性的眼光欣賞這個改變。

年少的時候,我們差不多都在爲别人而活,爲苦口婆心的父母活,爲循循善誘的師長活,爲許多觀念、許多傳統的約束力而活。年歲逐增,漸漸掙脱外在的限制與束縛,開始懂得爲自己活,照自己的方式做一些自己喜歡的事,不在乎别人的批評意見,不在乎别人的詆毁流言,衹在乎那一份隨心所欲的舒坦自然。偶爾,也能够縱容自己放浪一下,并且有一種惡作劇的竊喜。

就讓生命順其自然,水到渠成吧,猶如窗前的//烏桕,自生自落之間,自有一份圓融豐滿的喜悦。春雨輕輕落着,没有詩,没有酒,有的衹是一份相知相屬的自在自得。

夜色在笑語中漸漸沉落,朋友起身告辭,没有挽留,没有送别,甚至也没有問歸期。

已經過了大喜大悲的歲月,已經過了傷感流泪的年華,知道了聚散原來是這樣的自然和順理成章,懂得這點,便懂得珍惜每一次相聚的温馨,離别便也歡喜。

節選自(臺灣)杏林子《朋友和其他》

Zuòpǐn 32 Hào

Péngyou jíjiāng yuǎnxíng.

Mùchūn shíjié, yòu yāole jǐ wèi péngyou zài jiā xiǎojù. Suīrán dōu shì jí shú de péngyou, què shì zhōngnián nándé yī jiàn, ǒu'ěr diànhuà •lǐ xiāngyù, yě wúfēi shì jǐ jù xúnchánghuà. Yī guō xiǎomǐ xīfàn, yī dié dàtóucài, yī pán zìjiā niàngzhì de pàocài, yī zhī xiàngkǒu mǎihuí de kǎoyā, jiǎnjiǎn-dāndān, bù xiàng qǐngkè, dào xiàng jiārén tuánjù.

Qíshí, yǒuqíng yě hǎo, àiqíng yě hǎo, jiǔ'érjiǔzhī dōu huì zhuǎnhuà wéi qīnqíng.

Shuō yě qíguài, hé xīn péngyou huì tán wénxué、tán zhéxué、tán rénshēng dào•lǐ děngděng, hé lǎo péngyou què zhǐ huà jiācháng, chái-mǐ-yóu-yán, xìxì-suìsuì, zhǒngzhǒng suǒshì. Hěn duō shíhou, xīnlíng de qìhé yǐ•jīng bù xūyào tài duō de yányǔ lái biǎodá.

Péngyou xīn tàngle gè tóu, bùgǎn huíjiā jiàn mǔ•qīn, kǒngpà jīnghàile lǎo•rén•jiā, què huāntiān-xǐdì lái jiàn wǒmen, lǎo péngyou pō néng yǐ yī zhǒng qùwèixìng de yǎnguāng xīnshǎng zhège gǎibiàn.

Niánshào de shíhou, wǒmen chà•bùduō dōu zài wèi bié•rén ér huó, wèi kǔkǒu-póxīn de fùmǔ huó, wèi xúnxún-shànyòu de shīzhǎng huó, wèi xǔduō guānniàn、xǔduō chuántǒng de yuēshùlì ér huó. Niánsuì zhú zēng, jiànjiàn zhèngtuō wàizài de xiànzhì yǔ shùfù, kāishǐ dǒng•dé wèi zìjǐ huó, zhào zìjǐ de fāngshì zuò yīxiē zìjǐ xǐhuan de shì, bù zàihu bié•rén de pīpíng yì•jiàn, bù zàihu bié•rén de dǐhuǐ liúyán, zhǐ zàihu nà yī fèn suíxīn-suǒyù de shūtan zìrán. Ǒu'ěr, yě nénggòu zòngróng zìjǐ fànglàng yīxià, bìngqiě yǒu yī zhǒng èzuòjù de qièxǐ.

Jiù ràng shēngmìng shùn qí zìrán, shuǐdào-qúchéng ba, yóurú chuāng qián de// wūjiù, zìshēng-zìluò zhījiān, zì yǒu yī fèn yuánróng fēngmǎn de xǐyuè. Chūnyǔ qīngqīng luòzhe, méi•yǒu shī, méi•yǒu jiǔ, yǒude zhǐshì yī fèn xiāng zhī xiāng zhǔ de zìzài zìdé.

Yèsè zài xiàoyǔ zhōng jiànjiàn chénluò, péngyou qǐshēn gàocí, méi•yǒu wǎnliú, méi•yǒu sòngbié, shènzhì yě méi•yǒu wèn guīqī.

Yǐ•jīng guòle dàxǐ-dàbēi de suìyuè, yǐ•jīng guòle shānggǎn liúlèi de niánhuá, zhī•dàole jù-sàn yuánlái shì zhèyàng de zìrán hé shùnlǐ-chéngzhāng, dǒng•dé zhè diǎn, biàn dǒng•dé zhēnxī měi yī cì xiāngjù de wēnxīn, líbié biàn yě huānxǐ.

Jiéxuǎn zì (Táiwān) Xìng Línzǐ《Péngyou hé Qítā》

作品 34 號

地球上是否真的存在“無底洞”？按説地球是圓的，由地殼、地幔和地核三層組成，真正的“無底洞”是不應存在的，我們所看到的各種山洞、裂口、裂縫，甚至火山口也都衹是地殼淺部的一種現象。然而中國一些古籍却多次提到海外有個深奥莫測的無底洞。事實上地球上確實有這樣一個“無底洞”。

它位於希臘亞各斯古城的海濱。由於瀕臨大海，大漲潮時，洶涌的海水便會排山倒海般地涌入洞中，形成一股湍湍的急流。據測，每天流入洞内的海水量達三萬多噸。奇怪的是，如此大量的海水灌入洞中，却從來没有把洞灌滿。曾有人懷疑，這個“無底洞”，會不會就像石灰岩地區的漏斗、竪井、落水洞一類的地形。然而從二十世紀三十年代以來，人們就做了多種努力企圖尋找它的出口，却都是枉費心機。

爲了揭開這個秘密，一九五八年美國地理學會派出一支考察隊，他們把一種經久不變的帶色染料溶解在海水中，觀察染料是如何隨着海水一起沉下去。接着又察看了附近海面以及島上的各條河、湖，滿懷希望地尋找這種帶顔色的水，結果令人失望。難道是海水量太大把有色水稀釋得太淡，以致無法發現？//

至今誰也不知道爲什麽這裏的海水會没完没了地“漏”下去，這個“無底洞”的出口又在哪裏，每天大量的海水究竟都流到哪裏去了？

節選自羅伯特·羅威爾《神秘的“無底洞”》

Zuòpǐn 34 Hào

Dìqiú •shàng shìfǒu zhēn de cúnzài "wúdǐdòng"? Ànshuō dìqiú shì yuán de, yóu dìqiào、dìmàn hé dìhé sān céng zǔchéng, zhēnzhèng de "wúdǐdòng" shì bù yīng cúnzài de, wǒmen suǒ kàndào de gè zhǒng shāndòng、lièkǒu、lièfèng, shènzhì huǒshānkǒu yě dōu zhǐshì dìqiào qiǎnbù de yī zhǒng xiànxiàng. Rán'ér zhōngguó yīxiē gǔjí què duō cì tídào hǎiwài yǒu gè shēn'ào-mòcè de wúdǐdòng. Shìshí •shàng dìqiú •shàng quèshí yǒu zhèyàng yī gè "wúdǐdòng".

Tā wèiyú Xīlà Yàgèsī gǔchéng de hǎibīn. Yóuyú bīnlín dàhǎi, dà zhǎngcháo shí, xiōngyǒng de hǎishuǐ biàn huì páishān-dǎohǎi bān de yǒngrù dòng zhōng, xíngchéng yī gǔ tuāntuān de jíliú. Jù cè, měi tiān liúrù dòng nèi de hǎishuǐliàng dá sānwàn duō dūn. Qíguài de shì, rúcǐ dàliàng de hǎishuǐ guànrù dòng zhōng, què cónglái méi•yǒu bǎ dòng guànmǎn. Céng yǒu rén huáiyí, zhège "wúdǐdòng", huì •bù huì jiù xiàng shíhuīyán dìqū de lòudǒu、shùjǐng、luòshuǐdòng yīlèi de dìxíng. Rán'ér cóng èrshí shìjì sānshí niándài yǐlái, rénmen jiù zuòle duō zhǒng nǔlì qǐtú xúnzhǎo tā de chūkǒu, què dōu shì wǎngfèi-xīnjī.

Wèile jiēkāi zhège mìmì, yī jiǔ wǔ bā nián Měiguó Dìlǐ Xuéhuì pàichū yī zhī kǎocháduì, tāmen bǎ yī zhǒng jīngjiǔ-bùbiàn de dài sè rǎnliào róngjiě zài hǎishuǐ zhōng, guānchá rǎnliào shì rúhé suízhe hǎishuǐ yīqǐ chén xià•qù. Jiēzhe yòu chákànle fùjìn hǎimiàn yǐjí dǎo •shàng de gè tiáo hé、hú, mǎnhuái xīwàng de xúnzhǎo zhè zhǒng dài yánsè de shuǐ, jiéguǒ lìng rén shīwàng. Nándào shì hǎishuǐliàng tài dà bǎ yǒusèshuǐ xīshì de tài dàn, yǐzhì wúfǎ fāxiàn? //

Zhìjīn shéi yě bù zhī•dào wèishénme zhè•lǐ de hǎishuǐ huì méiwán-méiliǎo de "lòu" xià•qù, zhège "wúdǐdòng" de chūkǒu yòu zài nǎ•lǐ, měi tiān dàliàng de hǎishuǐ jiūjìng dōu liúdào nǎ•lǐ qù le?

Jiéxuǎn zì Luóbótè Luówéi'ěr《Shénmì de "Wúdǐdòng"》

作品 36 號

我國的建築，從古代的宮殿到近代的一般住房，絕大部分是對稱的，左邊怎麽樣，右邊怎麽樣。蘇州園林可絕不講究對稱，好像故意避免似的。東邊有了一個亭子或者一道迴廊，西邊决不會來一個同樣的亭子或者一道同樣的迴廊。這是爲什麽？我想，用圖畫來比方，對稱的建築是圖案畫，不是美術畫，而園林是美術畫，美術畫要求自然之趣，是不講究對稱的。

蘇州園林裏都有假山和池沼。

假山的堆叠，可以説是一項藝術而不僅是技術。或者是重巒叠嶂，或者是幾座小山配合着竹子花木，全在乎設計者和匠師們生平多閲歷，胸中有丘壑，纔能使游覽者攀登的時候忘却蘇州城市，衹覺得身在山間。

至於池沼，大多引用活水。有些園林池沼寬敞，就把池沼作爲全園的中心，其他景物配合着布置。水面假如成河道模樣，往往安排橋梁。假如安排兩座以上的橋梁，那就一座一個樣，决不雷同。

池沼或河道的邊沿很少砌齊整的石岸，總是高低屈曲任其自然。還在那兒布置幾塊玲瓏的石頭，或者種些花草。這也是爲了取得從各個角度看都成一幅畫的效果。池沼裏養着金魚或各色鯉魚，夏秋季節荷花或睡蓮開//放，游覽者看“魚戲蓮葉間”，又是入畫的一景。

節選自葉聖陶《蘇州園林》

Zuòpǐn 36 Hào

Wǒguó de jiànzhù, cóng gǔdài de gōngdiàn dào jìndài de yībān zhùfáng, jué dà bùfen shì duìchèn de, zuǒ•biān zěnmeyàng, yòu•biān zěnmeyàng. Sūzhōu yuánlín kě juébù jiǎng•jiū duìchèn, hǎoxiàng gùyì bìmiǎn shìde. Dōng•biān yǒule yī gè tíngzi huòzhě yī dào huíláng, xī•biān jué bù huì lái yī gè tóngyàng de tíngzi huòzhě yī dào tóngyàng de huíláng. Zhè shì wèishénme? Wǒ xiǎng, yòng túhuà lái bǐfang, duìchèn de jiànzhù shì tú'ànhuà, bù shì měishùhuà, ér yuánlín shì měishùhuà, měishùhuà yāoqiú zìrán zhī qù, shì bù jiǎng•jiū duìchèn de.

Sūzhōu yuánlín •lǐ dōu yǒu jiǎshān hé chízhǎo.

Jiǎshān de duīdié, kěyǐ shuō shì yī xiàng yìshù ér bùjǐn shì jìshù. Huòzhě shì chóngluán-diézhàng, huòzhě shì jǐ zuò xiǎoshān pèihézhe zhúzi huāmù, quán zàihu shèjìzhě hé jiàngshīmen shēngpíng duō yuèlì, xiōng zhōng yǒu qiūhè, cái néng shǐ yóulǎnzhě pāndēng de shíhou wàngquè Sūzhōu chéngshì, zhǐ jué•dé shēn zài shān jiān.

Zhìyú chízhǎo, dàduō yǐnyòng huóshuǐ. Yǒuxiē yuánlín chízhǎo kuān•chǎng, jiù bǎ chízhǎo zuòwéi quán yuán de zhōngxīn, qítā jǐngwù pèihézhe bùzhì. Shuǐmiàn jiǎrú chéng hédào múyàng, wǎngwǎng ānpái qiáoliáng. Jiǎrú ānpái liǎng zuò yǐshàng de qiáoliáng, nà jiù yī zuò yī gè yàng, jué bù léitóng.

Chízhǎo huò hédào de biānyán hěn shǎo qì qízhěng de shí'àn, zǒngshì gāodī qūqū rèn qí zìrán. Hái zài nàr bùzhì jǐ kuài línglóng de shítou, huòzhě zhòng xiē huācǎo. Zhè yě shì wèile qǔdé cóng gègè jiǎodù kàn dōu chéng yī fú huà de xiàoguǒ. Chízhǎo •lǐ yǎngzhe jīnyú huò gè sè lǐyú, xià-qiū jìjié héhuā huò shuìlián kāi//fàng, yóulǎnzhě kàn "yú xì liányè jiān", yòu shì rù huà de yī jǐng.

Jiéxuǎn zì Yè Shèngtáo《Sūzhōu Yuánlín》

作品38號

泰山極頂看日出，歷來被描繪成十分壯觀的奇景。有人説：登泰山而看不到日出，就像一齣大戲没有戲眼，味兒終究有點寡淡。

我去爬山那天，正趕上個難得的好天，萬里長空，雲彩絲兒都不見。素常，烟霧騰騰的山頭，顯得眉目分明。同伴們都欣喜地説："明天早晨準可以看見日出了。"我也是抱着這種想頭，爬上山去。

一路從山脚往上爬，細看山景，我覺得挂在眼前的不是五岳獨尊的泰山，却像一幅規模驚人的青緑山水畫，從下面倒展開來。在畫卷中最先露出的是山根底那座明朝建築岱宗坊，慢慢地便現出王母池、斗母宫、經石峪。山是一層比一層深，一叠比一叠奇，層層叠叠，不知還會有多深多奇。萬山叢中，時而點染着極其工細的人物。王母池旁的吕祖殿裏有不少尊明塑，塑着吕洞賓等一些人，姿態神情是那樣有生氣，你看了，不禁會脱口贊嘆説："活啦。"

畫卷繼續展開，緑陰森森的柏洞露面不太久，便來到對松山。兩面奇峰對峙着，滿山峰都是奇形怪狀的老松，年紀怕都有上千歲了，顔色竟那麽濃，濃得好像要流下來似的。來到這兒，你不妨權當一次畫裏的寫意人物，坐在路旁的對松亭裏，看看山色，聽聽流//水和松濤。

一時間，我又覺得自己不僅是在看畫卷，却又像是在零零亂亂翻着一卷歷史稿本。

節選自楊朔《泰山極頂》

Zuòpǐn 38 Hào

Tài Shān jí dǐng kàn rìchū, lìlái bèi miáohuì chéng shífēn zhuàngguān de qíjǐng. Yǒu rén shuō: Dēng Tài Shān ér kàn•bùdào rìchū, jiù xiàng yī chū dàxì méi•yǒu xìyǎn, wèir zhōngjiū yǒu diǎnr guǎdàn.

Wǒ qù páshān nà tiān, zhèng gǎn•shàng gè nándé de hǎotiān, wànlǐ chángkōng, yúncaisīr dōu bù jiàn. Sùcháng, yānwù téngténg de shāntóu, xiǎn•dé méi•mù fēnmíng. Tóngbànmen dōu xīnxǐ de shuō: "Míngtiān zǎo•chén zhǔn kěyǐ kàn•jiàn rìchū le." Wǒ yě shì bàozhe zhè zhǒng xiǎngtou, pá•shàng shān •qù.

Yīlù cóng shānjiǎo wǎngshàng pá, xì kàn shānjǐng, wǒ jué•dé guà zài yǎnqián de bù shì Wǔ Yuè dú zūn de Tài Shān, què xiàng yī fú guīmó jīngrén de qīnglǜ shānshuǐhuà, cóng xià•miàn dào zhǎn kāi•lái. Zài huàjuàn zhōng zuì xiān lòuchū de shì shāngēnr dǐ nà zuò Míngcháo jiànzhù Dàizōngfāng, mànmàn de biàn xiànchū Wángmǔchí、Dǒumǔgōng、Jīngshíyù. Shān shì yī céng bǐ yī céng shēn, yī dié bǐ yī dié qí, céngcéng-diédié, bù zhī hái huì yǒu duō shēn duō qí. Wàn shān cóng zhōng, shí'ér diǎnrǎnzhe jíqí gōngxì de rénwù. Wángmǔchí páng de Lǚzǔdiàn •lǐ yǒu bùshǎo zūn míngsù, sùzhe Lǚ Dòngbīn děng yīxiē rén, zītài shénqíng shì nàyàng yǒu shēngqì, nǐ kàn le, bùjīn huì tuōkǒu zàntàn shuō: "Huó la."

Huàjuàn jìxù zhǎnkāi, lǜyīn sēnsēn de Bǎidòng lòumiàn bù tài jiǔ, biàn láidào Duìsōngshān. Liǎngmiàn qífēng duìzhìzhe, mǎn shānfēng dōu shì qíxíng-guàizhuàng de lǎosōng, niánjì pà dōu yǒu shàng qiān suì le, yánsè jìng nàme nóng, nóng de hǎoxiàng yào liú xià•lái shìde. Láidào zhèr, nǐ bùfáng quándàng yī cì huà•lǐ de xiěyì rénwù, zuò zài lùpáng de Duìsōngtíng •lǐ, kànkan shānsè, tīngting liú // shuǐ hé sōngtāo.

Yīshíjiān, wǒ yòu jué•dé zìjǐ bùjǐn shì zài kàn huàjuàn, què yòu xiàng shì zài línglíng-luànluàn fānzhe yī juàn lìshǐ gǎoběn.

Jiéxuǎn zì Yáng Shuò《Tài Shān Jí Dǐng》

作品 40 號

享受幸福是需要學習的，當它即將來臨的時刻需要提醒。人可以自然而然地學會感官的享樂，却無法天生地掌握幸福的韵律。靈魂的快意同器官的舒適像一對孿生兄弟，時而相傍相依，時而南轅北轍。

幸福是一種心靈的震顫。它像會傾聽音樂的耳朵一樣，需要不斷地訓練。

簡而言之，幸福就是没有痛苦的時刻。它出現的頻率并不像我們想像的那樣少。人們常常衹是在幸福的金馬車已經駛過去很遠時，纔揀起地上的金鬃毛説，原來我見過它。

人們喜愛回味幸福的標本，却忽略它披着露水散發清香的時刻。那時候我們往往步履匆匆，瞻前顧後不知在忙着什麽。

世上有預報颱風的，有預報蝗災的，有預報瘟疫的，有預報地震的。没有人預報幸福。

其實幸福和世界萬物一樣，有它的徵兆。

幸福常常是朦朧的，很有節制地向我們噴灑甘霖。你不要總希望轟轟烈烈的幸福，它多半衹是悄悄地撲面而來。你也不要企圖把水龍頭擰得更大，那樣它會很快地流失。你需要静静地以平和之心，體驗它的真諦。

幸福絶大多數是樸素的。它不會像信號彈似的，在很高的天際閃爍紅色的光芒。它披着本色的外//衣，親切温暖地包裹起我們。

幸福不喜歡喧囂浮華，它常常在暗淡中降臨。貧困中相濡以沫的一塊糕餅，患難中心心相印的一個眼神，父親一次粗糙的撫摸，女友一張温馨的字條……這都是千金難買的幸福啊。像一粒粒綴在舊綢子上的紅寶石，在凄凉中愈發熠熠奪目。

節選自畢淑敏《提醒幸福》

Zuòpǐn 40 Hào

Xiǎngshòu xìngfú shì xūyào xuéxí de, dāng tā jíjiāng láilín de shíkè xūyào tíxǐng. Rén kěyǐ zìrán'érrán de xuéhuì gǎnguān de xiǎnglè, què wúfǎ tiānshēng de zhǎngwò xìngfú de yùnlǜ. Línghún de kuàiyì tóng qìguān de shūshì xiàng yī duì luánshēng xiōngdì, shí'ér xiāngbàng-xiāngyī, shí'ér nányuán-běizhé.

Xìngfú shì yī zhǒng xīnlíng de zhènchàn. Tā xiàng huì qīngtīng yīnyuè de ěrduo yīyàng, xūyào bùduàn de xùnliàn.

Jiǎn'éryánzhī, xìngfú jiùshì méi•yǒu tòngkǔ de shíkè. Tā chūxiàn de pínlǜ bìng bù xiàng wǒmen xiǎngxiàng de nàyàng shǎo. Rénmen chángcháng zhǐshì zài xìngfú de jīn mǎchē yǐ•jīng shǐ guò•qù hěn yuǎn shí, cái jiǎnqǐ dì•shàng de jīn zōngmáo shuō, yuánlái wǒ jiànguo tā.

Rénmen xǐ'ài huíwèi xìngfú de biāoběn, què hūlüè tā pīzhe lù•shuǐ sànfā qīngxiāng de shíkè. Nà shíhou wǒmen wǎngwǎng bùlǚ cōngcōng, zhānqián-gùhòu bù zhī zài mángzhe shénme.

Shì•shàng yǒu yùbào táifēng de, yǒu yùbào huángzāi de, yǒu yùbào wēnyì de, yǒu yùbào dìzhèn de. Méi•yǒu rén yùbào xìngfú.

Qíshí xìngfú hé shìjiè wànwù yīyàng, yǒu tā de zhēngzhào.

Xìngfú chángcháng shì ménglóng de, hěn yǒu jiézhì de xiàng wǒmen pēnsǎ gānlín. Nǐ bùyào zǒng xīwàng hōnghōng-lièliè de xìngfú, tā duōbàn zhǐshì qiāoqiāo de pūmiàn ér lái. Nǐ yě bùyào qǐtú bǎ shuǐlóngtóu nǐng de gèng dà, nàyàng tā huì hěn kuài de liúshī. Nǐ xūyào jìngjìng de yǐ pínghé zhī xīn, tǐyàn tā de zhēndì.

Xìngfú jué dà duōshù shì pǔsù de. Tā bù huì xiàng xìnhàodàn shìde, zài hěn gāo de tiānjì shǎnshuò hóngsè de guāngmáng. Tā pīzhe běnsè de wài // yī, qīnqiè wēnnuǎn de bāoguǒqǐ wǒmen.

Xìngfú bù xǐhuan xuānxiāo fúhuá, tā chángcháng zài àndàn zhōng jiànglín. Pínkùn zhōng xiāngrúyǐmò de yī kuài gāobǐng, huànnàn zhōng xīnxīn-xiāngyìn de yī gè yǎnshén, fù•qīn yī cì cūcāo de fǔmō, nǚyǒu yī zhāng wēnxīn de zìtiáo …… Zhè dōu shì qiānjīn nán mǎi de xìngfú a. Xiàng yī lìlì zhuì zài jiù chóuzi •shàng de hóngbǎoshí, zài qīliáng zhōng yùfā yìyì duómù.

Jiéxuǎn zì Bì Shūmǐn《Tíxǐng Xìngfú》

作品 41 號

在里約熱内盧的一個貧民窟裏,有一個男孩子,他非常喜歡足球,可是又買不起,於是就踢塑料盒,踢汽水瓶,踢從垃圾箱裏揀來的椰子殼。他在胡同裏踢,在能找到的任何一片空地上踢。

有一天,當他在一處乾涸的水塘裏猛踢一個猪膀胱時,被一位足球教練看見了。他發現這個男孩兒踢得很像是那麼回事,就主動提出要送給他一個足球。小男孩兒得到足球後踢得更賣勁了。不久,他就能準確地把球踢進遠處隨意擺放的一個水桶裏。

聖誕節到了,孩子的媽媽説:"我們没有錢買聖誕禮物送給我們的恩人,就讓我們爲他祈禱吧。"

小男孩兒跟隨媽媽祈禱完畢,向媽媽要了一把鏟子便跑了出去。他來到一座别墅前的花園裏,開始挖坑。

就在他快要挖好坑的時候,從别墅裏走出一個人來,問小孩兒在幹什麼,孩子抬起滿是汗珠的臉蛋兒,説:"教練,聖誕節到了,我没有禮物送給您,我願給您的聖誕樹挖一個樹坑。"

教練把小男孩兒從樹坑裏拉上來,説,我今天得到了世界上最好的禮物。明天你就到我的訓練場去吧。

三年後,這位十七歲的男孩兒在第六屆足球錦標賽上獨進二十一球,爲巴西第一次捧回了金杯。一個原//來不爲世人所知的名字——貝利,隨之傳遍世界。

節選自劉燕敏《天才的造就》

Zuòpǐn 41 Hào

Zài Lǐyuērènèilú de yī gè pínmínkū•lǐ, yǒu yī gè nánháizi, tā fēicháng xǐhuan zúqiú, kěshì yòu mǎi•bùqǐ, yúshì jiù tī sùliàohér, tī qìshuǐpíng, tī cóng lājīxiāng •lǐ jiǎnlái de yēzikér. Tā zài hútòngr •lǐ tī, zài néng zhǎodào de rènhé yī piàn kòngdì •shàng tī.

Yǒu yī tiān, dāng tā zài yī chù gānhé de shuǐtáng •lǐ měng tī yī gè zhū pángguāng shí, bèi yī wèi zúqiú jiàoliàn kàn•jiàn le. Tā fāxiàn zhège nánháir tī de hěn xiàng shì nàme huí shì, jiù zhǔdòng tíchū yào sònggěi tā yī gè zúqiú. Xiǎonánháir dédào zúqiú hòu tī de gèng màijìnr le. Bùjiǔ, tā jiù néng zhǔnquè de bǎ qiú tījìn yuǎnchù suíyì bǎifàng de yī gè shuǐtǒng •lǐ.

Shèngdànjié dào le, háizi de māma shuō: "Wǒmen méi•yǒu qián mǎi shèngdàn lǐwù sònggěi wǒmen de ēnrén, jiù ràng wǒmen wèi tā qídǎo ba."

Xiǎonánháir gēnsuí māma qídǎo wánbì, xiàng māma yàole yī bǎ chǎnzi biàn pǎole chū•qù. Tā láidào yī zuò biéshù qián de huāyuán •lǐ, kāishǐ wā kēng.

Jiù zài tā kuài yào wāhǎo kēng de shíhou, cóng biéshù •lǐ zǒuchū yī gè rén •lái, wèn xiǎoháir zài gàn shénme, háizi táiqǐ mǎn shì hànzhū de liǎndànr, shuō: "Jiàoliàn, Shèngdànjié dào le, wǒ méi•yǒu lǐwù sònggěi nín, wǒ yuàn gěi nín de shèngdànshù wā yī gè shùkēng."

Jiàoliàn bǎ xiǎonánháir cóng shùkēng •lǐ lā shàng•lái, shuō, wǒ jīntiān dédàole shìjiè •shàng zuì hǎo de lǐwù. Míngtiān nǐ jiù dào wǒ de xùnliànchǎng qù ba.

Sān nián hòu, zhè wèi shíqī suì de nánháir zài dì-liù jiè zúqiú jǐnbiāosài •shàng dú jìn èrshíyī qiú, wèi Bāxī dì-yī cì pěnghuíle jīnbēi. Yī gè yuán// lái bù wéi shìrén suǒ zhī de míngzi——Bèilì, suí zhī chuánbiàn shìjiè.

Jiéxuǎn zì Liú Yànmǐn《Tiāncái de Zàojiù》

作品 43 號

生活對於任何人都非易事,我們必須有堅韌不拔的精神。最要緊的,還是我們自己要有信心。我們必須相信,我們對每一件事情都具有天賦的才能,并且,無論付出任何代價,都要把這件事完成。當事情結束的時候,你要能問心無愧地說:"我已經盡我所能了。"

有一年的春天,我因病被迫在家裏休息數周。我注視着我的女兒們所養的蠶正在結繭,這使我很感興趣。望着這些蠶執著地、勤奮地工作,我感到我和它們非常相似。像它們一樣,我總是耐心地把自己的努力集中在一個目標上。我之所以如此,或許是因爲有某種力量在鞭策着我——正如蠶被鞭策着去結繭一般。

近五十年來,我致力於科學研究,而研究,就是對真理的探討。我有許多美好快樂的記憶。少女時期我在巴黎大學,孤獨地過着求學的歲月;在後來獻身科學的整個時期,我丈夫和我專心致志,像在夢幻中一般,坐在簡陋的書房裏艱辛地研究,後來我們就在那裏發現了鐳。

我永遠追求安靜的工作和簡單的家庭生活。爲了實現這個理想,我竭力保持寧靜的環境,以免受人事的干擾和盛名的拖累。

我深信,在科學方面我們有對事業而不//是對財富的興趣。我的惟一奢望是在一個自由國家中,以一個自由學者的身份從事研究工作。

我一直沉醉於世界的優美之中,我所熱愛的科學也不斷增加它嶄新的遠景。我認定科學本身就具有偉大的美。

節選自[波蘭]瑪麗·居里《我的信念》,劍捷譯

Zuòpǐn 43 Hào

Shēnghuó duìyú rènhé rén dōu fēi yì shì, wǒmen bìxū yǒu jiānrèn-bùbá de jīngshén. Zuì yàojǐn de, háishì wǒmen zìjǐ yào yǒu xìnxīn. Wǒmen bìxū xiāngxìn, wǒmen duì měi yī jiàn shìqing dōu jùyǒu tiānfù de cáinéng, bìngqiě, wúlùn fùchū rènhé dàijià, dōu yào bǎ zhè jiàn shì wánchéng. Dāng shìqing jiéshù de shíhou, nǐ yào néng wènxīn-wúkuì de shuō: “Wǒ yǐ•jīng jìn wǒ suǒ néng le.”

Yǒu yī nián de chūntiān, wǒ yīn bìng bèipò zài jiā•lǐ xiūxi shù zhōu. Wǒ zhùshìzhe wǒ de nǚ'érmen suǒ yǎng de cán zhèngzài jié jiǎn, zhè shǐ wǒ hěn gǎn xìngqù. Wàngzhe zhèxiē cán zhízhuó de、qínfèn de gōngzuò, wǒ gǎndào wǒ hé tāmen fēicháng xiāngsì. Xiàng tāmen yīyàng, wǒ zǒngshì nàixīn de bǎ zìjǐ de nǔlì jízhōng zài yī gè mùbiāo •shàng. Wǒ zhīsuǒyǐ rúcǐ, huòxǔ shì yīn•wèi yǒu mǒu zhǒng lì•liàng zài biāncèzhe wǒ——zhèng rú cán bèi biāncèzhe qù jié jiǎn yībān.

Jìn wǔshí nián lái, wǒ zhìlìyú kēxué yánjiū, ér yánjiū, jiùshì duì zhēnlǐ de tàntǎo. Wǒ yǒu xǔduō měihǎo kuàilè de jìyì. Shàonǚ shíqī wǒ zài Bālí Dàxué, gūdú de guòzhe qiúxué de suìyuè; zài hòulái xiànshēn kēxué de zhěnggè shíqī, wǒ zhàngfu hé wǒ zhuānxīn-zhìzhì, xiàng zài mènghuàn zhōng yībān, zuò zài jiǎnlòu de shūfáng •lǐ jiānxīn de yánjiū, hòulái wǒmen jiù zài nà•lǐ fāxiànle léi.

Wǒ yǒngyuǎn zhuīqiú ānjìng de gōngzuò hé jiǎndān de jiātíng shēnghuó. Wèile shíxiàn zhège lǐxiǎng, wǒ jiélì bǎochí níngjìng de huánjìng, yǐmiǎn shòu rénshì de gānrǎo hé shèngmíng de tuōlěi.

Wǒ shēnxìn, zài kēxué fāngmiàn wǒmen yǒu duì shìyè ér bù // shì duì cáifù de xìngqù. Wǒ de wéiyī shēwàng shì zài yī gè zìyóu guójiā zhōng, yǐ yī gè zìyóu xuézhě de shēn•fèn cóngshì yánjiū gōngzuò.

Wǒ yīzhí chénzuì yú shìjiè de yōuměi zhīzhōng, wǒ suǒ rè'ài de kēxué yě bùduàn zēngjiā tā zhǎnxīn de yuǎnjǐng. Wǒ rèndìng kēxué běnshēn jiù jùyǒu wěidà de měi.

Jiéxuǎn zì [Bōlán] Mǎlì Jūlǐ《Wǒ de Xìnniàn》, Jiàn Jié yì

三字(中輕重)
四字(中輕重重)

中國西部我們通常是指黄河與秦嶺相連一綫以西,包括西北和西南的十二個省、市、自治區。這塊廣袤的土地面積爲五百四十六萬平方公里,占國土總面積的百分之五十七;人口二點八億,占全國總人口的百分之二十三。

西部是華夏文明的源頭。華夏祖先的脚步是順着水邊走的:長江上游出土過元謀人牙齒化石,距今約一百七十萬年;黄河中游出土過藍田人頭蓋骨,距今約七十萬年。這兩處古人類都比距今約五十萬年的北京猿人資格更老。

西部地區是華夏文明的重要發源地。秦皇漢武以後,東西方文化在這裏交匯融合,從而有了絲綢之路的駝鈴聲聲,佛院深寺的暮鼓晨鐘。敦煌莫高窟是世界文化史上的一個奇迹,它在繼承漢晋藝術傳統的基礎上,形成了自己兼收并蓄的恢宏氣度,展現出精美絶倫的藝術形式和博大精深的文化内涵。秦始皇兵馬俑、西夏王陵、樓蘭古國、布達拉宫、三星堆、大足石刻等歷史文化遺産,同樣爲世界所矚目,成爲中華文化重要的象徵。

西部地區又是少數民族及其文化的集萃地,幾乎包括了我國所有的少數民族。在一些偏遠的少數民族地區,仍保留了一些久遠時代的藝術品種,成爲珍貴的"活化石",如納西古樂、戲曲、剪紙、刺綉、岩畫等民間藝術和宗教藝術。特色鮮明、豐富多彩,猶如一個巨大的民族民間文化藝術寶庫。

我們要充分重視和利用這些得天獨厚的資源優勢,建立良好的民族民間文化生態環境,爲西部大開發做出貢獻。

節選自《中考語文課外閲讀試題精選》中《西部文化和西部開發》

Zuòpǐn 45 Hào

Zhōngguó xībù wǒmen tōngcháng shì zhǐ Huáng Hé yǔ Qín Lǐng xiānglián yī xiàn yǐ xī, bāokuò xīběi hé xīnán de shí'èr gè shěng、shì、zìzhìqū. Zhè kuài guǎngmào de tǔdì miànjī wéi wǔbǎi sìshíliù wàn píngfāng gōnglǐ, zhàn guótǔ zǒng miànjī de bǎi fēn zhī wǔshíqī; rénkǒu èr diǎn bā yì, zhàn quánguó zǒng rénkǒu de bǎi fēn zhī èrshísān.

Xībù shì Huáxià wénmíng de yuántóu. Huáxià zǔxiān de jiǎobù shì shùnzhe shuǐbiān zǒu de: Cháng Jiāng shàngyóu chūtǔguo Yuánmóurén yáchǐ huàshí, jù jīn yuē yībǎi qīshí wàn nián; Huáng Hé zhōngyóu chūtǔguo Lántiánrén tóugàigǔ, jù jīn yuē qīshí wàn nián. Zhè liǎng chù gǔ rénlèi dōu bǐ jù jīn yuē wǔshí wàn nián de Běijīng yuánrén zī•gé gèng lǎo.

Xībù dìqū shì Huáxià wénmíng de zhòngyào fāyuándì. Qínhuáng Hànwǔ yǐhòu, dōng-xīfāng wénhuà zài zhè•lǐ jiāohuì rónghé, cóng'ér yǒule sīchóu zhī lù de tuólíng shēngshēng, fó yuàn shēn sì de mùgǔ-chénzhōng. Dūnhuáng Mògāokū shì shìjiè wénhuàshǐ •shàng de yī gè qíjì, tā zài jìchéng Hàn Jìn yìshù chuántǒng de jīchǔ •shàng, xíngchéngle zìjǐ jiānshōu-bìngxù de huīhóng qìdù, zhǎnxiànchū jīngměi-juélún de yìshù xíngshì hé bódà-jīngshēn de wénhuà nèihán. Qínshǐhuáng Bīngmǎyǒng、Xīxià wánglíng、Lóulán gǔguó、Bùdálāgōng、Sānxīngduī、Dàzú shíkè děng lìshǐ wénhuà yíchǎn, tóngyàng wéi shìjiè suǒ zhǔmù, chéngwéi Zhōnghuá wénhuà zhòngyào de xiàngzhēng.

Xībù dìqū yòu shì shǎoshù mínzú jíqí wénhuà de jícuìdì, jīhū bāokuòle wǒguó suǒyǒu de shǎoshù mínzú. Zài yīxiē piānyuǎn de shǎoshù mínzú dìqū, réng bǎoliú// le yīxiē jiǔyuǎn shídài de yìshù pǐnzhǒng, chéngwéi zhēnguì de "huó huàshí", rú Nàxī gǔyuè、xìqǔ、jiǎnzhǐ、cìxiù、yánhuà děng mínjiān yìshù hé zōngjiào yìshù. Tèsè xiānmíng、fēngfù-duōcǎi, yóurú yī gè jùdà de mínzú mínjiān wénhuà yìshù bǎokù.

Wǒmen yào chōngfèn zhòngshì hé lìyòng zhèxiē détiān-dúhòu de zīyuán yōushì, jiànlì liánghǎo de mínzú mínjiān wénhuà shēngtài huánjìng, wèi xībù dà kāifā zuòchū gòngxiàn.

Jiéxuǎn zì《Zhōngkǎo Yǔwén Kèwài Yuèdú Shìtí Jīngxuǎn》
zhōng《Xībù Wénhuà hé Xībù Kāifā》

作品 47 號

在灣仔，香港最熱鬧的地方，有一棵榕樹，它是最貴的一棵樹，不光在香港，在全世界，都是最貴的。

樹，活的樹，又不賣何言其貴？衹因它老，它粗，是香港百年滄桑的活見證，香港人不忍看着它被砍伐，或者被移走，便跟要占用這片山坡的建築者談條件：可以在這兒建大樓蓋商廈，但一不准砍樹，二不准挪樹，必須把它原地精心養起來，成爲香港鬧市中的一景。太古大廈的建設者最後簽了合同，占用這個大山坡建豪華商廈的先決條件是同意保護這棵老樹。

樹長在半山坡上，計劃將樹下面的成千上萬噸山石全部掏空取走，騰出地方來蓋樓，把樹架在大樓上面，仿佛它原本是長在樓頂上似的。建設者就地造了一個直徑十八米、深十米的大花盆，先固定好這棵老樹，再在大花盆底下蓋樓。光這一項就花了兩千三百八十九萬港幣，堪稱是最昂貴的保護措施了。

太古大厦落成之後，人們可以乘滾動扶梯一次到位，來到太古大厦的頂層，出後門，那兒是一片自然景色。一棵大樹出現在人們面前，樹幹有一米半粗，樹冠直徑足有二十多米，獨木成林，非常壯觀，形成一座以它爲中心的小公園，取名叫“榕圃”。樹前面插着銅牌，説明原由。此情此景，如不看銅牌的説明，絶對想不到巨樹根底下還有一座宏偉的現代大樓。

節選自舒乙《香港：最貴的一棵樹》

Zuòpǐn 47 Hào

Zài Wānzǎi, Xiānggǎng zuì rènao de dìfang, yǒu yī kē róngshù, tā shì zuì guì de yī kē shù, bùguāng zài Xiānggǎng, zài quánshìjiè, dōu shì zuì guì de.

Shù, huó de shù, yòu bù mài hé yán qí guì? Zhǐ yīn tā lǎo, tā cū, shì Xiānggǎng bǎinián cāngsāng de huó jiànzhèng, Xiānggǎngrén bùrěn kànzhe tā bèi kǎnfá, huòzhě bèi yízǒu, biàn gēn yào zhànyòng zhè piàn shānpō de jiànzhùzhě tán tiáojiàn: Kěyǐ zài zhèr jiàn dàlóu gài shāngshà, dàn yī bùzhǔn kǎn shù, èr bùzhǔn nuó shù, bìxū bǎ tā yuándì jīngxīn yǎng qǐ•lái, chéngwéi Xiānggǎng nàoshì zhōng de yī jǐng. Tàigǔ Dàshà de jiànshèzhě zuìhòu qiānle hétong, zhànyòng zhège dà shānpō jiàn háohuá shāngshà de xiānjué tiáojiàn shì tóngyì bǎohù zhè kē lǎoshù.

Shù zhǎng zài bànshānpō •shàng, jìhuà jiāng shù xià•miàn de chéngqiān-shàngwàn dūn shānshí quánbù tāokōng qǔzǒu, téngchū dìfang •lái gài lóu, bǎ shù jià zài dàlóu shàng•miàn, fǎngfú tā yuánběn shì zhǎng zài lóudǐng •shàng shìde. Jiànshèzhě jiùdì zàole yī gè zhíjìng shíbā mǐ、shēn shí mǐ de dà huāpén, xiān gùdìng hǎo zhè kē lǎoshù, zài zài dà huāpén dǐ•xià gài lóu. Guāng zhè yī xiàng jiù huāle liǎngqiān sānbǎi bāshíjiǔ wàn gǎngbì, kānchēng shì zuì ángguì de bǎohù cuòshī le.

Tàigǔ Dàshà luòchéng zhīhòu, rénmen kěyǐ chéng gǔndòng fútī yī cì dàowèi, láidào Tàigǔ Dàshà de dǐngcéng, chū hòumén, nàr shì yī piàn zìrán jǐngsè. Yī kē dàshù chūxiàn zài rénmen miànqián, shùgàn yǒu yī mǐ bàn cū, shùguān zhíjìng zú yǒu èrshí duō mǐ, dúmù-chénglín, fēicháng zhuàngguān, xíngchéng yī zuò yǐ tā wéi zhōngxīn de xiǎo gōngyuán, qǔ míng jiào “Róngpǔ”. Shù qián•miàn// chāzhe tóngpái, shuōmíng yuányóu. Cǐqíng cǐjǐng, rú bù kàn tóngpái de shuōmíng, juéduì xiǎng•bùdào jùshùgēn dǐ•xià háiyǒu yī zuò hóngwěi de xiàndài dàlóu.

Jiéxuǎn zì Shū Yǐ《Xiānggǎng: Zuì Guì de Yī Kē Shù》

作品 49 號

有這樣一個故事。

有人問：世界上什麼東西的氣力最大？回答紛紜得很，有的説"象"，有的説"獅"，有人開玩笑似的説：是"金剛"，金剛有多少氣力，當然大家全不知道。

結果，這一切答案完全不對，世界上氣力最大的，是植物的種子。一粒種子所可以顯現出來的力，簡直是超越一切。

人的頭蓋骨，結合得非常緻密與堅固，生理學家和解剖學者用盡了一切的方法，要把它完整地分出來，都没有這種力氣。後來忽然有人發明了一個方法，就是把一些植物的種子放在要剖析的頭蓋骨裏，給它以温度與濕度，使它發芽。一發芽，這些種子便以可怕的力量，將一切機械力所不能分開的骨骼，完整地分開了。植物種子的力量之大，如此如此。

這，也許特殊了一點兒，常人不容易理解。那麼，你看見過笋的成長嗎？你看見過被壓在瓦礫和石塊下面的一棵小草的生長嗎？它爲着向往陽光，爲着達成它的生之意志，不管上面的石塊如何重，石與石之間如何狹，它必定要曲曲折折地，但是頑强不屈地透到地面上來。它的根往土壤鑽，它的芽往地面挺，這是一種不可抗拒的力，阻止它的石塊，結果也被它掀翻，一粒種子的力量之大，如//此如此。

没有一個人將小草叫做"大力士"，但是它的力量之大，的確是世界無比。這種力是一般人看不見的生命力。衹要生命存在，這種力就要顯現。上面的石塊，絲毫不足以阻擋。因爲它是一種"長期抗戰"的力；有彈性，能屈能伸的力；有韌性，不達目的不止的力。

節選自夏衍《野草》

Zuòpǐn 49 Hào

Yǒu zhèyàng yī gè gùshi.

Yǒu rén wèn：Shìjiè •shàng shénme dōngxi de qìlì zuì dà? Huídá fēnyún de hěn，yǒude shuō “xiàng”，yǒude shuō “shī”，yǒu rén kāi wánxiào shìde shuō：Shì “Jīngāng”，Jīngāng yǒu duō•shǎo qìlì，dāngrán dàjiā quán bù zhī•dào.

Jiéguǒ，zhè yīqiè dá'àn wánquán bù duì，shìjiè •shàng qìlì zuì dà de，shì zhíwù de zhǒngzi. Yī lì zhǒngzi suǒ kěyǐ xiǎnxiàn chū•lái de lì，jiǎnzhí shì chāoyuè yīqiè.

Rén de tóugàigǔ，jiéhé de fēicháng zhìmì yǔ jiāngù，shēnglǐxuéjiā hé jiěpōuxuézhě yòngjìnle yīqiè de fāngfǎ，yào bǎ tā wánzhěng de fēn chū•lái，dōu méi•yǒu zhè zhǒng lìqi. Hòulái hūrán yǒu rén fāmíngle yī gè fāngfǎ，jiùshì bǎ yīxiē zhíwù de zhǒngzi fàng zài yào pōuxī de tóugàigǔ •lǐ，gěi tā yǐ wēndù yǔ shīdù，shǐ tā fāyá. Yī fāyá，zhèxiē zhǒngzi biàn yǐ kěpà de lì•liàng，jiāng yīqiè jīxièlì suǒ bùnéng fēnkāi de gǔgé，wánzhěng de fēnkāi le. Zhíwù zhǒngzi de lì•liàng zhī dà，rúcǐ rúcǐ.

Zhè，yěxǔ tèshūle yīdiǎnr，chángrén bù róng•yì lǐjiě. Nàme，nǐ kàn•jiànguo sǔn de chéngzhǎng ma? Nǐ kàn•jiànguo bèi yā zài wǎlì hé shíkuài xià•miàn de yī kē xiǎocǎo de shēngzhǎng ma? Tā wèizhe xiàngwǎng yángguāng，wèizhe dáchéng tā de shēng zhī yìzhì，bùguǎn shàng•miàn de shíkuài rúhé zhòng，shí yǔ shí zhījiān rúhé xiá，tā bìdìng yào qūqū-zhézhé de，dànshì wánqiáng-bùqū de tòudào dìmiàn shàng •lái. Tā de gēn wǎng tǔrǎng zuān，tā de yá wǎng dìmiàn tǐng，zhè shì yī zhǒng bùkě kàngjù de lì，zǔzhǐ tā de shíkuài，jiéguǒ yě bèi tā xiānfān，yī lì zhǒngzi de lì•liàng zhī dà，rú//cǐ rúcǐ.

Méi•yǒu yī gè rén jiāng xiǎo cǎo jiàozuò “dàlìshì”，dànshì tā de lì•liàng zhī dà，díquè shì shìjiè wúbǐ. Zhè zhǒng lì shì yībān rén kàn•bùjiàn de shēngmìnglì. Zhǐyào shēngmìng cúnzài，zhè zhǒng lì jiù yào xiǎnxiàn. Shàng•miàn de shíkuài，sīháo bù zúyǐ zǔdǎng. Yīn•wèi tā shì yī zhǒng “chángqī kàngzhàn” de lì；yǒu tánxìng，néngqū-néngshēn de lì；yǒu rènxìng，bù dá mùdì bù zhǐ de lì.

Jiéxuǎn zì Xià Yǎn《Yěcǎo》

作品 51 號

有個塌鼻子的小男孩兒，因爲兩歲時得過腦炎，智力受損，學習起來很吃力。打個比方，別人寫作文能寫二三百字，他却祇能寫三五行。但即便這樣的作文，他同樣能寫得很動人。

那是一次作文課，題目是《願望》。他極其認真地想了半天，然後極認真地寫，那作文極短。祇有三句話：我有兩個願望，第一個是，媽媽天天笑眯眯地看着我説："你真聰明，"第二個是，老師天天笑眯眯地看着我説："你一點兒也不笨。"

於是，就是這篇作文，深深地打動了他的老師，那位媽媽式的老師不僅給了他最高分，在班上帶感情地朗讀了這篇作文，還一筆一畫地批道：你很聰明，你的作文寫得非常感人，請放心，媽媽肯定會格外喜歡你的，老師肯定會格外喜歡你的，大家肯定會格外喜歡你的。

捧着作文本，他笑了，蹦蹦跳跳地回家了，像隻喜鵲。但他并没有把作文本拿給媽媽看，他是在等待，等待着一個美好的時刻。

那個時刻終於到了，是媽媽的生日——一個陽光燦爛的星期天：那天，他起得特別早，把作文本裝在一個親手做的美麗的大信封裏，等着媽媽醒來。媽媽剛剛睁眼醒來，他就笑眯眯地走到媽媽跟前説："媽媽，今天是您的生日，我要//送給您一件禮物。"

果然，看着這篇作文，媽媽甜甜地涌出了兩行熱泪，一把摟住小男孩兒，摟得很緊很緊。

是的，智力可以受損，但愛永遠不會。

節選自張玉庭《一個美麗的故事》

Zuòpǐn 51 Hào

Yǒu gè tā bízi de xiǎonánháir, yīn•wèi liǎng suì shí déguo nǎoyán, zhìlì shòu sǔn, xuéxí qǐ•lái hěn chīlì. Dǎ gè bǐfang, bié•rén xiě zuòwén néng xiě èr-sānbǎi zì, tā què zhǐnéng xiě sān-wǔ háng. Dàn jíbiàn zhèyàng de zuòwén, tā tóngyàng néng xiě de hěn dòngrén.

Nà shì yī cì zuòwénkè, tímù shì 《Yuànwàng》. Tā jíqí rènzhēn de xiǎngle bàntiān, ránhòu jí rènzhēn de xiě, nà zuòwén jí duǎn. Zhǐyǒu sān jù huà: Wǒ yǒu liǎng gè yuànwàng, dì-yī gè shì, māma tiāntiān xiàomīmī de kànzhe wǒ shuō: "Nǐ zhēn cōng•míng," dì-èr gè shì, lǎoshī tiāntiān xiàomīmī de kànzhe wǒ shuō: "Nǐ yīdiǎnr yě bù bèn."

Yúshì, jiùshì zhè piān zuòwén, shēnshēn de dǎdòngle tā de lǎoshī, nà wèi māma shì de lǎoshī bùjǐn gěile tā zuì gāo fēn, zài bān•shàng dài gǎnqíng de lǎngdúle zhè piān zuòwén, hái yībǐ-yīhuà de pīdào: Nǐ hěn cōng•míng, nǐ de zuòwén xiě de fēicháng gǎnrén, qǐng fàngxīn, māma kěndìng huì géwài xǐhuan nǐ de, lǎoshī kěndìng huì géwài xǐhuan nǐ de, dàjiā kěndìng huì géwài xǐhuan nǐ de.

Pěngzhe zuòwénběn, tā xiào le, bèngbèng-tiàotiào de huíjiā le, xiàng zhī xǐ•què. Dàn tā bìng méi•yǒu bǎ zuòwénběn nágěi māma kàn, tā shì zài děngdài, děngdàizhe yī gè měihǎo de shíkè.

Nàge shíkè zhōngyú dào le, shì māma de shēng•rì —— yī gè yángguāng cànlàn de xīngqītiān: Nà tiān, tā qǐ de tèbié zǎo, bǎ zuòwénběn zhuāng zài yī gè qīnshǒu zuò de měilì de dà xìnfēng •lǐ, děngzhe māma xǐng•lái. Māma gānggāng zhēng yǎn xǐng•lái, tā jiù xiàomīmī de zǒudào māma gēn•qián shuō: "Māma, jīntiān shì nín de shēng•rì, wǒ yào// sònggěi nín yī jiàn lǐwù."

Guǒrán, kànzhe zhè piān zuòwén, māma tiántián de yǒngchūle liǎng háng rèlèi, yī bǎ lǒuzhù xiǎonánháir, lǒu de hěn jǐn hěn jǐn.

Shìde, zhìlì kěyǐ shòu sǔn, dàn ài yǒngyuǎn bù huì.

Jiéxuǎn zì Zhāng Yùtíng《Yī Gè Měilì de Gùshi》

作品 55 號

人活着，最要緊的是尋覓到那片代表着生命綠色和人類希望的叢林，然後選一高高的枝頭站在那裏觀覽人生，消化痛苦，孕育歌聲，愉悦世界！

這可真是一種瀟灑的人生態度，這可真是一種心境爽朗的情感風貌。

站在歷史的枝頭微笑，可以減免許多煩惱。在那裏，你可以從衆生相所包含的甜酸苦辣、百味人生中尋找你自己；你境遇中的那點兒苦痛，也許相比之下，再也難以占據一席之地；你會較容易地獲得從不悦中解脱靈魂的力量，使之不致變得灰色。

人站得高些，不但能有幸早些領略到希望的曙光，還能有幸發現生命的立體的詩篇。每一個人的人生，都是這詩篇中的一個詞、一個句子或者一個標點。你可能没有成爲一個美麗的詞，一個引人注目的句子，一個驚嘆號，但你依然是這生命的立體詩篇中的一個音節、一個停頓、一個必不可少的組成部分。這足以使你放弃前嫌，萌生爲人類孕育新的歌聲的興致，爲世界帶來更多的詩意。

最可怕的人生見解，是把多維的生存圖景看成平面。因爲那平面上刻下的大多是凝固了的歷史——過去的遺迹；但活着的人們，活得却是充滿着新生智慧的，由//不斷逝去的“現在”組成的未來。人生不能像某些魚類躺着游，人生也不能像某些獸類爬着走，而應該站着向前行，這纔是人類應有的生存姿態。

節選自［美］本杰明·拉什《站在歷史的枝頭微笑》

Zuòpǐn 55 Hào

Rén huózhe, zuì yàojǐn de shì xúnmì dào nà piàn dàibiǎozhe shēngmìng lǜsè hé rénlèi xīwàng de cónglín, ránhòu xuǎn yī gāogāo de zhītóu zhàn zài nà•lǐ guānlǎn rénshēng, xiāohuà tòngkǔ, yùnyù gēshēng, yúyuè shìjiè!

Zhè kě zhēn shì yī zhǒng xiāosǎ de rénshēng tài•dù, zhè kě zhēn shì yī zhǒng xīnjìng shuǎnglǎng de qínggǎn fēngmào.

Zhàn zài lìshǐ de zhītóu wēixiào, kěyǐ jiǎnmiǎn xǔduō fánnǎo. Zài nà•lǐ, nǐ kěyǐ cóng zhòngshēngxiàng suǒ bāohán de tián-suān-kǔ-là、bǎiwèi rénshēng zhōng xúnzhǎo nǐ zìjǐ; nǐ jìngyù zhōng de nà diǎnr kǔtòng, yěxǔ xiāngbǐ zhīxià, zài yě nányǐ zhànjù yī xí zhī dì; nǐ huì jiào róng•yì de huòdé cóng bùyuè zhōng jiětuō línghún de lì•liàng, shǐ zhī bùzhì biàn de huīsè.

Rén zhàn de gāo xiē, bùdàn néng yǒuxìng zǎo xiē lǐnglüè dào xīwàng de shǔguāng, hái néng yǒuxìng fāxiàn shēngmìng de lìtǐ de shīpiān. Měi yī gè rén de rénshēng, dōu shì zhè shīpiān zhōng de yī gè cí、yī gè jùzi huòzhě yī gè biāodiǎn. Nǐ kěnéng méi•yǒu chéngwéi yī gè měilì de cí, yī gè yǐnrén zhùmù de jùzi, yī gè jīngtànhào, dàn nǐ yīrán shì zhè shēngmìng de lìtǐ shīpiān zhōng de yī gè yīnjié、yī gè tíngdùn、yī gè bìbùkěshǎo de zǔchéng bùfen. Zhè zúyǐ shǐ nǐ fàngqì qiánxián, méngshēng wèi rénlèi yùnyù xīn de gēshēng de xìngzhì, wèi shìjiè dài•lái gèng duō de shīyì.

Zuì kěpà de rénshēng jiànjiě, shì bǎ duōwéi de shēngcún tújìng kànchéng píngmiàn. Yīn•wèi nà píngmiàn •shàng kèxià de dàduō shì nínggùle de lìshǐ —— guòqù de yíjì; dàn huózhe de rénmen, huó de què shì chōngmǎnzhe xīnshēng zhìhuì de, yóu// bùduàn shìqù de “xiànzài” zǔchéng de wèilái. Rénshēng bùnéng xiàng mǒu xiē yúlèi tǎngzhe yóu, rénshēng yě bùnéng xiàng mǒu xiē shòulèi pázhe zǒu, ér yīnggāi zhànzhe xiàngqián xíng, zhè cái shì rénlèi yīngyǒu de shēngcún zītài.

Jiéxuǎn zì [Měi] Běnjiémíng Lāshí
《Zhàn Zài Lìshǐ de Zhītóu Wēixiào》

附 録 二

普通話水平測試管理規定

第一條 爲加强普通話水平測試管理，促其規範、健康發展，根據《中華人民共和國國家通用語言文字法》，制定本規定。

第二條 普通話水平測試（以下簡稱測試）是對應試人運用普通話的規範程度的口語考試。開展測試是促進普通話普及和應用水平提高的基本措施之一。

第三條 國家語言文字工作部門頒布測試等級標準、測試大綱、測試規程和測試工作評估辦法。

第四條 國家語言文字工作部門對測試工作進行宏觀管理，制定測試的政策、規劃，對測試工作進行組織協調、指導監督和檢查評估。

第五條 國家測試機構在國家語言文字工作部門的領導下組織實施測試，對測試業務工作進行指導，對測試質量進行監督和檢查，開展測試科學研究和業務培訓。

第六條 省、自治區、直轄市語言文字工作部門（以下簡稱省級語言文字工作部門）對本轄區測試工作進行宏觀管理，制定測試工作規劃、計劃，對測試工作進行組織協調、指導監督和檢查評估。

第七條 省級語言文字工作部門可根據需要設立地方測試機構。

省、自治區、直轄市測試機構（以下簡稱省級測試機構）接受省級語言文字工作部門及其辦事機構的行政管理和國家測試機構的業務指導，對本地區測試業務工作進行指導，組織實施測試，對測試質量進行監督和檢查，開展測試科學研究和業務培訓。

省級以下測試機構的職責由省級語言文字工作部門確定。

各級測試機構的設立須經同級編制部門批准。

第八條 測試工作原則上實行屬地管理。國家部委直屬單位的測試工作，原則上由所在地區省級語言文字工作部門組織實施。

第九條 在測試機構的組織下，測試由測試員依照測試規程執行。測試員應遵守測試工作各項規定和紀律，保证測試質量，并接受國家和省級測試機構的業務培訓。

第十條 測試員分省級測試員和國家級測試員。測試員須取得相應的測試員證書。

申請省級測試員證書者，應具有大專以上學歷，熟悉推廣普通話工作方針政策和普通語言學理論，熟悉方言與普通話的一般對應規律，熟練掌握《漢語拼音方案》和常用國際音標，有較强的聽辨音能力，普通話水平達到一級。

申請國家級測試員證書者，一般應具有中級以上專業技術職務和兩年以上省級測試員資歷，具有一定的測試科研能力和較强的普通話教學能力。

第十一條 申請省級測試員證書者，通過省級測試機構的培訓考核後，由省級語言文字工作部門頒發省級測試員證書；經省級語言文字工作部門推薦的申請國家級測試員證書者，通過國家測試機構的培訓考核後，由國家語言文字工作部門頒發國家級測試員證書。

第十二條 測試機構根據工作需要聘任測試員并頒發有一定期限的聘書。

第十三條 在同級語言文字工作辦事機構指導下，各級測試機構定期考查測試員的業務能力和工作表現，并給予獎懲。

第十四條 省級語言文字工作部門根據工作需要聘任測試視導員并頒發有一定期限的聘書。

測試視導員一般應具有語言學或相關專業的高級專業技術職務，熟悉普通語言學理論，有相關的學術研究成果，有較豐富的普通話教學經驗和測試經驗。

測試視導員在省級語言文字工作部門領導下，檢查、監督測試質量，參與和指導測試管理和測試業務工作。

第十五條 應接受測試的人員爲：

1．教師和申請教師資格的人員；

2．廣播電臺、電視臺的播音員、節目主持人；

3．影視話劇演員；

4．國家機關工作人員；

5．師範類專業、播音與主持藝術專業、影視話劇表演專業以及其他與口語表達密切相關專業的學生；

6．行業主管部門規定的其他應該接受測試的人員。

第十六條 應接受測試的人員的普通話達標等級，由國家行業主管部門規定。

第十七條 社會其他人員可自願申請接受測試。

第十八條 在高等學校註册的港澳臺學生和外國留學生可隨所在校學生接受測試。

測試機構對其他港澳臺人士和外籍人士開展測試工作，須經國家語言文字工作部門授權。

第十九條 測試成績由執行測試的測試機構認定。

wen(温),wang(汪),weng(翁)。

ü 行的韵母,前面没有聲母的時候,寫成 yu(迂),yue(約),yuan(冤),yun(暈);ü 上兩點省略。

ü 行的韵母跟聲母 j,q,x 拼的時候,寫成 ju(居),qu(區),xu(虚),ü 上兩點也省略;但是跟聲母 n,l 拼的時候,仍然寫成 nü(女),lü(吕)。

(5) iou, uei, uen 前面加聲母的時候,寫成 iu, ui, un, 例如 niu(牛),gui(歸),lun(論)。

(6) 在給漢字注音的時候,爲了使拼式簡短,ng 可以省作 ŋ。

四、聲調符號

陰平	陽平	上聲	去聲
ˉ	ˊ	ˇ	ˋ

聲調符號標在音節的主要母音上。輕聲不標。例如:

媽 mā	麻 má	馬 mǎ	罵 mà	嗎 ma
(陰平)	(陽平)	(上聲)	(去聲)	(輕聲)

五、隔音符號

a,o,e 開頭的音節連接在其他音節後面的時候,如果音節的界限發生混淆,用隔音符號(')隔開,例如:pi'ao(皮襖)。

附 録 五

普通話异讀詞審音表

中國文字改革委員會普通話審音委員會，於1957年、1959至1962年先後發表了《普通話异讀詞審音表初稿》正編、續編和三編，1963年公布《普通話异讀詞三次審音總表初稿》。經過二十多年的實際應用，普通話審音委員會在總結經驗的基礎上，於1982年至1985年組織專家學者進行審核修訂，制定了《普通話异讀詞審音表》，這個審音表經過國家語言文字工作委員會、國家教育委員會、廣播電視部（現爲廣播電影電視總局）審核通過，於1985年12月聯合發布。

説　　明

一、本表所審，主要是普通話有异讀的詞和有异讀的作爲"語素"的字。不列出多音多義字的全部讀音和全部義項，與字典、詞典形式不同。例如："和"字有多種義項和讀音，而本表僅列出原有异讀的八條詞語，分列於 hè 和 huo 兩種讀音之下（有多種讀音，較常見的在前。下同）；其餘無异讀的音、義均不涉及。

二、在字後注明"統讀"的，表示此字不論用於任何詞語中衹讀一音（輕聲變讀不受此限），本表不再舉出詞例。例如："閥"字注明"fá（統讀）"，原表"軍閥"、"學閥"、"財閥"條和原表所無的"閥門"等詞均不再舉。

三、在字後不注"統讀"的，表示此字有幾種讀音，本表衹審訂其中有异讀的詞語的讀音。例如"艾"字本有 ài 和 yì 兩音，本表衹舉"自怨自艾"一詞，注明此處讀 yì 音；至於 ài 音及其義項，并無异讀，不再贅列。

四、有些字有文白二讀，本表以"文"和"語"作注。前者一般用於書面語言，用於複音詞和文言成語中；後者多用於口語中的單音詞及少數日常生活事物的複音詞中。這種情況在必要時各舉詞語爲例。例如："杉"字下注"（一）shān（文）：紫～、

尿(niào)～
～脬
囁 niè(統讀)
寧(一)níng
安～
(二)nìng
～可 無～〔姓〕
忸 niǔ(統讀)
膿 nóng(統讀)
弄(一)nòng
玩～
(二)lòng
～堂
暖 nuǎn(統讀)
衄 nǜ(統讀)
瘧(一)nüè(文)
～疾
(二)yào(語)
發～子
娜(一)nuó
婀～ 裊～
(二) nà
(人名)

O

毆 ōu(統讀)
嘔 ǒu(統讀)

P

杷 pá(統讀)
琶 pá(統讀)
牌 pái(統讀)
排 pǎi
～子車
迫 pǎi
～擊炮
湃 pài(統讀)
爿 pán(統讀)
胖 pán
心廣體～ (～爲安舒貌)
蹣 pán(統讀)
畔 pàn(統讀)
乓 pāng(統讀)
滂 pāng(統讀)
脬 pāo(統讀)
胚 pēi(統讀)
噴(一)pēn
～嚏
(二)pèn
～香
(三)pen
嚏～
澎 péng(統讀)
坯 pī(統讀)
披 pī(統讀)
匹 pǐ(統讀)
僻 pì(統讀)
譬 pì(統讀)
片(一)piàn
～子 唱～ 畫～ 相～ 影～
～兒會
(二)piān(口語一部分詞)
～子 ～兒 唱～兒 畫～兒 相～兒 影～兒
剽 piāo(統讀)
縹 piāo
～緲(飄渺)
撇 piē
～弃
聘 pìn(統讀)
乒 pīng(統讀)
頗 pō(統讀)
剖 pōu(統讀)
仆(一)pū
前～後繼
(二)(僕)pú
～從
撲 pū(統讀)
樸(一)pǔ
儉～ ～素 ～質
(二)(朴)pō
～刀
(三)(朴)pò
～硝 厚～
蹼 pǔ(統讀)
瀑 pù
～布
曝(一)pù
一～十寒
(二)bào
～光 (攝影術語)

Q

栖 qī
兩～
戚 qī(統讀)
漆 qī(統讀)
期 qī(統讀)
蹊 qī
～蹺
蠐 qí(統讀)
畦 qí(統讀)
萁 qí(統讀)
騎 qí(統讀)
企 qǐ(統讀)
綺 qǐ(統讀)
杞 qǐ(統讀)
槭 qì(統讀)
洽 qià(統讀)
簽 qiān(統讀)
潛 qián(統讀)
蕁(一)qián (文)
～麻
(二)xún (語)
～麻疹
嵌 qiàn(統讀)
欠 qian
打哈～
戕 qiāng(統讀)

鏹 qiāng
～水
强(一)qiáng
～渡 ～取豪奪
～制 博聞～識
(二)qiǎng
勉～ 牽～ ～詞奪理 ～迫
～顔爲笑
(三)jiàng
倔～
襁 qiǎng(統讀)
蹌 qiàng(統讀)
悄(一)qiāo
～～兒的
(二)qiǎo
～默聲兒的
橇 qiāo(統讀)
翹(一)qiào(語)
～尾巴
(二)qiáo (文)
～首 ～楚 連～
怯 qiè(統讀)
挈 qiè(統讀)
趄 qie
趔～
侵 qīn(統讀)
衾 qīn(統讀)
噙 qín(統讀)
傾 qīng(統讀)
親 qìng
～家
穹 qióng(統讀)
黢 qū(統讀)
曲 (麯)qū
大～ 紅～ 神～
渠 qú(統讀)
瞿 qú(統讀)
蠼 qú(統讀)
苣 qǔ
～蕒菜
齲 qǔ(統讀)
趣 qù(統讀)
雀 què
～斑 ～盲症

R

髯 rán(統讀)
攘 rǎng(統讀)
橈 ráo(統讀)
繞 rào(統讀)
任 rén〔姓,地名〕
妊 rèn(統讀)
扔 rēng(統讀)
容 róng(統讀)
糅 róu(統讀)
茹 rú(統讀)
孺 rú(統讀)
蠕 rú(統讀)
辱 rǔ(統讀)
挼 ruó(統讀)

S

靸 sǎ(統讀)
噻 sāi(統讀)
散 (一) sǎn
懶～ 零零～～
～漫
(二) san
零～
喪 sang
哭～着臉
掃 (一) sǎo
～興
(二) sào
～帚
埽 sào(統讀)
色 (一) sè(文)
(二) shǎi (語)
塞 (一) sè(文)動作義。
(二) sāi(語)名物義,如:"活～"、"瓶～";動作義,如:"把洞～住"。
森 sēn(統讀)
煞 (一) shā
～尾 收～
(二) shà
～白
啥 shá(統讀)
厦 (一) shà(語)
(二) xià(文)
～門 噶～
杉 (一) shān(文)
紫～ 紅～ 水～
(二) shā(語)
～篙 ～木
衫 shān(統讀)
姍 shān(統讀)
苫 (一) shàn(動作義,如"～布")
(二) shān(名物義,如"草～子")
墒 shāng(統讀)
猞 shē(統讀)
舍 shè
宿～
慑 shè(統讀)
攝 shè(統讀)
射 shè(統讀)
誰 shéi,又音 shuí
娠 shēn(統讀)
什 (甚) shén
～麽
蜃 shèn(統讀)
葚 (一) shèn(文)
桑～
(二) rèn(語)
桑～兒
勝 shèng(統讀)
識 shí

～公好龍

曳 yè

弃甲～兵　搖～

～光彈

屹 yì(統讀)

軼 yì(統讀)

誼 yì(統讀)

懿 yì(統讀)

詣 yì(統讀)

艾 yì

自怨自～

蔭 yìn(統讀)

("樹～"、"林～道"應作"樹陰"、"林陰道")

應 (一) yīng

～屆　～名兒　～許　提出的條件他都～了　是我～下來的任務

(二) yìng

～承　～付　～聲　～時　～驗　～邀　～用　～運　～徵　裏～外合

縈 yíng(統讀)

映 yìng(統讀)

傭 yōng

～工

庸 yōng(統讀)

臃 yōng(統讀)

壅 yōng(統讀)

擁 yōng(統讀)

踴 yǒng(統讀)

咏 yǒng(統讀)

泳 yǒng(統讀)

莠 yǒu(統讀)

愚 yú(統讀)

娛 yú(統讀)

愉 yú(統讀)

傴 yǔ(統讀)

嶼 yǔ(統讀)

籲 yù

呼～

躍 yuè(統讀)

暈 (一) yūn

～倒　頭～

(二) yùn

月～　血～　～車

醖 yùn(統讀)

Z

匝 zā(統讀)

雜 zá(統讀)

載 (一) zǎi

登～　記～

(二) zài

搭～　怨聲～道　重～　裝～　～歌～舞

簪 zān(統讀)

咱 zán(統讀)

暫 zàn(統讀)

鑿 záo(統讀)

擇 (一) zé

選～

(二) zhái

～不開　～菜　～席

賊 zéi(統讀)

憎 zēng(統讀)

甑 zèng(統讀)

喳 zhā

唧唧～～

軋 (除"～鋼"、"～輥"念 zhá 外，其他都念 yà)

(gá 爲方言，不審)

摘 zhāi(統讀)

粘 zhān

～貼

漲 zhǎng

～落　高～

着 (一) zháo

～慌　～急　～家　～涼　～忙　～迷　～水　～雨

(二) zhuó

～落　～手　～眼　～意　～重　不～邊際

(三) zhāo

失～

沼 zhǎo(統讀)

召 zhào(統讀)

遮 zhē(統讀)

蟄 zhé(統讀)

轍 zhé(統讀)

貞 zhēn(統讀)

偵 zhēn(統讀)

幀 zhēn(統讀)

胗 zhēn(統讀)

枕 zhěn(統讀)

診 zhěn(統讀)

振 zhèn(統讀)

知 zhī(統讀)

織 zhī(統讀)

脂 zhī(統讀)

植 zhí(統讀)

殖 (一) zhí

繁～　生～　～民

(二) shi

骨～

指 zhǐ(統讀)

擲 zhì(統讀)

質 zhì(統讀)

蛭 zhì(統讀)

秩 zhì(統讀)

櫛 zhì(統讀)

炙 zhì(統讀)

中 zhōng

人～(人口上唇當

中處）
種 zhòng
點～（義同“點播”。動賓結構念 diǎnzhǒng，義爲點播種子）
譸 zhōu（統讀）
驟 zhòu（統讀）
軸 zhòu
大～子戲　壓～子
碡 zhou
碌～
燭 zhú（統讀）
逐 zhú（統讀）
屬 zhǔ
～望
築 zhù（統讀）
著 zhù
土～
轉 zhuǎn
運～
撞 zhuàng（統讀）
幢（一）zhuàng
一～樓房
（二）chuáng
經～（佛教所設刻有經咒的石柱）
拙 zhuō（統讀）
茁 zhuó（統讀）
灼 zhuó（統讀）
卓 zhuó（統讀）
綜 zōng
～合
縱 zòng（統讀）
粽 zòng（統讀）
鏃 zú（統讀）
組 zǔ（統讀）
鑽（一）zuān
～探　～孔
（二）zuàn
～床　～杆
～具
佐 zuǒ（統讀）
唑 zuò（統讀）
柞（一）zuò
～蠶　～綢
（二）zhà
～水（在陝西）
做 zuò（統讀）
作（除“～坊”讀 zuō 外，其餘都讀 zuò）

附録六

音標表

	方法＼部位			雙唇		齒唇	齒間	舌尖前	舌尖後	舌葉（舌尖及面）	舌面前	舌面中	舌根（舌面後）	小舌	喉壁	喉
輔音	塞	清	不送氣	p				t	ʈ		ȶ	c	k	q		ʔ
			送氣	pʻ				tʻ	ʈʻ		ȶʻ	cʻ	kʻ	qʻ		ʔʻ
		濁	不送氣	b				d	ɖ		ȡ	ɟ	g	ɢ		
			送氣	bʻ				dʻ	ɖʻ		ȡʻ	ɟʻ	gʻ	ɢʻ		
	塞擦	清	不送氣			pf	tθ	ts	tʂ	tʃ	tɕ					
			送氣			pfʻ	tθʻ	tsʻ	tʂʻ	tʃʻ	tɕʻ					
		濁	不送氣			bv	dð	dz	dʐ	dʒ	dʑ					
			送氣			bvʻ	dðʻ	dzʻ	dʐʻ	dʒʻ	dʑʻ					
	鼻	濁		m		ɱ		n	ɳ		ȵ	ɲ	ŋ	ɴ		
	滾	濁						r						ʀ		
	閃	濁						ɾ	ɽ					ʀ		
	邊	濁						l	ɭ			ʎ				
	邊擦	清						ɬ								
		濁						ɮ								
	擦	清		ɸ		f	θ	s	ʂ	ʃ	ɕ	ç	x	χ	ħ	h
		濁		β		v	ð	z	ʐ	ʒ	ʑ	j	ɣ	ʁ	ʕ	ɦ
	無擦通音及半元音	濁		w	ɥ	ʋ		ɹ	ɻ			j(ɥ)	ɰ(w)			

		圓唇元音	舌尖元音 前	舌尖元音 後	舌面元音 前	舌面元音 央	舌面元音 後
元音	高	(ʮ ʯ y ʉ u)	ɿ ʮ	ʅ ʯ	i y	ɨ ʉ	ɯ u
	半高	(ø o)			e ø		ɤ o
						ə	
	半低	(œ ɔ)			ɛ œ		ʌ ɔ
					æ	ɐ	
	低	(ɒ)				a	ɑ ɒ